FASCISME FRANÇAIS

DU MÊME AUTEUR
chez le même éditeur

Le Nouveau Désordre mondial.

PIERRE MILZA

FASCISME FRANÇAIS

Passé et présent

FLAMMARION

© Flammarion, 1987
ISBN 2-08-081236-X
Imprimé en France

*A mes compagnons de jeu et de travail
du CM2 de la rue Ferdinand-Bertoud
à Paris, disparus au cours de l'année
scolaire 1942-1943.*

« Notre façon de nommer les choses est déjà,
de quelques côtés qu'on soit, une idéologie. »

Jean BAUDRILLARD
Les Temps modernes (décembre 1962).

Introduction

La France est-elle en train de devenir fasciste? De tous les pays européens – y compris ceux qui, comme le Portugal, l'Espagne et la Grèce, sont sortis depuis peu de la dictature et où la démocratie paraît encore fragile – elle est le seul où l'extrême droite ait fortement renforcé ses positions depuis six ou sept ans, la percée du Front national de Jean-Marie Le Pen dépassant de beaucoup les meilleurs scores enregistrés par le MSI italien et par le NPD allemand aux heures chaudes de la contestation post-soixante-huitarde.

Sur une carte de l'hexagone, les taches sombres du vote Le Pen – un peu plus ou un peu moins de 20 % des suffrages dans les Alpes-Maritimes, le Var, les Bouches-du-Rhône lors des élections européennes de juin 1984, aux alentours de 15 % dans l'Hérault, le Vaucluse, les Pyrénées-Orientales, autres départements « pieds-noirs », mais aussi à Paris et dans sa « ceinture rouge », en Lorraine, en Alsace du Sud, dans les Alpes du Nord, dans les régions lyonnaise et stéphanoise – coïncident avec des zones fortement touchées par le chômage et les restructurations en cours, et surtout avec la carte de l' « insécurité » ou avec celle de la présence étrangère, principalement maghrébine, dans notre pays. La crise, les faillites, l'érosion du marché de l'emploi, la xénophobie du verbe et du geste, le discours musclé conjuguant nation et survie des catégories les plus menacées, anticommunisme et mépris de la démocratie libérale : le décor paraît planté pour un « remake » des années trente.

Faut-il pour autant, après avoir évoqué la « baudruche » Le Pen (Lionel Jospin) et la « foucade passagère » des Français (Raymond Barre), parler de « marée brune » et admettre que les habitants de l'hexagone sont à l'heure présente plus perméables que les autres Occidentaux aux discours et aux gesticulations des nostalgiques de

7

l' « ordre nouveau »? Répondre à cette question suppose d'abord que l'on définisse l'objet du débat. De quoi parle-t-on lorsque l'on évoque aujourd'hui le spectre du « fascisme »? De quel passé et de quel présent? Le Pen lui-même est-il fasciste? S'il ne l'est pas, qui dans la France d'aujourd'hui peut ou non être qualifié de « fasciste » et quel sens à cette question? Le Parti des forces nouvelles? Les héritiers de Jeune Nation réunis autour de Pierre Sidos? Les groupuscules néonazis, épigones ou concurrents de la FANE? Les « jeunes loups », déjà passablement rassis, de la Nouvelle Droite? Les anciens activistes convertis au libéralisme musclé et qui peuplent les états-majors de certaines formations classiquement ancrées à droite? Ou bien toutes ces tendances constituent-elles, comme dans l'entre-deux-guerres, un phénomène d'imprégnation fasciste qui rejoint certaines préoccupations, fantasmes et frustrations d'une partie de la population en un temps de crise et de remise en cause des valeurs établies?

La guérilla sur champ médiatique qui a accompagné la montée du Front national, depuis la « divine surprise » des municipales de 1983, n'est pas sans lien, semble-t-il, avec les engagements plus feutrés dans la forme mais tout aussi tranchés sur le fond qu'a suscités, au sein du petit monde des historiens du temps présent, la parution du dernier livre de Zeev Sternhell, *Ni droite ni gauche* [1], lequel a brusquement ranimé le vieux débat sur la nature, voire sur l'existence d'un fascisme à la française au cours de la période qui va du début des années vingt à la fin de la Seconde Guerre mondiale.

D'un côté le quasi-consensus de l'histoire universitaire française, en particulier des représentants de la « nouvelle histoire politique [2] » pour lesquels il n'y a eu de fascisme français que marginal [3] et qui considèrent, à juste titre, que le régime de Vichy n'appartient pas à la même catégorie que ceux qui ont éclos, pendant l'entre-deux-guerres, en Italie et en Allemagne. Ceci, non pour réhabiliter l'un des épisodes les plus sombres de notre histoire, mais par simple souci de mettre les

1. Z. Sternhell, *Ni droite ni gauche. L'idéologie fasciste en France*, Paris, Le Seuil, 1983.

2. Nébuleuse pour l'essentiel groupée autour de René Rémond et qui comprend notamment les historiens contemporanéistes de l'université de Paris X-Nanterre et de l'Institut d'études politiques.

3. Cf. en particulier : M. Winock, « Fascisme à la française ou fascisme introuvable », *Le Débat*, n° 25, mai 1983, p. 35-44; S. Sand, « L'Idéologie fasciste en France », *Esprit*, n° 8-9, août-septembre 1983, p. 149-160; S. Berstein, « La France des années 30 allergique au fascisme. A propos de Zeev Sternhell », *Vingtième siècle*, n° 2, avril 1984, p. 83-94; J. Julliard, « Sur un fascisme imaginaire; à propos d'un livre de Zeev Sternhell », *Annales E.S.C.*, n° 4, juillet-août 1984, p. 849-861.

points sur les « i » quand l'abus de langage devient contre-vérité historique et prélude aux pires amalgames.

De l'autre côté, des voix provocatrices venues soit de milieux intellectuels différents, soit de l'étranger, et qui tendent au contraire à considérer que le fascisme français a été un phénomène de toute première importance, voire à estimer – comme le fait Sternhell – qu'il a pu dès avant 1914 servir de modèle et de matrice à ses homologues européens. Thèse d'autant plus dérangeante qu'elle s'accompagne de l'idée que ce fascisme des origines découle directement de l'idéologie des gauches révolutionnaires et principalement du courant révisionniste marxiste. Mais aussi affirmation des plus discutables dans la mesure où elle tend à réduire le fascisme à sa composante *révolutionnaire*, alors que celle-ci est à peu près absente du modèle allemand et se trouve très vite marginalisée et subordonnée aux tendances droitières dans le prototype mussolinien.

On conçoit que cette interprétation réductrice du « premier fascisme », même corrigée par l'historien israélien dans des interventions postérieures à la parution de son ouvrage [4], ait pu être récupérée par la droite et l'extrême droite, de Michel Poniatowski, dont les développements sur la notion de « fascisme rouge » appliquée au PCF ne datent pas d'hier, aux familiers du club de l'Horloge, pour qui l'itinéraire d'un Déat ou d'un Doriot justifie l'équation socialisme égale fascisme, et à Jean-Marie Le Pen lui-même. N'est-ce pas en effet le leader du Front national qui déclarait, à la suite du refus du communiste Lajoinie et du numéro deux du PS, Jean Poperen, de participer au débat organisé par TF1 au soir des européennes de juin 1984 : « Le fascisme est un avatar de la gauche », puisque son fondateur « était un ancien député socialiste » et qu'« il y a plus d'une affinité entre M. Jospin et Mussolini [5] » ?

Voilà donc une fois de plus l'histoire appelée à la rescousse par les protagonistes du combat politique. Les uns gardent les yeux rivés sur la ligne Maginot de l' « antifascisme », sans toujours très bien discerner de quelle chair et de quel poil est faite la « bête immonde ». Les autres ont oublié comment les « libéraux » avaient pu, en d'autres temps et en d'autres lieux, faire le lit des dictatures, ou bien s'aventurent dans la comptabilité sinistre des crimes imputables aux

4. A l'occasion notamment du colloque sur « L'extrême droite et ses connivences » organisé à Paris par l'Institut socialiste d'études et de recherches (ISER) les 3 et 4 mars 1984.
5. « M. Le Pen, la démocratie et le facisme », *Le Monde*, 19 juin 1984, p. 5. Le leader du Front national avait évoqué à cette occasion son passé de chef de groupe parlementaire « il y a vingt-sept ans » et avait ajouté : « Sont fascistes ceux qui refusent le débat démocratique ».

9

diverses moutures du totalitarisme. Les coups portés à l'adversaire gagnent peut-être en efficacité immédiate à ce détournement du savoir historique. Mais sûrement pas, conçue dans le long terme, la défense de la démocratie, si tel doit être l'enjeu des enseignements du passé dès lors qu'il est question du fascisme et de ses possibles résurgences.

L'objet de ce livre consiste précisément à confronter le passé et le présent des tendances totalitaires qui se rattachent au nationalisme français. Car il ne peut y avoir de « fascisme » que lorsqu'il y a totalitarisme, en action ou en intention. Les réponses aux questions que se pose l'historien du XXe siècle – le fascisme est-il partie intégrante de notre culture politique? Est-il né « à gauche » ou « à droite » et que signifie cette distinction? La France a-t-elle « inventé » le fascisme? N'a-t-elle pas au contraire manifesté une « allergie » persistante à cette forme de totalitarisme, comme à toutes les autres? Y a-t-il eu entre les deux guerres un véritable « danger » fasciste et, pendant la guerre, une dérive fascisante du vichysme? etc. – peuvent en effet éclairer certaines interrogations présentes concernant la montée de l'extrême droite, la nature des forces qui la composent et les chances qu'elle a de peser, d'une façon ou d'une autre, au cours des prochaines années, sur les destinées de notre pays. Ce n'est pas en usant inconsidérément du vocable « fascisme » appliqué à n'importe quoi et à n'importe qui, ou en se servant de cet épouvantail pour refuser aux supporters de l'ultra-droite – aussi odieux parfois que soit le discours dont ils se réclament – le droit d'être représentés que l'on défendra le plus efficacement la démocratie contre les assauts éventuels de ses ennemis, mais en prenant la juste mesure du danger qu'ils représentent. Ce qui implique qu'on ne se trompe pas de cible et que l'on appelle les choses par leur nom.

1

Les éléments du débat

Avant d'évoquer la préhistoire et le cheminement historique du ou *des* fascismes français, il convient de répondre à deux questions dont l'examen fera l'objet du présent chapitre :

– Comment les historiens et autres représentants des sciences humaines et sociales ont-ils perçu, depuis une quarantaine d'années, le foisonnement de problèmes que posent l'existence et la nature d'un fascisme à la française?

– De quoi parlons-nous lorsque nous affirmons que tel régime, que tel courant de pensée, que telle formation politique, que telle personnalité peuvent ou non être considérés comme « fascistes »? Débattre du degré d'enracinement de l' « imprégnation fasciste » dans la France de l'entre-deux-guerres ou dans celle de Vichy, cela implique d'abord que l'on propose une définition du phénomène considéré, que l'on s'interroge sur la pertinence de la notion de fascisme « générique » et que l'on prenne en compte les variables spatiales, temporelles, culturelles, qui donnent à chaque « fascisme » sa spécificité.

Un « badigeon à la romaine »

Les interprétations du fascisme sont aussi anciennes que le fascisme lui-même. Elles sont nées, pour la plupart, des nécessités de la lutte contre cette forme renouvelée de la contre-révolution et elles portent la trace des circonstances qui ont présidé à leur éclosion. Qu'on ne cherche donc pas une excessive finesse d'analyse dans ces

11

théories qui, contemporaines du phénomène qu'elles décrivent, ne cherchent à l'expliquer que pour mieux le combattre. La vision du monde dont elles sont porteuses est en noir et blanc et l'historien italien Renzo De Felice n'a pas tort d'en dénoncer les aspects « démonologiques [1] ». Le *mal* étant – quelle que soit la nuance dont on se réclame en matière d'antifascisme – l'autre, le partenaire forcé dans la lutte contre l'adversaire commun ou le complice de la dictature : le « bolchevik » pour les libéraux, les représentants des anciennes élites « défaillantes » pour la gauche non communiste, le « grand capital » ou le « social-traître » pour les tenants de l'orthodoxie marxiste [2]; sans parler, cela va de soi, du fascisme lui-même.

En France, la réflexion historiographique a été, autant qu'ailleurs, tributaire du cours des événements et des pratiques simplificatrices qui en découlent. Jusqu'au début des années trente, on s'est relativement peu soucié semble-t-il d'expliquer le fascisme, ou du moins d'en examiner les traits spécifiques. Lorsque l'on a commencé à le faire, un peu avant ou un peu après l'avènement d'Hitler, les contraintes internes et externes se prêtaient mal aux raffinements idéologiques. Une partie importante du corpus élaboré par les antifascistes en exil a pourtant été publiée dans notre pays, et souvent dans notre langue, sous forme d'articles parus dans la presse nationale et régionale, de pamphlets, d'ouvrages théoriques, etc., mais cela a peu modifié la perception d'ensemble. Si bien que, sauf pour quelques secteurs minoritaires – une partie de la démocratie chrétienne [3] les franges rénovatrices de la SFIO et du parti radical, une poignée de dissidents communistes – celle-ci est restée fondée sur l'idée que le fascisme était l'avatar ultime de la réaction qu'inspirait à la « bourgeoisie » son opposition à toute avancée sociale.

Le grand changement à partir de 1935 porte sur les contours de cette bourgeoisie réactionnaire. Depuis le début de la glaciation stalinienne, les thèses en vigueur dans l'Internationale communiste

---

1. R. De Felice, *Le Interpretazioni del fascismo*, Bari, Laterza, 9ᵉ édition 1983; Cf. également, du même auteur, *Intervista sul fascismo*, a cura di Michael A. Ledeen, Bari, Laterza, 1976.
2. Sur les interprétations « classiques » du phénomène fasciste voir, outre l'ouvrage de De Felice mentionné *supra* : P. Milza, *Les Fascismes*, Paris, Imprimerie nationale, 1985, chap. v.
3. Sur la manière dont cette fraction de l'opinion publique a perçu – de façon assez clairvoyante – le phénomène fasciste et en a dénoncé de bonne heure le caractère totalitaire, on se reportera à l'excellente thèse de IIIᵉ cycle de Jean-Luc Pouthier : *Les Catholiques sociaux et les démocrates chrétiens français devant l'Italie fasciste* (1922-1935), thèse de doctorat de IIIᵉ cycle, IEP Paris, 1981.

12

voulaient qu'y fussent confondus toutes les strates de la « classe » bourgeoise et tous les courants politiques qui étaient censés en être l'émanation, de l'extrême droite à la social-démocratie. Cette thèse du « front unique de la bourgeoisie » et le refus de s'allier au « social-fascisme » qui en découlait ayant eu les conséquences que l'on sait en Allemagne, le Komintern avait dû, sous l'impulsion de Staline – lui-même poussé dans cette voie par divers dirigeants communistes occidentaux – renoncer à la tactique « classe contre classe » et accepter de jouer avec les partis bourgeois jugés « progressistes » la carte des « fronts communs » contre une droite convertie, estimait-on, au fascisme.

En accomplissant ce tournant stratégique, l'Internationale communiste opérait une réévaluation du fascisme que Georges Dimitrov définissait désormais, à l'occasion du VIIIᵉ congrès de cette organisation, comme « la dictature ouverte et terroriste des éléments les plus réactionnaires, les plus chauvins, les plus impérialistes du capital financier ». Ce n'est pas exactement en ces termes que socialistes et radicaux percevaient en France le « danger fasciste » mais, après tout, la formule était suffisamment élastique pour s'accorder avec leur propre vision des choses. Si bien qu'à partir de ce compromis verbal (on ne parlait plus, comme en 1928, de dictature directe de *la* bourgeoisie, encore moins de « trahison de la social-démocratie ») pouvait s'élaborer une vulgate qui, en l'absence d'un véritable programme de gouvernement, allait servir de ciment au Front populaire.

Il n'est pas dans mon propos d'examiner ici si les partis de gauche candidats au pouvoir avaient des raisons objectives d'élaborer un modèle d'interprétation inspiré des expériences italienne et allemande. Qu'ils se soient trompés – de bonne foi – sur la signification du 6 février et sur la nature des formations ligueuses ou du moins de certaines d'entre elles, c'est incontestable et nous aurons longuement l'occasion d'en débattre. Mais l'important pour l'instant est ailleurs : dans la mise en place d'une structure d'explication qui devait imprégner durablement la culture de la gauche et à laquelle l'intermède vichyssois allait apporter des matériaux supplémentaires. Les ligues, le 6 février 1934, Hitler « préféré au Front populaire », la substitution de l'État français à la République, la collaboration d'État, la participation de la LVF et de la Milice aux combats pour l' « ordre nouveau », tout cela était pêle-mêle imputé à la fascisation de la « droite » et assimilé aux modèles mussolinien et hitlérien. Thèses dont on retrouve l'écho, assourdi mais non totalement absent, jusqu'à nos jours et qui, au lendemain de la guerre, ont occupé

13

des positions quasi hégémoniques dans l'espace culturel français.

Il faut attendre le début de la décennie 1950 pour que soit remis en question, en termes non de polémique partisane mais de réflexion portant sur les traditions culturelles de la droite, le schéma hérité – comme en Italie – des impératifs nécessairement simplificateurs du combat antifasciste.

Dès 1952, dans un article paru dans la revue *Terre humaine* [4], puis dans la première édition de son ouvrage pionnier sur *La Droite en France* [5], René Rémond proposait une interprétation très restrictive du fascisme français, dont les grandes lignes constituent encore à l'heure actuelle le point de passage obligatoire de tous ceux que les écrits d'un Bernard-Henri Lévy ou les travaux d'historiens étrangers comme Robert Soucy, Ernst Nolte et Zeev Sternhell inclinent à rectifier certaines erreurs historiques ou simplement à exposer leurs propres positions. Depuis trente ans, cette thèse a subi, au fil des rééditions, des retouches et des révisions partielles [6] qui en ont affiné la signification, sans que soient toutefois remises en cause les quelques propositions majeures sur lesquelles l'historien des droites fonde son argumentation et que je me contenterai de rappeler ici brièvement.

1. Première constatation : il y a bien eu, entre les deux guerres et pendant le second conflit mondial un fascisme français incarné par un petit nombre d'organisations dont une seule, le Parti populaire français de Jacques Doriot, présente un caractère de masse qui l'apparente au Parti national fasciste et au NSDAP. Les autres mouvements, qu'il s'agisse de l'éphémère Faisceau de Georges Valois, de pures copies du modèle mussolinien comme le francisme de Bucard et la Solidarité française du commandant Jean Renaud, du petit noyau de conspirateurs et de terroristes venus de l'Action française et qui se constituera à la veille des élections de 1936 en Comité secret d'action révolutionnaire, ou encore de ces « fascismes de gauche » que représentent le « néo-socialisme » de Marcel Déat et le frontisme de Gaston Bergery, n'ont jamais rassemblé que des effectifs squelettiques. « Que signifient ces chiffres dérisoires? s'interroge René Rémond. Qu'est-ce que dix ou vingt mille recrues occasionnelles sur un corps électoral de dix millions de citoyens?

---

4. R. Rémond, « Y a-t-il un fascisme français? », *Terre humaine*, n° 7-8, juillet-août 1952.

5. *La Droite en France*, 1re édition, Paris, Aubier-Montaigne, 1954.

6. René Rémond fait lui-même le point sur la question et précise ses positions dans la quatrième édition de l'ouvrage, devenu en 1982 à la suite d'une réécriture partielle et d'une complète remise en perspective, *Les Droites en France*.

Rien qu'à Paris il se trouve toujours quelques milliers de braillards pour acclamer le premier venu ou d'hommes de main, surtout s'il y a de l'argent à gagner, en temps de crise et de chômage, pour appuyer n'importe quelle cause. Il n'est pas excessif à propos de ces tentatives de parler d'échec complet [7]. » Donc, à l'exception du PPF qui ne sera qu'un feu de paille, un fascisme groupusculaire et un fascisme éclaté entre des formations rivales.

2. Le nationalisme français de l'entre-deux-guerres s'incarne principalement dans l'Action française et dans les ligues, héritières respectivement de la tradition ultraciste et du césarisme plébiscitaire. Or le programme et l'idéologie de ces organisations n'a rien de très spécifiquement « fasciste », à commencer par la plus importante d'entre elles, celle des Croix-de-Feu, laquelle en dépit des apparences – plusieurs centaines de milliers d'adhérents en 1934 dont une partie organisés militairement, le goût de l'uniforme et de la parade, le culte du « chef », une fraction importante des militants recrutée parmi les classes moyennes – ne peut être assimilée au PNF et au parti nazi pour des raisons que nous aurons l'occasion de développer ultérieurement. Si imitation du fascisme il y a dans le comportement des ligues, il n'est le plus souvent que de pure forme, parce que le fascisme est dans l'air du temps. Mais le contenu, et d'une certaine façon la liturgie, restent ceux du nationalisme français de la fin du XIXe siècle. « Voir dans le mouvement des ligues de droite des années trente un fascisme français, écrit René Rémond, c'est, selon nous, prendre l'apparence pour la réalité; les ligues n'ont emprunté – et encore – au fascisme que le décor et la mise en scène, elles lui ont peut-être dérobé ses oripeaux, mais pas son esprit. Le phénomène est bien plutôt le dernier avatar du vieux fond césarien, autoritaire, plébiscitaire, le nationalisme remis au goût du jour et dont les imitateurs n'ont fait au mieux – ou au pis – que recrépir la façade d'un badigeon à la romaine [8]. »

3. Il est clair cependant que cette volonté d'imitation, même réduite aux aspects extérieurs du fascisme, traduit chez nombre de Français un sentiment d'admiration, une véritable fascination exercée par les dictatures italienne et allemande. Qu'à partir de là certains individus et certains groupes aient songé à s'emparer du pouvoir pour instaurer en France un régime musclé s'inspirant des principes et des pratiques en vigueur de l'autre côté des Alpes et du Rhin, cela ne fait guère de doute, mais encore une fois il s'agit d'un

7. R. Rémond, *Les Droites en France*, op. cit., p. 207-208.
8. *Ibid.*, p. 207-208.

15

comportement très fortement minoritaire. Pour le reste, on se contente le plus souvent de saluer chez Mussolini et Hitler les hommes qui ont su dans leur pays faire barrage au bolchevisme, rétablir l'ordre et endiguer le déclin dont est porteur le parlementarisme.

4. Il en résulte que le « danger fasciste » dont la gauche a fait pendant plusieurs années son cheval de bataille a été de toute évidence exagéré par elle et rien n'illustre mieux son illusion d'optique que l'interprétation qu'elle a donnée, après coup, du 6 février 1934 : un putsch fasciste, mûrement médité par la droite et visant à renverser la République pour lui substituer un régime fort. Or, nous dit René Rémond – des travaux postérieurs le démontrent de façon à peu près irréversible [9] –, « le 6 février n'est pas un pustch, à peine une émeute, simple manifestation de rue que l'histoire aurait oubliée et qui aurait très vite été effacée de la mémoire collective si elle n'avait tourné tragiquement ». Il s'inscrit dans la tradition des démonstrations de rue du boulangisme et de l'affaire Dreyfus et n'a « rien de commun avec la marche sur Rome ou la procession aux flambeaux sous la porte de Brandebourg au soir du 30 janvier 1933 [10] ». Ce n'est d'ailleurs pas d'une dictature qu'il accouche mais de la remise en selle d'un vieux routier de la politique politicienne (Gaston Doumergue) dont les projets de réforme constitutionnelle n'avaient rien de particulièrement novateur, et il est vraisemblable qu'en appelant les ligues à manifester à la Concorde les organisateurs de la journée, du moins la majorité d'entre eux, n'avaient pas l'intention d'aller beaucoup plus loin.

5. Que la France, comme les autres nations de tradition démocratique, ait échappé à la montée du fascisme en Europe tient donc en premier lieu à l'inconsistance des formations politiques qui se réclament de lui ou qui peuvent effectivement lui être assimilées. Mais aussi à des raisons objectives qui peuvent être résumées de la façon suivante :

– l'appartenance de la France au camp des vainqueurs et des pays « satisfaits », alors qu'en Italie et en Allemagne le fascisme s'est nourri des frustrations produites par les traités;

– les effets relativement modérés de la grande dépression des années trente. La crise a atteint la France plus tard que les autres pays européens et elle n'y a provoqué ni une déstructuration

9. En particulier : S. Berstein, *Le 6 février 1934*, Paris, Gallimard, coll. « Archives », 1975.
10. R. Rémond, *Les Droites en France, op. cit.*, p. 211.

16

comparable à celle qui a affecté la société allemande, ni une véritable menace révolutionnaire;

– les pesanteurs démographiques : le fascisme puise dans la jeunesse le sang neuf de ses effectifs militants et quelques-uns des thèmes qui structurent sa vision du monde. Or la France de l'entre-deux-guerres est un « pays de vieux », donc peu perméable au vitalisme fasciste;

– l'enracinement de la démocratie, devenue pour les Français une seconde nature. La comparaison avec l'Italie et avec l'Allemagne, écrit l'auteur des *Droites en France*, « permet de penser que le peuple français, ayant eu le temps de l'apprentissage politique et ayant de surcroît expérimenté au cours de son histoire récente plus de formules de gouvernement que les autres, était au début des années trente, guéri des maladies infantiles de la démocratie, revenu de beaucoup d'illusions et de ce fait vacciné contre les entraînements : pour se jeter dans l'aventure fasciste, il fallait une certaine dose d'utopie : le peuple français en était exempt [11] »;

– l'existence, à gauche, de grandes formations démocratiques qui ont servi de structures d'accueil aux classes moyennes et ont empêché la majorité de leurs membres de succomber à la tentation fasciste. Le rôle du parti radical a été à cet égard capital;

– enfin la relative imperméabilité des droites à la contagion totalitaire. L'effet de tous ces facteurs, conclut René Rémond, n'aurait sans doute pas suffi à prémunir le corps électoral contre le fascisme si la droite avait été elle-même plus réceptive à ses idées. Or celle-ci se partage entre une tradition libérale qui s'est de longue date ralliée à la République, une fraction ultraciste dont les idéaux visent à la restauration du passé et s'accordent mal avec ce qu'il peut y avoir de contestataire et de novateur dans le fascisme et un nationalisme trop peu enclin à s'ouvrir sur le monde extérieur pour ne pas se méfier des idéologies d'importation. Ce que souhaitent les électeurs de la droite, dans leur très grande majorité, ce n'est pas la substitution d'une dictature – fasciste ou autre – au régime représentatif, mais simplement le renforcement de l'exécutif et la moralisation de la vie politique. L' « homme fort » dont ils souhaitent la venue au pouvoir devra ressembler à Clemenceau ou à Poincaré, non au Führer ou au Duce. Autrement dit, si le fascisme n'a pas réussi à se constituer en France en une nouvelle droite à vocation hégémonique, c'est parce que « le terrain était trop anciennement occupé [12] ».

11. *Ibid.*, p. 221.
12. *Ibid.*, p. 223.

17

6. Dernier point examiné : la nature du régime de Vichy, dont René Rémond précise qu'à ses yeux non seulement « il n'est pas le fascisme » mais qu'il en serait plutôt le contraire, « s'il est vrai que le fascisme exprime une réaction contre l'ordre établi ». « C'est à peine, ajoute-t-il, le nationalisme sous sa forme la plus moderne : plutôt un patriotisme d'ancien régime confondu avec le loyalisme à la personne du monarque. Sans compter qu'en fait de nationalisme le régime de Vichy est contraint de descendre l'échelle de l'humiliation et de la dépendance. C'est la conservation triomphant sans partage, la réaction à l'état pur : un mélange de paternalisme, de moralisme, de cléricalisme, de militarisme [13]. »

« L'esprit des années trente »

A peu près contemporain de la première édition de *La Droite en France*, paraît en 1955 dans la *Revue française de science politique* l'article de Raoul Girardet : « Notes sur l'esprit d'un fascisme français 1934-1939 », autre jalon incontournable dans lequel l'historien du nationalisme et de l'idée coloniale en France aborde à son tour le problème des frontières du fascisme à la française [14].

Pour lui aussi, il convient de ne pas se tromper d'histoire lorsqu'on évoque les ligues de l'entre-deux-guerres. « Par le caractère de leurs mots d'ordre, écrit-il, autant que par celui de leur action et que par celui de leur recrutement », celles-ci « se rattachent directement à des traditions vieilles déjà de plus d'un demi-siècle et qui sont celles du nationalisme français de la fin du XIXe siècle. » Et il ajoute :

« On ne saurait, d'autre part, attacher de signification trop précise à la curiosité amicale et complice, voire à la sympathie enthousiaste, que manifestent tant de représentants de la Droite française à l'égard des régimes de l'Europe dictatoriale et plus spécialement du régime mussolinien : outre que ces sentiments ne traduisent bien souvent qu'une mythologie simpliste et fréquemment erronée, ils semblent surtout répondre au vieux penchant antiparlementaire, aux vieux goûts autoritaires d'un certain monde conservateur. On ne saurait enfin prendre trop au sérieux certaines manifestations spectaculaires, certain décor paramilitaire trop complaisamment affiché, le goût des

13. *Ibid.*, p. 236-237.
14. R. Girardet, « Notes sur l'esprit d'un fascisme français 1934-1939 », *Revue française de science politique*, vol. 5, n° 3, juillet-septembre 1955, p. 529-546.

18

défilés, de l'uniforme, du salut, du drapeau [15] [...]. » « Badigeon à la romaine » ? Girardet l'admet volontiers, mais pour se demander aussitôt si, à multiplier les nuances souhaitables et les réserves nécessaires, on ne risque pas en fin de compte de « voir se diluer dans l'analyse une réalité politique dont les contours mêmes semblent singulièrement difficiles à cerner [16] ».

La réalité politique du fascisme français, elle est moins dans la nomenclature des groupes auxquels les historiens ont délivré ce label, ou qui se sont eux-mêmes identifiés comme tels, que dans ce que Raoul Girardet appelle l' « imprégnation fasciste » du nationalisme français. Au cours des cinq ou six années qui précèdent la guerre, celui-ci a pris une tonalité nouvelle dont rendent compte les écrits d'un Drieu, d'un Brasillach, d'un Rebatet, d'un Petitjean, de beaucoup d'autres encore, « parmi les plus jeunes et les plus libres [17] » des intellectuels qui gravitent autour des vieux bastions du combat national. La ferveur politique d'un adhérent des Jeunesses patriotes, explique Girardet, n'est pas de la même nature que la ferveur politique d'un fidèle de la Ligue de la patrie française et le « Camelot du Roi » de l'immédiat avant-guerre n'appartient plus au même type de militant que son homologue des années 1910. Ce qui a changé, ce sont moins les idées, les objectifs à long terme de la jeune génération nationaliste que le climat qui entoure son action. Une esthétique et une éthique, beaucoup plus qu'une construction rationnelle, un lyrisme exaltant certaines valeurs sentimentales et morales, autrement dit un romantisme, ou encore un « mal du siècle », voilà ce qu'a été pour beaucoup de jeunes gens des années trente, auteurs mais aussi lecteurs – et lecteurs nombreux – des écrits néo-nationalistes, la « révolution fasciste ».

Il ne s'agit pas seulement en effet des états d'âme d'une petite légion d'intellectuels en quête d'un public, de « gilets rouges » partant en guerre contre les idoles de la génération précédente, même si le désir de choquer fait partie du jeu comme de toute révolte adolescente. « Le fascisme, écrit Brasillach, c'est un esprit [18] » et cet esprit participe d'un vaste courant de contestation des modèles traditionnels qui caractérise la première moitié de la décennie 1930. Ce qui explique qu'au-delà des organisations directement apparentés au fascisme, celui-ci ait marqué de son empreinte le nationalisme

15. *Ibid.*, p. 529-530.
16. *Ibid.*, p. 530.
17. L'expression est de Lucien Rebatet dans *Les Décombres*, Paris, NRF, 1942.
18. R. Brasillach, *Notre avant-guerre*, Paris, Plon, 1941, p. 283.

19

français dans son ensemble. Et avec lui des courants de pensée qui relèvent d'une autre tradition, d'une autre culture, et qui se situent à gauche de l'éventail politique.

Faut-il pour autant considérer qu'ont été « fascistes » tous ceux qui, parmi les jeunes intellectuels des années trente, ont critiqué – parfois de façon très vive – la démocratie parlementaire dans ce qu'elle avait d'archaïque et de décadent, ou ont affiché leur refus des valeurs amorties de la société bourgeoise? C'est à bien des égards ce que l'on peut reprocher à certains écrits récents pour lesquels est fasciste celui qui intègre à sa propre vision du monde des éléments qui, s'ils figurent dans la thématique fasciste, ne suffisent pas, pris isolément, à définir un discours fasciste.

« Dans les années 1930, écrivait Jean Touchard il y a tout juste un quart de siècle, de jeunes intellectuels se retrouvent autour des mêmes revues, parlent le même langage, utilisent le même vocabulaire; tous rêvent de dépasser les oppositions traditionnelles, de rajeunir, de renouveler la politique française; tous se déclarent animés de la même volonté révolutionnaire. Les années 1930 apparaissent donc au premier abord comme une de ces époques de syncrétisme où les oppositions politiques et idéologiques s'effacent, où l'esprit de l'époque est plus important que les distinctions traditionnelles entre les courants de pensée. Il existe, semble-t-il, un *esprit de 1930*, comme il a existé un esprit de 1848, un esprit de 1936 (très différent de l'esprit de 1930), un esprit de la Résistance et de la Libération [19]. » Le fascisme des milieux intellectuels évoqués par Raoul Girardet en est une composante majeure. Il déborde largement des frontières exiguës des mouvements homologués et imprègne l'ensemble du tissu nationaliste. Mais il n'est pas à lui tout seul l'« esprit des années trente » et ne se confond pas, trait pour trait, avec la cohorte des « non-conformistes » étudiés dans sa thèse par Jean-Louis Loubet del Bayle [20]. Nous reviendrons sur ce point.

Pendant une bonne quinzaine d'années, les thèses de René Rémond et les quelques nuances qu'y ont apportées les réflexions de Raoul Girardet et de Jean Touchard ont occupé une position dominante dans l'historiographie du fascisme français. Aucune interprétation nouvelle n'est venue contredire celle que l'historien des droites avait appliquée aux ligues de l'entre-deux-guerres et au « danger fasciste » qu'elles étaient censées avoir fait peser sur la République. Le seul

---

19. J. Touchard, « L'Esprit des années trente », in *Tendances politiques dans la vie française depuis 1789*, Paris, Hachette, 1960, p. 89.
20. J.-L. Loubet del Bayle, *Les Non-conformistes des années trente. Une tentative de renouvellement de la pensée politique française*, Paris, Le Seuil, 1969.

livre qui ait tenté au cours de cette période de considérer le phénomène dans son ensemble – *Les Fascismes français 1923-1963* de Jean Plumyène et Raymond Lasierra [21] – a plutôt tendance à en rajouter. « Traiter du fascisme en France, écrivent ses auteurs, c'est n'émettre, bon gré mal gré, que des paradoxes. Et d'abord celui-ci : le fascisme français n'existe guère. Constamment évoqué comme une formidable menace contre laquelle il faut s'unir, il n'a, en propre, qu'une réalité dérisoire [22]. »

Rien de nouveau donc à l'horizon des concepts et les travaux qui sont effectués pendant ces années, pour la plupart des monographies de qualité conçues dans le giron universitaire [23] ou des ouvrages de synthèse sur la France de l'entre-deux-guerres, confirment pour l'essentiel la thèse de la marginalité du fascisme français.

Fascisme et conservatisme

Un premier tournant historiographique s'opère à la charnière des années soixante et soixante-dix, sous l'impulsion principalement d'historiens de nationalité étrangère : les Américains Soucy, Allardyce, Weber, Roth, le Britannique Lyttelton, l'Allemand Nolte, etc. Le fascisme est pourtant à la mode dans la France post-soixante-huitarde, mais ce sont plutôt les grandes théories globalisantes qui ont alors les faveurs du public, notamment celles qui s'inspirent de la vulgate néo-marxiste et de la sociologie germano-américaine. L'analyse « en termes de rapports de classe » des gourous de l'époque se soucie moins des fascismes secondaires que de ceux qui ont « réussi », l'italien et l'allemand, dans un cadre qui ne peut être que celui du capitalisme dans sa phase de restructuration « monopolistique ». Il en résulte que le discours sur le fascisme à la française se trouve noyé dans des considérations générales qui, si elles s'écartent sensiblement des interprétations sommaires de la IIIe Internationale, continuent

21. J. Plumyène et R. Lasierra, *Les Fascismes français, 1923-1963*, Paris, Le Seuil, 1963.
22. *Ibid.*, p. 7.
23. Citons notamment : A. Jacomet, *Bucard et le francisme*, mémoire de maîtrise (ex. dactyl.), Paris-X Nanterre, 1970; F. Kupferman, *François Coty*, thèse de IIIe cycle, Paris-X Nanterre, 2 vol. ronéograph.; P. Ory, *Dorgères et le dorgérisme*, mémoire de maîtrise (ex. dactyl.), Paris-X Nanterre, 1970; J. Philippet, *Les Jeunesses patriotes et Pierre Taittinger (1924-1940)*, mémoire IEP, Paris, 1967; J. Prevosto, *Le PSF dans le Nord*, mémoire de maîtrise, Paris-X Nanterre, 1970.

d'établir un parallélisme étroit entre fascisation de l'Europe et stratégie du « grand capital [24] ».

S'agissant des travaux spécifiquement consacrés à la version française du fascisme, ils portent essentiellement sur deux points : les racines du phénomène dans la France de la fin du XIXe siècle et la parenté établie entre fascisme et conservatisme, les deux problèmes se trouvant d'ailleurs étroitement liés par la petite cohorte de chercheurs étrangers qui en ont entrepris l'examen.

Tous formulent d'entrée de jeu un postulat qui s'oppose, trait pour trait, aux thèses de l'école française. Là où René Rémond parle de « badigeon à la romaine » appliqué à la façade décrépie de la droite autoritaire, là où Plumyène et Lasierra affirment que « le fascisme est à l'origine un phénomène étranger à la France [25] », ils évoquent une filiation directe entre le nationalisme français de la fin du XIXe siècle et des comportements intellectuels et politiques qui, dans la France de l'entre-deux-guerres, relèvent incontestablement du fascisme. Celui-ci n'aurait donc pas été en France un pur article d'importation. Il serait au contraire le produit d'une culture politique enracinée dans la tradition nationale et dont Barrès, en qui s'opère la fusion de la révolution et du conservatisme, de la nation et du « social », serait le premier représentant.

Zeev Sternhell, dont la belle étude sur *Barrès et le nationalisme français* [26] date de 1972, n'a pas été le premier à relever les similitudes qui existent entre l'idéologie fasciste et certains thèmes développés par l'auteur des *Déracinés*. Gide et Thibaudet avaient commencé à le faire dans les années trente et, dans l'ouvrage qu'il a consacré en 1950 à l'histoire du conservatisme [27], l'Américain Pieter Viereck est allé dans le même sens, estimant que Barrès avait joué un rôle majeur dans la grande mutation qui avait transformé le conservatisme européen à la fin du siècle dernier et substitué à son cosmopolitisme aristocratique un nationalisme démagogique [28]. Simplement Viereck, comme son compatriote Eugen Weber [29], estimait

---

24. On se souvient que le grand succès de l'époque a été le livre de N. Poulantzas, *Fascisme et dictature*, publié chez Maspero en 1970 et qui, en leur apportant quelques nuances, reprenait les thèses de Daniel Guérin dans *Fascisme et grand capital* (ouvrage lui-même réédité par Maspero en 1969).
25. *Op. cit.*, p. 15.
26. Z. Sternhell, *Maurice Barrès et le nationalisme français*, Paris, A. Colin, 1972.
27. P. Viereck, *Conservatism from John Adams to Churchill*, Princeton, Van Nostrand, 1950.
28. *Ibid.*, p. 58-60.
29. E. Weber, *Varieties of Fascism*, New York, Van Nostrand, 1964.

22

que l'écrivain lorrain était « encore trop conservateur, trop respectueux des institutions traditionnelles, pour les remplacer par le totalitarisme et pour pousser son culte du sang aussi loin que le fascisme [30] ». Autrement dit, si Barrès et le fascisme ont d'incontestables points communs il y a également entre eux des différences sensibles et celles-ci, estime Viereck, l'emportent sur celles-là.

Tel n'est pas l'avis d'un autre historien américain, Robert J. Soucy, auteur d'un ouvrage sur Barrès contemporain de celui de Sternhell [31], dans lequel il tire très fortement son personnage du côté du fascisme. Déjà, quelques années auparavant, Soucy avait présenté dans le premier numéro du *Journal of Contemporary History* une étude sur la « nature du fascisme en France [32] » où il montrait le bout de l'oreille. S'opposant aux thèses de l'école française, il notait que celles-ci avaient eu le mérite de faire un sort aux amalgames faits par l'historiographie communiste et par les journalistes, mais qu'à force de vouloir marquer les frontières qui séparent le fascisme du conservatisme, elles avaient fini par masquer des similitudes essentielles. Il n'y a donc pas, pour l'historien américain, de véritable rupture entre le conservatisme musclé qui imprègne à la fin du XIXe siècle le nationalisme français et les ligues de l'entre-deux-guerres. Si le premier est annonciateur du fascisme, on ne voit pas pourquoi les secondes n'en seraient pas la version hexagonale et par conséquent il est faux de voir dans le fascisme français des années vingt et trente un implant de facture étrangère.

L'historien-philosophe allemand Ernst Nolte aboutit à des conclusions analogues. « Il serait erroné, écrit-il dans un ouvrage publié en 1966, d'affirmer qu'il n'y eut pas de fascisme en France. Il y en eut un, dans cette vieille nation, la plus sensible de l'Europe continentale; il y fut plus précoce dans ses premières tentatives, plus multicolore et riche en prolongements dans sa maturité, plus tenace à son déclin que nulle part ailleurs [33]. » Or ce fascisme à la française c'est moins, estime Nolte, dans l'« anticommunisme bourgeois » des ligues et dans l'« anticommunisme prolétaire » des néo-socialistes et du PPF qu'il faut le chercher que dans l'entreprise maurrassienne. Non seulement parce que, comme l'a montré Eugen Weber, l'Action française a

30. P. Viereck, *op. cit.*, p. 61.
31. R. J. Soucy, *Fascism in France : The Case of Maurice Barrès*, Berkeley, 1972.
32. *Id.*, « The Nature of Fascism in France », *Journal of Contemporary History*, nº 1, 1966, p. 27-55.
33. E. Nolte, *Les Mouvements fascistes. L'Europe de 1919 à 1945*, Paris, Calmann-Lévy, 1966, traduit de l'allemand, p. 333.

23

servi de matrice à une bonne partie des formations fascistoïdes de l'entre-deux-guerres, du Faisceau de Georges Valois au CSAR de Deloncle en passant par l'équipe de *Je suis partout* [34], mais parce qu'elle constitue en France la seule force qui se soit donné comme objectif principal (de la même façon que le fascisme en Italie et que l'hitlérisme en Allemagne) de résister à ce que Maurras appelle l'« antinature ». « Nous avons vu, écrit le penseur de Marbourg, que l'ennemi véritable de Maurras et de Hitler était la « liberté (orientée) vers l'infini qui, présente à l'intérieur de l'individu et réelle dans l'évolution du monde, menace de détruire un univers qui est familier et aimé [35] ».

Nous n'insisterons pas sur les a priori théoriques complexes et infiniment discutables qui sous-tendent l'analyse de Nolte. Ce que nous voudrions simplement souligner ici c'est le renversement d'optique qui conduit divers historiens étrangers à considérer, dès ce moment, que le fascisme prend sa source dans la France du XIXᵉ siècle et qu'il se rattache à la pensée conservatrice. Nous sommes, on le voit, assez loin déjà des thèses de l'école française.

La patrie du national-socialisme?

L'impact de cette réflexion non hexagonale sur la nature du fascisme à la française a été longtemps des plus modestes. Pour qu'elle éveille dans notre débat historiographique autre chose qu'une indifférence polie, il a fallu que ceux qui en acceptaient les prémisses poussent très loin – trop loin – le chambardement de nos certitudes.

Il a fallu que soient directement mis en cause les fondements mêmes de ce qui était censé avoir tenu la France à l'abri de la marée brune : le consensus démocratique, l'adhésion plus que majoritaire à l'héritage des Lumières, l'allergie de la gauche aux déviances du sentiment national, etc. En affirmant que le fascisme avait eu *aussi* des racines françaises, les Viereck, Soucy, Nolte, etc. ne bousculaient pas trop notre bonne conscience. Après tout, ne s'accordaient-ils pas à voir dans le fascisme un avatar du traditionalisme, donc d'un noyau résiduel et irrécupérable de la communauté nationale ? Il n'en est pas

34. E. Weber, *L'Action française*, Paris, Stock, 1964.
35. E. Nolte, *Le Fascisme dans son époque*; III – *Le National-socialisme*, traduit de l'allemand, Paris, Julliard, 1970, p. 430.

24

de même de leurs épigones lorsqu'ils nous disent que le fascisme a *d'abord* des racines françaises, qu'il occupe dans notre culture politique un espace aussi important que les idéologies qui le combattent et que la gauche en a été porteuse, autant et peut-être davantage que la droite.

C'est d'abord le Bernard-Henri Lévy de *L'Idéologie française*, un livre brillant, admirablement écrit mais d'un confusionnisme extrême et sur lequel règne sans partage la loi de l'amalgame. S'il en est question dans ces pages, en principe consacrées à l'*histoire* du fascisme, c'est parce qu'il est révélateur d'une tendance à l'autodénigrement rétrospectif, qui fait aujourd'hui encore la délectation des médias, et a eu de ce fait une influence certaine sur le public dit « éclairé » et sur la manière dont celui-ci perçoit le « fascisme » français.

Soyons clair. Je ne suis pas ennemi de la thérapie de choc appliquée aux amnésies collectives lorsqu'elle peut faire avancer la connaissance du passé. J'aime assez la façon dont Bernard-Henri Lévy met le doigt, dans l'avant-propos de son livre, sur les blancs de notre légendaire national. « Car, demande-t-il, que savons-nous de la France? Que nous a-t-on conté dans tous les hauts parages où s'ourdissent les chansons de geste? Que m'en a-t-on dit, à moi, tard venu dans le siècle, au lendemain des carnages qui manquèrent l'emporter? On m'a dit à peu près que, de ces carnages, de ces orages inouïs, elle sortit innocente et pure de toute tache. On m'a patiemment enseigné que nous fûmes, nous Français, conçus immaculés, et miraculeusement immunisés contre les grands délires barbares qui ont ensanglanté l'époque. On nous a offert ainsi, dans un climat de liesse et de babils enchanteurs, une belle terre de cocagne qui n'aurait encensé le monde que de torrents de " Bonheur ", de " Liberté ", de " Droits de l'Homme ". Le fascisme? Berlin. Le stalinisme? Moscou. La torture? Le racisme? Ailleurs, toujours ailleurs. Car ici, nous disait-on, nous sommes tous fils de Lumière, issus d'une Histoire fabuleuse, peuple de communards, de dreyfusards, de maquisards – nos hérauts avantageux dans l'ordre de l'honneur [36]. »

Cela est dit superbement et traduit aujourd'hui encore une vérité partielle. Reconnaissons donc à l'auteur de *L'Idéologie française* le droit de se dire « las de vivre en rêve, schizophrène joyeux, imbécile satisfait, dans une France imaginaire [37] ». Mais en même temps

---

36. B.-H. Lévy, *L'Idéologie française*, Paris, Grasset, 1981, p. 7-8.
37. *Ibid.*, p. 8.

méfions-nous de la sélectivité à rebours dont est porteuse la quête de cette « généalogie de nos démons » qui incline Bernard-Henri Lévy à butiner dans un corpus d'écrits tronqués et coupés de leur contexte le suc de son « fascisme aux couleurs de la France ».

Elle est en effet tout aussi imaginaire que celle de la chanson de geste incriminée, cette France de l'an quarante où, nous dit Bernard-Henri Lévy, « le fascisme, une fois, a passé ». Certes, il n'a pas tort d'évoquer la ferveur populaire dont a bénéficié le premier Vichy. Mais ce qu'il oublie de préciser, et que soulignent les meilleurs spécialistes de la période, c'est que ce « maréchalisme de base [38] » s'appliquait à un homme, au père ou au grand-père thaumaturge qui était censé préserver les Français des conséquences les plus funestes de leur défaite, non à la révolution nationale, de surcroît assimilée sans la moindre précaution au fascisme. Écrire que la France a « reniflé avec délices les relents les plus infects » du « torrent de fange et d'ordure » qui a passé sur elle et auquel « elle s'est livrée sans retenue, avec une allégresse obscène » ; ou encore ceci qu'« une authentique révolution fasciste s'est tenue là qui, de 1940 à 1942, trente mois durant au moins, fut vécue dans une manière de joie, de liesse et de ferveur [39] », me paraît relever d'un autre penchant douteux de notre « mémoire en loques » : celui de l'histoire-rumeur et des légendes noires.

Ce n'est pas d'avoir écrit que nous étions à peu près tous pétainistes à l'aube des années quarante que l'on peut faire grief à Bernard-Henri Lévy. De Robert Aron à Paxton, de Stanley Hoffmann à Jean-Pierre Azéma, l'idée du consensus résigné a fait son chemin et ce ne sont pas les images et les voix du *Chagrin et la Pitié* [40] qui le démentiront. Ce n'est pas cela qui est inacceptable mais, d'une part, l'amalgame qui est fait entre le premier et le second Vichy, entre les égarés des premiers jours, entre les « hésitants » qui succombèrent au « délire si joliment tourné d'Uriage [41] » et les jusqu'au-boutistes de Sigmaringen, entre le conformisme sans gloire du Français moyen et l'activisme meurtrier des authentiques « collabos », et d'autre part le fait que ce « cauchemar sinistre et glacé » (Roland Barthes) puisse être considéré comme déjà présent, et tout armé, dans le cerveau de la génération de 1930, et au-delà dans le conscient ou l'inconscient collectif d'une majorité de Français. C'est

38. J.-P. Azéma, *De Munich à la Libération, 1938-1944*, Paris, Le Seuil, *Nouvelle Histoire de la France contemporaine*, 14, 1979, p. 106.
39. B.-H. Lévy, *op. cit.*, p. 37.
40. Le film de Marcel Ophuls, sorti sur les écrans en 1969.
41. B.-H. Lévy, *op. cit.*, p. 55.

à la fois la généralisation du germe *fasciste* dans les esprits et dans les cœurs des habitants de l'hexagone, intellectuels et prolétaires, bourgeois et anticonformistes, marxistes et antimarxistes, hommes de droite et hommes de gauche, et la préméditation, ou mieux la prédestination qui incline tout ce beau monde à « penser », à « follement désirer » et finalement à accepter le fascisme.

Tout cela fondé sur une anthologie éclatée où figurent, à côté des thuriféraires ordinaires de l'idéologie brune, une bonne partie de l'establishment intellectuel de l'entre-deux-guerres, de Gide à Paul Morand et d'Aragon à Emmanuel Mounier. Seule une petite cohorte d'écrivains plus ou moins maudits, les Breton, les Crevel, les Artaud, les Bataille, auraient vu clair à l'heure de la grande débandade. Au fond, nous dit l'auteur de *L'Idéologie française*, les jeux sont faits dès 1934. Depuis ce 6 février qu'il décrit curieusement, « orchestré » par un Jacques Doriot et un Georges Valois, alors qu'à cette date le premier figure encore parmi les dirigeants du PCF et organise depuis Saint-Denis la contre-offensive de la gauche, tandis que le second a cessé depuis longtemps d'être « ouvertement fasciste ». Mais l'histoire, avec ses faits têtus et sa chronologie incontournable, n'est sollicitée ici que pour les besoins de la démonstration : et ce qui doit être démontré c'est que l'on ne se bouscule pas beaucoup pour défendre les libertés et les droits de l'homme dans la France des années trente, déjà à genoux devant les totalitarismes. « L'antilibéralisme, du coup, n'est même pas une thèse ou un thème autour de quoi on pourrait disputer : mais un acquis, un préjugé, le propre lieu commun où l'époque tout entière, tête vide et yeux bandés, choisit de s'échouer. Il sera en deçà de la vérité, Pétain, lorsqu'il déclarera en 1940 que la démocratie était, avant sa venue, « condamnée depuis longtemps » : la tragédie de cette génération – et peut-être pas seulement de celle-là – c'est qu'elle n'a pas même eu à la condamner, puisqu'elle avait résolu de l'oublier, de le refouler – à la lettre, et tout bonnement, de ne plus y penser [42] ».

Autrement dit, avant de chanter en chœur et sans fausses notes « Maréchal nous voilà! » en 1940, les Français auraient tous, plus ou moins, été fascistes entre 1934 et la guerre. La mobilisation du 12 février, le mouvement des intellectuels antifascistes, le Front populaire, juin 36, la dissolution des ligues, l'union sacrée des républicains autour de Daladier? Épiphénomènes. « Tout se passe comme si, dans toutes ces têtes de clercs, la cause était entendue, le

---

42. *Ibid.*, p. 19.

procès déjà plaidé, le deuil depuis longtemps pleuré et consommé [43]. »

On pardonnera, si l'on veut, à l'essayiste de talent, pétri de bonnes intentions antitotalitaires, d'avoir pris quelque licence avec les faits. Son livre, après tout, a eu le mérite de crever quelques abcès, de porter le débat sur la place publique et d'obliger les historiens de profession à rouvrir le dossier un peu vite classé du fascisme à la française.

Plus troublante, et peut-être plus difficilement excusable dans ses traits les plus forcés, parce que venant précisément d'un professionnel de la recherche historique, est la démarche effectuée par Zeev Sternhell. Démarche à bien des égards salutaire, je tiens à le dire, aussi nombreux et importants que soient les points sur lesquels je me sens en désaccord avec l'historien israélien. Fondée sur un matériau documentaire considérable et en partie inédit, la trilogie qu'il a consacrée à la question constitue, depuis la publication de *La Droite en France*, il y a une trentaine d'années, la seule tentative sérieuse d'interprétation globale du fascime français. D'ailleurs, le nombre et la qualité mêmes des réactions qu'a suscitées dans la communauté intellectuelle française la parution de son dernier livre [44] disent clairement que personne ne songe à nier l'intérêt du travail de Sternhell, ni à en rejeter les conclusions sans examen. Aussi discutables et parfois inacceptables que soient certaines des thèses qu'il développe, l'auteur de *Ni droite ni gauche* aura au moins réussi à faire admettre par la majorité des vingtiémistes français – ce qui était loin d'être évident il y a encore une dizaine d'années, lorsque les Weber, Soucy, Allardyce et autres Nolte disaient à peu près la même chose – qu'il a existé une variante hexagonale du fascisme et que celle-ci n'a été ni absolument marginale ni de pure facture étrangère.

En quête lui aussi de la généalogie des « démons » français, Sternhell a d'abord rencontré Maurice Barrès dont il fait en 1972 une lecture politique [45] peu éloignée de celle de Soucy. Tirant comme lui l'écrivain lorrain vers le fascisme, il souligne ce qui dans la pensée barrésienne est en rupture avec le conservatisme traditionnel et annonce le radicalisme contestataire qui triomphera quelques décennies plus tard en Italie. La mystique des masses, l'oubli de soi dans la foule anonyme et animale, le culte voué au héros, au chef, dès lors

---

43. *Ibid.*, p. 19.
44. Z. Sternhell, *Ni droite ni gauche*, Paris, Le Seuil, 1983.
45. *Id., Maurice Barrès et le nationalisme français*, Paris, Colin, 1972.

28

qu'il incarne la volonté commune et le destin de la race, une passion quasi nietzschéenne pour l'héroïsme, pour l'énergie, pour la vie sous toutes ses formes, un attachement viscéral à ce qui constitue biologiquement la nation – la terre et les morts : tels sont les thèmes dont découle le romantisme racial de Barrès et qui font de lui le précurseur du fascisme.

Le mot n'existe pas encore au moment où Barrès publie *L'Appel au soldat* ou les *Scènes et doctrines du nationalisme*. Mais déjà, nous dit Sternhell, tous les ingrédients qui formeront plus tard l'idéologie des faisceaux sont présents, à la croisée du nationalisme et du syndicalisme révolutionnaire; et c'est en France que s'opère pour la première fois cette fusion des contraires dont la guerre et la révolution russe ne seront que les révélateurs. Thèse, nous le verrons, infiniment discutable, mais dont Sternhell tire immédiatement les implications suivantes : d'abord que le fascisme français a été un phénomène autonome et non un article d'importation ou une « vague imitation [46] » de son homologue italien; ensuite que c'est ce « modèle » français qui s'est le plus rapproché du « type idéal », de « l'idée de fascisme au sens platonicien du terme [47] ». En France, précise l'auteur de *Ni droite ni gauche*, le fascisme n'a « jamais dépassé le stade de la théorie et n'a jamais souffert des compromissions inévitables qui faussent toujours d'une façon ou d'une autre l'idéologie officielle d'un régime. Ainsi on pénètre sa signification profonde, et, en saisissant l'idéologie fasciste à ses origines, dans son processus d'incubation, on a abouti à une perception plus fidèle des comportements et des mentalités [48] ». Autrement dit, ce qui compte c'est moins la réalité du fascisme, perçue à travers l'adhésion de millions d'individus aux mouvements et aux régimes qui se réclament de lui, dans ses implications sociales et institutionnelles, que le fascisme transcendantal, lequel n'aurait existé que là où il n'avait à peu près aucune chance de triompher. On retrouve ainsi, chez Sternhell, quelque chose de la démarche phénoménologique d'un Nolte, reliant l'Action française à l'« essence » du fascisme.

Cette matrice du fascisme européen qui prend corps sous la IIIᵉ République, entre la crise boulangiste et le déclenchement de la Première Guerre mondiale, Zeev Sternhell l'a baptisée « droite révolutionnaire [49] » et s'est appliqué à en suivre pas à pas la genèse à

---

46. *Id.*, *Ni droite ni gauche*, Paris, Le Seuil, 1983, p. 41.
47. *Ibid.*, p. 40.
48. *Ibid.*, p. 393.
49. *Id.*, *La Droite révolutionnaire, 1885-1914*, Paris, Le Seuil, 1978.

travers les écrits et les actes des doctrinaires et des démagogues qui en dessinent peu à peu les contours. Tous ont en commun, dans un contexte de crise qui caractérise la civilisation européenne à la charnière du XIXe et du XXe siècle, une révolte contre la démocratie libérale et la société bourgeoise, « un refus absolu d'accepter les conclusions inhérentes à la vision du monde, à l'explication des phénomènes sociaux et des relations humaines de tous les systèmes de pensée dits matérialistes [50] ». La « droite révolutionnaire » préfasciste, comme plus tard le fascisme achevé des années vingt et trente, apparaît donc « comme une des excroissances de la crise du marxisme et de la crise du libéralisme, comme une des conséquences des énormes difficultés que rencontrent aussi bien le marxisme que la démocratie libérale, face aux réalités du XXe siècle [51] ».

De là est né ce courant de la droite « radicale », « populiste » ou « révolutionnaire » dont la principale différence avec le traditionalisme classique réside dans le choix qu'il fait de fonder l'harmonie de la société « organique » à construire sur la mobilisation des masses et sur l'intégration du prolétariat à la communauté nationale, ce qui implique un minimum de justice sociale. Il s'incarne successivement dans le boulangisme et dans ses retombées ligueuses, dans un antisémitisme qui, nourri de darwinisme social mais aussi d'anticapitalisme, triomphe à la fin du siècle et sert de dénominateur commun à tous ceux qui rejettent en bloc la démocratie bourgeoise et ses idéaux rationalistes et humanitaires, enfin dans une nébuleuse de mouvements, de groupuscules, de chapelles et de publications éphémères qui, au cours de la décennie immédiatement antérieure à la guerre, voit se multiplier les convergences entre le syndicalisme révolutionnaire de souche sorélienne et les tendances populistes de la droite nationaliste : syndicalisme « jaune », Parti socialiste national de Biétry, militants rassemblés autour d'Émile Janvion et de sa revue *Terre libre*, cercle Proudhon qu'anime à cette date le futur fondateur du premier parti fasciste français : Georges Valois, etc.

Se mêlent, dans le discours que produisent, strate après strate, les pères fondateurs d'un « national-socialisme » dont la France serait la terre d'origine – ce qui, soit dit en passant, n'a rien d'évident pour qui veut bien jeter un regard sur ce qui se passe au même moment en Allemagne et en Autriche – les éléments d'une construction idéologique dont Zeev Sternhell dégage les thèmes essentiels : volontarisme opposé au « machinisme » niveleur de la société industrielle, anti-

50. *Id.*, *Ni droite ni gauche, op. cit.*, p. 41.
51. *Ibid.*

30

intellectualisme et antirationalisme proclamés au nom du culte de l'action, de l'énergie, de l'élan vital, mais aussi dans le but de renforcer la cohésion sociale et la puissance de la nation, relativisme moral comme base de l'exaltation biologique de la race et de sa mission, rejet des valeurs frelatées de la bourgeoisie en même temps qu'aspiration à régénérer les élites, vision organique du monde et de la société, conçue à la fois comme une société fermée, hiérarchisée, mais également plus solidaire et débarrassée des éléments qui en accélèrent la décomposition (l'individualisme, les antagonismes de classe, les étrangers, les juifs, etc.).

Ainsi se trouve constitué à la veille de la guerre un corps de doctrine dans lequel les soi-disant imitateurs de Mussolini n'auront qu'à puiser quelques années plus tard pour forger leur propre synthèse et Valois a raison de dire, écrit Sternhell : « Nous prenons notre bien chez nous [52] », « car loin d'être une vague imitation du *Fascio* italien, le Faisceau s'inscrit dans la plus pure tradition du socialisme national français [53] ».

L'analyse que fait Sternhell de la protohistoire du fascisme français a donné lieu à une première série de critiques. René Rémond reproche à l'historien israélien de confondre « contestation » et « révolution » et de ne pas voir, s'agissant des ligues nationalistes de la fin du siècle dernier, que, nées à droite, « elles ne réussissent guère à mordre à gauche, alors que c'est une caractéristique du fascisme que de prendre naissance à gauche et d'embrigader une partie de l'électorat traditionnel des partis de gauche [54] ». Jacques Julliard s'indigne de le voir désigner, « tout au long de son livre, Sorel et Berth comme des " syndicalistes révolutionnaires ". Suggérer, écrit-il, que les positions qu'ils prennent sont représentatives de la CGT n'est pas seulement faux historiquement : une telle démarche, qui s'étale dans les innombrables thèses de droit qui ont été consacrées au " syndicalisme révolutionnaire " au début du siècle, relève d'une conception dépassée de l'histoire intellectuelle comme de l'histoire sociale. Toute la démarche de l'historiographie récente tend au contraire à privilégier l'étude de la pratique par rapport à celle du discours; à tout le moins, à ne pas prendre ce dernier pour argent comptant [55] ». Michel Winock fait grief à Sternhell de la place ténue

52. G. Valois, *Le Fascisme*, Paris, Nouvelle Librairie nationale, 1927, p. 6.
53. Z. Sternhell, *La Droite révolutionnaire, op. cit.*, p. 399.
54. R. Rémond, *Les Droites en France, op. cit.*, p. 204.
55. J. Julliard, « Sur un fascisme imaginaire : à propos d'un livre de Zeev Sternhell », *Annales ESC*, juillet-août 1984, p. 852.

qu'il attribue à la Première Guerre mondiale dans la genèse du fascisme :

« Faut-il croire, s'interroge-t-il, que tout était décidé avant la conflagration générale de 14-18? Ce qui est en place (et à une place encore modeste) avant la Grande Guerre, c'est une contestation culturelle de la philosophie des Lumières; ce sont quelques formules dont les mouvements fascistes feront leur miel. Peu de chose encore en comparaison de la rupture sismique que représente le cortège de la guerre et de la " paix " qui suit [56]. »

Hors de l'hexagone, les thèses de Sternhell ont également suscité des réserves de fond, portant par exemple sur les aspects « authentiquement révolutionnaires » qui seraient censés caractériser le préfascisme, puis le fascisme français [57]. Néanmoins, c'est en France surtout que la discussion a été vive, notamment après la parution en 1983 du troisième volet de la trilogie.

Dans *Ni droite ni gauche* l'historien israélien ne se contente pas, en effet, de camper sur les positions qu'il a exposées dans *La Droite révolutionnaire* : il formule un certain nombre de propositions qui vont à contre-courant des tendances dominantes de l'historiographie française et sont à l'origine d'un débat extrêmement animé. On peut, très grossièrement, les résumer de la manière suivante :

1. La guerre de 1914-1918 a joué un rôle de catalyseur et d'accélérateur des tendances fascistoïdes : elle ne les a pas créées. Elle n'a pas, précise Sternhell, « cet effet de césure, tant au niveau des hommes qu'à celui des idéologies et des mouvements, qu'on se plaît d'ordinaire à lui attribuer [58] ».

2. Le fascisme n'a pas été seulement une « attitude mentale », un style de vie – ce qu'admettent en général les meilleurs spécialistes de la question et pas seulement en France [59] – ou encore « une simple forme de nationalisme exacerbé », un « retour à un tribalisme primaire [60] ». Il possède, écrit l'auteur de *Ni droite ni gauche*, « un solide cadre conceptuel et entend fournir des réponses à des questions qui dépassent de loin celles qui se posent dans des conditions historiques bien déterminées. C'est pourquoi, à l'heure du combat, le

---

56. M. Winock, « Fascisme à la française ou fascisme introuvable? », *Le Débat*, n° 25, mai 1983, p. 41.

57. *Cf.* par exemple la recension que fait Alberto Aquarone de l'ouvrage de Sternhell dans *Storia contemporanea*, Ann. X, n° 1, février 1979, p. 167-174.

58. Z. Sternhell, *Ni droite ni gauche, op. cit.*, p. 15.

59. Je pense notamment à Georges Mosse et à Renzo De Felice. *Cf.* notamment, de ce dernier : *Le Interpretazioni del fascismo*, 9e édition, Bari, Laterza, 1983, p. XVI-XVII.

60. Z. Sternhell, *op. cit.*, p. 297.

32

fascisme ne faillit pas et apparaît comme le type idéal d'une idéologie politique. Il constitue un système d'idées organisé pour diriger l'action politique, pour commander des choix concrets et pour façonner le monde [...]. Il est également une éthique et une esthétique. En ce sens le fascisme constitue bien un système idéologique complet, enraciné dans une vision du monde totale, possédant sa propre philosophie de l'histoire et ses propres impératifs pour l'action politique immédiate. Voilà pourquoi le fascisme ne diffère guère des autres grands systèmes idéologiques modernes [61]. »

3. Synthèse opérée, dès l'avant-guerre, du nationalisme et du socialisme, le fascisme doit davantage semble-t-il à sa composante de gauche qu'à la source ultra-droitière à laquelle on le rattache généralement. Certes, cette tendance est évidemment présente dans le fascisme français des années vingt et trente, incarnée non seulement par les individus, groupements et partis auxquels on concède d'ordinaire le label fasciste – groupuscules bottés, clientèle doriotiste, cagoulards, écrivains de *Je suis partout*, etc. – mais aussi et surtout par ces « révisionnistes » du nationalisme conservateur que constituent les dissidents de l'Action française. Gravitant autour de la revue *Combat* et appelant de leurs vœux la révolution spirituelle contre la France bourgeoise et décadente, des hommes comme Thierry Maulnier, Maurice Blanchot ou Pierre Andreu appartiennent par exemple à ce courant d'intellectuels « fascisants » qui, si l'on suit Sternhell dans sa démonstration, jouent un rôle considérable « dans le travail de sape de la démocratie dans la France d'avant-guerre, sans pour autant prendre de responsabilités directes [62] ». Ce n'est pas toutefois à ce niveau que se forge le pur métal du fascisme français mais, à l'autre extrémité du spectre idéologique, dans les eaux mouvantes d'un marxisme soumis à la révision radicale et récurrente d'une fraction de ses théoriciens.

Telle est, en effet, la thèse centrale du livre de Zeev Sternhell. « C'est toujours, écrit-il, la révision du marxisme qui constitue la dimension idéologique la plus significative du fascisme. D'ailleurs, à beaucoup d'égards, on pourrait écrire l'histoire du fascisme comme celle d'une incessante tentative de révision du marxisme, d'un effort permanent vers un néo-socialisme. De Sorel à Déat et à Henri de Man dont l'influence sur le socialisme français est considérable, un même phénomène se fait jour constamment : la volonté de dépasser le

---

61. *Ibid.*, p. 297-298.
62. *Ibid.*, p. 265.

33

marxisme. Mais aller, pour reprendre le titre de l'œuvre la plus importante de l'auteur belge, « au-delà du marxisme conduit finalement en dehors du marxisme [63] ».

4. Or ce révisionnisme de gauche ou de droite – plus souvent de gauche que de droite si l'on en croit Sternhell – s'opère au nom d'un retour au spirituel qui est censé être le commun dénominateur « aux fascistes, aux fascisants, mais aussi à tous ceux qui ne peuvent tout simplement résister à l'attrait du fascisme, de son éthique, de son dynamisme, de sa jeunesse [64] ». L'homme nouveau, la société nouvelle dont rêve le peuple intellectuel fascistoïde évoqué par l'auteur de *Ni droite ni gauche*, sont les produits à venir d'une révolte de l'esprit et des instincts contre l'héritage intellectuel sur lequel vit l'Europe depuis plus de deux siècles. « C'est bien cette révolte contre le matérialisme, écrit Sternhell, qui permet la convergence du nationalisme antilibéral et antibourgeois et de cette variante du socialisme qui, tout en rejetant le marxisme, reste révolutionnaire. Ce socialisme est lui aussi, par définition, antilibéral et antibourgeois, et son opposition au matérialisme historique en fait l'allié naturel du nationalisme radical. Cette synthèse symbolise le refus d'un certain type de civilisation dont le libéralisme et le marxisme ne représentent que deux aspects. Elle émane d'un reniement total du XVIIIᵉ siècle dont le libéralisme et le marxisme sont les héritiers, elle est fondée sur une vision tout autre des rapports entre l'homme et la nature, entre l'homme et la société. Mais avant tout, cette synthèse est fondée sur une explication antimécaniste de la nature humaine et sur une conception nouvelle des motivations individuelles [65]. »

5. Du coup, l'historien israélien en vient à considérer que sont *fascistes* tous les individus qui se rattachent peu ou prou à ce courant antimatérialiste. C'est en son nom que des hommes venus d'horizons politiques différents condamnent d'une même voix le libéralisme et le marxisme et communient dans une haine partagée de l'argent, des valeurs bourgeoises, de la démocratie et du communisme. Dissidents du national-conservatisme et renégats du marxisme sont ici rejoints par les tenants du renouveau spirituel, voire par ceux du personnalisme, les Thierry Maulnier, les Blanchot, les Jean de Fabrègues, les Benda, les Mounier, par tous ceux également qui, à gauche, dénoncent la décomposition de la démocratie bourgeoise, les défaillances du parlementarisme et la sclérose des vieux appareils politiques : néo-socialistes et « jeunes radicaux » – comme Bergery et

63. *Ibid.*, p. 34-35.
64. *Ibid.*, p. 238.
65. *Ibid.*, p. 291.

34

Bertrand de Jouvenel – dont la dérive « fasciste » ou vichyste est déjà en puissance, nous dit Sternhell, dans les positions qu'ils défendent un ou deux lustres plus tôt. A la limite, c'est toute la génération « non conformiste » des années trente qui subit, plus ou moins fortement, plus ou moins durablement, l'imprégnation du fascisme.

On conçoit que les thèses exposées dans *Ni droite ni gauche* aient suscité en France – et aussi dans d'autres pays concernés par l'interprétation du phénomène fasciste, en Italie par exemple [66] – des réactions très vives : articles parus à chaud dans la presse quotidienne et hebdomadaire [67], comptes rendus critiques publiés, avec davantage de recul, dans les revues spécialisées [68], interviews [69], polémiques [70] et même procès – celui que Bertrand de Jouvenel a intenté à l'auteur et qui a, on le sait, provoqué indirectement la mort de Raymond Aron [71] – autant de manifestations d'intérêt, en même temps que d'hostilité, envers une œuvre dont tout le monde s'accorde à reconnaître qu'elle ne saurait être écartée d'un revers de main.

Ce qui est reproché à l'historien de Jérusalem, ce n'est pas d'avoir fait naître en France l'idéologie fasciste et d'avoir, il faut l'admettre, assez limpidement montré que tous les ingrédients qui allaient composer au lendemain du premier conflit mondial la synthèse « national-socialiste » étaient présents, à la veille de la guerre, dans le discours d'une fraction de l'intelligentsia française. Encore que beaucoup de choses restent à dire sur l'une et l'autre de ces propositions. Ce n'est pas non plus de s'être appliqué à mettre un peu

66. *Cf.* notamment : L. Rapone, « Fascismo : né destra né sinistra? », *Studi storici*, nº 3, 1984, p. 799-820; également recension de Dino Cofrancesco, in *Storia contemporanea*, nº 2, avril 1985, p. 353-371.

67. Notamment : *Le Monde*, 11-12 mars 1983 : R. Aron, « L'Imprégnation fasciste », *L'Express*, 4 février 1983; J.-P. Enthoven, « Fascistes, si vous saviez », *Le Nouvel Observateur*, 18 février 1983.

68. Entre autres : M. Winock, « Fascisme à la française ou fascisme introuvable? »; *Le Débat*, nº 25, mai 1983, p. 35-44; S. Sand, « L'Idéologie fasciste en France », *Esprit*, nᵒˢ 8-9, août-septembre 1983, p. 149-160; S. Berstein, « La France des années trente allergique au fascisme. A propos d'un livre de Zeev Sternhell », XXᵉ siècle, nº 2, avril 1984, p. 83-94; J. Julliard, « Sur un fascisme imaginaire; à propos d'un livre de Zeev Sternhell » *Annales ESC*, vol. 39, nº 4, juillet-août 1984, p. 849-861.

69. Celle en particulier de Z. Sternhell lui-même, à propos des rapports entre fascisme et idéologies de gauche : « Socialisme n'égale pas fascisme », *Le Monde*, 11-12 mars 1984.

70. « Correspondance », *Esprit*, décembre 1983, avec la participation de Z. Sternhell, S. Sans, P. Vidal-Naquet; « La Tentation fasciste », *Le Débat* nº 32, novembre 1984 : Z. Sternhell et P. Burrin.

71. Raymond Aron a été frappé d'une crise cardiaque, le 17 octobre 1983, aussitôt après sa déposition comme témoin en faveur de Bertrand de Jouvenel, devant le tribunal de Paris.

35

de cohérence dans l'immense production éditoriale qu'a suscitée pendant un peu plus d'un demi-siècle, de la crise boulangiste à l'effondrement de l'ordre hitlérien, la critique du libéralisme et du marxisme. A ce premier niveau, les griefs formulés par les détracteurs de Zeev Sternhell portent sur deux points :

– l'importance excessive attribuée par l'auteur de *Ni droite ni gauche* aux minces légions de penseurs qui composent son corpus. Certes, il a raison de dire que l'influence des intellectuels fascistes et fascisants dépasse de beaucoup les cénacles dans lesquels s'élabore la « doctrine » : cercle Proudhon, Faisceau, revue *Combat*, etc. Néanmoins, toutes tendances mêlées et toutes forces conjuguées, le noyau fascistoïde français demeure exigu et la circulation des idées dont il est porteur, plus limitée que ne le suggère l'historien israélien. « Ne tenons pas pour négligeable, écrit Michel Winock, cet effet de grossissement optique du sujet par le travail et le talent même de l'auteur [72] » ;

– l'abus de langage que représente l'assimilation du fascisme à une idéologie constituée en « système » cohérent, doté d'un « solide cadre conceptuel » et en ce sens comparable aux grandes constructions doctrinales que sont le libéralisme, la démocratie et le socialisme. « Où sont, s'interroge l'historien italien Dino Cofrancesco, les *pendants* fascistes de Tocqueville, de Mill, de Schumpeter, de Dewey, des grands théoriciens socialistes du XIXᵉ et du XXᵉ siècle [73] ? » Et de fait, qu'y a-t-il de plus flou, de plus mouvant, de plus contradictoire dans ses propositions majeures que le fascisme, là où il s'est pour la première fois mué en réalité politique d'envergure? « Nous avons tendance, écrit Sergio Romano, à imaginer le fascisme comme un système cohérent, né, un peu comme Athéna, de la cuisse de Jupiter... C'est une erreur. C'est un système conditionné par les événements [74]. » S'adressant à une clientèle hautement hétérogène, il a, au moins dans un premier temps, dit à peu près tout et son contraire; et c'est seulement à partir du moment où il s'est senti solidement et durablement installé à la tête de l'État qu'il a cherché à légitimer, idéologiquement et culturellement, son entreprise, en fouillant dans le bric-à-brac antipositiviste et anti-libéral dont l'Europe avait accouché à la charnière du XIXᵉ et du XXᵉ siècle.

Une seconde série de critiques porte sur la méthode employée par

---

72. M. Winock, *op. cit.*, p. 39.

73. D. Cofrancesco, critique de l'ouvrage de Z. Sternhell, in *Storia contemporanea, op. cit.*, p. 361.

74. S. Romano, « Le Fascisme », in *Dictatures et légitimité*, sous la direction de Maurice Duverger, Paris, PUF, 1982.

Sternhell. Et d'abord, à quel référent historique renvoie-t-il le lecteur? A quelle définition, à quelle interprétation du fascisme rattache-t-il sa propre analyse? Sur quels critères se fonde-t-il pour en distribuer ou en refuser le label? Dans l'introduction de *Ni droite ni gauche*, l'historien israélien nous dit en quelques phrases lapidaires ce qu'il n'est pas : le régime italien de l'entre-deux-guerres et rien d'autre, une « simple aberration », « un accident, sinon un accès de folie collective », « un phénomène explicable simplement par la crise économique », ou encore « une créature du capitalisme monopolistique [75] ». Pour le reste, il se contente de constater la difficulté qu'il y a à cerner le phénomène et l'absence d'une « définition acceptable par tous ou reconnue comme universellement valable [76] ». Comme si le libéralisme et le socialisme avaient la même signification pour tous ceux qui s'y réfèrent! En tout cas, il y a là une lacune fondamentale qui explique, comme le remarque justement Serge Berstein, que, « dans la suite de l'ouvrage, on puisse voir évoluer un fascisme à géométrie variable dont le contenu change à mesure que se modifie l'objet de référence [77] ».

En fait, si Sternhell ne définit pas d'entrée de jeu l'objet de son propos, il est clair que, par strates successives, se dessine peu à peu dans son œuvre le profil d'un fascisme idéal, « platonicien » si l'on veut, dont la principale caractéristique est d'être demeuré tel, tandis que se constituait hors de lui, et souvent à des lieues du « modèle », un fascisme de chair et d'os qui est celui des *mouvements* et des *régimes* réactionnaires de masse de l'entre-deux-guerres. En d'autres termes, le fascisme pur n'aurait existé qu'à l'état de projet, dans le cerveau d'intellectuels, moins perméables au compromis que les dirigeants politiques et les chefs d'État; et tout le reste, les mouvements fascistes devenus partis uniques et courroies de transmission des impulsions venues du centre, le discours attrape-tout des leaders charismatiques, les institutions de l'État totalitaire, l'idéologie officielle du régime, etc. ne seraient qu'alliage bâtard. Curieuse façon d'aborder l'histoire par le biais d'un idéalisme philosophique qui incline l'auteur de *Ni Droite ni gauche* à faire peu de cas d'un environnement factuel au demeurant décisif : la guerre, la révolution d'Octobre, la crise, etc. « Qu'on nous pardonne de rappeler ces évidences, écrit Jacques Julliard, mais le fascisme transcendantal de Sternhell [...] serait-il autre chose qu'une curiosité historique si le

75. Z. Sternhell, *Ni droite ni gauche, op. cit.*, p. 18.
76. *Ibid.*, p. 17.
77. S. Berstein, « La France des années trente allergique au fascisme », *op. cit.*, p. 84.

fascisme réel, sans doute moins contestataire et moins brillant, à coup sûr moins séduisant, n'était venu en quelque sorte l'authentifier et le lester de la pesanteur du réel [78] ? »

La démarche phénoménologique de Sternhell est d'autant plus dangereuse et condamnable qu'elle aboutit à une construction, ou à une reconstitution *a posteriori*, à partir d'éléments épars et hétérogènes qu'aucun mouvement politique n'a jamais réussi à rassembler ni à unifier durablement dans la France du premier XXe siècle. Comme de surcroît elle isole successivement quelques-uns des traits qui peuvent entrer dans une description linéaire du fascisme, sans montrer en quoi ils sont tous nécessaires et solidaires, et comme d'autre part elle recourt à une lecture en va-et-vient à travers des textes sélectionnés, distribués dans toute la période et coupés de leur contexte, elle débouche sur un amalgame assimilant au fascisme toute critique un tant soit peu virulente de la démocratie libérale, tout effort de rénovation empruntant des voies qui peuvent *aussi* être celles du fascisme. Parce qu'il participe, comme beaucoup d'autres doctrines de troisième voie, du vaste courant de rénovation politique des années trente, auquel il emprunte certaines solutions (le contrôle dirigiste de l'économie par exemple, ou le corporatisme), le fascisme partage avec des entreprises qui peuvent être très éloignées de lui, et même s'opposer à lui, des thèmes et des attitudes mentales dont il est abusif de dire qu'ils délimitent l'aire idéologique du fascisme.

Encore une fois, le recours à l'histoire sélective des idées ne suffit pas à rendre compte de la réalité politique d'une époque, surtout lorsqu'il s'agit d'une époque de crise. Qu'Emmanuel Mounier et la revue *Esprit* aient manifesté à l'égard de la démocratie bourgeoise et du parlementarisme quelque peu abâtardi de la IIIe République finissante une hostilité qui a pu concourir à la déstabilisation du régime, cela ne fait aucun doute : mais cela ne permet pas de les ranger dans la catégorie du crypto-fascisme. Car, comme l'écrit Michel Winock : « *Malgré* ce discours, il serait judicieux de noter ce que fut l'attitude d'*Esprit* devant la guerre d'Éthiopie, face à la guerre d'Espagne, au moment du renoncement de Munich, contre la vague de xénophobie et d'antisémitisme dont la France est le siège en ces années de crise. Sur tous ces problèmes concrets, la revue de Mounier a pris position dans un sens qui engageait à la résistance au fascisme [79]. »

---

78. J. Julliard, « Sur un fascisme imaginaire... », *op. cit.*, p. 851.
79. M. Winock, « Fascisme à la française ou fascisme introuvable ? », *op. cit.*, p. 43.

38

Autre point sur lequel on ne peut que se montrer excessivement réservé : en faisant de la critique de gauche de la démocratie libérale et de la révision du marxisme les antécédents directs du fascisme, Zeev Sternhell se laisse entraîner sur la pente dangereuse de la généralisation et de la prédestination. La dérive collaborationniste et pro-hitlérienne d'un Déat ou d'un Lagardelle, l'évolution d'un Bergery, d'un Jouvenel ou d'un Belin sont déjà contenues dans les propositions de renouvellement du socialisme, du syndicalisme et de la démocratie qu'ils formulent au début des années trente. C'est postuler, contre toute rigueur scientifique, une causalité régressive des choix politiques que démentent maints exemples contraires. C'est faire peu de cas d'itinéraires qui, à partir de prémisses identiques, ont conduit nombre de révisionnistes et de « non-conformistes » sur des voies diamétralement opposées. Y a-t-il après tout une différence fondamentale entre la critique que font du marxisme et de la social-démocratie les néo-socialistes français et les dirigeants italiens du mouvement antifasciste Giustizia e Libertà? entre le « futur » collaborationniste Marcel Déat et la future victime des sicaires cagoulards, Carlo Rosselli, si l'on se place au début des années trente, à un moment où les deux hommes entretiennent d'ailleurs une correspondance suivie? La volonté de régénération politique, la recherche d'une troisième voie, le souci d'intégrer les classes moyennes aux projets de reconstruction de la démocratie comptent parmi les traits majeurs du paysage politique des années trente. Le fascisme – ou ce que l'on imagine être le fascisme – représente l'une des voies choisies, pas la seule, ni sans doute la plus fréquentée.

L'accent mis sur la composante de gauche du fascisme – syndicalisme révolutionnaire d'inspiration sorélienne, révision radicale du marxisme ou néo-jacobinisme puisant à ces deux sources – est, de toutes les thèses énoncées par Sternhell, celle qui a provoqué les réactions les plus nombreuses. Il est vrai qu'en tirant de ce côté la généalogie des mouvements et des régimes réactionnaires de masse, dans une France gouvernée par les socialistes et à un moment où une partie de la classe politique s'acharnait à agiter l'épouvantail du totalitarisme larvé (loi sur la presse, question scolaire, etc.), l'historien de Jérusalem, lui-même représentant de la gauche socialiste israélienne [80], faisait glisser le débat sur un terrain infiniment plus vaste que celui de la petite communauté scientifique et médiatique où il s'était jusqu'alors cantonné. Récupérant les travaux de Sternhell

80. Zeev Sternhell est membre du comité exécutif du Parti travailliste israélien et milite à l'aile gauche de cette formation.

comme elle l'avait fait, en d'autres temps et à d'autres fins, de ceux d'un Dumézil, la Nouvelle Droite – club de l'Horloge en tête – a poussé aussi loin que possible la thèse, volontiers soutenue par l'opposition, que le socialisme était porteur des germes du totalitarisme, en posant, plus radicalement que la droite classique, l'équation socialisme égale fascisme dont Jean-Marie Le Pen a depuis fait son miel et, avec ou après lui, divers représentants de l'ancienne majorité.

Face à ces manœuvres de diversion, destinées à brouiller les pistes et à récuser, dans l'un et l'autre camp, toute attache généalogique avec une idéologie que l'histoire a condamnée, il a fallu que l'auteur de *Ni droite ni gauche*, lors d'un colloque organisé à Paris en mars 1984 par l'Institut socialiste d'études et de recherches et par le PS [81], puis dans une interview donnée au journal *Le Monde* [82], précise ses positions et marque les limites de son interprétation : « le fascisme, c'est vrai, est une synthèse de nationalisme et de socialisme, mais la synthèse d'une certaine forme de nationalisme et d'une certaine forme de socialisme »; il n'y a pas de fatalité qui ferait du socialisme la matrice du fascisme car « ce serait dire que les dissidents représentent le mouvement socialiste dans son ensemble, alors qu'ils ont été rejetés de ce mouvement »; « le socialisme n'a encore jamais produit d'État totalitaire », etc. [83]. Précisions qui n'empêchent pas Sternhell de camper sur ses positions quand il précise, dans la même interview, que « l'histoire du fascisme pourrait être écrite comme l'histoire de la révision du marxisme » : ce qui, malgré tout, déplace singulièrement de la droite vers la gauche les responsabilités des divers acteurs, lors de la phase d'incubation fasciste.

Or, ce procès intenté de façon quasi exclusive à la gauche, il résulte, pour de nombreux historiens de la France du XXᵉ siècle, d'une illusion d'optique et, encore une fois, d'un défaut de méthode. Faut-il, s'interroge Berstein, « édicter une loi d'après une demi-douzaine d'exemples : si Déat et Doriot ont été fascistes et si de Man a accepté l'ordre nouveau allemand, en résulte-t-il que les révisionnistes anciens ou futurs sont des fascistes potentiels [84]?... » A quoi font écho les propos de Jacques Julliard, appliqués à l'ère préfasciste : à lire Sternhell, « le syndicalisme révolutionnaire s'identifie à un petit nombre d'intellectuels, trois ou quatre, qui jamais ne travaillèrent de

---

81. Colloque réuni les 3 et 4 mars 1984 sur le thème : « L'extrême droite et ses connivences. »
82. *Le Monde*, 11-12 mars 1984.
83. *Ibid.*
84. *Op. cit.*, p. 86.

40

leurs mains, et jamais n'eurent en poche une carte syndicale. Étrange tout de même. C'est au prix de cette réduction, aggravée d'une distorsion de l'œuvre de Georges Sorel, qu'on peut faire du syndicalisme révolutionnaire un ancêtre du fascisme [85] ».

En choisissant de concentrer son propos sur la petite légion des déviants du syndicalisme révolutionnaire et des rénégats du marxisme, en faisant de leurs choix idéologiques originels l'essence même du phénomène qu'il décrit, Zeev Sternhell touche peut-être du doigt ce fascisme transcendantal dont la France aurait été le berceau, mais à ce compte son analyse ne peut s'appliquer qu'à une frange d'intellectuels promis au statut d'épiphénomène culturel, à partir du moment où le fascisme revêt sa véritable dimension politique : c'est-à-dire lorsqu'il devient, à proprement parler, objet d'histoire.

Peut-on définir le fascisme?

Sans aucun doute, le débat d'idées suscité par les travaux de Zeev Sternhell a fait avancer la connaissance et la compréhension du phénomène fasciste dans sa version hexagonale. Il a convaincu les historiens français qu'il y avait bien eu, chez nous, un fascisme autre que marginal et de pure facture étrangère. Il les a obligés soit à étayer plus solidement les bases de leur argumentation, soit à intégrer dans leur perception du fascisme les éléments jusqu'alors négligés par notre historiographie (la « droite révolutionnaire » avant 1914, la matrice de gauche du fascisme dans la France des années vingt et trente, etc.), sans leur attribuer toutefois un rôle aussi considérable que l'auteur de *Ni droite ni gauche*, soit encore à s'engager dans la polémique en élaborant, chemin faisant, leur propre problématique. La plupart ont ainsi été amenés à proposer sinon une définition du fascisme, du moins un certain nombre de critères visant à cerner le phénomène de façon aussi précise que possible et à limiter les effets d'un confusionnisme lexical aussi dommageable à la compréhension du passé qu'à la juste appréciation de ce qui se passe en France depuis trois ou quatre ans.

Examiner comment le fascisme a pu imprégner la société française, avant et après la Seconde Guerre mondiale, implique donc, en premier lieu, que soit défini l'objet principal du problème qui retient

85. J. Julliard, *op. cit.*, p. 858.

41

ici notre attention. De quoi parlons-nous lorsque nous évoquons l'appartenance à la catégorie des « fascismes » de tel ou tel mouvement, de tel ou tel régime, de tel ou tel produit idéologique ou culturel? Depuis qu'il a été introduit dans le vocabulaire politique, il y a maintenant plus d'une soixantaine d'années, le mot fascisme a été à un tel point usé par les pratiques militantes de tout bord qu'il a fini par ne plus désigner que l'autre, l'adversaire du moment, érigé en mal absolu et promis au pire jugement de l'histoire.

Cela était vrai déjà à la charnière des années vingt et trente, lorsque, toutes tendances mêlées, la droite était censée aspirer à la dictature, et que tout ce qui, à gauche, n'appartenait pas à la mouvance stalinienne, était considéré comme « social-fasciste » par les ouailles de la IIIᵉ Internationale. Depuis, les événements dont le fascisme italien et le national-socialisme ont été les responsables directs ont provoqué de tels bouleversements et de tels drames, ils ont marqué si douloureusement et si durablement la mémoire collective des Européens que le terme générique de *fascisme,* englobant et résumant toutes les formes d'autoritatisme et de totalitarisme, est devenu tout simplement l'injure majuscule du discours politique. La pratique de l'amalgame et de l'assimilation à outrance, qui a fait que tout homme de droite recelait un fasciste en puissance pour la gauche, que toute manifestation d'une politique de gauche était, pour l'autre camp, annonciatrice du « fascisme rouge », a ainsi concouru à obscurcir les concepts et à empêcher que soit porté un jugement à peu près serein, en tout cas aussi dégagé que possible des considérations idéologiques et « démonologiques », sur la réalité historique infiniment complexe qui se rattache à la catégorie des fascismes.

Il va de soi que nous écartons d'entrée de jeu ces interprétations extensives du fascisme, assimilant celui-ci à la « droite », aux diverses formes de pouvoir autoritaire mises en place par les classes traditionnellement dominantes, ou encore à la catégorie des « totalitarismes ». Lié à une certaine droite, voulu ou accepté par une partie des élites dirigeantes, appliquant aux transformations de la société une vision totalitaire des rapports entre l'individu et l'État, le fascisme n'est ni *la* droite, ni l'expression politique du pouvoir de classe de *la* bourgeoisie, ni, en soi, *le* totalitarisme. Il relève à la fois de ces trois entités et de quelques autres, et il constitue lui-même une catégorie ayant ses caractères propres, non réductibles toutefois au seul cas particulier de l'expérience mussolinienne. Entre les deux écueils de la généralisation abusive et de la description du phénomène unique, ce que l'on peut essayer de saisir c'est ce qu'il y a de commun à divers mouvements, à divers courants de pensée, à divers régimes, et qui en

42

même temps les singularise collectivement par rapport aux autres. C'est dire que la « définition » du fascisme ne peut se réduire à une formule lapidaire. Elle ne saurait, d'autre part, être fondée sur les seuls critères de l'idéologie. D'abord parce que la connaissance du passé et la compréhension du présent ne peuvent se contenter aujourd'hui du recours à la vieille « histoire des idées », celle qui ne se préoccupe que de leur agencement interne et de leur généalogie. Ensuite parce que, très spécifiquement, le fascisme en tant que doctrine est essentiellement une théorisation *a posteriori* et une théorisation volontairement floue, faite d'emprunts glanés sans souci excessif de cohérence dans le catalogue antipositiviste du XIXe siècle finissant et dans celui des idéologies de troisième voie. C'est donc du fascisme réel qu'il faut partir, du *fascisme-mouvement* et du *fascisme-régime* – pour reprendre la terminologie en vigueur dans l'historiographie italienne contemporaine [86] –, en fonction de quoi l'on pourra se demander si l'idéologie et le discours fascistes ont été autre chose qu'un rideau de fumée destiné à couvrir une tout autre réalité et à mobiliser sur des mots d'ordre « révolutionnaires » des masses promises à un remodelage « réactionnaire » du corps social.

Commençons par ce qui, chronologiquement, apparaît en premier dans l'Europe de l'immédiat après-guerre : la constitution, dans un contexte de crise et de mutations accélérées, d'un type absolument nouveau d'organisations politiques : le parti de masse, hiérarchisé, militarisé, placé sous l'autorité d'un chef charismatique et aspirant à instituer par la violence un régime politique façonné à son image. Encore faut-il s'entendre, lorsque l'on évoque ces formations de combat, sur le moment précis où l'on se place pour les observer.

Les premiers *fasci di combattimento* créés par Mussolini au printemps 1919, les innombrables groupuscules musclés et bottés qui se heurtent aux communistes dans les premiers temps de la république de Weimar sont à beaucoup d'égards différents du Parti national fasciste et du NSDAP, tels qu'ils apparaissent à la veille de la Marche sur Rome ou de l'arrivée d'Hitler à la chancellerie. En quelques années, ce qui était révolte plus ou moins spontanée contre l'ordre ou le désordre existant, aspiration au bouleversement des hiérarchies sociales, guerre déclarée au capitalisme et aux élites traditionnelles, bref ce qui faisait la spécificité de ce que j'appellerai « premier fascisme » et qui comporte effectivement une forte dose

---

86. Cf. R. De Felice, *Le Interpretazioni del fascismo*, Bari, Laterza, 9e éd., 1983.

43

d'esprit « révolutionnaire » ou « contestataire » – nous reviendrons sur cette distinction – s'est mué en organisations de défense des possédants, ayant partie liée avec la fraction la plus réactionnaire de l'establishment et se donnant pour objectif de restaurer, en Italie, l'État « manchestérien », en Allemagne le *Führerprinzip*. Il suffit pour s'en convaincre de comparer le programme des *fasci* de 1919 à celui que se donnera, deux ans plus tard, le Parti national fasciste, et les projets politiques et sociaux du parti nazi dans les deux moutures de 1920 et 1923.

Cela n'empêche pas, dans les deux cas, les candidats à la dictature de jouer, quand il le faut, dans un registre populiste, mais pour l'essentiel leur propagande est désormais destinée aux diverses strates de la bourgeoisie. On peut dès lors parler d'un « second fascisme », assez sensiblement différent du premier et ceci me paraît essentiel pour la suite de notre propos. De quoi parle-t-on en effet lorsque l'on compare les mouvements fascistoïdes français de l'entre-deux-guerres – ligues et autres – au « fascisme » italien ou allemand? Du premier ou du second fascisme et, dans l'un ou l'autre cas, lequel des deux est-il censé incarner le phénomène dans son essence? Faux problème assurément : ce qui compte, répétons-le, c'est la pratique du fascisme et cette pratique est inséparable d'une évolution qui est allée dans le même sens là où s'est opérée par la suite la fascisation de l'État et de la société civile.

La naissance du fascisme est liée à trois phénomènes principaux dont seul le premier est antérieur à la guerre. Dès la fin du XIXe siècle, on assiste en effet dans les sociétés en voie d'industrialisation rapide à un processus de destructuration dont l'exode rural, le gonflement des populations urbaines et l'effritement des cadres sociaux traditionnels (famille clanique, communauté villageoise ou de quartier, liens corporatifs, etc.) sont les manifestations majeures. Les « masses » – agrégats d'individus isolés et nivelés – posent dès lors aux classes dirigeantes un problème capital qui est celui de leur irruption et de leur intégration dans le jeu politique, en même temps que s'opèrent la montée de nouvelles catégories sociales (l'accroissement numérique des classes moyennes, rurales et urbaines, est l'une des conséquences les plus spectaculaires de la révolution industrielle) et la poussée de nouvelles élites qui tendent à contester l'hégémonie des oligarchies en place. Dans les démocraties parlementaires de l'Europe de l'Ouest où, dès les dernières décennies du XIXe siècle, l'alliance de la bourgeoisie et des « nouvelles couches » est un fait à peu près acquis, le problème se trouve partiellement résolu. Au contraire, il demeure très aigu dans des pays récemment industrialisés comme l'Italie et l'Allemagne où il n'existe pas encore de tradition démocratique.

C'est dans ce contexte que se sont développés, dès avant 1914, des mouvements et des courants de pensée visant à encadrer politiquement les masses – prolétariennes ou petites-bourgeoises –, à exprimer leurs aspirations et à leur servir éventuellement d'instruments d'appropriation du pouvoir : cette conquête des leviers de commande de l'État pouvant s'opérer par les voies pacifiques du compromis – c'est le cas des idéologies et des forces politiques se rattachant au courant démocratique et social-réformiste – ou par celles de la violence contestataire de l'ordre « bourgeois » (socialisme révolutionnaire, anarcho-syndicalisme, nationalisme putschiste, etc.).

L'apparition du phénomène fasciste est donc tributaire d'une crise de croissance des sociétés industrialisées qui lui est antérieure de plusieurs décennies. Mais c'est la guerre qui, en aggravant de façon brutale tous les déséquilibres dont cette crise était porteuse, a créé les conditions principales de son éclosion. Elle a d'abord considérablement accéléré la déstructuration du corps social en arrachant durablement à leur milieu familier des millions d'êtres humains, parmi lesquels nombreux sont ceux qui, matériellement ou psychologiquement, ne parviendront pas à retrouver leurs anciennes conditions d'existence, en déclenchant un processus inflationniste qui a fortement concouru à la prolétarisation d'une partie des classes moyennes et en favorisant le brassage des diverses catégories sociales et la redistribution partielle des richesses. Elle a porté un coup très rude aux certitudes de l'homme occidental, déjà passablement ébranlées depuis quinze ou vingt ans par la grande remise en question du credo positiviste et scientiste. Elle a en effet montré que la technologie et la science pouvaient être mises au service du mal absolu et devenir les instruments de la tuerie de masse, que l'humanisme et la « civilisation » étaient sujets à éclipses et pouvaient même être « mortels », que les démocraties n'avaient pu triompher du « militarisme » et de l'autocratie qu'en se donnant des pouvoirs forts et en transgressant provisoirement et partiellement les principes pour lesquels elles combattaient. Elle a valorisé des catégories mentales et des comportements peu conformes aux idéaux hérités de l'ère des Lumières : l'héroïsme, la fraternité d'armes, l'oubli de soi dans la communion du groupe et le culte du chef, l'élitisme guerrier, autant de « qualités » dont se trouvent investies les « élites de remplacement » façonnées par la guerre et auxquelles le fascisme va offrir une structure d'accueil et un tremplin.

Elle a enfin durablement attaché à l'institution militaire et à ses

45

pratiques une fraction relativement importante de la société civile : celle qui rassemble à la fois les éléments les plus mobiles et les plus instables du corps social, les déclassés, les laissés-pour-compte de la révolution industrielle, auxquels l'aventure guerrière a apporté de fortes compensations psychologiques, et nombre de représentants des classes moyennes « émergentes [87] » – c'est-à-dire appartenant à des secteurs favorisés par les transformations économiques et administratives récentes –, jusqu'alors écartés des leviers de commande et dont les années de conflit ont aiguisé les appétits de promotion sociale et politique. Les uns et les autres ont fourni aux armées en guerre une partie de leurs cadres et beaucoup envisagent difficilement, à l'heure de la démobilisation, de renoncer à un statut autrement valorisant que celui qu'ils ont quitté quelques années auparavant. Tout ceci explique le succès de formations politiques qui revêtent tous les aspects extérieurs de l'institution militaire : l'uniforme (souvent celui des troupes d'élite), l'équipement guerrier, la hiérarchie, la symbolique (drapeaux, insignes) et le rituel (salut, défilés, etc.) et font figure de véritables armées combattant à l'intérieur de la société civile.

L'enjeu de ce combat constitue la troisième composante du terreau sur lequel va se développer le premier fascisme. Celui-ci, en effet, apparaît à un moment où la démocratie libérale se trouve affrontée à une situation de crise et paraît incapable de conjurer la menace révolutionnaire qui pèse sur elle. L'Allemagne au lendemain même de l'armistice de 1918, l'Italie dès le printemps suivant, ont traversé ce genre d'épreuves, conséquence différée, entre autres raisons, de l'Octobre russe, et c'est à ce moment que fleurissent les premières escouades armées du fascisme.

Est-ce à dire que les *squadre* mussoliniennes et les corps francs nationalistes allemands soient des organisations exclusivement réactionnaires, destinées à barrer la route au bolchevisme pour le plus grand profit des possédants? Les choses ne sont incontestablement pas aussi simples et se passent rarement comme dans le *Novecento* de Bertolucci (les grands propriétaires fonciers de la plaine du Pô se réunissant dans une église pour porter en quelque sorte le *fascio* local sur les fonts baptismaux : ce qui, traduit en images, reproduit la thèse marxiste orthodoxe du fascisme créé de toutes pièces par le capital). Il y a, à l'origine des premiers faisceaux, de la part de ceux qui y militent et qui appartiennent en majorité aux diverses strates de la

87. Voir sur cette question l'interprétation de Renzo De Felice dans son *Intervista sul fascismo, op. cit.*, Bari, Laterza, 1975.

46

petite et de la moyenne bourgeoisie, une volonté d'occuper le terrain, de s'ériger en élite de remplacement, qui implique une double attitude : révolutionnaire, ou mieux contestataire à l'égard de l'establishment traditionnel, jugé incapable de faire face à la situation et auquel les cadres du mouvement fasciste entendent se substituer – ce qui explique leur radicalisme verbal, autant que le désir de s'attirer la sympathie des masses – et réactionnaire par rapport aux organisations de la classe ouvrière.

Dans le processus de conquête du pouvoir qui s'amorce au lendemain de la guerre, les fascistes luttent donc sur deux fronts, mais avec une intensité très inégale. Ils considèrent que leur ennemi principal est à gauche, dans les rangs du socialisme et du syndicalisme d'obédience marxiste et ils inclinent de ce fait presque immédiatement du côté des nantis. Autrement dit, s'il est incontestable que le fascisme originel procède du courant contestataire de l'ordre établi, ses dirigeants redoutent beaucoup trop ceux à qui pourrait profiter la poussée révolutionnaire pour ne pas entrer en conflit avec eux. Ainsi voit-on, par exemple, Mussolini soutenir au printemps 1919 l'agitation ouvrière (il invite même à cette occasion la population à s'en prendre non seulement aux biens mais aux personnes!), tout en lançant ses troupes à l'assaut du quotidien socialiste *Avanti!* [88] ce qui peut encore passer, il est vrai, pour une attitude gauchiste.

Jusque-là, nous admettrons donc que le premier fascisme revêt des aspects révolutionnaires. Dans l'appel de pouvoir qui répond à l'incapacité croissante des oligarchies, les éléments petits-bourgeois, qui constituent en majorité les cadres des formations de combat sécrétées par la « situation de détresse » (J. Monnerot) à laquelle se trouve confronté l'État libéral, ont besoin d'une idéologie, ou du moins de thèmes mobilisateurs. Ces thèmes, ils vont les puiser dans l'outillage conceptuel que leur a légué le XIXᵉ siècle dans sa phase antipositiviste et où se mêlent anarchisme et syndicalisme révolutionnaire, populisme et blanquisme, nationalisme et futurisme. C'est autour de cette thématique brouillonne que se rassemble le premier fascisme et c'est ce qui explique son aspect révolutionnaire et antibourgeois, même lorsqu'il perçoit les subsides des industriels et des agrariens et joue, au profit de ces derniers, le rôle d'une garde blanche. Fascisme « pur », si l'on veut, en tout cas très éloigné encore

88. En avril 1919, à la suite d'une grève lancée à Milan par le parti socialiste et la CGL (la principale centrale ouvrière), les fascistes incendient le siège de l'*Avanti!*

47

des compromis qu'il sera amené à faire avant et après la prise du pouvoir, mais dont le programme attrape-tout n'a pas grand-chose à voir avec « l'idée de fascisme au sens platonicien du terme » qui, selon Sternhell, est censée avoir hanté l'esprit de ses précurseurs.

Or, ce n'est déjà plus ce fascisme-là qui part à l'assaut de l'État libéral en crise. Réduit à sa forme originelle de révolte antibourgeoise et à ses forces propres, l'entreprise mussolinienne ou hitlérienne n'aurait eu que des chances très réduites d'accéder au pouvoir, voire simplement de survivre. Pour que le fascisme puisse se transformer en un puissant mouvement de masse, entretenir ses bandes armées et disposer d'une relative impunité dans la lutte qu'il engage contre les organisations ouvrières, il a besoin de l'appui financier des possédants et de la complicité plus ou moins déclarée des détenteurs de l'appareil d'État. Ni les uns ni les autres ne lui sont en majorité très favorables, tant qu'il affiche une image subversive et proclame hautement sa haine du capitalisme. Pour qu'une fraction importante de la bourgeoisie se décide à le soutenir plus fermement et à lui accorder de façon massive des subsides distribués jusqu'alors au compte-gouttes, il faut qu'interviennent trois conditions majeures :

– un blocage à peu près complet du système libéral. Après avoir épuisé toutes les autres possibilités, la classe politiquement et économiquement dominante se rallie, pour un temps qu'elle espère limité, à la solution fasciste;

– une situation économique catastrophique, impliquant de la part des grands intérêts privés l'appel à un État-providence dont on attend qu'il sauve les entreprises de la faillite et assure par tous les moyens, y compris le réarmement et l'usage de la force, la relance des activités économiques;

– une menace révolutionnaire grave. Il est à noter toutefois que ce n'est pas au moment où le danger est le plus grand que s'opère l'alliance du premier fascisme, instrument de conquête du pouvoir de facture essentiellement petite-bourgeoise, et des grands intérêts privés, mais une fois le péril écarté et l'ordre rétabli – en Italie, par exemple, immédiatement après l'échec des grandes grèves insurrectionnelles de l'été 1920 –, le but étant d'empêcher une nouvelle offensive prolétarienne par une « contre-révolution préventive [89] ».

Ainsi se trouve atteint le stade du second fascisme que je définirai comme le produit de cette alliance, en insistant sur son caractère

---

89. L'historien italien Angelo Tasca, l'un des dirigeants les plus lucides de l'antifascisme en exil, parle très exactement de « contre-révolution posthume et provisoire » : *Nascita e avvento del fascismo*, Florence, 1950.

tactique, provisoire et conflictuel. En effet, ni l'un ni l'autre des partenaires ne songe sérieusement à en prolonger durablement les effets. Les fascistes veulent le pouvoir et savent qu'ils ne pourront s'en emparer sans l'appui des milieux d'affaires et de la haute administration : une fois maîtres de l'appareil d'État, ils sont bien décidés à faire cavaliers seuls. Les représentants du grand patronat, les agrariens, les représentants du monde politique conservateur ont besoin des escouades armées du fascisme pour barrer définitivement la route au « bolchevisme » et pour restaurer l'autorité de l'État et leur propre influence dans cet État. Aussi sont-ils prêts à en payer le prix, c'est-à-dire à abandonner leurs prérogatives politiques entre les mains d'un dictateur « légal » dont on projette de se débarrasser aussitôt que les objectifs qui viennent d'être définis seront atteints. Il n'y a donc pas, contrairement à ce que l'interprétation marxiste orthodoxe a continûment affirmé, un projet conscient et unanime visant à instaurer durablement la « dictature du capital » mais, de part et d'autre, un programme à court terme dont l'enjeu diffère, sauf sur un point qui est l'élimination de l'opposition ouvrière.

Car, dans cette seconde version – et notons que c'est souvent celle-ci qui sera imitée à l'étranger et non la première, d'où la difficulté qu'il y a parfois à comparer les choses – le fascisme tend à faire prévaloir ses aspects réactionnaires sur les autres. Sans doute, le discours demeure-t-il volontiers démagogique et ouvriériste. Mais la pratique incline fortement du côté de la mise au pas des classes populaires. Témoignent en ce sens l'acharnement avec lequel les escouades fascistes et nazies poursuivent l'éradication par la violence de toute résistance ouvrière et paysanne, ainsi que la modification, dans un sens réactionnaire, du programme originel : celui de 1919 pour les *fasci*, le programme de 1920 pour le NSDAP, et le conflit ouvert qui, à l'intérieur des deux mouvements, oppose dès ce moment un courant radical et socialisant demeuré fidèle aux idéaux du premier fascisme et un courant politique et réactionnaire qui définit précisément le second.

Sauf dans deux pays, l'Italie et l'Allemagne, où il est devenu l'État et a donné à celui-ci une forme que l'on ne retrouve nulle part ailleurs, le fascisme n'a pas dépassé le second stade de l'évolution qui vient d'être décrite. C'est sous les traits d'une organisation de masse – plus ou moins fortement implantée dans la population –, hiérarchisée, militarisée, fanatiquement attachée à la personne de son principal leader, pratiquant l'agitation de rue et le recours systématique à la violence, qu'on le retrouve en d'autres lieux et sous d'autres noms – Garde de fer en Roumanie, Croix-Fléchées en Hongrie,

49

Heimwehr en Autriche, Phalange en Espagne, PPF en France, etc –, candidat plus ou moins marginal au pouvoir et déjà porteur de ce qui fait la spécificité des régimes fascistes, comparés aux autres formes de dictatures réactionnaires : à savoir le totalitarisme, déjà présent sinon explicitement dans le programme et dans un corpus idéologique qui, nous l'avons vu, demeure encore très flou, du moins dans le rituel de masse. Les grands rassemblements fascistes le rendent manifeste à travers les rapports de communion fanatique qu'ils établissent entre les individus, appelés à se fondre dans la collectivité partisane, en attendant que celle-ci se confonde avec la nation. Disons cependant qu'il ne s'agit encore que de tendances totalitaires, variables en intensité dans l'espace et dans le temps. Ce sont, à bien des égards, les contraintes du pouvoir, internes et externes, qui vont transformer ces potentialités en pratiques, non plus isolées et liées de façon exclusive à la liturgie, mais imprégnant toutes les manifestations et tous les instants de la vie publique et privée.

Le troisième stade du fascisme est celui qui commence avec la prise du pouvoir et il ne se traduit pas tout de suite par la mobilisation totalitaire de la nation. Celle-ci ne s'opère que progressivement, tantôt de façon accélérée comme en Allemagne, où cette phase intermédiaire ne dure guère plus de trois ans, tantôt au contraire à petits pas, comme en Italie, où il faut attendre la fin de la période pour voir se dessiner les grands traits d'un totalitarisme mussolinien qui conserve d'ailleurs jusqu'à la fin une forme beaucoup moins achevée que son homologue national-socialiste.

Pendant un certain temps, en effet, le fascisme doit compter avec les partenaires qu'il s'est donnés pendant la phase de conquête du pouvoir. Associés à la conduite des affaires pendant la courte période qui précède l'instauration de la dictature du parti unique (en Italie d'octobre 1922 à la fin de 1926, en Allemagne de janvier à juillet 1933), les représentants des classes économiquement dominantes continuent d'occuper par la suite dans l'État fasciste une place privilégiée. Certes, ils ont dû renoncer à leur hégémonie politique au profit d'un « sauveur » qu'il n'est plus question de débarquer à la première occasion, mais le régime les comble d'honneurs. Il leur offre, pour prix de leur docilité et de leur adhésion à ses objectifs, un renforcement incontestable de leur domination économique, notamment en désamorçant, par le biais du corporatisme et de la répression, les revendications de la classe ouvrière. Il favorise les tendances monopolistiques du capitalisme. Il tolère l'influence persistante des magistères traditionnels (Églises, élites bourgeoises) et négocie avec eux des compromis d'ordre institutionnel (concordats)

50

ou culturels (réformes scolaires laissant un espace relativement important aux « humanités » classiques). Mais en même temps, le fascisme au pouvoir ne peut renier complètement ses origines petites-bourgeoises et il lui faut bien, d'une manière ou d'une autre, satisfaire sa base sociologique. Comme la petite bourgeoisie a été, économiquement parlant, l'une des principales victimes des régimes fascistes, c'est dans d'autres domaines qu'il a fallu lui fournir des compensations : politique étrangère de prestige d'une part et de l'autre possibilités de promotion sociale offertes par le parti et par les organisations qui en dépendent. Ainsi se trouve pérennisée en compromis permanent l'alliance contractée pendant la phase de conquête du pouvoir. Autrement dit, il s'opère dans les régimes fascistes un véritable partage du pouvoir entre la haute bourgeoisie, qui renforce sa puissance matérielle et inspire, au moins dans un premier temps, les grandes options économiques du régime, et la fraction des classes moyennes qu'incarne le fascisme et qui en assure la gestion sous l'autorité du guide-arbitre tout-puissant (Duce ou Führer).

Au sein de ce bloc dirigeant, les tensions restent cependant très vives et, à bien des égards, l'histoire des régimes fasciste et national-socialiste peut être décrite comme celle d'une guerre d'usure entre leurs deux principales composantes. En Allemagne, la victoire du parti nazi et des groupes d'influence qui se structurent autour de lui a été quasi immédiate. Après la grande démonstration terroriste de juin 1934 (la « nuit des longs couteaux »), les couches dirigeantes traditionnelles n'ont eu d'autres choix que ceux de l'adhésion totale au IIIᵉ Reich ou de la lutte clandestine, ultra-minoritaire on le sait dans ce pays. En Italie au contraire, le groupe dirigeant fasciste a eu beaucoup plus de mal à imposer sa « révolution culturelle ⁹⁰ » aux forces conservatrices, lesquelles, tout en acceptant de collaborer avec lui, ont longtemps conservé une forte influence. C'est d'ailleurs très largement pour éliminer celle-ci et pour substituer l'hégémonie politique, idéologique et culturelle du parti à celle de l'intelligentsia traditionnelle (restée foncièrement attachée au conservatisme et au catholicisme, voire imprégnée d'idées libérales), que Mussolini a entrepris, au lendemain de la guerre d'Éthiopie, de radicaliser son régime dans un sens totalitaire.

Or, c'est bien le totalitarisme, c'est-à-dire la soumission absolue de

90. Selon l'expression de Renzo De Felice, appliquée au raidissement totalitaire du régime après 1936. Cf. *Mussolini*, t. III, vol. 2 – *Lo Stato totalitario (1936-1940)*, Turin, Einaudi, 1981.

51

l'individu au pouvoir et à l'idéologie qu'il incarne, non seulement dans les domaines ordinaires de la dictature – le politique et le social – mais encore dans toutes les manifestations de la vie individuelle, familiale, professionnelle, artistique, spirituelle, etc., qui marque la spécificité des régimes fascistes. Un totalitarisme qui vise en même temps à substituer à l'hégémonie culturelle des anciennes élites celle de la nouvelle couche dirigeante, et à intégrer les masses au système ainsi constitué. Ce qui implique, outre des concessions et des avantages matériels divers accordés aux classes populaires dans le but de les rallier au régime (au moindre coût, c'est-à-dire sans porter atteinte aux intérêts majeurs du monde possédant), l'enrégimentement des masses dans des organisations corporatistes et paramilitaires, leur encadrement par le parti unique et l'alignement des individus qui les composent sur un modèle conforme aux souhaits du pouvoir, grâce au monopole exercé par celui-ci sur tous les moyens de formation, d'information et de connaissance. A quoi il convient d'ajouter, pour que se trouvent rassemblés tous les critères du totalitarisme fasciste, le contrôle et la direction de l'économie dans un cadre qui demeure celui du capitalisme, l'emploi de la terreur physique et psychologique développé de façon systématique (critère partagé avec beaucoup d'autres dictatures du XXe siècle) et – trait au contraire spécifique et fondamental – la volonté de substituer un ordre « nouveau », un homme nouveau, à l'ordre et à l'individu façonnés par le libéralisme décadent.

A la limite, on aboutit à un système totalitaire pur, à un fascisme *intégral,* dans lequel le chef charismatique et la nouvelle « élite » constituée par le parti – entendons par ceux qui le dirigent – ou par une aristocratie militaire créée de toutes pièces et fanatisée à l'extrême (la SS) finissent par imposer aux forces socio-économiques qui ont, directement ou indirectement, fait le lit du fascisme, leur action autonome. Ce quatrième et ultime stade du fascisme, caractérisé par la primauté absolue de l'idéologie et du politique, et par la mise en route d'un processus, à coup sûr révolutionnaire, de remodelage du corps social, visant à changer l'homme dans une perspective futuriste inscrite dans le temps long (le « Reich pour mille ans »), n'a été complètement réalisé qu'en Allemagne pendant la guerre, avec le triomphe du totalitarisme SS. Amorcé en Italie à partir de 1937-1938, il n'a pu s'imposer que très superficiellement à une société civile sur laquelle a continué de s'exercer jusqu'à la guerre – malgré les efforts faits pour imposer aux masses une nouvelle culture et un nouveau « style » de vie – le magistère des élites traditionnelles.

52

Partis, mouvements et régimes fascistes répondent donc à des critères qui permettent de les distinguer des formations politiques et des pouvoirs d'exception qui, tout en adoptant parfois certains de leurs signes extérieurs et de leurs méthodes et en partageant avec eux divers thèmes idéologiques, poursuivent en fait des objectifs tout à fait différents. Là où le fascisme entend accoucher d'une société et d'une humanité nouvelles, ils aspirent à rétablir l'ordre ancien. Ils ne cherchent pas à faire émerger une élite de remplacement, une aristocratie renouvelée et fondée sur des valeurs guerrières réhabilitées, mais au contraire à restaurer dans toutes ses prérogatives la classe dirigeante traditionnelle. Ils ne songent en aucune façon à neutraliser l'influence des grandes forces conservatrices – les Églises, l'armée, la monarchie là où elle survit – mais plutôt à renforcer celles-ci et à faire jouer à certaines d'entre elles un rôle proprement institutionnel. Le franquisme, le salazarisme, les nombreuses dictatures qui ont fleuri dans l'entre-deux-guerres en Europe de l'Est et dans les Balkans appartiennent à cette catégorie des régimes autoritaires classiques, distincts du fascisme en ce sens qu'ils répudient, parfois de façon explicite (c'est le cas de Salazar), le modèle totalitaire. Vichy, nous le verrons, penche fortement de ce côté, même lorsqu'il adopte, comme ses homologues méditerranéens et balkaniques, certains traits empruntés au fascisme.

J'ai beaucoup insisté sur la succession de phases bien délimitées qui caractérise l'évolution du fascisme européen, parce que la prise en compte de ce phénomène me paraît indispensable à qui veut comparer tel ou tel élément de la nébuleuse fascistoïde française au modèle que constituent les deux seules expériences ayant abouti à la mise en place de régimes totalitaires de droite. En effet, avant de s'interroger sur le degré d'imprégnation fasciste de telle formation politique passée ou présente, il est essentiel de préciser de quel *fascisme* l'on parle, à quelle étape on fait référence. Dire par exemple que certains éléments de l'ultra-droite française ne sont pas fascistes, ou porteurs des germes du fascisme, simplement parce que leur discours n'est ni « révolutionnaire » ni « totalitaire », c'est oublier un peu vite que la « révolution » a été de bonne heure marginalisée dans la thématique du fascisme italien et allemand (puis remise à l'ordre du jour, mais beaucoup plus tard et dans une tout autre perspective) et que le totalitarisme, s'il est déjà présent dans le rituel de masse du premier fascisme, n'apparaît dans la pratique institutionnelle et dans le verbe du chef charismatique qu'après la prise du pouvoir.

Ceci est d'autant plus important que, quoi qu'en dise Sternhell et

53

aussi déterminants que soient les facteurs endogènes dans la généalogie du fascisme français, celui-ci est loin d'être un pur produit du terroir. La contagion des modèles étrangers, l'imitation du fascisme en actes, tel qu'il s'est développé hors de l'hexagone, jouent un rôle essentiel dans l'éclosion, en France, de phénomènes politiques se rattachant au même courant. Or, si imitation il y a, de quelle phase du processus qui conduit au totalitarisme intégral s'inspire-t-elle? Du premier fascisme, contestataire de l'ordre bourgeois et encore très fortement imprégné de nihilisme gauchiste? ou d'étapes ultérieures privilégiant les idéaux de rassemblement national, les vertus de l'ordre restauré et la mise au pas des classes populaires? Incontestablement, ce n'est pas au même « fascisme » que se réfèrent un Georges Valois au milieu des années vingt, et dix ans plus tard un Bucard, un Deloncle, un Doriot même et bien davantage encore tous ceux qui, dans l'establishment conservateur, admirent en Mussolini l'homme qui a barré la route aux « rouges » et fait arriver les trains à l'heure. Il faut tenir compte de tous ces décalages, de tous ces chevauchements dans l'espace et dans le temps, de tous ces malentendus également, pour mesurer le degré et la signification même du phénomène d'imprégnation fasciste qui a, dans le courant des années trente, caractérisé de larges secteurs de l'intelligentsia française.

Peut-on dans ces conditions parler d'un fascisme « au sens platonicien du terme », en regard duquel l'idéologie officielle des régimes mussolinien et hitlérien ne serait que le pâle reflet produit par les compromissions du pouvoir? Je suis tout à fait d'accord avec l'historien suisse Philippe Burrin, lorsqu'il écrit : « On ne peut rapprocher un Déat et un Th. Maulnier, par exemple, qu'en glissant sur les oppositions essentielles qui les séparaient. Mais le fond de l'affaire est dans la confusion opérée entre l'idéologie fasciste et la famille des idéologies de rassemblement national, dont le fascisme n'est qu'une variante, la variante extrême [91]. » J'ajouterai simplement ceci : la confusion est d'autant plus grande que l'idéologie fasciste, d'une part parce qu'elle prend naissance au confluent de deux courants contraires – le nationalisme de l'ultra-droite et le gauchisme anarchisant de certains syndicalistes révolutionnaires et marxistes dissidents – et parce qu'elle recouvre d'autre part une réalité mouvante, qui a fortement évolué avec le temps, contestataire en ses commencements pour devenir assez vite l'alliée tactique du conservatisme, est une sorte d'auberge espagnole où chacun, dès lors qu'il se range parmi les

---

91. P. Burrin, « La France dans le champ magnétique des fascismes », *Le Débat*, n° 32, novembre 1984, p. 52-53.

54

adversaires radicaux de la démocratie libérale et du marxisme, peut trouver de quoi nourrir ses propres fantasmes.

De tout ceci, nous pouvons tirer une première série de conclusions qui nous aidera à tracer les limites du fascisme français :

1. Le fascisme, en France comme ailleurs, appartient à la nébuleuse complexe des idéologies de « troisième voie », ces constructions politiques qui, pour reprendre la définition qu'en donne Serge Berstein, « tentent de trouver une solution médiane entre un libéralisme débridé, dont on constate qu'il aboutit à l'écrasement des faibles par les forts, et un socialisme niveleur qui fait disparaître tout espoir de promotion sociale et menace la propriété privée [92] ». Il fait donc partie d'un premier cercle, très large, où figurent également le radicalisme et la démocratie chrétienne, et avec lequel il ne saurait évidemment être question de le confondre, même si toutes les familles qui composent ce cercle ont une base sociologique identique à la sienne (les classes moyennes) et partagent avec lui l'idée que l'économie doit être dirigée et la société organisée.

En même temps, il s'inscrit dans un second cercle, contenu dans le premier, et qui regroupe ce que Philippe Burrin a appelé les « idéologies de rassemblement national ». C'est à cette famille, précise l'historien suisse, et non à la seule idéologie fasciste, que peut être appliquée la formule « ni droite ni gauche »; et il ajoute : « Dans la France des années trente, elle fut employée dans un très large éventail de groupes politiques, des Croix-de-Feu au frontisme de Bergery en passant par Bucard et Taittinger; plus tard, le gaullisme le reprendra sans faute. L'idée de la société nationale réunie, recomposée selon de nouvelles structures de solidarité, est au principe de toutes ces idéologies; un même antilibéralisme leur fait refuser de tenir le conflit et la division pour des données fondamentales de toute société [93]. »

S'il se définit par son orientation autoritaire – et c'est en ce sens que le fascisme peut lui être rattaché – ce second cercle ne se confond pas avec l'idéologie des faisceaux. Les courants qui le composent peuvent soit fonder leur projet de rassemblement sur la restauration de l'ordre ancien (c'est le cas du maurrassisme), soit accepter la démocratie, à condition qu'elle soit rénovée et rendue plus efficace (il en est ainsi du gaullisme et déjà, d'une certaine façon, du PSF), soit rejeter celle-ci en bloc, comme le fait le

92. S. Berstein, « La France des années trente allergique au fascisme », *op. cit.*, p. 87.
93. P. Burrin, « La France dans le champ magnétique des fascismes », *op. cit.*, p. 52-53.

55

fascisme. Dans tous les cas la démocratie parlementaire dans sa version IIIe République finissante est jugée en termes sévères, de même que le libéralisme et le socialisme marxiste, considérés comme dissolvants du corps national : si bien que le fait d'adopter un programme antilibéral, antiparlementaire et antimarxiste ne suffit pas à définir le projet fasciste.

2. De même, le fascisme ne saurait être assimilé à l'ensemble des tentatives de rénovation politique qui, à droite comme à gauche, caractérisent la période de l'entre-deux-guerres et particulièrement les idéologies de « troisième voie ». Il partage avec elles un certain nombre d'idées et de thèmes qui révèlent tous un diagnostic identique sur la crise de la démocratie libérale et les façons d'y porter remède (renforcement de l'exécutif, économie dirigée, corporatisme, etc.). Il procède d'un même courant anti-individualiste visant à faire prévaloir la « volonté collective », la solidarité entre les citoyens et les groupes sociaux, l'efficacité économique au service de tous, sur les antagonismes de classe et la compétition matérielle entre les indivi-dus. Mais il ne représente pas, à lui seul, la totalité de ce courant où figurent également des entreprises comme celle des « Jeunes-Turcs » radicaux, des néo-socialistes, du personnalisme chrétien, de la technocratie et des divers représentants d'un néo-spiritualisme ancré à droite. Il est même, sur de nombreux points, à l'opposé de ces entreprises dont le dénominateur commun est la mise en accusation d'une forme jugée décadente et abâtardie de la démocratie, non celle du principe démocratique.

3. Parmi tous les courants qui se rattachent à la nébuleuse des idéologies de troisième voie, au sous-ensemble des idéologies de rassemblement national et aux entreprises de rénovation politique qui caractérisent l'« esprit des années trente », le fascisme présente un certain nombre de traits qui lui sont propres. Tout d'abord, nous l'avons vu, à la différence de beaucoup d'autres courants, il est à la fois, et dans des proportions qui varient considérablement dans le temps et dans l'espace (le national-socialisme hitlérien est à cet égard très différent de son homologue italien), *révolutionnaire* et *réaction-naire*, dans son discours comme dans ses pratiques : conséquence de l'hétérogénéité de sa clientèle, du fait que ses dirigeants puisent, pour façonner sa couverture idéologique, dans le bric-à-brac des idées et des thèmes que leur a légué le XIXe siècle dans sa phase antipositiviste, enfin des ambiguïtés et des ambitions mêmes de ces dirigeants, en quête de bailleurs de fonds autant que d'une clientèle de masse. Ceci élimine de la catégorie des « fascismes », y compris lorsqu'elles se donnent un visage populiste, toutes les entreprises qui,

56

comme celle de Maurras, visent fondamentalement à la restauration de l'ordre ancien.

Second critère, sans doute le plus significatif, le *totalitarisme*, présent avons-nous dit dès la protohistoire des mouvements fascistes, dans les rituels de masse qui visent à faire communier dans le culte du chef et de la nation, des foules épisodiquement rassemblées (la liturgie du discours-dialogue avec une assemblée fanatisée, reprise par Mussolini, puis par tous les autres leaders fascistes, apparaît à Fiume, pratiquée par Gabriele D'Annunzio, au lendemain même de la guerre), présent également dans le projet d'unification du corps social et d'élimination de tout ce qui peut attenter à la cohésion de la nation, ceci dès avant la prise du pouvoir, mais surtout caractéristique du *fascisme-régime* et de ses pratiques de mobilisation et d'uniformisation des masses. Nous aurons l'occasion d'y revenir à propos de Vichy, l'appartenance ou non à la catégorie des totalitarismes est ce qui permet le mieux de distinguer le pouvoir fasciste des formes classiques de la dictature.

Enfin, le fascisme-mouvement, comme le fascisme-régime, paraît lié étroitement à l'impérialisme et au fait guerrier. Né de la guerre, recrutant ses premières troupes dans les rangs des anciens combattants que le retour à la vie civile a souvent déçus, nourri d'héroïsme et de la nostalgie des fraternités viriles conçues dans les tranchées autant que des frustrations produites par le sentiment de la défaite « injuste » ou de la victoire « mutilée », il est inséparable – on ne le soulignera jamais assez – de la grande tuerie de 1914-1918. Le style du fascisme, avec ses défilés, ses uniformes, son organisation en escouades armées, ses coups de main, sa hiérarchie calquée sur celle de l'institution militaire, est le style même de la guerre, et l'éthique qu'il développe, dans le droit fil du darwinisme social et racial qui imprègne certains milieux depuis la fin du XIXe siècle, est celle de la geste guerrière. Y sont privilégiées les vertus du combattant : le courage physique et moral, l'abnégation, la discipline, l'énergie et la force, la camaraderie virile et le culte du chef, et c'est à cette image que doit être modelé l'homme nouveau, dans une perspective qui est celle de la guerre à venir. Car il ne s'agit pas seulement de forger une race saine, un peuple docile, une humanité dédaigneuse du confort matériel – ce qui pourrait tout aussi bien caractériser la société organique et harmonieuse à laquelle aspirent les traditionalistes – mais de tendre en même temps toutes les énergies en vue d'une épreuve de force d'où la nation sortira plus puissante, la « race » mieux trempée, le régime définitivement établi. Autrement dit, la guerre a nourri le fascisme et le fascisme, à son tour, entretient une volonté de puissance et un appétit de conquête qui conduisent tout droit à l'affrontement armé. Totalitarisme et éthique de guerre vont ici de pair pour créer une communauté soudée, militarisée, tout entière tendue en vue d'une entreprise de domination que porte en lui le fascisme. Il n'y a pas de fascisme pacifiste et c'est probablement son manque d'agressivité en matière de politique étrangère qui fait le plus défaut au fascisme français.

4. Il reste ceci, et ce n'est pas sans importance, que le fascisme possède, dans un contexte qui lui est favorable, un formidable pouvoir de captation dont le prototype mussolinien a été le premier bénéficiaire. En effet, si l'on considère la période qui va de l'automne 1920 (échec des grèves insurrectionnelles) à l'été 1924 (affaire Matteotti), on constate que le mouvement fasciste originel exerce une très forte attraction sur des individus et des groupes qui, engagés jusqu'alors sur d'autres voies mais qui partagent avec lui un certain nombre de projets, ou simplement ont les mêmes adversaires, tendent à gommer leurs différences avec lui et à s'associer à ses entreprises, voire à se fondre dans la même entité partisane. Il en sera ainsi par exemple de l'Association nationaliste, qui fusionne en 1923 avec le PNF, renforçant le caractère monarchiste et conservateur du second fascisme, et à titre individuel de personnalités politiques, de dirigeants économiques, d'intellectuels, dont une partie va rompre par la suite avec le fascisme après l'avoir suivi au moment décisif de la saisie des leviers de commande.

En France, n'ont joué ni l'attraction supplémentaire qu'a donnée au fascisme son arrivée au pouvoir, ni les effets d'une crise-catastrophe entraînant comme en Italie et en Allemagne la simplification du jeu politique et le rassemblement des forces conservatrices autour de la formation la plus radicale et la plus dynamique. Il semble cependant que confrontée à une telle « situation de détresse », la fraction antilibérale et antiparlementaire de la droite française – incarnée notamment par les ligues – aurait pu basculer du côté des « fascistes » et partir avec eux à l'assaut du pouvoir. Qu'elle ne l'ait pas fait tient davantage peut-être à l'absence d'une véritable menace révolutionnaire qu'au légalisme de ses dirigeants.

La question du fascisme français et des chances qu'il aurait eu d'accéder au pouvoir dans un autre contexte n'est donc pas épuisée lorsque l'on a constaté la minceur de son noyau dur. Il faut encore tenir compte, sans tomber dans l'excès d'un Sternhell ou d'un Bernard-Henri Lévy qui finissent par voir des fascistes partout, de son magnétisme s'exerçant à des degrés divers dans toutes les directions du champ politique, à droite sans doute, du côté des

58

ligueurs et des « non-conformistes », mais aussi dans les rangs des formations adverses. On retrouve ici l'idée d'« imprégnation fasciste », développée il y a trente ans par Raoul Girardet, et à laquelle Philippe Burrin a donné récemment un contenu élargi à la gauche [94], en rappelant au passage le rôle joué dans la formation de la « nébuleuse fascistoïde » par l'influence des modèles étrangers.

Ce phénomène de contamination, par zones concentriques plus ou moins fortement imprégnées d'idéologie fasciste ou fascisante, et qui reste au demeurant minoritaire dans un pays dont les traditions et la culture politiques opposent à son extension une très vive résistance, caractérise bien sûr essentiellement la période des années trente. On peut toutefois se demander s'il ne présente aucun trait commun avec ce qui se passe en France depuis trois ou quatre ans, dans un contexte il est vrai tout différent et appliqué à un courant politique plus hétérogène encore que ne l'a été le fascisme triomphant de l'avant-guerre.

94. P. Burrin, *Le Fascisme satellite. Bergery, Déat, Doriot et les hommes de gauche français dans le champ d'attraction des fascismes*, thèse de science politique de l'université de Genève, 1985, ex. dactyl.
Voir également, le livre qu'il en a tiré. Paris, Le Seuil, 1986.

2

Des origines aux années vingt

Il n'y a pas de « pur fascisme » des origines. Lorsqu'il prend naissance, dans l'Italie de l'immédiat après-guerre, le fascisme n'est rien d'autre qu'un mot plaqué sur un bric-à-brac d'idées et de comportements empruntés à divers courants du radicalisme politique. La plupart ont vu le jour au cours des trois ou quatre décennies qui précèdent le premier conflit mondial mais c'est la guerre qui les a fait surgir au premier plan et leur a apporté une audience qu'ils avaient jusqu'alors vainement recherchée.

Un refus ambigu de l'ordre bourgeois

Comme nous l'avons déjà esquissé la préhistoire du fascisme européen s'inscrit dans le cadre de sociétés en rapide mutation sur lesquelles se sont exercés, au cours des deux dernières décennies du XXe siècle, les effets déstabilisateurs de la seconde révolution industrielle : exode massif des ruraux vers les centres manufacturiers et les grandes métropoles, éclatement des structures d'encadrement de la société traditionnelle (la famille, la communauté villageoise, les formes classiques de l'organisation professionnelle et de la vie associative, etc.), incapacité des classes dirigeantes, dans les pays dépourvus de traditions libérales, à intégrer politiquement les « masses » ainsi constituées par agrégation d'individus « atomisés » et nivelés, prolétarisation de catégories sociales appartenant au monde de la petite production, montée enfin d'une nouvelle élite administrative et technicienne aspirant à instaurer sa propre hégémonie.

60

Dès 1890, se trouvent ainsi réunies les conditions socio-économiques d'éclosion d'idélologies de « troisième voie », contestataires de l'ordre bourgeois en même temps qu'imperméables aux tendances égalitaires et matérialistes du marxisme. Elles rencontrent un écho particulier dans les diverses strates de la petite bourgeoisie, principalement dans les pays où les élites traditionnelles n'ont pas su les associer à la direction des affaires.

Ces bouleversements sont contemporains d'une crise intellectuelle qui affecte, dans ses bases mêmes, les conceptions philosophiques et morales des héritiers des Lumières. Tandis que le culte scientiste se trouve remis en question par les travaux de mathématiciens tels qu'Henri Poincaré, Einstein, de Broglie, etc., et que l'édifice déterministe révèle ses limites et ses faiblesses, on assiste à une revanche de l'irrationnel qui envahit tous les domaines de la pensée et ne tarde pas à surgir sur le terrain des mœurs et de la vie quotidienne. Avec Bergson et Nietzsche triomphent la réaction contre l'intellectualisme et la réhabilitation du moi profond. Le renouveau de la foi et des valeurs traditionnelles, s'opposant au culte de la raison et de la science, s'accompagne d'une poussée de mysticisme qui concerne toutes les Églises et touche autant les masses que les élites. La renaissance des cultures populaires et des traditions régionalistes va dans le même sens, tandis que l'engouement pour le sport traduit des besoins identiques à ceux que manifestent les philosophies irrationalistes : volonté de dépassement individuel, exaltation du moi ou au contraire aspiration à se fondre dans le groupe, culte de la vie et fascination du danger, goût du geste gratuit, etc.

Tel est le climat dans lequel se développent, au cours des décennies qui précèdent la Première Guerre mondiale, des mouvements et des idéologies qui peuvent être considérés comme les antécédents directs du fascisme. Pour Sternhell, « le mot n'existe pas alors, mais le phénomène est déjà là, pourvu d'un cadre conceptuel bien solide [1] ». Ce qui est probablement excessif même si, comme le précise avec raison l'auteur de *Ni droite ni gauche*, « la poussée de la pensée fasciste [...] ne peut être mise sur le seul compte de la guerre [2] ». Ces « préfascismes » se nourrissent d'une thématique qui tire sa substance du rejet hautement proclamé de la société bourgeoise et de ses valeurs, tantôt empruntée à l'ultracisme contre-révolutionnaire, tantôt inspirée d'un césarisme populiste qui, dans un pays comme la France, va prendre le visage du bonapartisme, tan:tôt encore se

1. Z. Sternhell, *Ni droite ni gauche, op. cit.*, p. 15.
2. *Ibid.*, p. 16.

61

rattachant à l'extrémisme de gauche et en particulier à la version sorélienne du syndicalisme révolutionnaire.

Dès les premières années du XXe siècle a commencé à s'opérer cette fusion des contraires que constitue la synthèse du nationalisme et de l'anarcho-syndicalisme. En Italie, elle se fera notamment par le truchement de la revue florentine *La Lupa*, fondée en 1910 par Paolo Orano et à laquelle collaborent Corradini, véritable figure de proue du nationalisme et de l'impérialisme italiens, et le principal disciple transalpin de Sorel, Arturo Labriola, promoteur comme son inspirateur français d'une révision *par la gauche* du marxisme aboutissant au syndicalisme révolutionnaire [3]. Issues d'un commun refus de la société bourgeoise positiviste et humaniste, les thèses soréliennes et les idées nationalistes ne manquent pas en effet de points de convergence. Dans une lettre adressée en 1909 à Corradini [4], le directeur du journal nationaliste *Il Tricolore*, Mario Viana, le dit très fortement : « Nationalisme et syndicalisme, écrit-il, sont deux mouvements sociaux de finalité nettement antagoniste mais qui ont de grandes et fondamentales analogies. L'un et l'autre sont des mouvements de conquête et de domination, et sont en ce sens impérialistes : le nationalisme comme le syndicalisme exaltent la morale héroïque, la vertu du sublime, le mythe généreux respectivement de la guerre victorieuse et de la grève générale, dans leur intégrité. L'un et l'autre sont des mouvements de solidarité, mais antidémocratiques, antipacifistes, antihumanitaires, ennemis de la fausse science et du positivisme. »

Il est à noter cependant que la matrice ultra-droitière et réactionnaire du protofascisme italien l'emporte de beaucoup sur sa composante gauchiste. Ceci est encore plus net en Allemagne et en Autriche, où les tentatives du pasteur Stöcker, de Friedrich Naumann et de sa revue *Die Hilfe*, du bourgmestre de Vienne Karl Lueger, pour jeter les bases d'un mouvement « national-socialiste » dont Hitler n'aura plus qu'à recueillir l'héritage après la guerre, ont tôt fait de réduire leur programme anticapitaliste et antibourgeois à des mots d'ordre impérialistes et racistes propres à mobiliser une partie des masses allemandes et à détourner celles-ci de la voie révolutionnaire.

3. Georges Sorel était théoriquement associé à la rédaction de *La Lupa*, mais il ne lui donnera jamais aucun article.
4. En réponse à une correspondance du chef de file du nationalisme italien, dans laquelle celui-ci disait notamment : « Je vous en prie, ne perdez pas des yeux les syndicalistes. Leur point de départ est d'une certaine façon le nôtre. C'est la première doctrine sincère et forte surgie de l'ennemie. »

62

Ainsi, en Italie comme dans les pays de langue allemande, se manifeste à la veille du premier conflit mondial une tendance des milieux nationalistes à récupérer par le biais de l'extrémisme anarchisant, du « social-impérialisme » ou de l'antisémitisme la fraction de la classe ouvrière et de la petite bourgeoisie en voie de prolétarisation sur laquelle l'attraction de l'idéologie marxiste – principalement dans sa version réformiste – demeure faible. En est-il de même en France?

Du messianisme républicain au nationalisme intégral

Comme son homologue transalpin, le fascisme français relève d'une double et lointaine filiation : celle d'un nationalisme passé en l'espace d'une génération de la gauche à l'ultra-droite et celle du révisionnisme marxiste d'inspiration sorélienne. Toutefois, à la différence de ce qui se passe en Italie, il subit – à un moindre degré que dans les pays germaniques mais de manière néanmoins très forte – l'influence de l'antisémitisme.

La défaite de 1871, l'invasion du territoire par les armées prussiennes et l'annexion au nouveau Reich de l'Alsace et d'une partie de la Lorraine ont profondément modifié le contenu du nationalisme français. Jusque-là l'idée de nation appartenait de manière privilégiée à l'héritage de la Révolution. Non sans peine, elle tentait de concilier – comme l'écrit Raoul Girardet – « le chauvinisme cocardier et le messianisme humanitaire [5] », c'est-à-dire une volonté au moins verbale de renouer avec le passé de la « Grande Nation » et le désir de faire triompher pacifiquement dans le monde les valeurs de justice, de liberté, de fraternité humaine et de progrès que la « patrie des droits de l'homme » avait l'ambition d'incarner. Après le traité de Francfort, qui consacre le désastre militaire de la France, le sentiment national blessé à vif ne se satisfait plus de cette vision généreuse et passablement utopique. Certes, l'idée de nation reste fondamentalement une idée « de gauche ». Dans la tourmente qui a suivi l'effondrement des armées impériales, l'honneur a été sauvé par les républicains et si la France a été finalement vaincue, elle ne l'a pas été sans combattre. Il en résulte pour la République, et

5. R. Girardet, *Le Nationalisme français, 1871-1914*, Paris, A. Colin, coll. « U », 1966, p. 13.

pour les forces politiques qui s'en réclament, un prestige qui n'est pas pour rien dans l'affermissement du nouveau régime. Pourtant, si le nationalisme français reste à cette date tourné vers la République et résolument attaché aux principes du droit naturel et du libre arbitre des peuples – en quoi il s'oppose aux conceptions des théoriciens allemands pour lesquels la nation n'est pas une *idée*, c'est-à-dire un produit de la raison, mais une réalité vivante, profondément enracinée dans le passé lointain de la communauté ethnique –, les événements de 1870-1871 ont ébranlé les convictions d'anciens zélateurs du pacifisme humanitaire et ont provoqué chez nombre d'entre eux une remise en cause du concept traditionnel de nation.

Au sentiment national généreux, utopiste et largement tourné vers le monde extérieur, qui avait été celui de la génération de 1848, se substitue au lendemain de la défaite un nationalisme meurtri et replié sur l'hexagone, en rupture avec les traditions positivistes et humanistes qui le liaient à l'idéologie de gauche et plus proche du romantisme, de l'irrationnel, en même temps que du réalisme qui caratérisent son homologue d'outre-Rhin. C'est la « crise allemande de la pensée française [6] ». Elle est contemporaine du grand ébranlement européen de la fin du XIXe siècle et elle s'accompagne assez vite d'une révision douloureuse du credo républicain.

Car la République – dans sa forme parlementaire – a déçu beaucoup de Français qui plaçaient en elle leurs espoirs de revanche. On lui reproche ses langueurs et ses scandales. On lui fait grief de se détourner des grands impératifs nationaux et d'être incapable de donner au pays les moyens de faire face à la toute-puissante Allemagne. Et ceci pas seulement dans les rangs des nostalgiques de l'Ancien Régime. A un moment où les effets de la dépression économique touchent de manière très forte les classes populaires urbaines, facilement enclines à rendre la grande bourgeoisie détentrice du pouvoir responsable de leurs difficultés, c'est parmi les républicains avancés que s'élèvent les voix les plus virulentes : celle d'un Rochefort, ancien communard devenu l'éditorialiste corrosif de *L'Intransigeant*, celles d'un Naquet, d'un Gabriel Terrail ou d'un Laisant, dont le livre publié en 1887 – *L'Anarchie bourgeoise* – dénonce sans la moindre complaisance la captation du pouvoir « au profit d'une caste » et la « faillite de la République ».

De ce contexte, de cette remise en question de la République par

6. Cf. sur cette question la belle thèse de Claude Digeon : *La Crise allemande de la pensée française, 1870-1914*, Paris, PUF, 1959.

les plus zélés des républicains, est né le phénomène boulangiste. Les premiers partisans du « général Revanche » rêvent en effet d'une république dure et pure, d'une république régénérée aux sources du jacobinisme, et tout naturellement ils trouvent des alliés au début auprès d'authentiques représentants de l'extrême gauche, blanquistes et socialistes, pour lesquels le courant boulangiste représente la seule force capable de déclencher en France un processus révolutionnaire. L'illusion sera de courte durée car le boulangisme ne va pas tarder, on le sait, à basculer vers la droite, poussé en ce sens par la résistance des républicains et par l'appui que lui apportent les monarchistes des deux obédiences – légitimistes et orléanistes, depuis peu réconciliés – et certains bonapartistes. Mais de ce flirt passager avec la révolution, le nationalisme français va garder la trace.

En attendant, il se structure autour des rares éléments – l'antiparlementarisme et le culte de l'armée – qui peuvent servir de plate-forme commune aux partisans de la république plébiscitaire et à ceux qui voient en Boulanger le possible instrument de la restauration monarchique, et surtout il s'imprègne, dès lors qu'il se trouve rejeté à droite, des principes politiques du traditionalisme et des grands thèmes de la pensée contre-révolutionnaire. A la fin de la décennie 1880 se trouve ainsi constituée une véritable doctrine nationaliste faite d'emprunts effectués auprès d'idéologies apparemment inconciliables : la dérive césarienne et plébiscitaire du jacobinisme et l'ultracisme conservateur. La réaction de défense d'un catholicisme menacé par la poussée anticléricale et celle des partisans de l'ordre qu'inquiètent les progrès du mouvement ouvrier vont vite faire pencher dans le sens du second ce « nationalisme des nationalistes ».

Dix ans après la fin de la crise boulangiste, l'affaire Dreyfus achève de donner au nationalisme français les traits qui font jusqu'à nos jours sa spécificité : la véhémence du verbe qui constitue dans notre pays une sorte de substitut à la guerre civile, l'ancrage à l'extrême droite de l'éventail politique, l'ordre et la tradition préférés en dernier ressort aux aventures populistes, un militantisme intégriste au service de la religion, le culte de l'armée enfin mais une perspective strictement défensive (une fois récupérées les provinces perdues!). Tout cela le situe davantage dans la mouvance du traditionalisme que dans celle des « préfascismes » qui se développent au même moment en Italie et en Allemagne et font de l'impérialisme conquérant le fer de lance de leur doctrine.

Celle des nationalistes français est au contraire de pure conservation. Conservation tout d'abord de l'espace national que menace l'hégémonisme allemand. Cela implique certes un peuple fort et des institutions solides, mais le but est de maintenir ce qui est acquis, non de dominer le monde. Conservation et préservation d'autre part d'un environnement social et culturel qu'ont fortement ébranlé le développement du capitalisme moderne et l'éclatement des structures traditionnelles. En France, le monde des affaires et les milieux industriels sont peu perméables à l'extrémisme nationaliste, ce qui n'est le cas ni en Italie ni surtout en Allemagne. En revanche il rencontre une certaine audience parmi les laissés-pour-compte de la révolution industrielle et dans des catégories sociales qui se sentent menacées à terme par les mutations de l'économie, à la fois dans leur assiette matérielle, dans le prestige social qui s'y rattache et dans tout ce qui constitue leur univers quotidien. Cette nostalgie de « déracinés » – c'est le titre donné par Barrès à l'un des volets de son *Roman de l'énergie nationale* – confrontés à un monde qui change et qu'ils ne reconnaissent pas, nourrira en partie en d'autres temps et sous d'autres cieux la contestation fasciste. En France, à la charnière du XIXᵉ et du XXᵉ siècle, elle sert essentiellement de support à des mouvements tournés vers le passé et aspirant à sa restauration.

Née en pleine croisade anti-dreyfusarde – elle a été fondée en 1899 – l'Action française incarne admirablement, et de manière durable, ce courant ultraciste du nationalisme français. Comment a-t-elle pu être considérée par certains historiens, en particulier par l'Allemand Nolte [7], comme l'archétype du fascisme hexagonal, sinon en ne retenant du comportement de ses militants et de l'immense production écrite de ses théoriciens que l'écume des gestes et des mots? Certes, il y a chez le fondateur de l'Action française, des points communs avec les courants de pensée qui, à l'aube du XXᵉ siècle, annoncent et préfigurent le fascisme. Maurras méprise la démocratie égalisatrice, l'humanitarisme et le pacifisme, il oppose aux forces « corruptrices » de la société et de la nation une volonté de « réaction » qui traduit en termes politiques l'élan vital de la race, il exalte volontiers la violence et le geste héroïque et professe un aristocratisme qui n'est pas totalement étranger aux influences nietzschéennes. Tout cela le rattache au fleuve antipositiviste et antilibéral qui caractérise à bien des égards le XIXᵉ siècle finissant et dont procède effectivement l'idéologie des faisceaux. Ce n'est pas suffisant toutefois pour faire de l'écrivain provençal un précurseur du fascisme.

Une première différence fondamentale tient à la manière dont s'est

7. E. Nolte, *Le Fascisme dans son époque*, Paris, Julliard, 1970, traduit de l'allemand, t. I – *L'Action française*.

66

élaborée la doctrine maurrassienne. Le fascisme est un romantisme et doit tout à l'irrationnel. Maurras au contraire est un « classique » et s'il répudie l'héritage des Lumières, il ne rejette pas avec elles la raison qui les a engendrées. Son adhésion à la monarchie n'est pas le résultat d'une intuition ou d'une conversion mystique, mais le produit d'un choix rationnel et sa pensée obéit à une cohérence intellectuelle dont ne se préoccupent guère les doctrinaires fascistes.

Divergence également sur la façon dont fascistes et maurrassiens conçoivent la société à venir. La volonté d'adaptation accélérée au monde industriel, le souci d'intégrer politiquement les masses, l'omniprésence et l'omnipotence de l'État, le contrôle permanent exercé par celui-ci sur les individus, tout ce qui en bref forme la spécificité du totalitarisme fasciste est en effet étranger à la construction maurrassienne. Celle-ci regarde vers le passé. Elle fait table rase d'un siècle d'histoire et place son idéal dans une forme de société qui est à peu de chose près celle de l' « ancienne France ». Elle exalte le pouvoir et la raison d'État mais l'idée qu'elle se fait du pouvoir et de l'État est aux antipodes des conceptions héritées du jacobinisme bureaucratique et centralisateur. Elle est inégalitaire comme le fascisme est inégalitaire, mais d'une manière toute différente : le respect qu'elle affiche envers les hiérarchies s'applique à l'establishment traditionnel, non à une élite de remplacement mise en place par le nouveau régime. Enfin, elle est hostile à toute forme de pouvoir émanant directement du peuple et manifeste une grande méfiance envers les masses.

Il y a bien dans la doctrine de l'Action française des préoccupations « sociales », de même qu'il y a dans son discours des accents plébéiens qui trahissent de fortes tendances démagogiques, mais cela ne suffit pas à lui conférer un label populiste, voire socialisant. L'essentiel du programme de l'AF en ce domaine vient en effet en droite ligne de la branche aristocratique et paternaliste du catholicisme social, représentée notamment par René de La Tour du Pin, dont l'idéal est la restauration des cadres corporatifs de l'Ancien Régime et l'association du capital et du travail : étant entendu qu'il s'agit d'un capital non usurier, c'est-à-dire non détenu par des juifs. Par ce biais, on le voit, la thématique de ce conservatisme radical rejoint celle d'un autre inspirateur de la doctrine « sociale » de l'AF, Édouard Drumont, dont le best-seller publié en 1886 – *La France juive* – constitue un réquisitoire d'une extrême violence contre la civilisation moderne, le « capitalisme juif » et la bourgeoisie en général.

Quant au lien, souvent évoqué, avec le « syndicalisme révolutionnaire », il doit être examiné avec infiniment de prudence. D'abord,

67

comme l'a bien montré Jacques Julliard [8], *le* syndicalisme révolutionnaire, ce sont essentiellement les dirigeants de la CGT et les chefs de file du mouvement ouvrier. Ce sont les Griffuelhes, les Pouget, les Merrheim, les Monatte, « non un solitaire comme Sorel, ou un marginal comme Émile Janvion [9] ». Or, si l'on suit Sternhell dans sa démonstration [10], c'est de la rencontre de Sorel et de Maurras que serait sortie tout armée l'idéologie fasciste. Voir dans cette rencontre – comme le fait un peu vite l'historien israélien – la synthèse du nationalisme intégral et du syndicalisme révolutionnaire est pour le moins hasardeux. Ajoutons que, même réduite à sa dimension sorélienne, la « synthèse » est loin d'être parfaite. Et les choses ne sont guère différentes si l'on y ajoute Proudhon pour faire bon poids. Non que Sorel et Proudhon aient été sans influence sur les doctrinaires de l'Action française. Simplement il s'agit, de même que chez les nationalistes italiens, d'une influence sélective. Ce sont en général les éléments les plus réactionnaires de leur pensée qui ont été repris par l'école maurrassienne, et si de ce mariage il reste quelque chose du syndicalisme et de la révolution, c'est une mince légion de militants qui se trouve concernée. La plupart d'entre eux s'écarteront d'ailleurs par la suite de la ligue, à commencer par Georges Valois, prototype de la dissidence et fondateur après la guerre du premier mouvement se réclamant en France de l'idéologie des faisceaux.

Quant à Maurras, il se montrera lui-même très réservé devant ce qu'il considère un peu comme un risque de subversion de la doctrine et du mouvement qu'il a créés. S'il patronne effectivement le cercle Proudhon, les références dans son œuvre au théoricien français de l'anarchisme sont rares et prudentes.

Faut-il conclure de tout cela qu'il n'y a aucun lien, aucune filiation entre la famille maurrassienne et le fascisme à la française qui va se développer au lendemain du premier conflit mondial? Deux raisons nous inclinent à répondre à cette question par la négative. La première est bien connue et concerne moins la doctrine que le mouvement, ou plutôt le *milieu* d'Action française. Comme l'a montré entre autres le meilleur de ses historiens, l'Américain Eugen Weber [11], celui-ci a de manière récurrente servi de matrice à des groupes fascistes ou fascisants sortis de son sein pour se constituer en organisations rivales à la suite de désaccords avec l'état-major

8. J. Julliard, « Sur un fascisme imaginaire : à propos d'un livre de Zeev Sternhell », *Annales ESC*, juillet-août 1984, p. 849-859.
9. *Ibid*, p. 853.
10. Z. Sternhell, *Ni droite ni gauche, op. cit.*
11. E. Weber, *L'Action française*, Paris, Stock, 1964.

68

maurrassien, en général tenu pour trop timoré par les jusqu'au-boutistes du mouvement. Conflit de génération le plus souvent entre les maurrassiens de la vieille école, pour lesquels la violence du verbe n'est pas incompatible avec la relative modération du projet et des actes, et ceux qui, parmi les jeunes militants, ont pris au pied de la lettre le discours incendiaire de leurs aînés et ont glissé vers le fascisme, emportés par le climat passionnel qui régnait à l'AF. Toutefois, si fascisation il y a, elle n'est pas inscrite dans le programme initial de la ligue et René Rémond a raison de délimiter les responsabilités de chacun :

« Il est vrai, écrit-il, que l'Action française a cultivé chez ses fidèles une prédisposition au fascisme; c'est un fait que certains des disciples de Maurras passeront sans transition de la ligue au fascisme. Mais les doctrinaires ne peuvent être tenus pour responsables des itinéraires de tous les dissidents et les dévoiements de ceux-ci n'autorisent pas à les tenir pour plus fidèles et plus représentatifs de l'orthodoxie que l'expression officielle des porte-parole qualifiés [12]. »

L'autre degré de la filiation est moins évident, mais il pose un problème que nous retrouverons pour d'autres courants du nationalisme français et qui est celui de la nature même du fascisme. Si par ce mot on désigne le radicalisme contestataire et antibourgeois qui caractérise l'expérience mussolinienne dans sa phase initiale – disons entre la naissance officielle du mouvement et l'automne 1920 –, ce que nous avons appelé « premier fascisme », il est clair que le phénomène n'a pas grand-chose de commun avec le nationalisme intégral de Maurras, cette « synthèse des traditions [13] » tournée vers le passé et respectueuse des hiérarchies anciennes. Encore que ce fascisme originel ne soit pas rigoureusement homogène ni vierge de toute contamination ultraciste. Mais surtout, nous l'avons vu, il ne représente qu'un moment dans l'histoire du fascisme. Très tôt, à ce noyau majoritairement gauchiste, viennent s'agréger des courants dont la confluence détermine les contours d'un « second », puis d'un « troisième » fascisme. Le nationalisme qui, dans sa version ultra-droitière, se structure en Italie autour de Corradini de Prezzolini, de Giovanni Papini et de « politiques » comme Federzoni et Rocco, c'est-à-dire d'hommes qui ne sont pas tellement éloignés de la doctrine maurrassienne, est l'un des plus importants de ces courants. Or, vite submergé par la vague déferlante du fascisme, il se hâtera

12. R. Rémond, *Les Droites en France*, Paris, Aubier, 1982, p. 203.
13. Selon l'expression de René Rémond.

après la Marche sur Rome de faire sauter les verrous qui le séparaient de ce dernier, tantôt en gommant dans une euphorie unanimiste des divergences devenues mineures depuis que la formation anarchisante des premiers jours s'était muée en un parti de l'ordre soucieux de respectabilité, tantôt en se résignant à suivre une organisation qui avait su imposer sa loi à ses adversaires, lesquels se trouvaient également être ceux des nationalistes. « Le fascisme existe – écrira Prezzolini en décembre 1922, quelques semaines après l'avènement du nouveau régime –, il a gagné; pour nous autres historiens, cela signifie qu'il y a des raisons valables à sa victoire. »

De ce ralliement des intellectuels et des politiciens nationalistes, et de la fusion qui s'opère en mars 1923 entre le PNF et l'Association nationaliste, il résulte que le fascisme, déjà réorienté à droite par les liens qu'il a noués avec une partie des possédants, va accélérer sa dérive en ce sens et affirmer ses tendances conservatrices et monarchistes. Autrement dit, le nationalisme ultraciste est devenu dans l'Italie des années vingt l'une des composantes du fascisme-régime, après avoir été son concurrent malchanceux. C'est une leçon de l'histoire dont il faut se souvenir – quelles que soient les différences, et elles sont nombreuses, entre la situation italienne et celle de la France – lorsque l'on oppose l'idéologie et l'action de l'AF au « fascisme », sans préciser à quel stade du fascisme on se réfère.

Préfascisme à la française

Qu'il y ait eu dans le maurrassisme, en tant que doctrine et en tant que mouvement, une potentialité d'alliance et de fusionnement avec un « fascisme » français devenu hégémonique à droite – ceci, dans le contexte d'une « situation de détresse [14] » que la France ne connaîtra jamais, ou du moins qu'elle ne connaîtra seulement après la défaite de 1940, dans des conditions tout à fait particulières – ne doit pas nous incliner à voir dans l'AF autre chose que ce qu'elle est : un traditionalisme musclé, idéologiquement situé à bonne distance du fascisme et des théories qui, à la charnière du XIXe et du XXe siècle, préfigurent le totalitarisme brun ou noir.

Il n'en est déjà plus tout à fait de même de Barrès, l'autre figure de

14. J'emploie cette expression dans le sens que lui a donné Jules Monnerot dans sa *Sociologie de la révolution*, Paris, Fayard, 1969.

70

proue du nationalisme français, dont Robert Soucy [15] et Zeev Sternhell [16] ont montré avec pertinence en quoi il pouvait être considéré comme « préfasciste ». Certes, il faut se garder de tirer de ce côté l'auteur des *Bastions de l'Est*, en faisant de son œuvre une lecture sélective. On ne peut ignorer ni ses fidélités, ni le fait que le barrésisme se rattache au nationalisme défensif ou au nationalisme revanchiste des républicains, non aux fantasmes conquérants des doctrinaires de l'impérialisme. Il est clair d'autre part que le Barrès de la maturité, celui dont l'affaire Dreyfus a précipité l'évolution droitière, est avant tout un conservateur, un homme attaché à l'ancienne France, à ses traditions, à ses institutions fondamentales (distinctes du régime politique du moment), enraciné dans le temps et dans l'espace, soumis par un choix délibéré (« l'homme libre, écrit-il, accepte son déterminisme ») à un ordre qui le dépasse et le soutient, respectueux par conséquent des hiérarchies en place et des verdicts de l'histoire; là où les fascistes chercheront au contraire à bousculer l'histoire, à se substituer aux anciennes élites et à créer un « ordre nouveau ». L'idée que Barrès se fait de la société est donc rigoureusement statique, de même que la façon dont il conçoit la nation française, sa culture et son devenir :

« J'entrevois, écrit-il dans ses *Cahiers,* quand je me baigne dans la tradition française, j'entrevois, je ressens mon plein bonheur. Je vois dans notre histoire, dans notre littérature où dominent l'*ordre* et le *sens de l'honneur,* ma propre substance. Toute modification de ces forces porte préjudice à ma jouissance et nie des parties de moi-même. Je demande que la France, ou plutôt que l'idéal des Français, Ronsard, Racine, Chateaubriand, Corneille, Napoléon, continue de fleurir. Je n'ai pas besoin qu'il soit altéré. Voilà pourquoi je suis conservateur et ne veux pas qu'on désorganise l'État français [17]. »

Si l'on ajoute à cela que, pour le Barrès du *Roman de l'énergie nationale* (publié entre 1897 et 1902), la bourgeoisie doit jouer un rôle naturel d'entraînement et de direction du corps social, si l'on considère son mépris non pas pour le peuple (pour lequel il éprouve un sentiment passionnel teinté de paternalisme), mais pour ceux qui, sortis de ses rangs comme le Bouteiller des *Déracinés* [18], ont cherché

15. R.J. Soucy, *Fascism in France : the Case of Maurice Barrès, op. cit.*
16. Z. Sternhell, *Maurice Barrès et le nationalisme français*, Paris, Presses de la FNSP, 1972.
17. M. Barrès, *Mes cahiers*, t. IV, p. 67.
18. On sait que le modèle de ce fils du peuple, boursier républicain devenu normalien et agrégé, a été Auguste Burdeau, ancien professeur de Barrès au lycée de Nancy dont la République a fait un ministre des Finances et un président de la Chambre.

71

à s'élever au-dessus de leur condition, si l'on songe à l'importance que cet agnostique reconnaît à la religion, ou plus exactement à l'institution ecclésiale et au culte catholique, on mesure la distance qui sépare son traditionalisme conservateur du radicalisme fasciste, contestataire de l'ordre établi.

Il existe cependant dans la pensée et dans les écrits barrésiens des éléments qui, en complète rupture avec ces options conservatrices, annoncent la thématique fasciste. Il est vrai qu'avant de se faire le porte-parole d'un traditionalisme de notables, l'écrivain lorrain a été classiquement un jeune bourgeois en révolte contre sa classe. De ses fureurs adolescentes contre le milieu dont il est issu, ce « monde incolore » dont il méprise la médiocrité, s'est nourri son engagement politique sous la bannière du boulangisme. Celui de la première mouture, contestataire, jacobin, tout proche du révisionnisme anti-parlementaire des républicains avancés et d'ailleurs sortis de leurs rangs. De ces radicaux intransigeants en rupture avec leur famille d'origine et de la virulence avec laquelle ils s'en prennent à l'establishment républicain, le jeune Barrès va s'inspirer pour élaborer sa propre doctrine, laquelle – quelle que soit l'ampleur du virage conservateur effectué au moment de l'affaire Dreyfus – portera durablement la trace de ses choix initiaux et du bout de chemin qu'il a fait avec d'authentiques représentants de l'extrémisme de gauche.

Le passage par le populisme boulangiste, suivi d'un flirt prolongé avec le socialisme – « Socialisme! c'est le mot où la France a mis son espoir..., écrit Barrès en novembre 1889. Soyons donc socialistes [19]! » –, n'explique qu'en partie le « préfascisme » barrésien. Il faut encore tenir compte de l'air du temps, des effets produits sur l'écrivain nationaliste, comme sur beaucoup d'autres intellectuels de sa génération, par le grand ébranlement culturel de la fin du siècle, de l'influence exercée sur Barrès par le darwinisme social, par l'enseignement d'un Jules Soury et par le racisme ambiant. De ce brassage d'idées et de passions surgissent des thèmes qui s'inscrivent dans son œuvre en contrepoint du credo traditionaliste : le culte des masses, pour lesquelles le « frêle héros » éprouve « d'obscurs sentiments hérités de nos ancêtres », l'oubli du moi, passionnément exalté dans les écrits de jeunesse, dans la communion mystique avec cet être collectif que constitue la nation, la ferveur exprimée à l'égard du chef – « homme national » ou « homme drapeau » –, la primauté donnée à l'action, au geste héroïque, à l'énergie vitale, sur les froides constructions de l'esprit, etc.

19. « Les Socialistes révisionnistes », *Le Courrier de l'Est*, 24-11-1889.

72

Par tout cela, par l'idée qu'il se fait en même temps de la France, une nation « de chair et d'os » à laquelle l'individu se trouve indissolublement lié par « la terre et les morts », par son anti-intellectualisme, par le rôle qu'il attribue à l'inconscient et à l'instinct (les deux notions ne sont pas toujours clairement distinguées par lui), par son refus de l'humanisme, de la justice objective, de normes morales absolues [20], par l'usage enfin qu'il fait du racisme et de l'antisémitisme, Barrès se rattache incontestablement aux courants préfascistes de la pensée européenne. Que ces ingrédients idéologiques, dont certains paraissent tributaires du nationalisme romantique d'outre-Rhin et du nietzschéisme plus que du classicisme français et des théoriciens de la contre-révolution, soient dans son œuvre achevée subordonnés aux grandes options du traditionalisme politique, cela ne fait aucun doute. Le barrésisme est une synthèse de la maturité où triomphent en fin de parcours, comme dans la plupart des destinées humaines, les forces de l'ordre et de la conservation. Mais n'en sera-t-il pas de même des idéologies fascistes, érodées à l'épreuve du temps et du pouvoir?

Il reste que le véritable préfascisme français doit être recherché ailleurs, dans ce fourmillement de familles idéologiques et de groupuscules que Sternhell a baptisé « droite révolutionnaire » et qui représente pour lui la matrice principale du fascisme européen. Il s'articule autour de trois courants principaux qui ont en commun d'être fortement ancrés à droite et de mordre sur la clientèle ordinaire de la gauche et de l'extrême gauche.

Le premier de ces courants est celui des ligues. Nées à gauche, dans le giron républicain – la première, la Ligue des patriotes, a été fondée en 1882 pour préparer physiquement et moralement le pays à la revanche – ces ébauches d'organisations de masse se sont développées à partir du milieu des années 1880 en changeant de couleur politique, d'abord avec le flux montant du boulangisme, puis dans l'espace tenu par les forces dreyfusardes. Préfigurent-elles, par leur composition, par l'idéologie qui les anime et par les méthodes qu'elles emploient, les mouvements fascistes de l'après-guerre?

Sternhell incline volontiers dans ce sens. « La Ligue des patriotes, écrit-il, est le premier parti de masse structuré en France autour d'une idéologie nationaliste et autoritaire, à la fois militariste, populiste et antimarxiste, le premier aussi à mettre en œuvre des méthodes modernes d'encadrement, de propagande et d'action dans

---

20. Z. Sternhell, *Maurice Barrès et le nationalisme français, op. cit.*, p. 280-281.

la rue [21]. » Cela ne suffit pas, estime René Rémond, pour voir en elle et en ses concurrentes et épigones, la Ligue antisémite de Jules Guérin, la Ligue de la Patrie française – sans parler de l'AF – autre chose que ce qu'elles sont : à savoir, au même titre que le boulangisme qui favorise leur premier essor, un avatar du bonapartisme.

Comme lui, elles rassemblent sur un programme plébiscitaire et autoritaire des éléments conservateurs et une clientèle populaire, généralement citadine, anticléricale et contestataire de l'ordre établi. *Contestataire* plutôt que révolutionnaire, comme le proclame un peu hâtivement l'historien israélien. Révoltées contre l'ordre existant et contre la droite classique qui lui est associée, ou qui se refuse à le combattre par la violence, elles le sont assurément. Mais, René Rémond a raison de le souligner, « n'est pas révolutionnaire qui se proclame tel » et « il ne suffit pas de critiquer l'ordre établi ou le régime politique pour avoir droit à se qualifier de révolutionnaire [22] ».

De plus, la contestation ligueuse ne représente qu'une fraction du mouvement dont elle se réclame. Celle qui rassemble autour d'un programme gauchisant les éléments les plus motivés et les plus véhéments, avant d'être récupérée ou marginalisée par l'aile conservatrice. Certainement pas la masse des sympathisants, encore moins celle des électeurs qui apportent leurs voix aux organisations nationalistes. Il y a là une constante de l'histoire politique française, un phénomène de rejeu qui s'est successivement appliqué au bonapartisme lui-même, puis au boulangisme et à l'anti-dreyfusisme, comme plus tard au « fascisme ». On en constate aujourd'hui encore la pérennité avec la parlementarisation du Front national.

Contestation donc plutôt que révolution, et contestation assez vite minoritaire. « La préoccupation de la défense sociale, écrit encore René Rémond, conçue en termes purement conservateurs, a tôt fait de prendre le pas sur le souci de justice et d'équité sociales et rejette à l'extérieur les aventuriers qui rêvent de subversion ou de changement profond [23]. » A quoi il faut ajouter que si les ligues nationalistes ont une clientèle « populaire », l'élément spécifiquement ouvrier y tient une place réduite. Travaillant sur un échantillon de 381 militants de la Ligue des patriotes [24], Zeev Sternhell relève parmi eux 119 artisans et petits commerçants, 90 employés, 73 représentants des professions libérales, 54 propriétaires, entrepreneurs et négociants, pour seulement 13 ouvriers. Essentiellement parisienne, la

21. Z. Sternhell, *La Droite révolutionnaire, op. cit.*, p. 77.
22. R. Rémond, *Les Droites en France, op. cit.*, p. 205.
23. *Op. cit.*, p. 204.
24. Cf. *La Droite révolutionnaire, op. cit.*, p. 118.

ligue que préside Déroulède – de loin la plus importante et la plus plébéienne avec la Ligue antisémitique de Guérin – est bien un rassemblement de membres des classes moyennes.

Deux choses méritent cependant d'être notées. D'abord que la nature de la source – les archives du ministère de l'Intérieur et de la préfecture de police – privilégie l'élément petit-bourgeois, dans la mesure où les individus fichés par la police sont plus souvent de petits cadres du mouvement que des adhérents obscurs. Ensuite que l'échantillon considéré s'applique non à l'organisation pure et dure des premiers temps du boulangisme, mais à celle des toutes dernières années du siècle, telle qu'elle se présente au terme d'une évolution qui l'a conduite en dix ans du boulangisme de gauche au conservatisme musclé. La distinction est capitale. Si préfascisme il y a en effet dans les ligues nationalistes, c'est au point de départ de leur évolution qu'il faut le rechercher, au moment où l'idéologie de synthèse qui préside à leurs premiers pas ne se trouve pas encore contaminée par l'élément conservateur qui en saisira bientôt les leviers de commande, par le poids des bailleurs de fonds, ou simplement par la logique opportuniste du combat électoral. On retrouvera ce problème de fond en examinant la nature du fascisme français. Faut-il, comme le fait Sternhell, le réduire à l'idéologie de sa phase de gestation et appliquer la recette au fascisme en général? En vertu de quoi les grands partis de masse, PNF et NSDAP, lancés à l'assaut des démocraties en crise et surtout les dictatures totalitaires de l'entre-deux-guerres ne seraient que des alliages bâtards, dérivés du pur métal des commencements. Nous reviendrons sur ce problème fondamental. Contentons-nous pour l'instant d'admettre avec l'auteur de *Ni droite ni gauche* qu'il existe bien une parenté entre le premier boulangisme et le premier fascisme, l'un et l'autre sortis du giron de la gauche et à court terme récupérés par la droite.

Que le boulangisme et ses retombées ligueuses soient, comme le dit René Rémond, un « avatar du bonapartisme » – plus précisément de la gauche bonapartiste post-quarante-huitarde – cela ne fait guère de doute. Il y a cependant entre ces deux moutures de la droite révolutionnaire une différence de taille qui fait de la plus récente un jalon dans la filiation – encore mal explorée – qui va du bonapartisme au fascisme. Les ligues en effet ne sont pas seulement populaires, contestataires de l'ordre existant, hostiles à la république bourgeoise et partisanes dans un premier temps de la démocratie plébiscitaire. A ces caractères, qui définissaient déjà le bonapartisme de gauche, elles ajoutent la recherche d'une synthèse entre le nationalisme et le

75

socialisme. Un socialisme d'abord très éloigné du marxisme et qui puise sa sève aux racines de l'utopie industrielle, mais qui n'est pas pour autant étranger aux idéaux de la classe ouvrière.

Or cette synthèse socialiste nationale ne fonctionne pas seulement à cette date de haut en bas : adaptation en quelque sorte du discours antiparlementaire et antilibéral petit-bourgeois aux aspirations égalitaires des masses à conquérir. Si volonté de captation il y a, de la part des forces conservatrices, elle n'agit que progressivement sur les leaders nationaux et nombreux sont, parmi ces derniers, ceux qui adhèrent sincèrement à un programme de restructuration sociale éliminant l'exploitation capitaliste. A commencer par le jeune Barrès, qui est élu en 1889 député « révisionniste » de Nancy avec l'appui des voix ouvrières, place le boulangisme lorrain sous l'étendard du socialisme, vote à la Chambre avec le groupe ouvrier des projets de loi progressistes [25] et ferraille verbalement avec les « réactionnaires », avant d'animer quelques années plus tard l'équipe de *La Cocarde*, dans laquelle figurent, à côté de Maurras et de Daudet, des hommes comme Camille Pelletan, Clovis Hugues et Fernand Pelloutier.

Il est vrai que, dès cette époque, apparaissent clairement les limites du « socialisme » barrésien. La tâche première que l'écrivain lorrain assigne dans *La Cocarde* à ses amis boulangistes de gauche est la reconstruction du « front socialiste », brisé par l'opportunisme lors de la crise boulangiste [26] et qui sera, précise-t-il, « patriote, socialiste, antisémite [27] ». Il voit dans le marxisme une synthèse du « socialisme juif » et du « socialisme allemand » reliant l'esprit des « durs logiciens juifs » au « sentiment du ventre » inhérent à la nature allemande. Plus tard, lorsqu'il aura rompu avec le gauchisme de sa jeunesse, l'idée qu'il se fera de la société industrielle et des changements à lui apporter sera plus proche de celle des catholiques sociaux et des disciples de La Tour du Pin que des doctrines collectivistes, désormais rejetées en bloc comme destructrices des forces vives de la société et de la nation. Cela toutefois ne suffit pas à ranger l'auteur de *L'Ennemi des lois* et les dirigeants nationaux issus de la gauche boulangiste dans le camp des adversaires du socialisme. Du moins pas dans l'immédiat. Il faudra beaucoup de temps, on le sait, aux représentants des divers courants socialistes, marxistes compris, pour prendre la vraie mesure du socialisme national boulangiste et ligueur

25. Notamment le projet de loi sur les retraites ouvrières déposé par le groupe boulangiste.
26. *La Cocarde*, 16-2-1895.
27. *Ibid.*, 10-1-1895. Art. cit. par Z. Sternhell, *Maurice Barrès, op. cit.*, p. 189.

et pour s'engager contre lui, au plus fort de la bataille dreyfusarde, du côté des défenseurs de la république parlementaire et bourgeoise. Et encore y aura-t-il à ce moment d'authentiques révolutionnaires comme les blanquistes pour prôner le maintien de l'alliance tactique avec la droite plébiscitaire.

Le second courant est plus difficile à cerner car il existe à la fois de manière spécifique et en tant que composante des deux autres, en même temps qu'il pénètre par mille canaux et sous des formes diverses une fraction importante de la population française. Il s'agit de l'antisémitisme. Un antisémitisme de l'âge industriel, bien caractéristique des sociétés en voie de destructuration et de massification, et qui diffère radicalement du classique antijudaïsme hérité des temps médiévaux. Comme en Allemagne et en Autriche, il ne se réduit pas en effet au rejet traditionnel – et parfois sanglant – du peuple « déicide », mais il constitue le fantasme partagé et théorisé d'intellectuels acquis aux obsessions d'un néo-darwinisme dévoyé et d'ennemis déclarés du capitalisme, venus de la droite et de la gauche extrémistes. En ce sens, il va servir de commun dénominateur à tous ceux qui rejettent en bloc la démocratie bourgeoise, son assiette socio-économique et ses idéaux rationalistes et humanitaires.

A l'origine de cet antisémitisme d'un type nouveau, auquel il faut le souligner l'Italie libérale, comme plus tard l'Italie fasciste, reste largement étrangère (ce qui doit incliner l'historien à ne pas voir du « fascisme » partout où il y a de l'antisémitisme), se trouve un courant d'idées qui procède directement de la grande crise intellectuelle et morale de la fin du siècle. La tendance à récupérer, par le truchement de Spencer, les travaux et les intuitions du naturaliste Darwin pour donner un support scientifique aux postulats inégalitaires de l'impérialisme et de la contre-révolution, est en effet commune à la plupart des grandes nations industrielles, et ce n'est pas nécessairement en France que la diffusion de ce darwinisme social a été la plus forte. Simplement il y a favorisé, comme dans les pays de langue allemande, la prolifération de théories racistes qui, par toute une série de relais, vont pénétrer en profondeur de larges couches de la société.

Après Taine et Gobineau, qui peuvent être considérés comme les précurseurs de ce racisme de l'ère impérialiste, le premier par l'importance qu'il accorde au déterminisme racial, le second par le lien qu'il établit entre le métissage des peuples et la décadence des civilisations, trois personnages vont, à des degrés divers, fournir à la droite nationaliste (conservatrice ou « révolutionnaire ») les outils conceptuels dont elle fera le ciment de sa contestation globale du système.

En tête vient le sociologue Gustave Le Bon. Des deux ouvrages qu'il publie coup sur coup en 1894 et en 1895, *Les Lois psychologiques de l'évolution des peuples* et *Psychologie des foules*, et qui vont pendant près d'un demi-siècle connaître en France et dans le monde un succès probablement inégal dans le domaine des sciences sociales, les théoriciens et les propagandistes du totalitarisme fasciste et nazi feront leur miel. Mais avant eux Bergson et Freud, Michels et Sorel, Barrès et beaucoup d'autres encore salueront l'œuvre de Le Bon et s'inspireront parfois de ses écrits [28].

Au centre de sa pensée, il y a l'idée que l'évolution des individus et des peuples, comme celle de toutes les espèces, obéit à un déterminisme rigoureux. « Un peuple, affirme-t-il, est un organisme créé par le passé » : cela pourrait à la rigueur s'accorder avec le concept cher à Renan de la nation fondée sur une commune volonté de vivre ensemble, si Le Bon n'ajoutait aussitôt, donnant à la fumeuse notion d'« âme des peuples » un contenu nettement racial :

« Il y a, écrit-il, de grandes lois permanentes qui dirigent la marche générale de chaque civilisation. De ses lois permanentes, les plus générales, les plus irréductibles découlent de la constitution mentale des races. La vie d'un peuple, ses institutions, ses croyances et ses arts ne sont que la trame visible de son âme invisible [29]. »

Or ces caractères mentaux, qui déterminent inexorablement le comportement des hommes, sont tout aussi immuables que les caractères anatomiques de la « race » à laquelle ils appartiennent et ne sont pas transmissibles à d'autres peuples :

« Les divers éléments de la civilisation d'un peuple n'étant que les signes de sa constitution mentale, écrit encore le médecin-sociologue, l'expression de certains modes de sentir et de penser spéciaux à ce peuple ne saurait se transmettre sans changement à des peuples de constitution mentale différente. Ce qui peut se transmettre, ce sont seulement des formes extérieures, superficielles et sans importance [30]. »

Sans tirer lui-même toutes les conséquences possibles de ce déterminisme psychologique et racial, Le Bon offre aux doctrinaires du nouveau nationalisme, principalement à ceux qui voient dans la

28. R.A. Nye, *The Origins of Crowd Psychology. Gustave Le Bon and the Crisis of Mass Democracy in the Third Republic,* Londres, 1975.
29. G. Le Bon, *Les Lois psychologiques de l'évolution des peuples,* Paris, p. 6.
30. *Ibid.,* p. 168.

nation autre chose qu'un produit rationnel et consensuel, une légitimation apparemment scientifique de leurs intuitions et de leur foi. Pour ne citer qu'un exemple, le thème cher à Barrès de la terre et des morts – qui sera repris plus tard sous une forme à peine modifiée par le théoricien et ministre nazi Walter Darré (*Blut und Boden* = la terre et le sang) – trouve chez l'auteur de *Psychologie des foules* une justification de cette nature. Citons-le une fois encore :

« Pour comprendre la vraie signification de la race, il faut la prolonger à la fois dans le passé et dans l'avenir. Infiniment plus nombreux que les vivants, les morts sont aussi infiniment plus puissants qu'eux. Ils régissent l'immense domaine de l'inconscient, cet invisible domaine qui tient sous son empire toutes les manifestations de l'intelligence et du caractère. C'est par ses morts, beaucoup plus que par ses vivants, qu'un peuple est conduit. C'est par eux seuls qu'une race est fondée [31]. »

Avec Georges Vacher de Lapouge, on passe des prémisses de la doctrine à une formulation déjà plus élaborée du racisme biologique et à un système de pensée reliant le déterminisme darwinien à l'évolution de l'humanité, elle-même commandée par la « loi inflexible » des rapports de forces entre les individus et entre les nations. Pour cet agrégé de droit devenu sous-bibliothécaire à la faculté des lettres de Montpellier et socialiste militant (d'obédience guesdiste), il existe un lien étroit entre le biologique, l'économique et l'anthropologie sociale dont il estime être en France le fondateur et le vulgarisateur. Partant de postulats identiques à ceux de Gustave Le Bon, et aussi d'une pratique expérimentale (mesure des crânes, mensurations des élèves des lycées et des conscrits) à laquelle l'auteur de *Psychologie des foules* s'était lui-même essayé – et que reprendront à leur manière les « spécialistes » nazis de la race –, il en tire la conclusion que la décadence de la France tient à la disparition de l'Aryen blond dolichocéphale, sans verser pour autant dans le pangermanisme d'un Woltmann [32] ou d'un H.S. Chamberlain. Se plaçant à mi-chemin de Darwin et de Marx, lui aussi croit au déterminisme social et au déterminisme racial, lesquels impliquent à ses yeux la condamnation radicale de l'individualisme, du libéralisme, de la démocratie bourgeoise, ainsi qu'une conception de la nature humaine en complète rupture avec la tradition chrétienne et avec l'héritage illuministe.

31. *Ibid.*, p. 15.
32. L'Allemand Ludwig Woltmann, dont Vacher de Lapouge a fait connaître les travaux en France et avec qui il était très lié, venait également de l'extrême gauche.

« A cette puissance infinie des ancêtres, écrit Vacher de Lapouge dans *L'Aryen*, paru en 1899, l'homme ne peut se soustraire. Il ne peut changer les traits de son visage, il ne peut davantage effacer de son âme les tendances qui lui font penser, agir comme ses ancêtres ont agi et pensé [33]. » Et il ajoute : « La psychologie de la race domine celle de l'individu. C'est là une notion fondamentale du monisme darwinien et la contrepartie du rêve de l'âme vierge, forgé par les philosophes [34]. »

Ces thèses sélectionnistes et antidémocratiques auront durablement une influence très forte sur le nationalisme français. Mais elles ont également imprégné, pendant les premières années du XXe siècle, tout un versant du syndicalisme révolutionnaire : celui qui, à travers la médiation sorélienne, va former la composante de gauche du premier fascisme.

Toutefois, le véritable médiateur entre le darwinisme social et le nationalisme préfasciste, celui qui, à partir des mêmes ingrédients déterministes et sélectionnistes, finit par faire de l'antisémitisme le pivot de sa doctrine, est Jules Soury. De ce disciple de Renan issu d'un milieu populaire [35] et devenu archiviste-paléographe, Barrès suivra avec enthousiasme les leçons de psychophysiologie professées à l'École pratique des Hautes Études et tirera, de son propre aveu [36], une bonne partie des idées qui imprègnent sa propre vision de la société et de la nation. Le déterminisme physiologique, le culte de la terre et des morts (Nous ne sommes, écrit Soury, « que la continuité substantielle, la pensée et le verbe encore vivants » de nos parents, « avec leur cortège de gestes, d'habitudes et de réactions héréditaires, qui font que le mort tient le vif »), le refus de la raison et des normes morales absolues, la part faite à l'instinct et à l'inconscient, la négation du libre arbitre, tout cela l'auteur des *Déracinés* le doit largement à l'enseignement de Jules Soury et aux longues heures de conversation avec le « maître », ce « fou sublime [37] » dont nous savons par ses propres écrits qu'il vivait dans l'obsession des « crépuscules d'Occident [38] ».

Car c'est bien d'une obsession qu'il s'agit, et elle est au cœur de la

33. G. Vacher de Lapouge, *L'Aryen*, Paris, 1899, p. 351.
34. *Ibid.* ; les citations sont empruntées à Z. Sternhell, *La Droite révolutionnaire*, *op. cit.*, p.164 sq.
35. Son père était ouvrier opticien.
36. Cf. les deux premiers tomes des *Cahiers* qui s'appliquent aux années capitales pour Barrès de la bataille anti-dreyfusarde et dans lesquels celui-ci parle longuement de ses entretiens avec le conférencier des Hautes Études.
37. M. Barrès, *Mes Cahiers*, t. I, p. 69.
38. J. Soury, *Campagne nationaliste*, p. 13.

construction pseudo-scientifique de ce gourou passablement refoulé et masochiste [39]. Transfert classique, que l'on retrouvera chez beaucoup d'intellectuels (et de non-intellectuels!) fascistes et fascisants, entre l'angoisse trouble de l'autodécomposition et la hantise de la décadence, appliquée à notre civilisation. Avec l'immanquable référence aux forces dissolvantes qui hâtent la dégénérescence du corps social : les déviants, les étrangers, les francs-maçon et les juifs.

Avec Soury, le racisme biologique débouche ainsi directement sur une vision du passé et du présent qui place, longtemps avant Hitler, le « problème juif » au centre de l'histoire du monde occidental. Depuis l'Antiquité, explique-t-il, deux races dont la nature est « irréductible » (il parle même volontiers d'« espèces » différentes, suivi dans cette voie par son disciple lorrain), l'aryenne et la sémite, l'une « supérieure », l'autre « inférieure », se livrent en Europe une lutte sans merci. Si la France est devenue une nation décadente, c'est parce qu'elle a oublié cette « leçon de l'histoire ». C'est parce que, de tous les pays du vieux continent, elle est le seul où l'on « n'a point le sentiment de la race ».

De ces considérations philosophico-historiques à prétention scientifique – « les caractères différentiels du Sémite et de l'Aryen, écrit sans complexe Jules Soury, ont été souvent étudiés en ethnologie, en anthropologie, en épidémiologie, en clinique [40] » – confortées par les écrits d'anthropo-sociologues allemands et par ceux du Britannique Houston. S. Chamberlain, Hitler et Rosenberg tireront plus tard la substance de leur délire doctrinal. En attendant, c'est le nationalisme musclé et le préfascisme français que nourrissent les idées déterministes et sélectionnistes des Gustave Le Bon, Vacher de Lapouge et autres Soury. De Barrès aux doctrinaires de l'Action française et de l'extrême gauche blanquiste à Drumont. Drumont dont le rôle est immense dans la diffusion en France d'un antisémitisme de choc, synthèse du vieil antijudaïsme chrétien et de l'antisémitisme économique des classes populaires urbaines, dont Jeannine Verdès-Leroux a montré en quoi il était tributaire des difficultés conjoncturelles des années 1880 [41].

« Homme de droite, débordant, écrit Michel Winock, de sympa-

39. Z. Sternhell, qui a admirablement étudié les *Cahiers* de Barrès, explique que Soury vivait « dans un monde d'hallucinations et d'angoisses, se délectant d'images de larmes, de mort et de carnage » (*M. Barrès...*, *op. cit.*, p. 256).

40. J. Soury, *Campagne nationaliste*, Paris, 1902, p. 140-141. J'emprunte cette citation et celles qui précèdent au *Maurice Barrès* de Z. Sternhell, *op. cit.*

41. J. Verdès-Leroux, *Scandale financier et antisémitisme catholique. Le krach de l'Union générale*, Paris, 1969.

thies monarchistes, Drumont tenta, sans doute avec plus de naïve sincérité que de machiavélisme, d'ébranler le régime républicain avec la complicité des troupes révolutionnaires socialistes [42]. » Plus que d'une véritable synthèse, il s'agit bien en effet d'une tentative de récupération qui inclinera l'auteur de *La France juive* à faire l'apologie de la Commune (autrefois condamnée par lui) et du terrorisme anarchiste, à distribuer les coups de chapeau à Guesde et aux blanquistes, ou encore à reprendre à son compte la thématique, au demeurant fort éloignée de ses propres idées, du *Molochisme juif*, un ouvrage publié à Bruxelles en 1884 par l'ancien communard Gustave Tridon.

Tournant capital. Parfaitement réactionnaire au fond mais exprimé dans un langage plébéien et sincèrement anticapitaliste, le syncrétisme d'Édouard Drumont va offrir un ciment idéologique à des individus et à des groupes qui n'avaient jusqu'alors de commun que leur haine de la démocratie bourgeoise, en même temps qu'il fournit aux masses citadines une explication commode des maux dont est porteur le capitalisme moderne, spéculateur, exploitateur, instrument privilégié de la « puissance juive ». Le racisme antisémite, la démagogie effrénée des propos, les arrière-pensées foncièrement réactionnaires, voilà ce qui fait de ce programme sommaire et attrape-tout, tentative d'adaptation aux mutations de la société industrielle pour les uns, aspiration à la reconstitution de l'ordre ancien pour les autres – à commencer par Drumont lui-même, dont l'idéal reste celui d'une société organique où coexisteraient harmonieusement les intérêts et les groupes et d'où serait banni le « pouvoir juif » – un programme « national-socialiste » avant la lettre.

On y retrouve les ambiguïtés et les contradictions qui caractérisent le préfascisme d'outre-Rhin et certains précurseurs du racisme nazi : un Wilhelm Marr, fondateur avec une bonne décennie d'avance sur Drumont de la Ligue des antisémites, un Stöcker ou un Friedrich Naumann, tous naviguant à une distance variable de la contestation et de la tradition, du nationalisme et du socialisme, et plus proches en fin de compte des principes d'ordre que de la révolution.

Cette hétérogénéité idéologique ne paraît pas avoir beaucoup gêné les adhérents des organisations antisémites. A la Ligue antisémitique, que Drumont et de Biez ont fondée en 1889, en pleine fièvre boulangiste, et à laquelle Jules Guérin a donné un second souffle au moment de l'affaire Dreyfus, les quelque 20 000 ou 30 000 militants

---

42. M. Winock, *Drumont et Cie, antifascisme et fascisme en France*, Paris, Le Seuil, 1982, p. 53.

82

parisiens et provinciaux qui encadrent l'agitation nationaliste de la fin du siècle ont d'autres préoccupations qui de mesurer la composition de l'alliage « national-social » que leur offrent les leaders-bateleurs de cette formation : la première organisation de masse de l'antisémitisme européen. Qu'il s'agisse de Guérin lui-même, véritable professionnel de l'escroquerie qu'enrichira, comme Drumont, l'entreprise ultra-nationaliste, ou de Morès, aventurier de haut vol et authentique marquis tout droit sorti de l'univers romanesque d'Eugène Sue, démagogue et chef de bande, enfant chéri des bouchers de la Villette et des prolétaires marginaux de la périphérie parisienne. Tous les ingrédients, toutes les ambiguïtés, toutes les clientèles ou presque du premier nazisme sont présents dans cet antisémitisme ligueur et émeutier, dans cet antisémitisme de pogrom des toutes dernières années du siècle. Y compris l'élément prolétaire qui est, à cette date, encore très faiblement représenté dans les organisations homologues d'outre-Rhin.

Cet élément prolétaire – et plus seulement populaire – on le retrouve, majoritaire cette fois, dans le troisième courant du préfascisme français. Un courant composite lui aussi et autant que le précédent imprégné de xénophobie et de fureur antisémite.

C'est en son sein que se constitue en 1901 le mouvement des syndicats « jaunes » : un mouvement d'opposition radicale à l'influence qu'exerce la CGT sur le mouvement ouvrier français et à la « dictature » des bourses du travail, nationaliste, anti-étatiste et antimarxiste, mais d'essence assurément prolétarienne. A l'origine du syndicalisme jaune, on trouve en effet de petits groupes de dissidents que l'échec des dures grèves de la fin du siècle (1898-1901) a dressés contre les organisations majoritaires et contre leurs méthodes d'action. Celui qui a donné son nom au mouvement [43] – « jaune » a d'abord été une insulte, l'équivalent de « kroumir », c'est-à-dire de briseur de grève, dans le vocabulaire ouvrier, avant d'être assumé, puis revendiqué comme un titre de gloire par les dirigeants et les militants des syndicats « indépendants » – a vu le jour en 1899, parmi les mineurs non grévistes de Montceau-les-Mines, et il n'a rien de spécifiquement révolutionnaire. Il reçoit d'ailleurs l'appui quasi immédiat du patronat que séduisent ses mots d'ordre respectueux de

43. Au cours d'un mouvement de grève à Montceau-les-Mines, des membres du syndicat non gréviste – le syndicat n° 2 – avaient été attaqués dans le café où ils tenaient leurs réunions par des mineurs grévistes. Ces derniers ayant brisé à coups de pierre les vitres du local, les assiégés les remplacèrent par des feuilles de papier jaune dont ils détenaient un stock. Dès lors, le local du syndicat n° 2 devint le siège du « syndicat jaune » et ses membres reçurent le surnom injurieux de « jaunes ».

la discipline, de la hiérarchie et de l'organisation sociale existante.

Faut-il pour autant considérer le syndicalisme jaune comme étant l'émanation pure et simple des milieux dirigeants de la grande industrie? Ce serait excessif, comme il est excessif de ne voir dans le fascisme naissant de l'immédiat après-guerre que l'instrument, manipulé par les possédants, de la division du monde ouvrier. Il y a en effet dans le mouvement des syndicats indépendants, d'abord constitué d'éléments disparates, professionnellement et géographiquement circonscrits – les mineurs de Montceau-les-Mines et d'Anzin, les sidérurgistes du Creusot et de l'Est, les ouvriers textiles de l'Ouest et du Nord, les ouvriers bouchers, les limonadiers et restaurateurs, les chauffeurs-mécaniciens, les porteurs de journaux, les professeurs de l'enseignement libre, enfin et surtout les ouvriers des chemins de fer dont l'Union syndicale a pour secrétaire général Paul Lanoir qui va présider pendant quelque temps aux destinées du syndicalisme jaune –, puis fédéré en mars 1901 en une organisation nationale [44], un caractère spontané que motivent, entre autres raisons, les rancœurs contre les socialistes et les syndicalistes révolutionnaires, jugés responsables des souffrances endurées et des batailles perdues, l'imperméabilité de certaines fractions de la classe ouvrière aux idées internationalistes et leur attachement à une conception préindustrielle et paternaliste des rapports sociaux, la très vive hostilité manifestée à l'égard des travailleurs étrangers, concurrents sur le marché de l'emploi et que soutiennent – au moins verbalement – les représentants de la gauche politique et syndicale, etc. Bref, ont peut dire que toute une partie du monde ouvrier subit, comme la petite bourgeoisie citadine et comme d'autres fractions du corps social, l'attraction du nationalisme ambiant. Les subsides patronaux ont très vite pris le train en marche et il est probable que, sans eux, le relatif succès du syndicalisme jaune aurait été plus éphémère encore. Ils favorisent la propagation du mouvement, ils hâtent son glissement vers la droite et l'extrême droite, mais ils ne donnent pas l'impulsion première.

D'abord dirigé par Lanoir, que la démagogie nationaliste enrichira également, le mouvement des syndicats indépendants va passer, après la scission de 1902, sous le contrôle de Pierre Biétry, un ouvrier horloger de Belfort dont la forte personnalité et le cursus politique font penser à Doriot. Il deviendra en 1906 député de Brest à la suite

---

44. c'est en effet à partir de ces divers éléments qu'a été créée, en mars 1901, l'Union fédérative des syndicats et groupements ouvriers professionnels de France et des colonies. Dirigée par Lanoir, l'organisation « jaune » se donna aussitôt un organe hebdomadaire, *L'Union ouvrière*.

d'un triomphe électoral sans lendemain, prélude à un effacement qui deviendra définitif après le départ de Biétry pour l'Indochine en juin 1912. Mais, dans l'intervalle, il aura mis en place une nouvelle centrale indépendante, la Fédération nationale des jaunes de France – qui comme celle de Lanoir finira par rassembler une centaine de milliers d'adhérents –, créé un véritable réseau de presse structuré autour de l'hebdomadaire *Le Jaune* et donné le jour à une formation politique d'extrême droite : le Parti socialiste national, dont l'existence sera d'ailleurs extrêmement brève.

La percée du mouvement « jaune » sera elle-même de courte durée : les cinq ou six années qui coïncident avec la grande vague d'agitation ouvrière de la république radicale. Son histoire n'est pas sans ressemblance toutefois avec celle des premières années du fascisme. Même importance au début des cadres issus du syndicalisme révolutionnaire, même discours contestataire fustigeant à la fois la démocratie bourgeoise, l'« égoïsme patronal » et le socialisme traditionnel, même opposition virulente au marxisme et plus généralement au collectivisme, même dérive rapide vers la droite, favorisée comme plus tard en Italie et en Allemagne par les subsides de quelques possédants – ici le duc d'Orléans, la duchesse d'Uzès qui avait un quart de siècle plus tôt aidé au décollage du mouvement boulangiste, divers représentants des milieux économiques comme l'industriel franc-comtois Gaston Japy –, même thématique qu'en Italie du « génie latin en lutte contre l'emprise allemande [45] », même appui chaleureux donné à l'entreprise contre-révolutionnaire par les organes de la droite conservatrice (*Le Temps, La Croix, L'Écho de Paris*, etc.), mêmes ralliements en cours de route de membres de l'establishment dont celui de Paul Leroy-Beaulieu, membre de l'Institut et professeur au Collège de France. Même évolution enfin du socialisme de Biétry – devenu le « chef » tout-puissant d'une organisation qui n'a pas tardé à servir de garde prétorienne aux représentants du nationalisme bon teint – vers des formules de collaboration des classes, d'association du capital et du travail, de restauration des structures corporatives détruites par la Révolution, bien dans la ligne du conservatisme radical.

Plus qu'au fascisme des origines, tel qu'il se développera en Italie au lendemain de la guerre et dans lequel les éléments gauchistes l'emportent dans un premier temps sur la composante ultra-nationaliste, le syndicalisme jaune et ses retombées politiques font songer au

---

45. P. Biétry « Les Propos du Jaune », *Le Jaune*, 25-6-1904, cité par Z. Sternhell, *La Droite révolutionnaire, op.cit.*, p. 287.

national-socialisme. Celui du jeune NSDAP hitlérien et aussi, bien avant que ce dernier ne voit le jour, celui du Parti allemand des travailleurs qui s'est constitué en Bohême autrichienne au début du siècle. Il rappelle également le programme catholique-social musclé, anticapitaliste et antisémite, du très populaire bourgmestre de Vienne, Karl Lueger, dont le futur maître du IIIᵉ Reich fera l'un de ses modèles.

Comme le préfascisme allemand et autrichien, celui de Biétry et de ses troupes est en effet fondamentalement xénophobe et antisémite. Le « chef » des jaunes est le premier à regretter le temps où les juifs « payaient à l'entrée des villages la même taxe que les pourceaux ». Il finit par se proclamer antisocialiste et antirépublicain parce que le « microbe » socialiste est propagé par les juifs et parce que la république bourgeoise est devenue une « république juive ». Il applaudit, lorsque la vague des pogroms déferle sur la Russie, les massacreurs de la « race maudite » (« Allez frères russes, semez leurs os de par les champs ») [46]. Cet antisémitisme plébéien, cet antisémitisme de choc gros du génocide à venir, et qui vise pour l'instant à donner sa cohérence à une doctrine qui n'en a pas, est absent ou à peu près du fascisme italien. Il est au contraire au cœur des préfascismes français et de leurs homologues autrichien et allemand. Des préfascismes qui, à l'image du mouvement jaune, paraissent résolument tournés vers le passé, liés à une conception organiciste et hiérarchique de la société, là où le fascisme se voudra, non sans contradictions il est vrai, moderniste, futuriste et accoucheur d'un ordre nouveau.

Au même courant se rattachent les tentatives de synthèse qui s'opèrent, au cours des années qui précèdent immédiatement la guerre, entre une fraction activiste du syndicalisme révolutionnaire et la gauche maurrassienne. La première, ralliée aux thèses de Berth et de Sorel, prône la violence prolétarienne et le refus de la république parlementaire bourgeoise. La seconde juge lénifiante et peu mobilisatrice la doctrine sociale de l'AF, telle qu'elle se développe alors autour de Firmin Bacconnier et de son hebdomadaire, *L'Accord social*. Bacconnier a beau se réclamer lui aussi de Sorel et de Lagardelle, en appeler comme eux à l'action directe et prendre à son compte certains articles du catéchisme marxiste (la paupérisation des masses, la concentration du capital, etc.), il reste fondamentalement un homme du passé dont l'idéal ne s'écarte guère des principes du paternalisme aristocratique naguère formulés par le marquis de

46. *Ibid.*, *Le Jaune*, 11-11-1905, cité par Z. Sternhell, *op. cit.* p. 275.

86

La Tour du Pin. Son rôle n'est cependant pas négligeable dans l'élaboration d'une doctrine de l'État corporatif dont s'inspireront plus tard les fascistes et surtout les concepteurs de l'Estado Novo portugais et de la révolution nationale maréchaliste.

L'une et l'autre de ces familles politiques s'appliquent à la veille de la guerre à occuper l'espace de contestation laissé vacant depuis l'affaire Dreyfus par l'embourgeoisement et la parlementarisation de la social-démocratie. De leur rencontre dans le giron de l'AF deux entreprises visant, comme le syndicalisme jaune, à réconcilier le nationalisme et le prolétariat verront le jour entre 1909 et 1911 : d'une part celle du petit groupe de syndicalistes militants qui se sont regroupés autour d'Émile Janvion, secrétaire général du syndicat des employés municipaux, et de sa revue *Terre libre*, de l'autre le cercle Proudhon qu'anime le futur leader du premier parti fasciste français, Georges Valois et qui s'est placé d'entrée de jeu dans la mouvance idéologique du père de l'anarchisme français et de l'auteur – passablement détourné de sa trajectoire par ces disciples encombrants – des *Réflexions sur la violence*. Croisant leur tir, ces hommes venus d'horizons divers trouveront vite une plate-forme commune contre l'ordre bourgeois dans l'exaltation du socialisme national prolétarien, l'adhésion à une éthique « nouvelle » faite en réalité d'éléments disparates et contradictoires (le culte des traditions et celui de l'énergie vitale, la primauté du catholicisme et l'apologie de la violence et de la guerre, un populisme tourné vers l'ancienne France et privilégiant, comme le fera Mussolini dans l'Italie des années vingt, le modèle de la famille rurale), enfin, trait commun à toutes les composantes de l'ultra-droite française, nationaliste et contestataire, dans un antisémitisme de combat poussé jusqu'aux limites du délire verbal.

« La guerre... une prodigieuse école »

Zeev Sternhell a raison de dire que l'invention du fascisme, en tant que fait idéologique, n'est pas imputable à la Première Guerre mondiale. Au moment où celle-ci se déclenche le mot n'existe pas mais l'esprit qui souffle, depuis la fin des années 1880, sur une fraction de l'intelligentsia européenne est déjà, à bien des égards, celui du premier fascisme.

Tous les éléments qui composeront, au lendemain du conflit,

87

l'assiette idéologique des mouvements spécifiquement fascistes sont en effet, à des degrés divers présents dans le champ de la contestation antibourgeoise et antimarxiste de la fin du XIXe siècle et dans certains pays, au premier rang desquels il faut peut-être effectivement placer la France – c'est un point que l'on peut également concéder à Sternhell, même si celui-ci a un peu tendance à surévaluer l'objet de son étude aux dépens de ce qui se passe au même moment en Italie et dans les pays germaniques –, a commencé à s'opérer une fusion entre les deux principales composantes de cette contestation : l'ultra-nationalisme, lui-même constitué par synthèse d'ingrédients disparates, et non pas *le* syndicalisme révolutionnaire mais, comme le fait justement remarquer Jacques Julliard [47], une tendance du syndicalisme révolutionnaire : celle que domine et façonne la pensée de Georges Sorel.

Mais de ce fascisme potentiel, de cette idéologie composite de la « droite révolutionnaire », dont la cohérence est si fragile que ses concepteurs doivent avoir recours le plus souvent au ciment irrationnel de l'antisémitisme pour masquer les failles et les contradictions de l'édifice, que serait-il resté sans le choc de la guerre ? Le bric-à-brac doctrinal est en place en 1914 : soit. Mais pas les troupes qui composent le fascisme-mouvement et aspirent à devenir, dans le contexte troublé d'une « situation de détresse », l'élite de remplacement accoucheuse d'un ordre nouveau.

La masse syndicaliste ? Elle suit majoritairement l'état-major cégétiste, non le penseur solitaire de Boulogne, et si les Griffuelhes, les Pouget et autres Delesalle critiquent avec virulence la république bourgeoise et ses libertés formelles, ce n'est pas d'un régime autoritaire dont ils rêvent, mais de plus de démocratie et de liberté. Les disciples attardés de Lanoir et Biétry ? Il y a pas mal de temps déjà que l'éphémère mouvement « jaune » a vécu, emporté par ses contradictions et ses compromissions, et d'ailleurs qu'avait-il été d'autre qu'un surgeon en milieu ouvrier du vieux fonds rural traditionaliste, immédiatement récupéré par le patronat ? La gauche maurrassienne ? Les groupuscules qui la composent ont une base sociale prolétaire, c'est vrai. Mais cela ne suffit pas à faire d'eux des mouvements de masse. Quant aux authentiques mouvements de masse que sont les ligues, outre qu'ils sont à cette date en état d'hibernation, on sait qu'ils se rattachent à une tradition politique dont les manifestations récurrentes n'ont rien de spécifiquement fasciste. Si « fascisme » avant la lettre il y a dans la France de

47. J. Julliard, « Sur un fascisme imaginaire... », *op. cit.*

88

l'immédiat avant-guerre, c'est du côté des intellectuels qu'il faut aller le chercher, dans l'étroite cohorte des écrivains nationalistes, des penseurs socialistes dissidents et des théoriciens du sélectionnisme social et racial. C'est assez pour rassembler les éléments d'une idéologie, que la France, répétons-le, n'est pas seule à avoir conçue, pas pour faire la révolution.

Les événements de 1914-1918 ont-ils modifié cette situation, comme cela s'est produit en Italie et en Allemagne? Sans aucun doute, mais pas à un degré suffisant pour créer les conditions d'un véritable raz de marée fasciste.

En France, comme dans les autres pays européens, la guerre a cristallisé des tendances latentes. Elle a conforté dans leur vision du monde les adversaires les plus virulents de l'ordre bourgeois et elle a façonné une nouvelle élite, née dans la fraternité égalitaire des tranchées.

« C'est à Verdun, écrit Georges Valois en 1921, que j'ai achevé de me dégager des dernières erreurs que je tenais du siècle passé. Je voudrais dire comment et pourquoi. La guerre a été pour nous tous une prodigieuse école [...].

« Nous avions été, au 2 août 1914, replacés égalitairement dans l'état de nature, chacun de nous avait pris sa place dans la hiérarchie spontanément créée et acceptée par la société nouvelle où nous étions placés [48]. »

Et il ajoute, quelques années plus tard :

« Chacun de nous a vécu aux armées en amitié parfaite, parfois profonde, avec des hommes qui avaient une tout autre opinion que nous sur la constitution politique du pays. Et chacun de nous conserve de ce temps-là le souvenir d'une humanité avec laquelle il fait bon vivre. Le mécanisme diviseur de l'élection ne jouant pas, nous étions tous frères. Cela donne le sentiment de la fraternité qui régnera en France lorsque nous aurons complètement éliminé la démocratie [49]. »

La solidarité fraternelle entre les hommes donc, mais aussi le retour à l' « état de nature » et aux hiérarchies spontanées que suscite cette régression salutaire : voilà quelques-unes des leçons que la guerre, cette « prodigieuse école », a données à ceux qui l'ont faite. Chez un homme comme Valois, dont les choix politiques étaient fixés de longue date (le futur fondateur du Faisceau a trente-six ans en 1914), elle n'a fait que confirmer et radicaliser l'hostilité aux valeurs

48. G. Valois, *D'un siècle à l'autre*, Paris, 1921, p. 265-271.
49. *Ibid.*, p. 273.

« bourgeoises ». Les plus jeunes ont découvert que le « progrès » et la « raison » n'étaient pas nécessairement associés au bonheur des hommes, comme le leur avaient enseigné l'École de la République et les gourous positivistes de l'Université. A travers les atrocités et les horreurs des combats, nombre d'entre eux ont vu se briser l'image rassurante et idéalisée qu'ils s'étaient faite de l'être humain et de son histoire. Ils se sont aperçus que la foi dans la domination rationnelle du monde et dans la vertu civilisatrice de la science pouvait n'être qu'une illusion, face à la montée de forces brutales, obscures, et d'autant plus redoutables qu'elles se nourrissaient des innovations technologiques les plus sophistiquées pour replonger l'humanité dans la barbarie des temps primitifs. Il en est résulté une nouvelle vague de contestation de l'héritage illuministe et la réhabilitation de la force, de la violence et de l'instinct, depuis longtemps présente dans tout un secteur de l'intelligentsia européenne, mais dont la guerre a considérablement accru l'audience.

On ne dira jamais assez à quel point le fascisme a puisé sa sève dans la pratique et dans l'éthique guerrières. Ses uniformes, son vocabulaire, son organisation calquée sur l'institution militaire, les valeurs qu'il exalte et l'objet de son mépris, tout cela appartient au monde des combattants. Plus que beaucoup d'autres mobiles, c'est la nostalgie de ce monde perdu et sublimé qui incline au lendemain de la guerre nombre de démobilisés à rejoindre, dans certains pays, les rangs des formations fascistes. Et c'est à bien des égards l'aspiration à vivre comme eux de « mâles aventures » (Ernst von Salomon) qui pousse leurs cadets à accomplir la même démarche. L'esprit du front anime ainsi toute une génération d'hommes pour laquelle la guerre a été le tournant irréversible d'une vie jusqu'alors prosaïque. Après elle, plus rien ne pourra être comme avant.

Cela dit, la parenthèse guerrière n'a pas débouché partout, et pour tous, sur un engagement dans les formations armées de la droite contestataire. En France, Antoine Prost l'a excellemment montré dans sa thèse [50], l'esprit « combattant » n'a « rien de spécifiquement combattant [51] » et n'a pas grand-chose à voir avec le fascisme. Il reste au contraire, pendant toute la période de l'entre-deux-guerres, fondamentalement pacifiste, fraternitaire, classiquement moraliste et somme toute attaché aux idéaux démocratiques et républicains.

50. A. Prost, *Les Anciens Combattants et la société française, 1914-1939*, Paris, Presses de la Fondation nationale des sciences politiques, 1977, 3 vol.
51. *Ibid.*, vol 3. – *Mentalités et idéologies*, p. 165.

90

Cela, pour des raisons déjà évoquées [52] et qui tiennent aux structures mêmes de la société française.

Certes, la destructuration qui, partout en Europe, a accompagné les grandes vagues de la révolution industrielle et la massification qui en est résultée, n'ont pas épargné l'hexagone et la guerre y a, comme ailleurs, accusé les effets de ces mutations. Elle a renforcé les déséquilibres anciens et établi de nouveaux clivages. Elle a favorisé la concentration des fortunes et elle a fabriqué de « nouveaux riches ». Elle a lourdement pesé sur les masses urbaines et rurales – les premières parce que les salaires ont difficilement suivi la montée vertigineuse des prix, les secondes parce qu'elles ont constitué le gros des effectifs de l'infanterie – et surtout elle a frappé de plein fouet les catégories intermédiaires.

Les classes moyennes ont en effet payé le tribut le plus lourd. L'inflation a ruiné beaucoup de petits épargnants et de détenteurs de revenus fixes, tandis que les artisans, les petits propriétaires, les entrepreneurs modestes devaient affronter dans des conditions difficiles la concurrence des grandes entreprises. Il est vrai que le déclin économique de certaines couches appartenant au monde composite de la « petite bourgeoisie » ne date pas d'hier. Simplement, il n'a touché jusqu'à cette date que des secteurs relativement restreints et il a peu affecté le prestige social de cette catégorie sociale. Avec la guerre, les difficultés ont fait tache d'huile et le déclassement est devenu manifeste. Or ce déclassement, le représentant des classes moyennes le ressent comme une injustice d'autant plus insupportable qu'il n'a pas payé seulement de son argent et de son rang social, mais aussi de son sang. Les couches dont il est issu ont fourni les contingents les plus nombreux d'officiers subalternes et de sous-officiers et ce sont elles qui ont été le plus brutalement décimées par la tuerie. Aussi éprouvent-elles fréquemment un vif ressentiment à l'égard des classes dominantes et de l'État démocratique libéral qui n'ont su ni éviter la guerre, ni les préserver de la ruine. Le fascisme et ses imitations se nourriront de ce mécontentement.

Tous ces caractères sont communs aux sociétés issues de la guerre, mais ils sont beaucoup moins accentués en France que dans les pays plus récemment industrialisés, comme l'Italie ou l'Allemagne, où les masses sont demeurées largement à l'écart de la vie politique et où il n'existe pas de fortes traditions démocratiques. Le fascisme a donc moins de chances de s'y implanter. Il en a d'autant moins que le danger révolutionnaire y est infiniment moins grand que chez nos

52. Cf. chap. 1.

91

voisins de l'Est et du Sud-Est et que, chez nous, le statut de pays vainqueur et de pays satisfait du nouvel ordre international joue dans un premier temps en faveur du régime. Incarnée par le jacobinisme patriote d'un Clemenceau, c'est la République qui a gagné la guerre et ceci concourt fortement au maintien du consensus démocratique.

Il reste que les éléments qui constituent, sur des terrains moins rebelles que l'hexagone à la tentation extrémiste, les troupes de choc du premier fascisme – les déclassés auxquels l'aventure guerrière a donné l'occasion de sortir d'eux-mêmes et de conquérir une position que le retour à la vie civile leur fait perdre – sont loin d'être absents de l'horizon français. Tel est le cas par exemple d'un Marcel Bucard, futur dirigeant du francisme et lieutenant de Valois dans l'entreprise du Faisceau, dont le leader du premier mouvement fasciste français dira ceci :

« Deux mots sur ce Bucard : c'est un de ces garçons qui ont été tout à fait désaxés par la guerre. Il était séminariste avant la guerre. Il fit bien la guerre, y gagna dix citations et les galons de capitaine. Fils de boucher, il ne put trouver à la démobilisation, dans son milieu social, l'équivalent de prestige qu'il avait à l'armée [53]. »

Des « désaxés », des « déracinés », des « égarés à la recherche d'une route », comme le dira Mussolini au journaliste Yvon de Bégnac, à la veille d'une autre guerre [54], c'est bien de ce terreau que surgit le fascisme activiste des nostalgies guerrières. En Italie et en Allemagne, dans la tourmente révolutionnaire et contre-révolutionnaire qui suit immédiatement le conflit, c'est là qu'il recrute ses adhérents les plus résolus et les cadres de ses formations de combat. C'est là, dans le naufrage de l'État libéral abandonné par ses guides traditionnels, que se constitue autour de lui l'« élite de remplacement » qui s'apprête à se saisir des rênes du pouvoir. Là enfin qu'achève de s'opérer la fusion entre les extrémistes de tout poil (nationalisme, futurisme, anarchisme, syndicalisme révolutionnaire, blanquisme, etc.) dont les préfascismes de l'avant-guerre avaient commencé à tirer leur suc idéologique.

De la rencontre du fourre-tout doctrinal élaboré depuis le dernier quart du XIXᵉ siècle par ces généraux sans armée que sont les théoriciens de la droite « révolutionnaire », et des bataillons de demi-soldes que les armistices ont rendus à leur marginalité ordinaire, est sorti tout armé le fascisme pur et dur des origines. Ceci du moins

53. G. Valois, *L'Homme contre l'argent*, Paris, 1928, p. 293-294.
54. Y. de Bégnac, *Palazzo Venezia*, Milan, 1939, p 157.

92

dans les pays où la situation économique et sociale, l'exiguïté des bases démocratiques et la puissance de la vague révolutionnaire ont constitué des conditions favorables à son éclosion. En France, où ces conditions n'étaient pas réunies au lendemain de la guerre, ce rendez-vous avec l'histoire a été un rendez-vous manqué.

« Si Jeanne d'Arc revenait parmi nous... »

« Tout ce que nous aimons est menacé [...]. Les portes du pays sont ouvertes à ceux qui nous ont poignardés dans le dos, la France subit l'insulte du bolchevisme, l'étranger nous prend en pitié, l'armature du pays, l'État, se décompose et craque. De notre victoire, il ne reste presque rien [55]. »

C'est en ces termes que le fondateur des « Légions », d'où sortira quelques mois plus tard le premier parti fasciste français, présente en avril 1925 la situation de la France cartelliste. La guerre est finie depuis plus de six ans. La république victorieuse vit ses premières « années folles ». Elle s'apprête à normaliser ses relations avec l'Allemagne, dans le respect des traités et des frontières issues de la guerre. La vague révolutionnaire qui a déferlé quelques années plus tôt sur l'Europe, et dont les manifestations hexagonales ont été bénignes, n'est plus qu'un mauvais souvenir. Le contexte dans lequel va éclore la première organisation se réclamant en France du fascisme n'a donc rien de comparable avec la situation de « détresse » dans laquelle se sont trouvées plongées au lendemain immédiat du conflit l'Allemagne des spartakistes et de l'inflation galopante et l'Italie en proie aux grèves insurrectionnelles. La dramatisation du propos, l'usage que font Valois et ses amis de thèmes empruntés à l'extrême droite italienne et allemande – la victoire « mutilée », le « coup de poignard dans le dos », la porte ouverte au « bolchevisme », etc. –, ne suffisent pas à faire de l'entreprise dans laquelle s'engage, au printemps 1925, le petit groupe de dissidents de l'AF qui se sont rassemblés autour du journal *Le Nouveau Siècle*, autre chose qu'un épiphénomène politique de la France des années vingt.

Produit d'un contexte qui n'a rien de spécifiquement révolutionnaire, le Faisceau présente avec son homologue transalpin une autre différence fondamentale qui est de ne pas être une émanation de

55. « Appel aux combattants » paru dans *Le Nouveau Siècle*, du 16 avril 1925.

93

l'extrême gauche récupérée par la droite, mais une déviance de l'ultra-droite traditionaliste acquise de longue date aux influences du syndicalisme révolutionnaire. De là résultent sa trajectoire compliquée et les tensions qui se sont de très bonne heure manifestées en son sein.

Fondateur du premier mouvement français affichant sa parenté avec le fascisme mussolinien, Georges Valois est en effet issu, nous l'avons vu, de la gauche maurrassienne. Au moment où il se décide à fonder sa propre organisation, il est membre du comité directeur de l'Action française et dirige dans l'organe monarchiste la page économique. Ses origines et son itinéraire politique sont assez représentatifs de la clientèle du premier fascisme. Il est né en 1878 [56] dans une famille modeste, fortement attachée aux idées républicaines. Son père, fils d'un paysan normand, était installé à Montrouge comme boucher, mais il est mort accidentellement avant la naissance de Valois et sa mère a dû, pour survivre, s'employer à des travaux de couture. Ses grands-oncles sont artisans ou petits commerçants et c'est l'un d'eux, loueur de voitures à Montrouge, qui recueille le futur dirigeant du Faisceau, avant que celui-ci ne soit adopté par ses grands-parents maternels. Lancé à seize ans sur le pavé de Paris, Valois travaille d'abord aux abonnements de deux journaux cléricaux, *La France nouvelle* et *L'Observateur français* [57], puis devient ouvrier du livre et entre à ce titre dans l'aristocratie ouvrière des vieux métiers. Il n'est donc pas étonnant qu'il soit attiré de bonne heure par les idées anarchistes et par le syndicalisme révolutionnaire.

A la charnière du XIXe et du XXe siècle, Valois fréquente assidûment le milieu libertaire. Il lit régulièrement les feuilles anarchistes et donne son premier article aux *Temps nouveaux* de Jean Grave. On le rencontre à *L'Humanité nouvelle*, une petite revue qui se présente comme « anarchiste socialiste scientifique » et où Valois fera la connaissance de Sorel.

« Je dois à Sorel ma direction définitive, écrira-t-il une vingtaine d'années plus tard. J'ai longtemps hésité entre la psychologie et l'économie politique, c'est lui qui a dirigé ma passion de connaissance vers l'étude des phénomènes économiques. Mais, bien que j'aie largement profité des travaux de Sorel, je n'ai presque jamais été de ses disciples à proprement parler [58]. »

Presque? C'est pourtant par le truchement de Sorel qu'il s'imprè-

---

56. Le vrai nom de Valois est Alfred Georges Gressent.
57. Cf. Jean-Maurice Duval, *Le Faisceau de Georges Valois*, Paris, la Librairie française, 1979, p. 23.
58. G. Valois, *D'un siècle à l'autre*, *op. cit.*, p. 135.

94

gne de la pensée proudhonienne et du révisionnisme radical des principales thèses marxistes. C'est à son contact qu'il commence à se détacher du socialisme libertaire, dont il découvre et rejette les aspects mondains [59], et à se rapprocher de la révolution conservatrice. Le reste est affaire de lectures – Nietzsche qu'il récuse mais dont il admet qu'il a « libéré son énergie » –, d'environnement politique (l'affaire Dreyfus a joué un rôle considérable dans son évolution comme dans celle de toute la génération à laquelle il appartient), de contingence également et d'événements personnels. Le service militaire – « Dès que nous commençons le service en campagne, écrira-t-il, je découvre avec stupeur que j'ai une admiration secrète pour cette autorité qui donne tant d'ordre aux mouvements des hommes. J'en suis indigné, mais mon sang est plus fort que les idées de Kropotkine [60] » –, un emploi temporaire de précepteur en Russie, dans une famille de la haute noblesse, le mariage puis la naissance d'un premier enfant transforment en quatre ou cinq ans le militant libertaire en thuriféraire de l'autorité. « Qui veut la vie doit accepter le travail, écrit en 1905 l'ancien collaborateur des *Temps nouveaux*, qui veut le travail doit accepter la contrainte, et par conséquent le chef. Le chef n'est pas l'ennemi, c'est notre bienfaiteur [61]. » L'année suivante, il adhère à l'Action française.

A l'AF, Valois va beaucoup contribuer à introduire les idées proudhoniennes dans la doctrine de Maurras, tandis que lui-même continuera de s'imprégner des thèses de Sorel. Cas assez rare dans l'organisation monarchiste de la Belle Époque d'un militant d'origine modeste appelé à jouer autre chose que les rôles de second couteau. Non que le maître ait été très attiré par les idées que défendait l'auteur de *L'Homme qui vient*, le livre que Valois avait fait paraître peu de temps après son adhésion à l'AF et dans lequel il exposait sa « philosophie de l'autorité », trop teintée aux yeux de Maurras d'influences nietzschéennes et proudhoniennes. Mais l'ouvrage lui avait plu et il n'était pas mécontent de voir une recrue prolétarienne de cette trempe adhérer à la cause monarchiste. Aussi va-t-il favoriser sa percée dans le milieu éditorial, en lui faisant obtenir un poste de responsabilité à la Nouvelle Librairie nationale [62], et

---

59. Au contact du cénacle littéraire d'Argyriardes. Cf. J.-M. Duval, *Le Faisceau de Georges Valois, op. cit.*, p. 28.
60. Cité in J.-M. Duval, *op. cit.*, p. 29.
61. G. Valois, *D'un siècle à l'autre, op. cit.*, p. 224.
62. Valois était jusqu'alors employé par la maison Armand Colin. Maurras lui trouva une place dans la maison d'édition de Jean Rivain, devenue entre-temps la Nouvelle Librairie nationale. Cf. E. Weber, *L'Action française*, Paris, Stock, 1962, p. 93.

patronner l'entreprise des cercles Proudhon dont Valois voudrait faire un lieu de rencontre des intellectuels de la ligue et de représentants du monde syndicaliste.

Il y a donc dès cette époque, chez l'ancien militant libertaire, le souci de fondre dans une même doctrine – et dans un même mouvement – l'apport du nationalisme et celui du syndicalisme révolutionnaire, ces deux composantes majeures du premier fascisme, et Sternhell a raison de voir en lui un précurseur de l'idéologie des faisceaux. Pourtant, jusqu'à la guerre, Valois s'accommode assez bien de son statut de non-conformiste toléré au sein de la famille maurrassienne. Il est vrai que son « socialisme » national, autoritaire et paternaliste, ne s'écarte pas fondamentalement du catholicisme social de La Tour du Pin et que ses idées sur le caractère sacré de la famille, du travail, du patrimoine et de la religion – telles qu'elles sont exposées dans *Le Père*, paru en 1913 [63] –, le rattachent davantage au traditionalisme qu'au nihilisme destructeur de l'ordre établi dont se réclameront les squadristes et les corps francs.

La guerre, que Valois fait avec bravoure comme officier d'infanterie – il est blessé et décoré en première ligne –, précipite l'évolution de cet égaré de l'extrême gauche en terre monarchiste. C'est en tout cas au lendemain immédiat du conflit qu'il prend conscience du décalage qui existe entre le traditionalisme des thèses sociales de l'AF et les aspirations profondes des masses sur lesquelles le marxisme exerce plus que jamais son attraction. Le fascisme, qui commence à faire parler de lui de l'autre côté des Alpes, lui paraît être une solution possible, la seule peut-être qui puisse empêcher les classes populaires de rejoindre les rangs communistes. Il ne s'agit pas toutefois d'une simple attitude tactique. Les idées que Mussolini développe dans le *Popolo d'Italia* et les emprunts que les premiers fascistes font aux thèses de l'anarcho-syndicalisme de tendance sorélienne répondent assez bien aux questions que Valois se pose depuis une quinzaine d'années et auxquelles la doctrine sociale de l'AF n'a pas donné une véritable réponse.

D'ailleurs, Valois le dit sans ambages, ce qui l'intéresse dans le fascisme c'est qu'il a mis en pratique des idées qui sont en fait celles du national-socialisme français : il a donné son nom à quelque chose qui existait avant la guerre et qui avait pris racine dans un terreau français. Qu'il fasse ensuite figure d'article d'importation ne change

---

63. G. Valois, *Le Père*, Paris, Nouvelle Librairie nationale, 1913. Le livre portait en sous-titre : « Sept victoires du père qui fonde la cité, conserve le foyer, détient le patrimoine, la paix, le pouvoir, l'amour, la vie. »

96

rien à cette donnée pour lui essentielle. « Le fascisme, écrira-t-il après la création de sa propre organisation, n'est pas du tout, comme le croit M. de Kérillis, un produit étranger. Il a eu sa première incarnation en Italie, et c'est à l'Italie que reviendra l'honneur de l'avoir baptisé. Mais c'est un produit d'origine française. [...] Le journal de Barrès, *La Cocarde*, avec ses républicains, ses fédéralistes, ses royalistes, ses socialistes, a été le premier journal fasciste. Voilà nos origines. Nous prenons notre bien chez nous [64]. »

Sans rompre avec l'état-major maurrassien, auquel il reproche sa pusillanimité et son conservatisme frileux, l'animateur des cercles Proudhon se lance à partir de 1920 dans des entreprises qui trahissent une volonté de plus en plus manifeste de prendre ses distances envers le mouvement monarchiste : création au printemps 1920 de la Confédération de l'intelligence et de la production françaises, dont l'objectif est d'organiser la production sur une base corporative ; deux ans plus tard préparation des « États généraux de la production française », enfin, en février 1925, fondation de l'hebdomadaire *Le Nouveau Siècle* qui deviendra par la suite l'organe du Faisceau. Au début, le comité directeur de l'Action française se montre plutôt favorable à ces initiatives. Il y voit en effet le moyen d'utiliser les qualités mobilisatrices de Valois pour attirer dans le giron monarchiste l'élément prolétarien, toujours très faiblement représenté dans l'organisation maurrassienne, et il encourage l'ancien militant anarchiste à prospecter de ce côté. A la condition expresse que son activisme non-conformiste ne se transforme pas en déviance.

Or c'est à peu près ce qui se passe dans le courant de l'année 1925. Tandis que Maurras et les bailleurs de fonds de son mouvement s'inquiètent tout haut des aspects populistes et contestataires du programme que le directeur du *Nouveau Siècle* expose dans son journal, celui-ci fait grief aux dirigeants monarchistes de leur conservatisme prudent et des compromis électoralistes qu'ils ont été amenés à élaborer avec les hommes du Bloc national. Surtout, Valois rêve d'une nouvelle élite, issue du peuple et de la fraternité combattante, et il a conscience qu'elle ne peut en fin de compte que s'opposer à l'ancienne, y compris à cette élite bourgeoise régénérée dans laquelle Maurras voit pour sa part le vecteur et le moteur de la restauration nationale.

Comme le projet d' « États généraux » qui avait amené Valois à

64. *Id.*, « Erreurs et vérités sur le fascisme », *Le Nouveau Siècle*, 24-4-1926.

97

rechercher l'appui de certains industriels, *Le Nouveau Siècle* est donc né d'un malentendu vite dissipé. D'abord avec la direction de l'AF qui veut bien ratisser large mais n'entend pas faire capituler la doctrine devant la tactique. Malentendu d'autre part avec les principaux commanditaires du futur organe du Faisceau. Parmi eux on trouve, à côté d'un Van den Broek d'Obrenan, qui détient une partie importante du capital de l'imprimerie de l'Action française, des magnats de la finance comme l'armateur Valentin Smith et le pétrolier Serge André, de richissimes industriels comme Antoine Cazeneuve et François Coty, le président du syndicat de la laine Eugène Mathon, grand patron du textile de la région du Nord, avec lequel Valois avait déjà fait un bout de chemin lors de la préparation des « États généraux de la production française ». Mathon, comme l'auteur du *Cheval de Troie* [65] et de *L'Économie nouvelle* [66] se déclare favorable au corporatisme et considère d'un œil intéressé l'expérience fasciste italienne. Simplement, les deux hommes ne mettent pas les mêmes choses sous les mêmes mots. Là où Valois parle à propos du corporatisme d'un « régime social et économique nouveau », substituant à l' « individualisme civique et économique... une nation organisée, formée de corps solidaires les uns des autres [67] », Eugène Mathon voit dans la corporation un cadre disciplinaire, tenu en main par le patronat et destiné à « remettre de l'ordre » dans une organisation économique qui restera fondée sur l'initiative privée et la loi du marché. Rien de très différent des idées d'un Gaston Japy (que l'on retrouve d'ailleurs aux côtés du président du comité de la laine dans l'orbite des *Cahiers des États généraux*), commanditaire avant la guerre du syndicalisme jaune de Biétry et utilisateur privilégié de cet instrument de division et de démobilisation du monde ouvrier.

Il en est de même du fascisme, considéré par Valois comme une révolution antibourgeoise, porteuse d'une « morale nouvelle » fondée sur les valeurs héroïques de la guerre et grosse d'un ordre nouveau dont serait bannie l'exploitation capitaliste, alors que pour Eugène Mathon et pour d'autres bailleurs de fonds du mouvement l'expérience mussolinienne n'est rien d'autre qu'un barrage contre la révolution et le prélude à l'établissement d'un régime fort, capable de

---

65. *Id.*, *Le Cheval de Troie. Pour une nouvelle organisation économique d'après les leçons de la guerre.* Paris, Nouvelle Librairie nationale, 1918.
66. *Id.*, *L'Économie nouvelle. Pour une doctrice économique ni marxiste ni libérale.* Paris, Nouvelle Librairie nationale, 1919.
67. *Id.*, « La Coordination des forces nationales », *Cahiers des États généraux*, t. II, n° 6, octobre 1923, p. 132.

préserver les intérêts des possédants sans pour autant fausser les règles du jeu libéral. Ce que sera d'ailleurs le fascisme au pouvoir au cours des premières années de son existence.

Les réticences des dirigeants de l'AF et l'opposition de plus en plus vive des hommes d'affaires qui avaient participé au lancement du *Nouveau Siècle* (parmi lesquels il faut encore signaler l'Union des industriels de la région de Nantes et probablement le Comité des Forges) vont obliger Georges Valois à choisir entre la voie conservatrice, représentée par la famille politique à laquelle il appartient depuis une quinzaine d'années, et un socialisme national dont le fascisme italien lui paraît être alors le dépositaire. Il finit par opter pour la seconde solution et imprime à partir de l'été 1925 à son journal une orientation fascisante qui tranche nettement avec la ligne de l'Action française. Il est soutenu financièrement dans cette entreprise par quelques-uns des riches commanditaires du journal maurrassien, comme le banquier Jean Beurrier, le parfumeur Coty et le marchand de cognac Hennessy. Ce qui a pour effet de tarir une partie des ressources de l'organe monarchiste et de précipiter la rupture entre Valois et Maurras. Ce dernier a d'ailleurs tôt fait de mettre en branle ses amitiés et ses relations de clientèle pour couper l'herbe sous le pied du disciple rebelle. Ainsi, lorsque à la fin de 1925 *Le Nouveau Siècle* devient quotidien, de tous les noms illustres dont il avait été annoncé qu'ils figureraient au comité de rédaction — Philippe Barrès, René Benjamin, Louis Béraud, Abel Bonnard, Pierre Dominique, Jacques Maritain, Henri Massis, André Maurois, Georges Suarez, les frères Tharaud, Xavier Vallat, le dessinateur Forain, etc. — il ne reste plus que celui de Philippe Barrès.

En avril 1925, Georges Valois a fondé les Légions, avec la participation de Marcel Bucard. Organisées par André d'Humières, pilote de chasse pendant la guerre, ces formations, qui ne recrutent guère que quelques centaines d'adhérents, fondent leur action sur les sentiments antiparlementaires et antiploutocratiques des anciens combattants, particulièrement de ceux qui, comme en Italie et en Allemagne (mais à une échelle beaucoup plus réduite), ont connu une réinsertion difficile dans la société de l'après-guerre. Six ans après la fin du conflit, les choses ont toutefois repris en France leur cours normal. La très forte agitation sociale qui avait caractérisé les années 1919 et 1920 est retombée. La conjoncture mondiale s'est améliorée et la contagion de la révolution russe a subi à peu près partout un coup d'arrêt. Ce sont donc des mobiles différents de ceux des premiers fascistes qui animent les adhérents de la Légion, à savoir que, comme au lendemain de la guerre de 1870-1871, la république

99

parlementaire a déçu. Elle s'est avérée incapable de promouvoir une « politique de la victoire », c'est-à-dire d'écraser définitivement les velléités revanchistes de l'Allemagne et d'enrayer le déclin du pays. Symbolique de ce déclin, la crise du franc, déjà effective sous le dernier gouvernement du Bloc national, a pris un caractère dramatique avec l'arrivée au pouvoir de la coalition cartelliste, si bien que c'est principalement contre la gauche que se dressent les forces dont Valois voudrait faire le fer de lance de son mouvement. Imputée par la presse de droite aux inconséquences du gouvernement Herriot, la crise monétaire devient, dans les colonnes du *Nouveau Siècle*, l'un des thèmes majeurs de la campagne menée contre le régime. « Si Jeanne d'Arc revenait parmi nous, écrira sans frémir le fondateur du Faisceau, son cœur saignerait à cause de cette grande pitié qui interdit au travailleur de recevoir son vrai salaire [68]. » On est loin, on le voit, de l'atmosphère de fin du monde qui a été, quelques années plus tôt, celle de l'Allemagne et de l'Italie en proie aux désordres de l'après-guerre.

Tel est le contexte dans lequel naît le 11 novembre 1925 le premier parti fasciste français : le Faisceau, dont le nom, emprunté au lexique politique d'outre-monts, dit bien la volonté de rattachement au modèle mussolinien. Plus tard, Valois cherchera à minimiser l'influence qu'ont exercée sur lui les promoteurs de l'expérience italienne :

« Dès l'origine, écrit-il en 1928, à un moment où l'échec du Faisceau est devenu patent, nous avions indiqué que la doctrine que nous apportions était la nôtre, non celle du fascisme italien et que c'est chez nous que le fascisme italien puisait sa nourriture doctrinale, surtout en ce qui concernait la vie économique, ce qui était essentiel [68]. »

Admettons-le pour ce qui est de la doctrine, encore que le fondateur du Faisceau, comme plus tard certains historiens de son mouvement, fait bon marché des idéologies de synthèse entre le nationalisme et diverses formes d'extrémisme de gauche qui s'étaient constituées à la veille de la guerre en dehors de l'hexagone et particulièrement en Italie. En revanche l'esprit du premier fascisme, son organisation en unités combattantes calquée sur le modèle des formations d'élite employées pendant la guerre au « nettoyage des tranchées », sa symbolique visuelle (le faisceau des licteurs), son langage et sa liturgie, tout cela est directement emprunté au

68. *Id.*, *L'Homme contre l'argent*, Paris, Nouvelle Librairie nationale, 1928, p. 264.

100

squadrisme transalpin. D'ailleurs la rupture avec les traditions en vigueur à l'Action française est telle que beaucoup de transfuges de la ligue maurrassienne ne supporteront pas longtemps ses conséquences caricaturales. C'est le cas par exemple de Xavier Vallat qui aurait, selon ses propres dires, refusé d'acheter la chemise bleu horizon imposée par Valois aux adhérents du Faisceau et démissionné du mouvement lorsque le port du parapluie aurait été interdit à ses membres [69]!

Un mois avant le lancement officiel du Faisceau, Georges Valois a quitté l'organisation monarchiste. Pendant quelque temps, lui-même et ses lieutenants continueront de se réclamer verbalement [70] du mage de la rue de Rome, mais très vite les relations entre les deux formations rivales vont se détériorer, puis devenir franchement exécrables. Nous avons vu qu'au moment de la transformation du *Nouveau Siècle* en quotidien, Maurras n'avait eu aucun mal à empêcher l'intelligentsia monarchiste ou sympathisante de l'AF d'apporter son soutien à la feuille dissidente. Les choses s'étaient passées sans grand éclat. En revanche, la guerre allait devenir ouverte à la fin de 1925 à la suite de deux initiatives prises par Valois et de toute évidence destinées à ébranler la vieille maison maurrassienne et à fonder sur ses ruines une organisation dynamique et efficace. La première fut le coup de force opéré par le chef du Faisceau, directeur depuis 1912 de la Nouvelle Librairie nationale, pour faire main basse sur cet organisme, à la fois maison d'édition et librairie officielle de la ligue monarchiste. La seconde fut la décision de créer, dans la mouvance immédiate de la nouvelle formation fasciste, le Faisceau universitaire dont il était clair que, recrutant ses troupes parmi les étudiants du quartier Latin, il entrait en concurrence directe avec les Camelots du Roi. La riposte fut d'ailleurs immédiate. Soucieux de maintenir leurs positions au sein de la jeunesse intellectuelle, ces derniers lancèrent une attaque-surprise sur la réunion des étudiants « fascistes », donnant à la scission un caractère irréparable.

Le Faisceau aura une existence éphémère. Les débuts pourtant ont été prometteurs. De décembre 1925 à avril 1926, il semble que près de 2 000 adhérents de l'Action française – particulièrement des jeunes – ont rejoint les rangs du parti fasciste, et parmi eux on trouve quelques dirigeants notoires de l'organisation monarchiste [71]. Mais la

---

69. X. Vallat, *Le Nez de Cléopâtre*, p. 131.
70. En particulier lors des réunions constitutives de la Légion, puis du Faisceau.
71. E. Weber, *L'Action française*, op. cit., p. 240-242.

noria a tôt fait de s'inverser. Dès le printemps 1926, des personnalités maurrassiennes qui étaient passées chez Valois, il n'en reste que trois dans la mouvance du Faisceau : Bertrand de Lur-Saluces, Maurice de Barral et René de La Porte. Les autres ont fait retour au bercail ou s'apprêtent à le faire au moment où, sous les coups conjugués des maurrassiens de stricte obédience, des dirigeants des ligues et des hommes de la droite traditionnelle, le Faisceau entre en rapide déclin.

Dès 1926, Valois et son mouvement perdent l'appui des quelques industriels et financiers de haut vol qui avaient accepté de le suivre après les premières escarmouches avec l'AF, dans une perspective d'affrontement direct avec le gouvernement cartelliste. Ces défections – celle en particulier de François Coty, le parfumeur millionnaire devenu patron du *Figaro* – plongent le Faisceau dans de graves difficultés de trésorerie. Situation d'autant plus préoccupante que, dans sa formule quotidienne, *Le Nouveau Siècle* coûte cher – ventes et publicité couvrent moins de 20 % des frais de production [72] –, de même que les tentatives faites par l'état-major du Faisceau pour organiser de grands rassemblements de masse : ceux de Verdun, en février 1926, et de Reims quelques mois plus tard, coûteront à eux deux plus d'un million de francs. Au début de 1927, la situation financière devient franchement catastrophique. Valois qui, par principe, dès lors qu'il a pris la tête d'une véritable croisade contre les pratiques inflationnistes du Cartel, paie ses employés en francs-or, doit engager ses fonds personnels dans l'aventure ainsi que sa librairie, et nombre de militants doivent, comme lui, faire face aux dépenses avec leurs propres deniers [73]. A cette date, reste en piste un dernier carré de commanditaires parmi lesquels on retrouve Van den Broek d'Obrenan et le pétrolier Serge André que le financement du Faisceau conduira pratiquement au bord de la ruine.

Difficultés financières donc mais aussi, ceci entraînant cela, crise du recrutement après l'euphorie des premiers mois. Si l'on suit Sternhell dans les évaluations qu'il a faites des effectifs du Faisceau, celui-ci a dû compter à son apogée – soit au milieu de l'année 1926 – quelque 25 000 adhérents, dont une quinzaine de mille pour la seule région parisienne (les autres principaux bastions étant l'Est et le Sud-Ouest). C'est moins que les cinquante ou soixante mille militants

72. Z. Sternhell, « Anatomie d'un mouvement fasciste en France. Le Faisceau de Georges Valois », *Revue française de science politique*, vol. XXVI, nº 1, février 1976, p. 20.
73. *Ibid.*, p. 21.

revendiqués par l'état-major de la rue d'Aguesseau [74], mais ce n'est nullement un effectif négligeable. Après tout, l'AF ne compte à la même date qu'une quinzaine de milliers d'adhérents dans la région parisienne. La Ligue des patriotes n'en a pas plus de 10 000 et le parti communiste aligne pour toute la France un peu plus de 50 000 fidèles. Simplement, la poussée « fasciste » ne va guère durer plus de quelques mois. La stabilisation du franc et le retour au calme politique réalisés par le gouvernement Poincaré enlèvent au Faisceau toute une partie de sa clientèle potentielle et, au printemps 1928, le mouvement disparaît en même temps que *Le Nouveau Siècle*.

L'échec de Valois, outre la naïveté d'ailleurs sympathique dont a continûment fait preuve l'ancien animateur des cercles Proudhon, s'explique principalement par le fait qu'il s'est engagé sur les voies turbulentes et aventureuses du premier fascisme – avec beaucoup moins de violence, il faut le souligner, que ses homologues italiens et allemands – au moment du retour au calme. Certes, le premier parti fasciste français s'est constitué à l'heure où la politique du Cartel (et ses difficultés financières, en partie imputables au « mur d'argent ») dressait contre la gauche au pouvoir non seulement les possédants, la droite classique et la presse qui leur était liée, mais de larges fractions de la classe moyenne. Toutefois, on le sait, l'alerte a été de courte durée et la crise politique est vite retombée après le retour au pouvoir de Poincaré. Dans la France de 1919-1920, en proie aux grèves révolutionnaires, le Faisceau aurait peut-être rencontré une audience plus large et surtout n'aurait pas manqué d'appuis financiers. Quatre ans plus tard, l'action de ses chemises bleues et la virulence anticapitaliste de son programme ne peuvent plus qu'indisposer les grands intérêts et effrayer les petits-bourgeois.

En se séparant de l'Action française, Valois a en effet renoué avec ses origines anarcho-syndicalistes et c'est dans cette voie qu'il oriente le Faisceau. C'est également ce qui fait l'originalité de sa tentative car, même au lendemain de la fondation des premiers *fasci*, il ne semble pas que Mussolini ait pris autant au sérieux que le directeur du *Nouveau Siècle* les thèmes développés par l'aile anarchisante de son mouvement. A la limite, on peut effectivement considérer avec Sternhell que le « fascisme » de Valois est plus « pur », plus authentiquement fasciste que celui du Duce, probablement parce que se développant dans un milieu infiniment plus restreint, il a moins que lui à se soucier de concilier les contraires. D'ailleurs, le leader du

---

74. Le siège du Faisceau se trouvait rue d'Aguesseau; celui de l'Action française rue de Rome.

103

Faisceau ne tarde pas à reprocher au pouvoir fasciste son alliance de fait avec les possédants, ses compromissions avec la droite et son alignement idéologique sur des positions ultra-conservatrices.

« Il y a, écrit-il, fascisme et fascisme. En Italie, le fascisme, qui fut à son origine une des formes du socialisme – *ce qui est la raison de sa réussite* – prend de plus en plus l'aspect d'une des formes de la réaction – ce qui le perdra à coup sûr.

« En France, le fascisme a été compris à son origine – malgré ses fondateurs – comme une des formes de la réaction – *ce qui lui interdisait la réussite* – et il est arrivé à prendre la figure que voulaient ceux qui l'ont pensé de 1919 à 1924, c'est-à-dire la figure du syndicalisme – ce qui le place dans les conditions de la réussite [75]. »

Nous touchons ici à l'une des questions fondamentales concernant l'interprétation, voire la simple définition du fascisme. On en revient à l'« idée platonicienne » du fascisme chère à Zeev Sternhell, laquelle n'est pas autre chose qu'une variante du syndicalisme révolutionnaire d'inspiration sorélienne, imprégnée de nationalisme et porteuse d'une révolution. C'est prendre la partie pour le tout. C'est oublier que, là où il a été autre chose qu'un souffle passager de l'histoire et une succession de groupuscules, le fascisme a été à la fois cela et son contraire : la contestation anarchisante et la réaction antiprolétarienne, la révolution et la « contre-réforme », la modernité citadine et futuriste et la nostalgie de l'ordre ancien, la révolte de petits-bourgeois déclassés et l'aspiration de « nouvelles couches » à s'emparer des leviers de commande de l'État. Ceci pour le « premier fascisme » qui est déjà un alliage composite de tous les refus de l'ordre bourgeois. Mais de ce fascisme-là, qu'aurait retenu l'histoire s'il n'avait été aussitôt pris en charge par la fraction la plus réactionnaire des possédants, s'il n'avait pas été transformé par elle en instrument de la contre-révolution et si, au passage, il n'avait pas troqué son discours contestataire contre un programme conforme aux idéaux des bien-pensants?

C'est cette forme plus achevée du fascisme, candidate au pouvoir et bientôt incarnée dans le « fascisme-régime » qui a marqué de son empreinte le siècle où nous vivons, non les tentations nihilistes ou les velléités socialisantes des temps originels. Authentique le « fascisme » de Valois? Si l'on veut. Si l'on baptise fascisme ce qui n'est que l'une des composantes de ce produit hétéroclite du siècle des masses. Mais alors, quelle chance avait-il de s'imposer non seulement dans la

75. G. Valois, *Le Nouveau Siècle*, 25-2-1927.

104

France stabilisée de l'ère poincariste, mais au sein même du courant antidémocratique qu'il avait la prétention d'incarner?

Très vite, il apparaît en effet que l'inadéquation est patente entre les professions de foi gauchistes du fondateur du Faisceau et le conservatisme musclé de ses commanditaires et de ses adhérents. Sternhell le reconnaît : « La percée tant attendue vers le monde ouvrier n'eut jamais lieu et le recrutement du premier mouvement fasciste français est resté désespérément bourgeois et petit-bourgeois [76]. » Pas ou peu de prolétaires donc, mais pas non plus de bataillons très nourris de marginaux et de déclassés. A côté d'un Bucard et de quelques autres desperados en mal de réinsertion, à côté d'un Philippe Lamour, jeune homme de bonne bourgeoisie ayant rompu avec son milieu d'origine pour venir au Faisceau via le PC, la majorité des inscrits vient des différentes strates de la bourgeoisie, avec une représentation particulièrement forte des industriels, des cadres supérieurs, des techniciens, des commerçants et des membres des professions libérales. Plutôt, pour reprendre la distinction de Renzo De Felice [77] les « classes moyennes émergentes » que la petite bourgeoisie en voie de prolétarisation [78] : or, dans la France des années vingt, ces couches intermédiaires, que les mutations économiques ont matériellement favorisées, n'ont pas comme en Italie et en Allemagne au lendemain immédiat de la guerre à s'imposer en tant que nouvelle élite, et à se saisir d'un pouvoir dont les classes dirigeantes traditionnelles les ont jusqu'alors tenues à l'écart. Depuis les débuts de la IIIe République, elles se trouvent associées à la direction des affaires par le truchement de formations politiques qui assurent, bon an mal an, leur représentation.

Aussi le basculement d'une partie de leurs membres vers des organisations extérieures a-t-il – et il en sera toujours ainsi en France – un caractère circonstanciel. Il traduit en général un mécontente-

---

76. Z. Sternhell, « Anatomie d'un mouvement fasciste en France... », *op. cit.*, p. 33.

77. R. De Felice, *Intervista sul fascismo*, Bari, 1975.

78. Une liste établie par Z. Sternhell a partir des documents contenus dans divers cartons de la série F7 des Archives nationales donne pour 300 militants du Faisceau la répartition suivante :

industriels	37	cadres moyens, employés	61
directeurs de compagnies	13	officiers en retraite	14
propriétaires terriens	5	artisans	23
commerçants	52	agriculteurs	5
professions libérales		ouvriers	16
et cadres supérieurs	58		

(« Anatomie d'un mouvement fasciste... », *op. cit.*, p. 35.)

105

ment passager, lié le plus souvent aux difficultés économiques de l'heure et à la présence au pouvoir d'une gauche jugée responsable de cette situation. Il s'accommode d'une critique parfois virulente de la droite classique, mais il ne s'engage pas pour autant, en tout cas majoritairement, dans la voie de la contestation antibourgeoise et anticapitaliste.

L'erreur d'appréciation faite par Valois et par ses principaux lieutenants – un Philippe Barrès, un Jacques Arthuys, un Hubert Bourgin, un Philippe Lamour – est d'avoir cru que la clientèle du Faisceau pouvait durablement s'installer dans la subversion de l'État libéral et de ses valeurs. Qu'au-delà de la critique du régime, ou plutôt de la majorité du moment, elle était prête à s'associer à une entreprise de remodelage de la société et de création d'un ordre nouveau, populiste et révolutionnaire. Qu'elle pouvait ne pas se choquer de voir Valois entrer en contact avec des militants communistes – quelques-uns rejoindront les rangs du Faisceau, parmi lesquels Marcel Delagrange, maire de Périgueux – et envisager l'unité d'action avec l'extrême gauche. Bref, que l'on pouvait faire du « fascisme » – au sens que Valois donnait à ce mot – dans un mouvement dont les adhérents étaient en majorité sur des positions peu éloignées de celles des ligues traditionnelles et avaient préféré le Faisceau à l'AF ou à la Ligue des patriotes pour son activisme supposé, plutôt que pour les options gauchisantes de son principal dirigeant.

Dès la fin de 1926 s'amorce la rapide désagrégation du Faisceau. Les derniers commanditaires de poids, Van den Broeck d'Obrenan et Serge André, quittent le mouvement au début de l'année suivante, ayant compris que l'entreprise de Valois ne pourrait résister très longtemps aux effets stabilisateurs de la politique poincariste. Ils sont précédés ou suivis par une partie des compagnons de route de la première heure – Barral, Pierre Dumas, Lapérouse, le délégué général d'Humières, etc. – et lors du congrès du Faisceau, qui se tient à Paris en janvier 1927 [79], le directeur du *Nouveau Siècle* ne peut que constater son isolement au sein de son propre mouvement :

« La coalition contre moi était assez forte, écrira-t-il un an plus tard dans *L'Homme contre l'argent*. Elle comprenait la droite, avec les gens à qui Bucard contait que j'abandonnais l'esprit combattant, la gauche, menée par Lamour... Enfin, j'avais contre moi le centre sous la conduite d'un certain Pierre Darras, entrepreneur de travaux

79. Dans l'hôtel particulier de Serge Angré, rue d'Aguesseau.

106

publics, qui avait voulu monter une officine de briseurs de grève au Faisceau et que j'avais arrêté net dans ce travail [80]. »

On se demande dans quel « ailleurs » peut bien se trouver Valois face à cette coalition des extrêmes et des centristes, de quelle farine est faite *son* fascisme, de quelle « pureté » doctrinale peut bien relever son entreprise par référence à un mouvement dont la spécificité est de faire prévaloir le *fait* sur la doctrine et de construire celle-ci sur une base composite. Fasciste de gauche? Admettons-le, mais la notion n'est guère explicite et si elle a un sens, quelle place l'histoire a-t-elle faite au « fascisme de gauche »? Disons plutôt qu'il est resté, depuis les choix de la jeunesse, un anarcho-syndicaliste égaré sur les terres du nationalisme intégral.

Ayant constaté au printemps 1928 l'échec de sa tentative, c'est vers ses anciennes amours que se dirige le premier en date des leaders du fascisme français. Pendant toute l'année précédente, le Faisceau s'est vidé de sa substance militante. L'ultra-droite traditionaliste, un moment attirée par le dynamisme de Valois, a rejoint le bercail maurrassien. La clientèle petite-bourgeoise politisée de fraîche date, et qui était venue au Faisceau par peur ou par haine de la coalition cartelliste, a redonné sa confiance à la droite classique rassemblée autour de Poincaré. Reste la cohorte exiguë de ceux qui ont pris au pied de la lettre l'étiquette *fasciste* revendiquée par l'organisation de la rue d'Aguesseau et qui sont restés fidèles à l'esprit des grands rassemblements de Verdun et de Reims. Mais pour ceux-là, il semble bien que le véritable fascisme soit celui qui a pris racine de l'autre côté des Alpes, et dont Valois estime pour sa part qu'il a failli à sa mission.

Tandis que ce dernier carré des admirateurs de l'expérience mussolinienne s'apprête à fonder le très éphémère et très groupusculaire Parti fasciste révolutionnaire, le directeur du *Nouveau Siècle* accentue son virage à gauche. Depuis la fin de 1927, il a établi un dialogue avec de jeunes radicaux du *Rappel* – Pierre Dominique et Charles Gallet – et avec l'équipe de *La Volonté* : Albert Dubarry, Jean de Pierrefeu et Charles-Albert. Le thème en est la nécessité de donner à la France des institutions répondant aux besoins de l'économie et de la société industrielle. Et lorsque Charles-Albert demande dans *La Volonté* : « Et pourquoi pas un Faisceau de gauche? » *Le Nouveau Siècle* reproduit *in extenso* dans ses colonnes un article avec lequel Valois se déclare pratiquement d'accord.

---

80. G. Valois, *L'Homme contre l'argent, op. cit.*, p. 303.

L'Homme contre l'argent, publié quelques mois après la dissolution de ce qu'il restait du Faisceau, dit bien quel a été le chemin parcouru en trois ans par le dissident de l'Action française en passe de renouer avec son passé anarchiste :

« A droite, écrit Valois, l'essentiel étant, non de réformer le monde, mais de conserver une hiérarchie sociale déterminée, les militants ne sont pas du tout de même espèce qu'à gauche. Ce sont en majorité des gens qui veulent se pousser dans le monde, se faire des relations, prendre place ou s'élever dans cette hiérarchie, qu'ils louent, défendent et servent... C'est pourquoi un mouvement de droite ne résiste jamais à la corruption, à la pauvreté, à la prison. Tandis que les mouvements de gauche, qui s'affaissent dans les périodes d'abondance monétaire, se redressent toujours et grandissent dans la pauvreté [81]. »

Le Faisceau disparaît de la scène politique en avril 1928, en même temps que *Le Nouveau Siècle*. Un Faisceau réduit depuis plusieurs mois à la légion squelettique des derniers partisans de Valois. Son échec était-il inscrit dans les options originelles du mouvement? Peut-être, si l'on admet que, pour toutes les raisons déjà évoquées et sur lesquelles nous reviendrons, la France constitue un terrain rebelle à la tentation fasciste. Néanmoins, répétons-le, il est clair que dans un temps plus troublé, dans le contexte menaçant d'une crise économique grave doublée d'une véritable menace révolutionnaire – la France du Cartel n'a connu ni l'une ni l'autre – il aurait eu quelque chance de drainer autour de lui des troupes plus importantes et plus destructurées, donc plus résolues. En 1926, au moment où il paraît être en mesure de devenir une force politique avec laquelle il faudra compter, le retour au pouvoir de Poincaré et le rétablissement du franc brisent net son élan. Valois, dès lors, se retrouve seul, ou à peu près, dans une France qui n'a que faire de son fascisme gauchisant, de ce fascisme première manière, appelé en d'autres temps et sous d'autres cieux à bloquer l'offensive révolutionnaire. Il ne lui reste plus qu'à rejoindre sa famille d'origine. En juin 1928, il fonde avec quelques rescapés de l'aventure du Faisceau un éphémère et confidentiel Parti républicain syndicaliste.

Le monde politique l'oubliera, tandis qu'il continuera de diriger sa petite maison d'édition, publiant ses propres livres mais aussi des ouvrages tels que *La Banque internationale* de Pierre Mendès France

81. *Ibid.*, p. 322. Cité in J.-M. Duval, *op. cit.*, p. 149.

108

et *Perspectives socialistes* de Marcel Déat [82]. Résistant de la première heure, il mourra en déportation à Bergen-Belsen en 1945.

Rentrée en scène des ligues

Si la seule expression politique d'un fascisme hexagonal ne fait son apparition qu'au milieu des années vingt, trop tard pour cristalliser les tendances hostiles à la république bourgeoise, la traditionnelle veine antiparlementaire n'a pas attendu cette date pour resurgir dans le paysage politique français. Dès l'immédiat après-guerre, dans le contexte d'agitation sociale qui caractérise les années 1919-1920, les ligues – qui avaient eu leurs heures de gloire lors de la crise boulangiste, puis au moment de l'affaire Dreyfus – font leur réapparition, d'abord dans leur forme classique, puis en adoptant des aspects paramilitaires dont il est difficile de dire en quoi ils sont tributaires d'un modèle étranger – en l'occurrence le fascisme italien – ou relèvent simplement de l'air du temps, marqué par l'esprit « combattant » et par la militarisation prolongée du corps social.

Les « ligues civiques », qui se constituent au lendemain immédiat du premier conflit mondial, doivent beaucoup à la révolution russe et à la contagion en Europe de la révolution bolchevique. C'est le moment où fleurit sur les murs des villes françaises l'image de « l'homme au couteau entre les dents ». Pour les petites organisations farouchement anticommunistes qui se forment alors, parfois avec la bénédiction des autorités, il ne s'agit donc pas d'abattre le régime mais au contraire de le défendre contre une subversion qui va prendre, en France, le visage de la grève révolutionnaire. Tel est l'objectif que donne à sa Ligue des chefs de section – la première du genre – Jean Binet-Valmer, un sympathisant de l'Action française, engagé volontaire en 1914 et dont la première tâche au lendemain de la guerre avait été de militer pour le tombeau du soldat inconnu [83]. Rien de « fasciste » donc dans cette organisation née en 1919. Il s'agit bien d'utiliser dans une perspective d'action directe le potentiel ancien-combattant. Pour éliminer le danger « bolchevique », on ne

---

82. Sous sa signature, Valois publiera notamment à la « Librairie Valois » : *Un nouvel âge de l'humanité* en 1929, *Guerre ou révolution* en 1931, *Économique* en 1931, *Technique de la révolution syndicale* en 1929, etc.
83. Philippe Machefer, *Ligues et fascismes en France*, Paris, PUF, Dossiers Clio, 1974, p. 9-10.

répugnerait pas, le cas échéant, à établir une dictature, mais c'est d'une dictature temporaire et jacobine dont il est question, pas très éloignée somme toute du modèle inauguré par Clemenceau pendant la guerre, non d'un régime réactionnaire de masse.

Dans la même veine se constitue, au début de 1920, l'Union civique, si peu subversive aux yeux des pouvoirs publics qu'elle recevra de leur part des subsides pour aider le gouvernement à venir à bout de la grève générale des cheminots et pour mobiliser les esprits en vue d'une riposte à un éventuel 1er mai insurrectionnel. C'est elle qui, répondant à l'appel lancé par les compagnies ferroviaires pour une « bataille de la Marne civique », transformera les élèves des Grandes Écoles en briseurs de grève, permettant ainsi aux représentants de l'ordre et au patronat d'enrayer l'offensive syndicale.

On dira que le fascisme a fait de même en Italie, après l'échec des grèves insurrectionnelles de l'été 1920, et il est vrai qu'il s'est mis à partir de cette date au service de la contre-révolution et des grands intérêts privés. Mais d'une part, il ne s'agit déjà plus du « premier fascisme », contestataire, anarchisant, ennemi déclaré de la démocratie libérale, et d'autre part, même dans sa version seconde, nourri de la manne patronale et candidat au pouvoir dictatorial, le fascisme italien conserve à l'égard du régime et de l'oligarchie en place un caractère subversif que n'ont pas, en France, l'Union civique et les « légions départementales » qui se sont développées en 1920, dans diverses régions de l'hexagone, pour la défense de l'ordre.

Plus légaliste encore et plus attachée à la tradition républicaine est l'organisation très souple qui se constitue en novembre 1924, autour d'Alexandre Millerand – ex-président de la République, « démissionné » quelques mois plus tôt par la nouvelle majorité cartelliste –, de Pierre-Étienne Flandin et d'André François-Poncet, dans le but de « rétablir l'autorité de l'État », la liberté et la paix religieuses, menacées estiment ces hommes politiques totalement étrangers au fascisme par la politique du Cartel. En fait, cette Ligue républicaine nationale, à laquelle appartient également Louis Marin et qui exprime ses idées dans le journal *L'Avenir,* n'a d'autre but que de rassembler sur un programme libéral-conservateur de vieux routiers du monde parlementaire, amis de l'ordre et adversaires du Cartel, dans la perspective des prochaines consultations électorales. On y ajoute un peu d'esprit « ligueur » pour être au goût du jour, mais l'on est aux antipodes des entreprises squadristes en vigueur de l'autre côté des Alpes, voire simplement des positions de l'ultra-droite française.

Le cas des Jeunesses patriotes – le seul des mouvements ligueurs

110

qui ait, avec l'Action française, joué un rôle important dans la France des années vingt – est assez différent. Encore que la filiation avec la tradition ligueuse de la bourgeoisie parisienne ne fasse aucun doute. Fondées en 1924 par Pierre Taittinger, industriel prospère devenu député de Paris et rédacteur en chef de *La Liberté*, les JP ne sont en fait, jusqu'en 1926, qu'une organisation autonome filiale de la vieille Ligue des patriotes, alors en plein renouveau sous la présidence du très conservateur général de Castelnau. Taittinger réunit en sa personne deux des principaux courants du nationalisme français. Originaire d'une famille bonapartiste, il a été avant la guerre président des Jeunesses bonapartistes de la Seine, mais par son mariage avec une demoiselle de Mailly il s'est trouvé lié aux milieux monarchistes [84]. C'est donc un bonapartisme, vaguement teinté de traditionalisme, qui préside à la naissance de la nouvelle ligue et à la fondation de son journal : *Le National*.

A l'origine de la constitution des Jeunesses patriotes, il n'y a pas – destin identique à celui du Faisceau – une menace révolutionnaire précise, mais simplement la victoire du Cartel des gauches aux élections du printemps 1924. Première manifestation d'un phénomène récurrent dans l'histoire du XXe siècle français : l'arrivée au pouvoir d'une coalition de gauche, aussi réformiste que soit son programme et aussi timides que soient les mesures adoptées par les gouvernements qui émanent d'elle, a pour effet de radicaliser une partie de l'électorat de droite et de favoriser l'éclosion de mouvements extrémistes dont l'agitation vise à accélérer le retour au pouvoir des forces de conservation. En 1936, comme au milieu des années cinquante et en 1981, se rejouera le même scénario, au profit très provisoire d'une extrême droite artificiellement gonflée par la conjoncture du moment et dans un contexte qui n'est en rien comparable aux situations de détresse qu'ont connues les pays où le véritable fascisme a pris racine. On a le fascisme que l'on peut lorsque la « menace révolutionnaire » s'avère n'être qu'un épouvantail agité par les possédants.

C'est donc contre la politique du Cartel que la ligue de Taittinger va exercer son action. Très exactement, elle prend naissance dans l'atmosphère de panique qu'a suscitée, en novembre 1924, la grande manifestation communiste qui a eu lieu – dans les beaux quartiers – à l'occasion du transfert des cendres de Jaurès au Panthéon. Tandis

---

84. Beaucoup de membres royalistes de la famille de Taittinger se rattachaient d'ailleurs à la tendance légitimiste et ne tenaient pas l'AF en grande estime. Charles des Isnards, par exemple, préférera adhérer aux JP qu'à la formation maurrassienne. Cf. E. Weber, *L'Action française, op. cit.*, p. 181.

111

que Camille Aymard appelle dans *La Liberté* les Parisiens « à se défendre » contre l'« horreur de la révolution » [85], et que se constituent en province des « comités de défense », la peur des rouges, orchestrée par la presse nationaliste et par nombre de feuilles bien-pensantes qui jouent alors la politique du pire, incline les ligues à s'organiser en une Conférence nationale disposant d'un organe hebdomadaire : *La Chronique des ligues nationales* qui multiplie les appels à la résistance. Renouant avec l'engagement bonapartiste et ligueur de sa jeunesse, Taittinger s'engouffre dans le créneau ainsi offert aux candidats à l'aventure politique, sans véritable programme. Rien en tout cas qui fasse à proprement parler songer au fascisme. On se contente de slogans tapageurs. On fustige verbalement le communisme et le parlementarisme. On fait profession de foi nationaliste et autoritaire, comme l'avaient fait vingt, trente, quarante ans plus tôt les partisans du général Revanche et les nervis de l'anti-dreyfusisme. Mais il n'est pas question de révolution antibourgeoise.

A peu de chose près, les objectifs des Jeunesses patriotes se confondent avec ceux des formations de droite pour qui elles assurent volontiers le service d'ordre lors des meetings électoraux. Et c'est cette vocation de milice des partis nationaux, conjuguée avec l'effet de mode, qui explique les emprunts – purement formels – au modèle fasciste. Les JP sont constitués en dix-huit groupes mobiles de 50 hommes chacun, recrutés en milieu étudiant et parmi les représentants des classes moyennes. Placés sous l'autorité d'un militaire de haut rang, le général Desofy, ils ne portent pas de tenue martiale, pas même la symbolique chemise de couleur qu'arborent un peu partout en Europe les fascistes et leurs imitateurs : simplement l'imperméable bleu respectable des jeunes gens des beaux quartiers et le béret basque.

Cela ne les empêchera pas de constituer le cas échéant une force auxiliaire de la police pour le maintien de la paix civile et de participer à des engagements violents contre les communistes, en particulier en février 1925, rue Danrémont, lors d'une manifestation anticolonialiste contemporaine de la guerre du Rif et qui fera quatre morts dans les rangs de l'organisation nationaliste. Mais cela ne suffit pas à faire de ces équipes d'anciens combattants et de jeunes bourgeois assoiffés d'aventure l'équivalent des SA et des squadristes.

Avec la stabilisation du franc et le retour de la droite au pouvoir,

85. *La Liberté*, 25-11-1924.

112

les ligues, comme le fascisme un moment incarné par l'entreprise de Valois, entrent en léthargie. Si « fascisme » il y a eu, ne serait-ce que tendanciellement, dans la France des années vingt, on peut dire que – sauf pour Valois lui-même et pour quelques-uns de ses fidèles – il s'est situé d'entrée de jeu au second niveau du fascisme, celui des « politiques », celui de la réaction pure et simple, cherchant à récupérer dans un sens conservateur les velléités contestataires d'une clientèle petite-bourgeoise qu'inquiète le danger « révolutionnaire » dont est censée être porteuse la constellation cartelliste, mais qui fait en même temps grief à l'État libéral des difficultés matérielles dans lesquelles elle se débat.

Les ligues, comme le Faisceau, doivent – dans un contexte fondamentalement différent – leur relatif et éphémère succès à l'exploitation de thèmes qui ont fait en partie celui, plus profond et plus durable, du fascisme italien : l'opposition de l'esprit ancien-combattant au carriérisme des politiciens, la nécessité de préserver les acquis de la victoire, l'antiparlementarisme, l'anticommunisme, etc. Mais l'entreprise de Valois est fondée sur un malentendu avec une bonne partie de sa clientèle et les ligues se gardent bien d'entrer en guerre contre le capitalisme. Elles ne le souhaitent généralement pas, en tout cas à cette date, et lorsqu'elles ont quelque velléité de le faire, elles sont d'autant moins enclines à poursuivre dans cette voie qu'elles reçoivent, plus ou moins régulièrement, l'appui financier de certains milieux d'affaires.

En fin de compte, on est plus loin semble-t-il du fascisme gauchisant qui a déferlé sur l'Italie au lendemain de la guerre qu'on ne pouvait l'être en France – du moins idéologiquement – à la charnière du XIXe et du XXe siècle. Pour que se trouvent réunies quelques-unes des conditions qui donnent au fascisme sa chance d'être autre chose qu'un épiphénomène politique, il faudra que se conjuguent dans notre pays les effets déstabilisateurs de la grande dépression et la désaffection structurelle de l'opinion pour un régime inadapté à son temps.

3

De la crise à la guerre

Comme les autres États capitalistes du vieux continent, la France est touchée au début des années trente – un peu plus tard que les autres et, semble-t-il, de façon un peu moins brutale – par la très grave dépression économique qui a pris naissance, à la fin de 1929, de l'autre côté de l'Atlantique. Les manifestations et les retombées sociales de cette crise sont bien connues et diffèrent peu de celles qui affectent les autres pays d'économie de marché : un chômage d'une ampleur et d'une durée inhabituelles, la stagnation des affaires, de nombreuses faillites frappant principalement les petites et moyennes entreprises, les difficultés d'écoulement de la production agricole, la baisse du salaire réel et l'effritement du revenu des petits épargnants, etc. Rien de catastrophique si l'on compare cette situation à celle des États-Unis, de l'Allemagne, ou de certains pays de l'Est européen, néanmoins le marasme est suffisant et touche des catégories assez nombreuses pour entretenir un climat de mécontentement dont les adversaires du régime vont s'efforcer de tirer parti.

Or les adversaires de la république parlementaire, telle qu'elle fonctionne – et elle fonctionne mal – sont de plus en plus nombreux. Aux ennemis ordinaires de la démocratie bourgeoise, extrémistes de droite et de gauche, s'ajoutent tous ceux qui estiment que celle-ci n'est plus adaptée à son temps, qu'elle est incapable de faire face aux difficultés de l'heure et qu'elle est devenue la proie des professionnels de la politique, alliés aux financiers véreux comme le révèlent divers scandales montés en épingle par la presse à sensation (affaire de la *Gazette du franc,* krach de la banque Oustric et surtout affaire Stavisky). Ceci, dira-t-on, n'a rien de nouveau. Au début de la IIIᵉ République, la crise des années 1880 a eu sur une partie de l'opinion des incidences semblables, et le boulangisme a été à bien

114

des égards le bénéficiaire fugitif de cette première remise en question. Sans doute. Mais la République adolescente de la fin du siècle dernier portait en elle les espoirs de toute une génération. Elle offrait aux « nouvelles couches » évoquées par Léon Gambetta l'assurance de voir les meilleurs de leurs fils accéder aux postes de commande, en tout cas bénéficier dans l'ordre social d'une promotion jusqu'alors inconnue. Elle avait commencé à donner à la France le second empire colonial du monde. Elle s'employait à mettre sur pied un système éducatif destiné à former non seulement des citoyens libres, capables, fraternels, mais aussi et surtout de jeunes hommes moralement et physiquement préparés pour l'heure de la revanche. Elle était, pour beaucoup de Français, le régime de l'avenir, conforme aux idéaux progressistes de 1789 et héritier des événements glorieux de la « Grande Nation ».

Au seuil des années trente, la république parlementaire fait figure de régime vieilli, dépassé par les impératifs de l'époque et condamné à terme s'il ne trouve pas en lui-même la force de se renouveler. Certes, elle a gagné la guerre. Elle a triomphé à l'arraché de régimes autocratiques que le vent de l'histoire a emportés dans la grande tourmente de 1918. Avec elle, et avec ses alliées, c'est la démocratie qui a vaincu dans cette lutte planétaire entre le Bien et le Mal que représente pour les puissances victorieuses le premier conflit mondial. Mais elle a vaincu parce qu'elle a su, au moment du plus grand péril, renouer avec les vertus de la république jacobine. Dans la mémoire collective des Français de l'entre-deux-guerres, la victoire et la quasi-dictature légale instaurée en 1917 par Clemenceau ne font qu'un, et c'est de la nostalgie de ce retour symbolique à l'an II que se nourrit, dix ou quinze ans plus tard, toute une thématique visant au ressourcement et à la rénovation de l'institution républicaine. Le fascisme à la française, ou plutôt sa composante de gauche qui n'est pas nécessairement la plus représentative, puisera une partie de sa sève dans ce courant, mais aussi beaucoup d'autres formes de révisionnisme politique et d'aspirations rénovatrices qui ne peuvent être assimilées au fascisme que par un abus de langage.

Fascisation ou fascination?

Crise économique, crise sociale, crise de régime, tous ces éléments se conjuguent pour faire des années trente la toile de fond d'une

115

poussée d'agitation ligueuse qui n'est pas la première que la France ait connue, mais qui revêt, à une échelle infiniment plus vaste qu'au temps du Cartel, les aspects nouveaux de la liturgie de masse et de la démonstration paramilitaire. D'entrée de jeu, elle a été qualifiée de « fasciste » par la gauche : ce qui était un moyen commode de faire jouer contre elle le vieux réflexe républicain, mais ne correspondait que très partiellement à la vérité.

Il y a eu sans aucun doute un fascisme français, qui n'a pas toujours pris la forme de ses homologues italien et allemand mais qui a occupé, dans l'espace politique et culturel de l'hexagone, une place plus grande que ne voulaient bien lui concéder jusqu'à une date récente les plus éminents spécialistes du XXe siècle français. De là à voir, comme Sternhell, du « fascisme » partout où il y a critique virulente de la république parlementaire, version IIIe finissante, il y a un pas que l'examen attentif des faits interdit de franchir. Le fascisme français, répétons-le, a bel et bien existé. Il a imprégné, à des degrés divers, de larges secteurs de l'intelligentsia, à gauche comme à droite, et il a mordu sur une partie de l'opinion : mais, ceci étant admis, il n'est pas moins vrai qu'il ne représente que l'un des visages adoptés par l'antilibéralisme et par le nationalisme antiparlementaire. Pas nécessairement le plus caractéristique, ni celui qui a connu le plus de succès.

Une question reste cependant posée, à laquelle on ne peut rétrospectivement fournir que des éléments de réponse mais qui se trouve probablement au cœur de la problématique du fascisme français. On peut en effet se demander si, confrontée à une situation comparable à celle de l'Italie en 1920 ou de l'Allemagne au début des années trente, la droite nationaliste n'aurait pas fini par s'aligner sur les formations « fascistoïdes », parce que plus dynamiques et plus aptes qu'elle-même à encadrer les masses, comme l'ont fait en Italie les nationalistes, les D'Annunzio, Federzoni et autres Rocco, et en Allemagne les casques d'acier de Hugenberg ainsi que les grandes formations de la droite ultra-conservatrice. Ce ne peut être qu'une hypothèse que ne confirme même pas l'évolution ultérieure de ces mouvements sous l'occupation allemande et le régime de Vichy. Quoi qu'il en soit, la France n'a pas connu, au cours de la décennie 1930, une situation de détresse comparable à celle de ses deux grandes voisines. La simplification politique qui caractérise ce type de situation n'a donc pas eu le temps de s'opérer et c'est ce qui permet au nationalisme antiparlementaire français de conserver toute sa diversité.

Il reste que, diversement interprété et compris, le fascisme a

116

exercé une forte attraction sur une fraction appréciable de la population française. Bernard-Henri Lévy en dit trop ou trop peu lorsqu'il écrit dans *L'Idéogie française* :

« Il était une fois une génération de vainqueurs qui étaient déjà des vaincus et qui, sortis presque hébétés de l'horreur de la Grande Guerre, marchaient les yeux ouverts à l'infamie d'une autre guerre. Une génération de faillis, de maudits, de réprouvés qui, tandis que le monde alentour commençait de s'embraser, voyaient s'éteindre dans leurs têtes l'éclat des hautes croyances qui, toujours, jusque-là, les avaient guidés dans le péril. Des hommes et des femmes, incroyablement désolés, qui vivaient un drame, un calvaire, dont on a peine, aujourd'hui encore, à imaginer les traces lors même que, si souvent, si naturellement, nous y remettons nos pas. Cette génération, c'est celle des années trente. » C'est son histoire « qui fit que le fascisme une fois déjà, put être pensé, follement désiré, puis finalement accepté, au pays des droits de l'homme et de la démocratie [1] ».

Il en dit trop lorsqu'il laisse entendre que c'est pratiquement toute la génération issue de la guerre qui a, dix ou quinze ans plus tard, basculé dans le « fascisme » ou qui a fait – en connaissance de cause – le lit du fascisme. La remise en cause, même radicale, même violente, de la manière dont fonctionnait la « démocratie » au début des années trente, ne signifiait pas nécessairement que l'on fût un ennemi de la démocratie, ni que l'on rejetât, en même temps que sa caricature, les principes sur lesquels s'était construite la république parlementaire.

En revanche, il limite à l'excès la matrice sociologique du fascisme français en ne considérant que ce qu'il appelle, après beaucoup d'autres, la « génération des années trente », alors que le phénomène d'imprégnation fasciste déborde largement – en amont et en aval – la tranche d'âge des anciens combattants.

Il faut cependant être prudent lorsque l'on parle d'imprégnation fasciste pour qualifier l'attitude d'une partie de l'opinion française à l'égard de ce phénomène complexe, dont bien peu d'observateurs et de spectateurs engagés ont su prendre à l'époque la juste mesure. Jusqu'à l'avènement d'Hitler – et pour certains beaucoup plus longtemps – il est clair que l'on se réfère lorsque l'on parle du fascisme à ce qui se passe de l'autre côté des Alpes. Seule une poignée d'intellectuels s'interroge sur ses fondements idéologiques, sur son caractère universel ou au contraire spécifiquement italien, sur l'existence ou non d'une matrice française du fascisme. La masse

1. B.-H. Lévy, *L'Idéologie française, op. cit.,* p. 15-16.

117

diffuse des admirateurs de l'entreprise mussolinienne, et avec elle nombre de représentants de la classe politique ne poussent pas l'analyse aussi loin et se contentent d'exalter dans le fascisme-mouvement et dans le fascisme-régime ce qui répond le mieux à leur propre conception du parti ou de la société à bâtir.

Or, à l'exception répétons-le de la frange intellectuelle des diverses familles politiques, en quête de révolution culturelle ou de simple rénovation, ce qui intéresse les couches de l'opinion favorables au fascisme, c'est d'une part le coup d'arrêt donné par son chef à la vague révolutionnaire de l'immédiat après-guerre, et ce sont d'autre part les « réalisations » du régime. Mais là encore, l'accent n'est pas mis par tous sur les mêmes aspects de la politique fasciste : les uns insistent sur le retour à l'ordre, sur les « trains qui arrivent à l'heure », sur la mise au pas des syndicats et des forces politiques de gauche, donc sur les aspects réactionnaires de la dictature transalpine, qu'ils ne distinguent guère des autres régimes d'exception mis en place par les classes dirigeantes dans l'Europe des années vingt : le rivérisme en Espagne, le salazarisme au Portugal, le pilsudskisme en Pologne, etc., aisément assimilés au fascisme aussi bien par la droite que par la gauche. Ceci est important car beaucoup d'individus, de groupes, d'organes de presse se réclameront du « fascisme » par simple référence à cet aspect du régime mussolinien et sans se soucier beaucoup des autres. Ou encore verront dans la pérennisation d'une dictature, d'abord jugée avec méfiance sur ses antécédents gauchistes, la confirmation de leurs propres certitudes idéologiques.

Ceci est particulièrement vrai de l'Action française. Parlant des premiers contacts entre l'organisation maurrassienne et le régime des faisceaux, Valois écrit dans *L'Homme contre l'argent* :

« Je dois dire que, à l'AF, personne ne croyait à la durée du fascisme. Les gens de la maison n'avaient d'ailleurs en aucune manière le tempérament fasciste. Quelqu'un d'Italie invita l'AF à envoyer l'un des siens à Rome peu après l'installation de Mussolini. Maurras avait délégué Pujo, lequel était allé là-bas bredouiller on ne sait quoi, n'avait pas été pris au sérieux, avait été reçu par des personnalités de troisième ordre, et était revenu en disant que le fascisme, " c'était exactement l'organisation des Camelots du Roi ". Depuis, les relations avec Rome avaient été à peu près nulles[2]. »

Propos très excessif et qu'expliquent les rapports exécrables que le leader du Faisceau entretient lui-même avec l'organisation de la rue

---

2. G. Valois, *L'Homme contre l'argent, op. cit.*, p. 83. Cité in J.-M. Duval, *op. cit.*, p. 67.

118

de Rome depuis la rupture de 1925. Au milieu des années vingt, les contacts entre l'AF et les autorités fascistes sont au contraire nombreux et chaleureux. L'organe de la ligue maurrassienne se déclare hautement favorable aux projets d'Union latine, mis en avant par Mussolini. Il y voit un moyen de lutter à la fois contre la montée du revanchisme allemand et contre ses alliés de l'intérieur : la démocratie et les « loges ».

« Ces messieurs du Quai d'Orsay, écrit Léon Daudet en décembre 1927, ont dû sentir que le beau projet d'une nouvelle " guéguerre " *pou les Selbes,* rencontrerait dans l'opinion publique de chez nous, si engourdie et gisante qu'elle paraisse, quelque opposition...

« [...] L'Union latine, que préconise à bon droit M. Mussolini, et qui peut être le salut de la civilisation – la démocratie une fois abattue en France par nos soins – l'Union latine a contre elle les loges, qui tiennent pour la prédominance allemande, la police politique de Sûreté générale – C'EST-À-DIRE LES LOGES EN ACTION – et enfin le germanisme lui-même, qui cherche et veut sa revanche à tout prix [3]. »

Ces paroles font écho à celles que l'organe du *fascio* italien de Nice – le *Pénsiero latino,* de Giuseppe Torre, que le gouvernement Poincaré interdira au début de 1927 [4] – s'est inlassablement appliqué à diffuser dans l'opinion des Français (et des immigrés italiens) du Sud-Est, à un moment où le Duce s'efforçait de prendre le contrepied du rapprochement franco-allemand [5]. Les deux pays, peut-on lire dans cet « organe hebdomadaire fasciste pour l'union franco-italienne et des peuples latins [6] », ne sont-ils pas destinés « par affinité de race, par identité d'intérêts, à former un seul bloc qui fasse rayonner la civilisation du monde [7] »? Ne constituent-ils pas à eux deux le « centre de la civilisation »? « Français et Italiens, proclame le journal du *fascio* niçois, sont les patriciens de l'Humanité et de la latinité [8]. »

3. Léon Daudet, *L'Action française,* 16-12-1927. Sur cette campagne menée par l'organe monarchiste en faveur de l'alliance latine, cf. P. Milza, *L'Italie fasciste devant l'opinion française, 1920-1940,* Paris, A. Colin, coll. Kiosque, 1967, p. 124-128.
4. Sur cet organe de la presse fasciste italienne en France, cf. P. Milza, « Une tentative de pénétration de la presse fasciste italienne dans la France des années vingt », in *Enjeux et Puissances. Pour une histoire des relations internationales au XXe siècle.* Mélanges en l'honneur de J.-B. Duroselle, Paris, Publications de la Sorbonne, 1986, p. 155-174.
5. L'Italie fasciste se trouvait elle-même en mauvais termes à cette date avec le gouvernement allemand, à propos de la politique de dégermanisation qu'elle avait commencé à pratiquer dans le Haut-Adige.
6. C'est le sous-titre de l'organe fasciste.
7. *Il Pensiero latino,* n° 9, 21-2-1926.
8. *Ibid.,* n° 10, 21-2-1926.

Par prudence, Torre et ses amis se gardent bien de porter des jugements trop incisifs sur le régime politique de la France et sur son gouvernement, mais ils ne manquent pas une occasion de saluer les « vrais amis de l'Italie » que sont les hommes de l'Action française et le parfumeur millionnaire François Coty, lequel mène également campagne dans *Le Figaro* pour le rapprochement avec l'Italie des faisceaux [9].

S'agissant du régime politique de l'Italie, les dirigeants de l'AF s'appliquent dès le début à en gommer les aspects pseudo-révolutionnaires pour ne considérer que ceux qui rapprochent l'entreprise mussolinienne du projet maurrassien : à savoir la destruction de la démocratie et le renforcement des institutions monarchiques :

« La force du président Mussolini, écrit encore Daudet, [...] c'est d'abord de n'avoir pas peur des mots, ensuite de se rendre parfaitement compte que l'esprit démocratique et parlementaire du sinistre XIXᵉ siècle a fait son temps.

« Dans un article comique, qu'a publié *L'Illustration*, le lamentable historien Ferrero – naguère encore démocratisant à tous crins – en faisait la constatation douloureuse. Il pensait que la civilisation allait à gauche et que Maurras faisait erreur. Mais il se trouve qu'en 1923, comme d'ailleurs à toutes les époques, la civilisation va à droite et la barbarie va à gauche. [...]

« La vérité est que la démocratie, parlementaire ou plébiscitaire, s'appelle invasion et hécatombe, finalement asservissement. Elle est la peste la plus redoutable de l'humanité. L'Italie – qui a le sens politique congénital – s'en est parfaitement rendu compte quand elle a éprouvé le besoin de renforcer sa monarchie héréditaire par la dictature, énergique et clairvoyante, du président Mussolini [10]. »

Cela dit, si l'AF manifeste jusqu'à la fin des années trente une sympathie sans faille à l'égard de l'Italie nouvelle et de son chef – elle jouera un rôle considérable dans la campagne menée en France contre les sanctions lors de la guerre d'Éthiopie – elle a plutôt tendance à tirer le fascisme de son côté, en soulignant ce qu'il y a de contre-révolutionnaire dans sa doctrine et dans sa politique, qu'à s'aligner sur ce qu'il y a en lui de novateur, de spécifique et de réellement contestataire. Fidèle à ses idéaux traditionalistes, elle n'est, et elle ne sera en aucune manière et à aucun moment une

9. C'est à Coty que Mussolini a accordé, en octobre 1926, une interview retentissante dans laquelle le Duce se montrait aussi rassurant que possible à l'égard du problème tunisien. Et c'est à lui que vont les éloges les plus fréquents et les plus appuyés du *Pensiero latino*.

10. L. Daudet, *L'Action française*, 5-9-1923.

formation fasciste ou parafasciste. Elle continue simplement, et c'est déjà beaucoup, de fournir aux mouvements d'inspiration fascisante des cadres qui, après avoir longtemps et profondément subi son attraction, se sont détachés de la tribu maurrassienne et de son élitisme conservateur. Le Faisceau de Georges Valois dans les années vingt, l'équipe de *Je suis partout* ou les jusqu'au-boutistes du CSAR une dizaine d'années plus tard ont fait leur miel de cette attirance pour la vitalité, plutôt que pour l'idéologie du fascisme.

Ce qui est vrai de l'organisation monarchiste l'est également, à des titres et à des degrés divers, de larges secteurs de l'opinion de droite. L'examen de la presse nationaliste et conservatrice de l'entre-deux-guerres [11] est à cet égard, toutes tendances mêlées, révélateur de la fascination qu'exerce sur cette constellation politique le régime d'ordre mis en place de l'autre côté des Alpes, après les errements et les turbulences des premiers temps. Cela ne veut pas dire que l'on souhaite pour la France l'application intégrale du remède mussolinien. Mais l'on estime – et ce sera également vrai, à doses plus homéopathiques, de l'hitlérisme – qu'il y a « quelque chose à prendre » à l'expérience fasciste. Tendance diffuse chez l'homme de la rue, plus élaborée chez les politiques et les hommes de presse, exprimée en formules chocs ou en slogans de café du commerce. Parlant des nouveaux rapports entre l'Église et l'État italien, J. Caret évoque dans *La Croix* la *pax romana* [12] et « Alverne » compare sans complexe les accords du Latran à l'édit de Milan et Mussolini à l'empereur Constantin [13]. Henri de Kérillis salue en lui l'homme qui a réussi à surmonter « les résistances d'une nation capable d'héroïsme, mais indolente au fond ». Mussolini, écrit-il, en pleine querelle des sanctions, « donne une merveilleuse, une gigantesque leçon d'énergie, de courage, de volonté farouche, et il laissera un souvenir impérissable dans les annales humaines [14] ».

Dans un livre publié en 1929 à son retour d'Italie, l'académicien Henri Bordeaux – qui a eu à cette occasion un entretien avec le Duce – résume assez bien cette attitude de la droite française à l'égard de l'« Italie nouvelle ». On répugne à se déclarer « fasciste », mais la description complaisante que l'on fait du fonctionnement et des réalisations du régime dit de manière peu équivoque que l'on s'accommoderait sans trop de peine de son acclimatation aux réalités hexagonales.

11. P. Milza, *L'Italie fasciste devant l'opinion française...*, op. cit.
12. J. Caret, *La Croix*, 19-12-1934.
13. Alverne, *ibid.*, 16-2-1929.
14. H. de Kérillis, *L'Écho de Paris*, 6-3-1936.

121

« Ce mandat, écrit de Mussolini l'auteur des *Roquevillard*, il l'exerce depuis cinq ans, et il l'exerce seul. Il a imposé l'obéissance au Parlement qu'il méprise et il a proposé, comme idéal, cette vertu d'obéissance au peuple qu'il aime. Cependant il a besogné comme un bûcheron dans une forêt. Ou plutôt, il a fait le contraire du bûcheron : il a planté au lieu d'abattre. Lois pour la défense de l'État, lois pour la protection physique et morale de la race, loi contre la franc-maçonnerie, institution du podestat, organisation du gouvernement de Rome, autorité élargie et responsabilité des préfets, politique d'assainissement financier qui a permis le redressement de la lire, puis sa stabilisation, œuvre nationale de loisirs ouvriers et protection sociale des travailleurs : le gouvernement fasciste a accompli un prodigieux effort pour donner au pays une charte du travail en même temps qu'une charte de sécurité qui lui permettraient de se guérir des plaies laissées par la guerre. Le résultat éclate aux yeux [15]. »

Même lorsqu'il est récusé comme modèle global – ce qui est le cas le plus fréquent – parce que incompatible avec les traditions et avec le génie français, le fascisme est considéré comme un stimulant pour les démocraties en crise. « Quand même, écrit en 1932 un homme comme Georges Roux, lui aussi spectateur admiratif des réalisations mussoliniennes, notre République c'est la liberté... Sauvons donc cette liberté, tant qu'il sera possible de la sauver. » Mais, c'est pour ajouter aussitôt :

« Le fascisme n'est pas autre chose qu'une phase d'une révolution mondiale. Il est l'un des éléments qui amèneront les États routiniers à se moderniser; il jouera le rôle du brochet dans les étangs poissonneux et nous empêchera de prendre le goût de la vase. Il est une critique de nos institutions vieillissantes [16]. »

Fascination donc, plutôt que fascisation, ou encore, comme l'exprime en une formule heureuse l'historien suisse Philippe Burrin, attraction de la France « dans le champ magnétique des fascismes [17] ». Burrin a tout à fait raison, tout en reconnaissant que « le terroir français portait à l'évidence des pousses de fascisme », de faire grief à Sternhell d'avoir tenu pour quantité négligeable le « vent chaud que faisaient souffler sur une France en crise les régimes fascistes triomphants ». Si « imprégnation fasciste » il y a eu dans la France de l'entre-deux-guerres, et qui peut nier qu'elle ait joué un

---

15. H. Bordeaux, *La Claire Italie*, Paris, Plon, 1929, p. 103-104.
16. G. Roux, *L'Italie fasciste*, Paris, Stock, p. 210-213.
17. Ph. Burrin, « La France dans le champ magnétique des fascismes », *Le Débat*, n° 32, novembre 1984, p. 54.

122

rôle important dans l'histoire politique et culturelle de cette période? elle n'a pas seulement affecté les petits cercles de l'intelligentsia droitière analysés par Raoul Girardet [18] et par Jean-Louis Loubet del Bayle [19]. Elle n'est pas seulement résurgence des préfascismes gauchisants de l'avant-guerre dans le terreau « non conformiste » du révisionnisme marxiste, comme l'affirme Zeev Sternhell. Elle est à la fois cela et beaucoup plus : une mode, dont chacun peut ne retenir que les aspects les plus clinquants, ou les mieux adaptés à une personnalité et à une culture qu'ils ne modifient pas en profondeur, un « mal du siècle », si l'on veut, mais qui n'est pas le fait exclusif de bourgeois névrosés ou d'intellectuels désaxés par la guerre, une soif ardente et généralisée de renouvellement qui s'exprime non seulement à travers la tentation fasciste mais par la recherche multiforme d'une « troisième voie », pouvant présenter des traits communs avec le fascisme tout en s'opposant radicalement à lui.

Tout cela constitue incontestablement un terrain d'où aurait pu émerger un fascisme conquérant, assimilateur de forces de droite moins résolues que lui, en désaccord certes avec certaines de ses options, mais prêtes néanmoins à faire avec lui un bout de chemin pour peu que la situation rende nécessaire une dictature temporaire instaurée, comme dans l'Italie de 1922, au nom du « salut public ». Que cette cristallisation autour d'un noyau dur authentiquement fasciste n'ait pas eu lieu dans la France en crise des années trente tient à un certain nombre de données qu'il nous faut examiner, après avoir repéré les éléments qui forment l'hétéroclite nébuleuse fascistoïde.

Agitateurs et démagogues

Parmi les mouvements, ou les simples groupes de pression, qui ont été abusivement catalogués comme « fascistes », il y a d'abord ceux qui, sous une étiquette aussi apolitique que possible, s'efforcent de regrouper les mécontents du régime et certaines catégories sociales particulièrement touchées par la crise.

Deux organisations de ce type ont joué, l'une dans un cadre principalement citadin, l'autre au contraire au contact du monde rural, un rôle important de mobilisation des masses petites-bourgeoi-

---

18. R. Girardet, « Notes sur l'esprit d'un fascisme français », *op. cit.*
19. J.-L. Loubet del Bayle, *Les Non-Conformistes des années 30...*, *op. cit.*

123

ses sur des mots d'ordre antiparlementaires et même peut-on dire antiétatiques. Leur « programme», ou plutôt le catalogue de slogans et de revendications souvent contradictoires autour duquel elles s'efforcent de drainer une clientèle d'éternels mécontents et d'authentiques victimes des difficultés de l'heure, n'a rien de proprement « fasciste ». Il fait plutôt songer à une sorte de poujadisme avant la lettre, ou encore aux entreprises de pure démagogie qui se sont développées dans l'Amérique du New Deal, sous la houlette d'un Coughlin, d'un Townsend ou d'un Huey Long.

La première, de loin la plus importante par ses effectifs, est la Fédération des contribuables. Elle été fondée en 1928, donc en pleine période de prospérité par un curieux personnage, assez comparable aux démagogues de haut vol d'outre-Atlantique, l'expert-comptable Large, qui s'était déjà lancé quelques années plus tôt dans une entreprise de même nature en créant la Ligue de défense des intérêts du contribuable. Rien de particulièrement incendiaire dans l'exposé des motifs qui accompagne les statuts originels de cette organisation. Il s'agit d'« instruire l'opinion », d'« organiser son action en vue d'introduire dans la gestion des deniers publics [...] toutes les économies, toutes les améliorations, et la suppression des abus existants, avec le souci d'augmenter le rendement des services administratifs [20] ». On parle de « rechercher les moyens de rendre à l'initiative privée toute son activité et tous ses droits pour favoriser l'essor économique du pays et alléger les charges des contribuables ». On réclame une « plus équitable répartition de l'impôt et l'élaboration de textes simplifiés et clairs évitant l'injustice et l'arbitraire [21] ». Tout cela est parfaitement compatible avec les idées de la droite libérale et ne remet en cause ni le régime, ni le principe même de la contribution des citoyens aux dépenses de l'État. Pourtant, avec le début de la crise, le ton change et les objectifs se modifient dans le sens d'une forte radicalisation à droite.

C'est en effet un discours très violemment antiparlementaire qui circule dans l'organisation de Marcel Large – lui-même très proche de l'Action française, avec laquelle la liaison est assurée par Charles Devauzelle, dit « Saint-Clair » [22] –, véhiculé par un organe mensuel, *Le Réveil des contribuables*, dont la thématique est sur de nombreux points identique à celle des ligues. En février 1933, le « délégué

20. Cité in S. Berstein, *Le 6 février 1934*, Paris, Gallimard/Julliard, coll. « Archives », 1975, p. 77.

21. *Ibid.*

22. Les responsables de la Fédération des contribuables eurent souvent recours aux Camelots du Roi pour assurer le service d'ordre de leurs réunions.

124

général » de la Fédération [23], qui aurait compté à cette date, selon les estimations de toute évidence gonflées de ses responsables, près de 700 000 adhérents, ne s'embarrasse pas de circonlocutions pour menacer les institutions de la République. « Nous entreprendrons une marche convergente vers cet antre qui s'appelle le Palais-Bourbon, fulmine Marcel Large, et, s'il le faut, nous prendrons des fouets et des bâtons [24]. »

Avertissement mis à exécution un an plus tard, lors de la sanglante journée du 6 février. A la veille de la manifestation, la fédération des contribuables de la Seine, dirigée par Bardon et affiliée à la Fédération nationale, tout en précisant qu'elle agit en dehors des formations politiques, invite ses adhérents par voie de presse (son appel paraît notamment dans L'Action française) « à se joindre selon leurs affinités politiques, préférences personnelles ou leurs facilités de déplacement, à tous les mouvements qui auront lieu dans Paris le mardi 6 courant [...] pour s'opposer à une politique d'immoralité qui jette la déconsidération sur la nation et à ne pas tolérer plus longtemps les agissements d'un gouvernement qui n'a plus la confiance du pays [25] ».

A la différence des anciens combattants agissant dans le cadre de l'UNC, c'est donc en ordre dispersé que les adhérents de la Fédération des contribuables non affiliés à une autre organisation participante manifesteront le 6 février sur les Champs-Élysées et à la Concorde, et il n'est guère possible de savoir combien de représentants de cette formation « apolitique » ont été présents sur les lieux du drame et comment ils s'y sont comportés. Il ne faut pas oublier en effet que les éléments les plus activistes de l'organisation dirigée par Marcel Large militaient en même temps aux JP et surtout à l'AF. En tout cas, deux jours après l'émeute, le « délégué général » publiait dans l'organe maurrassien un appel aux contribuables, leur demandant de « suspendre immédiatement et sans autre avis tout payement d'impôts » de « retirer tout crédit au Gouvernement » et de « retirer tous les fonds qu'ils ont mis dans les caisses de l'État [26] ».

Fasciste l'expert-comptable Marcel Large et sa clientèle de petits bourgeois abonnés au Réveil des contribuables? Certainement pas. Mais les millions d'électeurs benoîtement conservateurs et totalement ignorants de la doctrine fasciste ou nazie qui ont légalement porté Mussolini et Hitler au pouvoir, et ont en quelque

23. C'était le titre dont faisait usage Marcel Large à la tête de la Fédération.
24. Le Réveil des contribuables, février 1933.
25. L'Action française, 5-2-1934.
26. Ibid., 8-2-1934. Cité in M. Le Clere, Le 6 février, Paris, Hachette.

sorte posé la première pierre du totalitarisme, ne l'étaient pas davantage. Il ne faut donc pas négliger le rôle qu'a pu jouer un mouvement comme celui-ci – et ce qui est vrai de la Fédération des contribuables l'est également de l'UNC et des autres ligues, non spécifiquement fascistes –, dans la mobilisation de larges fractions des classes moyennes sur des thèmes antiparlementaires et antilibéraux. Ils ont incontestablement eu une fonction de relais dont ont bénéficié par la suite le fascisme de masse du PPF et les autres éléments de la constellation fascisante.

Plus éloigné encore de l'idéologie fasciste apparaît le mouvement qu'anime, depuis le milieu des années vingt, l'agitateur rural Henri d'Halluin, dit Dorgères. Et pourtant, cet ancien étudiant royaliste de la faculté de droit de Rennes, devenu rédacteur en chef du *Progrès agricole de l'Ouest*, une feuille ultra-conservatrice qui prône la défense des intérêts paysans et la collaboration des classes, finira par afficher après le 6 février des sentiments explicitement « fascistes » et par organiser son mouvement sur un modèle somme toute assez proche du squadrisme rural qui s'était développé quinze ans plus tôt en Italie du Nord.

C'est en 1928 que le « dorgérisme » prend véritablement naissance. La loi sur les assurances sociales fournit au futur chef des « chemises vertes » l'occasion de mener campagne contre l'État centralisateur et jacobin, appuyé en ce sens par des organes de la droite conservatrice, tels que *L'Écho de Paris* et *Le Martin*, par les syndicats locaux de la rue d'Athènes et par des organisations hostiles à l'État-providence et au « socialisme d'État », comme le comité Ordre et Bon sens du Dr Guérin [27]. A Rennes, sur le modèle inauguré en Eure-et-Loir par Rémy Sédillot, Dorgères crée un Comité de défense paysanne d'Ille-et-Vilaine contre les assurances sociales qui ne tarde pas à élargir son activité et à durcir ses méthodes d'action. Il essaime en même temps dans d'autres régions. Parti des pays bocagers de l'ouest de la France, domaine de la petite paysannerie vivant chichement de la polyculture à base céréalière, le mouvement gagne le Centre, la région rhodanienne, les Pyrénées occidentales et surtout le Nord. C'est d'ailleurs à Amiens que Dorgères est arrêté et emprisonné en 1932 pour s'être opposé, à la tête de ses troupes, à la saisie par le fisc d'un petit fermier endetté.

Dans le livre qu'il publie en 1935, *Haut les fourches*!, le dirigeant des Comités de défense paysanne expose les grandes lignes de sa doctrine, laquelle se rattache directement aux idéaux corporatistes et

27. Ph. Mâchefer, *Ligues et fascismes en France, 1919-1939*, *op. cit.*, p. 29.

126

traditionalistes de l'ancienne France et n'a pas grand-chose de commun avec le fascisme. Dorgères y fait le procès de l'État bureaucratique et sa politique libérale, favorable aux intérêts du capitalisme urbain et aux spéculateurs. Il dénonce l'œuvre scolaire de la IIIᵉ République et le rôle de l'instituteur qui a concouru à la déchristianisation des campagnes et a privé la terre de ses meilleurs éléments, en faisant d'eux des boursiers républicains, puis des bureaucrates coupés de leurs racines rurales (on reconnaît ici certaines obsessions barrésiennes). Dans le droit fil des idées maurrassiennes et de la doctrine du catholicisme social, il appelle de ses vœux la mise en place d'un État fort – monarchie ou « République corporative familiale » – à la fois décentralisé et respectueux des structures traditionnelles. Un État qui soit capable de rendre au monde paysan, sauveur de la nation pendant la Grande Guerre, la place privilégiée qui avait été la sienne dans le passé.

Les piliers sur lesquels Dorgères et ses partisans entendent reconstruire la société française sont ceux sur lesquels s'appuiera plus tard le régime de Vichy. Ce sont l'ordre et le respect des hiérarchies enracinées dans la longue durée, la famille, « qui doit être forte et avoir l'assurance de durer » (le chef de famille doit pouvoir tester en faveur du fils qu'il estime le plus digne de lui succéder), la discipline et le travail, les valeurs morales anciennes, la corporation qui formera la base de la future construction étatique, etc. Avant de devenir celle du PSF, puis celle de la révolution nationale vichyssoise, « Travail, Famille, Patrie » sera la devise de la Défense paysanne.

A partir de 1934, le mouvement dorgériste élargit son audience. En trois ans ses effectifs seraient passés de 30 000 à 400 000 adhérents selon les chiffres avancés par ses dirigeants : chiffres tout à fait démesurés et qui doivent être divisés au moins par deux ou par trois. En même temps, les Comités de défense paysanne s'insèrent dans l'éphémère Front paysan d'Edmond Jacquet et Jacques Leroy-Ladurie, aux côtés d'organisations telles que le Comité d'action et de vigilance paysanne, l'Union nationale des syndicats agricoles, le Parti agraire et la Ligue nationale des fermiers et métayers. Surtout, ils amorcent un virage fasciste qui apparaît aussi bien au niveau de l'idéologie – anticommunisme de plus en plus virulent, antisémitisme de choc, culte de la violence et du chef – que du comportement extérieur et des méthodes d'action [28]. Les comités se transforment en

---

28. Il n'existe pas d'ouvrage traitant spécifiquement des Comités de défense paysanne. On se reportera au mémoire de maîtrise de Pascal Ory : *Dorgères et le dorgérisme*, Nanterre, 1970, en attendant le livre que prépare sur cette question l'historien américain Robert O. Panton.

formations paramilitaires, astreintes au port de la chemise verte et de l'emblème de l'organisation : fourche et faux entrecroisées sur gerbe de blé. De la fourche, Dorgères dit qu'elle symbolise à elle seule l'âme de son mouvement : « Elle représente le métier sur lequel nous voulons bâtir l'État, elle représente aussi l'arme qui chassera les politiciens, auxquels notre pays doit sa ruine et son déshonneur [29]. » Folklore sans doute, mais doublé d'une réelle agressivité. En 1937, les bandes dorgéristes s'associent au PSF pour des expéditions punitives contre les ouvriers agricoles en grève, dans certaines régions du Nord et du Centre. Enfin, le mouvement ne cache pas ses sympathies pour l'Italie mussolinienne et le mot d'ordre qu'il donne à ses jeunesses paysannes – « Croire, Obéir, Servir » – est presque calqué sur celui que Starace a imposé dans la péninsule aux jeunes fascistes.

Là s'arrête la ressemblance avec le fascisme agraire des années qui précèdent en Italie la venue au pouvoir de Mussolini. D'abord, Dorgères n'a pas franchi le seuil de la subversion armée contre le régime. A la fin de 1936, il fait exclure du mouvement Félix Dessoliers qui, à la suite de l'interdiction d'un meeting à Magic-City, voulait engager la Défense paysanne dans l'action directe. Il refuse, selon ses propres confidences, de suivre Deloncle dans son entreprise de conspiration contre l'État républicain. On le retrouvera en 1940 aux côtés du maréchal, comme délégué national à la propagande et l'organisation pour la corporation paysanne [30], mais il restera comme Maurras, dont il est en fin de compte l'un des nombreux disciples que le combat politique a radicalisés, hostile à l'occupant. Beaucoup plus qu'un « fascisme », la chouannerie antirépublicaine à laquelle il a donné son nom aura été une réaction traditionaliste de petits paysans menacés par l'industrialisation et par la concentration capitaliste en milieu rural. Certes, le mouvement dorgériste a revêtu, comme beaucoup d'autres ligues, les oripeaux du fascisme, à la mode dans l'Europe de l'immédiat avant-guerre. Il a eu ses ultras, comme les frères Dessoliers, grands admirateurs de l'hitlérisme. Il a usé de la violence et pratiqué, comme les escouades armées du fascisme agraire, des expéditions punitives contre les représentants du prolétariat rural. Mais son idéologie, comme celle de l'AF est à bien des égards aux antipodes du totalitarisme fasciste et son action, à peu près complètement déconnectée de celle des « fascismes » urbains, n'a pas consisté, comme en Italie, à servir de garde blanche aux grands propriétaires terriens.

29. Cité in J. Plumyène et R. Lasierra, *Les Fascismes français, 1923-1963*, Paris, Le Seuil, 1963, p. 235.
30. Créée par la loi du 2 septembre 1940.

128

Il reste que, par sa clientèle de petits et moyens exploitants, par son antisémitisme virulent, par son attachement quasi mystique aux valeurs de la terre, par son activisme tout proche de la subversion armée, le dorgérisme fait songer à diverses formes de « fascismes » ruraux spécifiques de l'Europe centrale et orientale, et en particulier à la légion de l'Archange-Saint-Michel du Roumain Codreanu. Il lui a manqué, pour opérer sa conversion, l'aiguillon d'une authentique menace révolutionnaire favorisant son rapprochement avec les agrariens. Mais ce problème, nous l'avons vu, est commun à toutes les ligues.

Dérives politiques de l'activisme ancien-combattant

Dans sa très remarquable thèse sur « les anciens combattants et la société française [31] », Antoine Prost écrit ceci, à propos de l'émergence du mouvement combattant dans le champ de la crise politique française :

« Replacé dans l'histoire particulière du mouvement combattant, le 6 février 1934 ne saurait donc constituer une surprise. S'il ouvre une phase nouvelle de notre histoire politique, il est aussi l'aboutissement de toute une évolution. Le scandale Stavisky [...] sert de catalyseur à un mécontentement qui n'a cessé de grandir depuis deux ans; il touche, en effet, à la fois les deux points auxquels les combattants sont le plus sensibles. Ils avaient bien raison de refuser les sacrifices qu'on leur demandait, puisque l'État avait encore de l'argent à gaspiller dans des escroqueries pareilles; et qu'elles soient possibles, après tant d'autres, prouvait qu'il fallait décidément de toute urgence réformer le système politique et judiciaire. La revendication corporative et le souci de la réforme de l'État se trouvent tous deux mobilisés par la protestation contre le scandale. On comprend qu'à l'appel principalement de l'UNC, il se soit trouvé 20 000 anciens combattants sur la place de la Concorde au soir du 6 février [32]. »

Prost a raison, répétons-le, de souligner l'épaisse ligne de clivage qui sépare en France le mouvement « combattant » du fascisme, dont il se distingue notamment par un pacifisme jamais démenti et par son républicanisme humaniste et antiautoritaire. Un républicanisme, écrit Antoine Prost, qui « s'enracine dans le double héritage de l'école

---

31. A. Prost, *Les Anciens Combattants et la société française, 1914-1939*, Paris, Presses de la Fondation nationale des sciences politiques, 3 vol.

32. *Ibid.*, vol. 1 – *Histoire*, p. 157.

primaire et de la guerre [33] ». Cependant, dans l'étude qu'il a consacrée au 6 février 1934 [34], Serge Berstein n'a pas tort non plus de faire ressortir que l'« esprit national » défendu par les anciens combattants, et dont l'UNC a fait son cheval de bataille, a eu tôt fait d'être récupéré par la droite et par l'extrême droite, dans une perspective de lutte politique moins respectueuse, semble-t-il, des institutions et de la culture républicaines. Il n'est pas sans intérêt de noter, explique-t-il, que c'est lorsque la gauche se trouve au pouvoir, en 1924 ou en 1932-1933, que la principale organisation du monde combattant juge nécessaire son intervention dans le champ politique [35].

« Œuvre d'union sacrée, essentiellement patriotique et morale, sans aucune distinction d'opinion [36] » : tel est l'objectif que les statuts de l'Union nationale des combattants ont fixé d'entrée de jeu à ses adhérents. Option confirmée une quinzaine d'années plus tard par son président en exercice, G. Lebecq, conseiller municipal de Paris et lui-même très orienté à droite : « pas d'arrière-pensée politique, ni à la création, ni maintenant, de la part de ses dirigeants; pas de questions confessionnelles, religieuses ou philosophiques [37] ». Une organisation attrape-tout en quelque sorte, un peu comme la Fédération nationale des contribuables, et qui présente avec celle-ci ce trait particulier – mais en va-t-il très différemment des ligues plus fortement politisées, voire du fascisme de masse là où il a pris racine? – de ne pas avoir exactement la même fonction pour ses dirigeants que pour ses adhérents [38].

Certes, les 900 000 membres cotisants de l'UNC – dont 72 000 pour la seule région parisienne – ne sont pas insensibles au discours antiparlementaire ambiant. Si l'on en croit son président, Georges Lebecq, parlant au lendemain de l'émeute du 6 février devant la commission d'enquête parlementaire, l'initiative de l'« action directe » aurait même été le fait de la base. « Nous avions, affirme-t-il, à calmer je ne dirai pas des impatiences, mais des désirs d'action [39]. »

33. *Ibid.*, vol. 3 – *Mentalités et idéologies*, p. 217.
34. S. Berstein, *Le 6 février 1934, op cit.*
35. *Ibid.*, p. 50.
36. Cité in S. Berstein, *op. cit.*, p. 49.
37. *Ibid.*
38. C'est ce que dit Antoine Prost de l'ensemble des mouvements d'anciens combattants. *op.cit.*, vol. 2 – *Sociologie*, p. 178.
39. Chambre des députés, 15e législature; session de 1934. *Rapport fait au nom de la Commission d'enquête chargée de rechercher les causes et les origines des événements du 6 février 1934 et jours suivants, ainsi que toutes les responsabilités encourues.* Rapport Dormann-Salette sur la participation des associations d'anciens combattants à la manifestation, p. 36-37.

Et il fait état de l'unanimité qui se serait faite dans les sections autour du « manifeste de la salle Wagram » : un document élaboré par le conseil d'administration de l'UNC, qui avait été présenté aux 6 000 militants rassemblés en ce lieu le 15 octobre 1933 et adopté par acclamations.

Or, ce « programme de Wagram », s'il cherche surtout à mobiliser les anciens combattants sur des mots d'ordre moralisateurs et fait appel au « bon sens » des adhérents de l'UNC, n'est pas sans révéler d'inquiétantes dispositions d'esprit chez ses rédacteurs. N'est-il pas question de « restaurer l'autorité », de libérer le pays de l'« intolérable tyrannie des partis » ? Et il dit clairement l'impatience des chefs de l'organisation combattante : « Si l'évolution nécessaire ne se fait pas par des réformes adéquates, la révolution les imposera brutalement [40]. »

Il est difficile d'être plus net. Et pourtant plus précises encore sont les menaces que profère quelques jours plus tard, dans son éditorial de *La Voix du combattant*, Henry Rossignol, lequel, soit dit en passant, sera compromis peu de temps après dans l'affaire Stavisky :

« Oui, il faudrait avoir le courage, l'heure H venue, de sortir de notre tranchée et de courir sus à l'égoïsme, à l'immoralité, au sectarisme, à toutes les manifestations des mauvais instincts de l'homme. [...]

« Lorsque tout sera prêt nous partirons et nous vaincrons. Si je n'écoutais que l'ardeur de mon tempérament, si j'avais écouté aussi le désir de nos camarades, prêts depuis longtemps à agir, j'aurais déjà déclenché les tirs [41]. [...] »

On pourrait à partir de ces quelques citations – et de beaucoup d'autres – crier au fascisme rampant des hommes de l'UNC. Antoine Prost, au demeurant enclin (un peu trop me semble-t-il) à faire la part belle au « discours rassembleur », à la « rhétorique roborative » à usage interne, et à estimer que « les appels à l'action ne sont pas des décisions d'agir [42] », admet que si ces propos demeurent vagues, ils sont en même temps révélateurs d'un ton nouveau au sein de l'organisation qui va s'engager, quelques semaines plus tard, dans l'aventure du 6 février. Mais ce ton nouveau est celui d'une poignée de dirigeants activistes, politiquement alignés sur les positions de la droite ligueuse et comme elle désireux de donner à la majorité sortie

40. Texte du manifeste in *La Voix du combattant*, 21-10-1933.
41. *Ibid.*
42. A. Prost, *Les Anciens Combattants... op. cit.*, vol. 3, p. 218.

131

des urnes l'année précédente la pichenette qui permettrait, comme en 1926, à la droite de revenir au pouvoir.

Cela ne veut pas dire que la majorité des adhérents de l'UNC ne soit pas favorable à ce que Georges Lebecq a appelé, devant l'aréopage parlementaire chargé de tirer au clair les origines et les responsabilités de l'émeute de février 1934, le « nettoyage total [43] ». Il y a de la part des anciens combattants, comme de beaucoup d'autres Français n'appartenant pas tous à la droite factieuse, une attente, un rejet profond non pas de la démocratie libérale, mais de la manière dont elle fonctionne, une volonté de réformer, de rajeunir, de revitaliser l'institution républicaine. Que cette volonté soit réceptive à un discours qui nous paraît, à juste titre, chargé de résonances fascisantes, mais qui, s'adressant à d'éternels nostalgiques des fraternités vécues dans l'enfer de la guerre, leur parlait tout naturellement le langage des tranchées, ne suffit pas à faire de ce discours une arme dirigée contre le régime. Encore moins des centaines de milliers d'adhérents de l'UNC les soldats en puissance d'une marche sur Paris destinée à substituer à la République un totalitarisme d'emprunt, voire un pouvoir autoritaire de pure tradition hexagonale. Les quelque 20 000 militants qui répondront le 6 février à l'appel des dirigeants parisiens de l'Union se comporteront d'ailleurs en citoyens respectueux de l'ordre et ne se mêleront pas aux émeutiers des ligues fascisantes. Ce n'est pas de Mussolini qu'ils se réclament, ou d'un quelconque imitateur français du dictateur fasciste, mais de l'homme qui incarne aux yeux de toute une génération la république jacobine victorieuse de l'autocratie. Dans une interview donnée au *Jour* à la veille de la manifestation, Jean Goy, dirigeant de l'UNC et député de la Seine, fixe en ces termes le lieu et le but du rassemblement :

« On a berné nos camarades. Nous irons devant la statue de Clemenceau évoquer les jours sombres de 1917 et manifester notre espoir de trouver un animateur aussi fermement résolu que lui [44]. »

Pour faire quoi? Si l'on prend à la lettre les termes de la déposition de Georges Lebecq devant les commissaires de la Chambre, pas pour renverser la République : « Nous étions, expliquera le président de l'UNC, à la disposition de quiconque, dans le cadre des institutions démocratiques et dans les formes républicaines, voudrait collaborer réellement au redressement du pays [45]. »

---

43. Déposition de G. Lebecq devant la commission de la Chambre, *op. cit.*, p. 37.
44. Cité in M. Le Clere, *Le 6 février, op. cit.*, p. 121.
45. Déposition de Georges Lebecq devant la commission parlementaire, *op. cit.*, p. 8-10.

132

Y compris au niveau de l'état-major politisé à droite, il semble établi que l'on n'attendait pas autre chose dans ce secteur de l'opinion, de la pression exercée sur le Parlement, que l'émergence d'un « homme à poigne » : la réincarnation du républicain intègre, énergique et respecté, capable de restaurer le régime en en respectant les règles constitutionnelles. A défaut d'un Clemenceau ou d'un Poincaré, Tardieu aurait fait l'affaire. On se contentera finalement de Doumergue.

Des Croix-de-Feu au Parti social français

Avec la plus importante, en nombre et en influence, des ligues de l'entre-deux-guerres, nous montons d'un degré dans la politisation et la radicalisation du mouvement combattant. Sans que change néanmoins la nature profonde de la contestation antiparlementaire qui caractérise depuis ses origines la constellation ligueuse : à savoir qu'elle se rattache pour l'essentiel à une tradition césaro-bonapartiste qui n'a avec le fascisme que des ressemblances formelles.

C'est en novembre 1927, donc en pleine euphorie de l'ère poincariste, que naît l'organisation dite des Croix-de-Feu. Elle a été fondée par l'écrivain Maurice Hanot, dit d'Hartoy, avec comme président d'honneur l'homme de lettres Jacques Péricard. Rien ne la distingue au début des autres associations d'anciens combattants, sinon le caractère élitiste (au sens militaire du terme) de son recrutement : elle se propose en effet de se constituer en Association nationale des combattants de l'avant et des blessés de guerre pour action d'éclat (ou *Croix-de-Feu*). Derrière le strict apolitisme de façade, qui caractérise la plupart des organisations de combattants, on voit poindre d'entrée de jeu l'antiparlementarisme, lui aussi de règle dans ce milieu, mais sans manifestations excessives. Notre association, écrira plus tard Maurice d'Hartoy, « voulait constituer une grande force antirévolutionnaire et antidéfaitiste de la plus incomparable valeur morale et militaire. Elle ne voulait participer à aucune combinaison électorale [46] ».

Cela suffit à François Coty, patron de choc du *Figaro* et démagogue en quête d'une clientèle à la dimension de ses ambitions politiques, pour accueillir la jeune association dans les locaux du

---

46. M. d'Hartoy, *Le Courrier français*, n° 2, 1938.

respectable quotidien et pour l'aider financièrement. Les débuts toutefois sont modestes. On ne se bouscule pas pour militer chez les Croix-de-Feu dans la France nantie et encore passablement satisfaite des années qui précèdent la crise. Au point qu'en 1929, il faut ouvrir un peu plus largement les portes de l'association en y faisant entrer les « briscards », combattants ayant séjourné au moins six mois en première ligne. Des tensions commencent même à se manifester entre Coty et les Croix-de-Feu qui doivent quitter l'immeuble du *Figaro*, tandis que Maurice d'Hartoy abandonne la présidence de l'organisation à un officier du rang, le capitaine Maurice Genay. A cette date la ligue compte tout au plus 2 000 adhérents, la plupart résidant dans la région parisienne.

Le tournant se situe à l'extrême fin de 1929 avec l'arrivée au conseil d'administration des Croix-de-Feu d'un militaire en congé de l'armée depuis peu de temps; le lieutenant-colonel de La Rocque, entré à l'association avec le parrainage des maréchaux Fayolle et Lyautey et qui va, en un temps record, en gravir les échelons. Il sera vice-président en 1930 et président en 1931.

François de La Rocque de Séverac est né à Lorient en 1886. Il est originaire d'une famille de bonne noblesse, cultivant de longue date les vertus du paternalisme et le service des armes (son père, le général Raymond de La Rocque, était très lié à Albert de Mun). Tout naturellement, il entre à Saint-Cyr, puis à Saumur et passe les premières années de sa carrière au Maroc, où il sert sous les ordres de Lyautey. Il y reste jusqu'en 1916, chargé à la tête de son goum de participer au maintien de la présence française dans le protectorat. Grièvement blessé dans une embuscade, rapatrié en métropole, il prend en janvier 1917 le commandement d'une compagnie d'infanterie, combat bravement sur la Somme et finit la guerre comme chef d'escadron et officier de la Légion d'honneur. Après les hostilités, on le retrouve successivement à l'état-major de Foch, chef de cabinet du général Niessel, commandant la mission française en Pologne, puis de nouveau au Maroc, où il s'est porté volontaire en 1925 et où il occupe, pendant la guerre du Rif, les fonctions de chef du 2ᵉ Bureau.

Trois ans après son retour d'Afrique du Nord, La Rocque – qui a réintégré l'état-major de Foch – quitte l'armée sans raisons très précises. La mort de son fils aîné l'a très fortement affecté [47], celle du maréchal lui laisse entrevoir une vie de garnison assez terne : il

---

47. Edith et Gilles de La Rocque, *La Rocque tel qu'il était*, Paris, Fayard, 1962, p. 67.

134

obtient sans difficulté, comme grand blessé, la liquidation de sa retraite. Avec l'appui du président Doumer et sur recommandation de l'industriel Azaria, il entre en 1929 à la Compagnie générale d'électricité d'Ernest Mercier. Quelques mois plus tard, après avoir tâté de diverses associations de combattants, dont il juge les mobiles trop strictement matériels [48], il entre en contact avec les Croix-de-Feu dans les salons de l'hôtel du rond-point des Champs-Élysées où Coty loge l'organisation de Maurice d'Hartoy, et il donne son adhésion au mouvement qui va devenir, sous son impulsion, la plus puissante des ligues nationalistes.

Le décollage est toutefois relativement lent. Il s'effectue au même rythme que la crise qui commence à toucher la France dans le courant de l'année 1931. Après la rupture avec Coty, le mouvement, qui a dû déménager des locaux du *Figaro* pour s'installer dans un modeste trois-pièces de la rue de Milan, paraît avoir rencontré de sérieuses difficultés financières. Pour renflouer les caisses, autant que pour accroître sa propre audience, La Rocque – devenu président des Croix-de-Feu – s'applique à élargir le recrutement de l'organisation, désormais ouverte aux générations montantes et aux sympathisants de tous âges. En 1932 sont créés les Fils et Filles de Croix-de-Feu, en juin 1933 le Regroupement national autour des Croix-de-Feu et à la fin de la même année, ces deux filiales du mouvement sont regroupées en une Ligue des volontaires nationaux.

A cette date, l'ensemble du mouvement Croix-de-Feu, dont l'effectif ne dépassait pas une trentaine de milliers de personnes à la fin de 1932, atteint plus de 80 000 adhérents. Il y en aura 150 000 à la fin de 1934 et probablement le double un an plus tard. Les troupes de choc de l'organisation, les « dispos », sont organisées militairement en « mains » (petits groupes de cinq hommes) et en « divisions » mobilisables à tout moment. Périodiquement, le « chef » rassemble ses militants pour des manifestations de masse dont le rituel (en particulier les défilés nocturnes avec torches) font incontestablement penser, toutes proportions gardées, aux parades totalitaires.

Là s'arrête, avec le culte du chef, la ressemblance avec les escouades fascistes. Le recours à l'action directe, l'évocation de l'heure H resteront toujours à l'état de projet et de mythe. La Rocque ne mêle pas son mouvement aux entreprises des autres ligues et veille à le maintenir dans une stricte légalité. Quant à l'idéologie, très

---

48. « Les associations qu'il avait approchées, écrit Edith de La Rocque, lui avaient offert le spectacle d'hommes uniquement préoccupés de la régularisation de leurs titres, de l'établissement de leurs pensions, de l'organisation de banquets », *op. cit.*, p. 71.

floue, elle reste dans la tradition nationaliste et antiparlementaire de l'avant-guerre, avec comme élément nouveau un anticommunisme très vif mais qui ne diffère pas de celui des autres formations de droite. S'ils s'en prennent aux éléments corrompus de la classe dirigeante, les partisans du colonel de La Rocque ne remettent en cause ni l'ordre bourgeois ni les fondements économiques du système.

Ses idées sur la société à construire, le chef des Croix-de-Feu les a exposées dans un ouvrage publié en décembre 1934, *Service public*[49], ainsi que dans divers articles parus dans l'organe du mouvement, *Le Flambeau*. Pas plus que les structures, la sociologie et l'histoire approfondie de la ligue, elles n'ont donné lieu jusqu'à présent au grand travail de synthèse que mériterait cette famille politique[50]. L'historien du PSF, Philippe Mâcheter, est mort prématurément et n'a pu conclure les travaux prometteurs qu'il avait entrepris sur cette organisation, héritière directe du mouvement dissous en 1936. La thèse de Janine Bourdin sur les Croix-de-Feu devrait nous permettre d'y voir plus clair. En attendant qu'elle soit achevée, c'est à l'exceptionnelle connaissance qu'a cette historienne du mouvement dirigé par La Rocque, exposée dans divers entretiens et séminaires[51], que je me réfère ici.

Plutôt qu'une idéologie, voire simplement un programme politique, les écrits de La Rocque développent une mystique Croix-de-Feu, fondée sur le sentiment que la fraternité des tranchées doit servir de base à la réconciliation nationale. Il en résulte un rejet hautement proclamé de tout ce qui peut diviser la nation : la lutte des classes, le parlementarisme réduit dans sa forme abâtardie à n'être que le régime des partis, le clientélisme et le professionnalisme politiques aboutissant à la vénalité des charges publiques (ce que résume l'une des nombreuses devises du mouvement : « servir et non pas se servir »), etc. Ce sont des thèmes que l'on retrouve dans le programme fasciste, mais aussi dans toutes les idéologies de rassemblement qui occupent, au même moment, une partie du paysage politique français. De surcroît, les points de désaccord avec les diverses variantes du fascisme sont nombreux et portent parfois sur des aspects fondamentaux.

49. F. de La Rocque, *Service public*, Paris, Grasset, 1934.
50. Le seul ouvrage d'ensemble sur la question manque un peu de recul et d'esprit de synthèse : Ph. Rudaux, *Les Croix-de-Feu et le PSF*, Paris, 1967.
51. En particulier dans celui que j'ai dirigé avec Serge Berstein à la Fondation nationale des sciences politiques de 1983 à 1986 sur l'histoire et la sociologie des fascismes. Cf. exposé de Janine Bourdin le 28-2-1985.

136

Il y a tout d'abord un refus des modèles étrangers et une condamnation clairement formulée du racisme, considéré comme contraire au passé national. On constate même chez la plupart des dirigeants nationaux du mouvement un refus de la xénophobie ambiante, méritoire dans la France des années trente, et que la base (comme en témoignent de nombreux comptes rendus des réunions de sections) n'a pas toujours partagé [52]. En second lieu, l'idéologie Croix-de-feu, peu éloignée sur ce point de celle de l'Action française, se veut à la fois antitotalitaire et antiétatique. La Rocque se montre, il est vrai, particulièrement flou dès qu'il est question de définir concrètement le régime politique de son choix. Ses préférences vont à une forme d'État privilégiant un exécutif fort et réduisant le rôle du Parlement, respectueux cependant de la représentation nationale. Le colonel se prononce même pour un mode de scrutin « sincère », incluant la proportionnelle et le vote des femmes. En revanche, il est hostile au droit de grève et souhaite que l'enseignement libre (et indépendant de toute influence politique) soit encouragé par le pouvoir.

Au total une doctrine qui privilégie le corps social sur les organisations et voudrait faire reposer la cité régénérée par l'esprit de fraternité combattante sur les deux cellules de base que sont la famille et l'entreprise, conçues l'une et l'autre selon un modèle traditionnel et paternaliste. Hostile au taylorisme et au capitalisme sauvage, défenseur comme ses adversaires radicaux (dont il cherche à capter la clientèle petite-bourgeoise) des « petits » contre les « gros », La Rocque préconise dans une perspective d'apaisement social et de réconciliation le salaire minimum, en même temps qu'il préconise une vigoureuse politique familiale.

Si l'on ajoute à tout cela l'importance que la mystique Croix-de-Feu attache à la tradition chrétienne, à la primauté du spirituel et aux valeurs morales traditionnelles, on voit que, beaucoup plus qu'à un « fascisme » le mouvement du colonel de La Rocque fait songer à un christianisme social patriotique, quelque chose d'un peu semblable – l'antisémitisme en moins – à l'État social-chrétien qu'avaient instauré dans l'Autriche des années trente Mgr Seipel et son successeur, le chancelier Dollfuss. Les références constantes aux gloires nationales (Jeanne d'Arc, Péguy, plus tard Mermoz, lui-même membre de l'organisation), la foi chrétienne militante de son chef et

52. Dans l'intervention mentionnée *supra*, Janine Bourdin a souligné le fait que les attaques contre Blum n'ont pas pris un caractère antisémite. En revanche le thème de la pléthore de main-d'œuvre étrangère a parfois été évoqué dans les instances du mouvement.

de beaucoup de ses adhérents, l'action sociale très paternaliste du mouvement (dispensaires, ventes de charité, colonies de vacances, etc.), ses préoccupations sportives (sociétés de préparation et d'éducation sportives, aéro-clubs Jean Mermoz), venant s'ajouter au culte de l'armée, à l'exaltation de l'œuvre coloniale de la France, à la sacralisation de l'aventure et d'un héroïsme de bon aloi (très différent du nihilisme guerrier des fascistes), tout cela tend à faire du mouvement Croix-de-Feu le prolongement politique de l'esprit des organisations de la jeunesse catholique de l'entre-deux-guerres, et particulièrement du scoutisme. On est loin des bandes armées du premier fascisme, voire de la forme domestiquée prise par les partis fascistes dans la seconde phase de leur histoire.

La sociologie du mouvement Croix-de-Feu n'infirme pas ce constat. Certes, les classes moyennes l'emportent de beaucoup sur les autres catégories sociales. D'après le fichier de l'organisation [53], celle-ci aurait compté aux environs de 1934 environ 25 % de représentants de la bourgeoisie et des cadres supérieurs, 41 % de membres des classes moyennes, 28 % de techniciens, employés de bureau, personnes exerçant une activité dans le tertiaire et 5 % seulement d'agriculteurs. Donc une forte sous-représentation du monde rural, une absence à peu près totale des travailleurs d'usine (les ouvriers sont ceux des vieux métiers et des petites entreprises artisanales), et au contraire une sur-représentation du petit commerce, des « cols blancs » et des catégories aisées du monde citadin. Le mouvement du colonel de La Rocque présente donc un caractère moins plébéien, plus bourgeois, que les organisations fascistes. Il est à cet égard significatif qu'à l'apogée du PSF – le Parti social français qui, après la dissolution des ligues par le gouvernement Blum en juin 1936, remplace les Croix-de-Feu – les plus gros comités locaux de Paris se situent dans les XVe, XVIe et XVIIe arrondissements. On notera cependant qu'à partir de l'automne 1936 le PSF – en pleine ascension au cours des années qui précèdent la guerre – effectue une forte percée dans le monde rural (on dénombre 20 % de cultivateurs au début de 1937, près de 25 % un an plus tard), dans le secteur des professions libérales, et qu'il commence à prendre pied en milieu ouvrier [54]. Cela ne signifie pas qu'il se soit « fascisé ». Simplement, dans le contexte d'un reflux vers la droite d'une partie de la clientèle du Front populaire, il est en passe de devenir à la veille de la guerre une grande force interclassiste moderne, préfiguration en quelque

53. Cf. l'intervention de Janine Bourdin mentionnée *supra*.
54. *Ibid.*

138

sorte du mouvement gaulliste et candidat, avec ses 600 000 adhérents en 1936 (et peut-être 800 000 deux ans plus tard), avec sa très forte implantation locale et ses espoirs électoraux apparemment justifiés [55] au leadership de la droite française.

Deux faits viennent encore confirmer la thèse du caractère non fasciste des Croix-de-Feu. D'une part, les liens qui semblent les attacher à certains dirigeants de la droite libérale. En 1937, lors du procès La Rocque-Pozzo Di Borgo [56], l'ancien président du conseil André Tardieu, qui est entendu comme témoin, affirme que les Croix-de-Feu ont régulièrement émargé aux fonds secrets, sous son ministère comme sous celui de Laval. Il ne peut évidemment apporter aucune preuve et la coalition des calomniateurs, venus des deux horizons opposés de l'extrémisme politique, ne parviendra pas à enrayer la progression du Parti social français. Cela dit, il ne fait pas de doute qu'à plusieurs reprises l'action des partisans du colonel de La Rocque s'est exercée dans un sens très favorable au gouvernement en place : qu'il s'agisse de la manifestation en faveur de Laval, à son retour des États-Unis en 1931 (le président du Conseil n'ayant rien cédé aux Américains dans la question des dettes de guerre et des réparations), ou de l'attitude des Croix-de-Feu – représentés à la Chambre par Jean Ybarnegaray – lors du grand débat sur les ligues en novembre 1935 [57].

Quant à la modération des hommes de La Rocque, lors de la journée du 6 février, qui provoqua un véritable déchaînement de l'extrême droite monarchiste et des ligues fascisantes contre le « colonel félon », elle peut également être interprétée dans le même sens. On sait que les Croix-de-Feu, qui avaient tenu un meeting à la salle Wagram après le suicide de Stavisky, puis manifesté le 5 février aux abords du ministère de l'Intérieur et de l'Élysée, se sont contentés dans la soirée du lendemain de manœuvrer en bon ordre sur la rive gauche (les choses sérieuses se passaient sur la rive droite), entre l'esplanade des Invalides et la rue de Bourgogne, sans chercher à forcer le mince barrage de police qui défendait l'accès du

55. Sur les progrès enregistrés localement par le PSF à la veille de la guerre, cf. Anne-Marie Chouvel, *Croix-de-Feu et PSF en Haute-Vienne*, mémoire de maîtrise, Paris X-Nanterre, 1971 et Jacques Prevosto, *Le PSF dans le Nord*, mémoire de maîtrise, Paris X-Nanterre, 1971.
56. A la suite de l'article publié par Pozzo Di Borgo dans *Choc* le 15 juillet 1937.
57. A la suite des sanglantes bagarres de Limoges entre PC et Croix-de-Feu, La Rocque accepta, par le truchement d'Ybarnegaray, des mesures d'apaisement. Le gouvernement Laval put ainsi proposer un texte qui prévoyait la dissolution des groupes de combat et milices privées et que la Chambre vota le 10 janvier 1936. C'est cette loi qui fut appliquée par le cabinet Blum en juin 1936.

Palais-Bourbon. Légalisme? Sans aucun doute, mais aussi sentiment chez le leader des Croix-de-Feu que son mouvement, alors en plein essor, était devenu suffisamment puissant pour faire revenir au pouvoir les hommes de la droite « nationale », et ceci par la simple pression de la rue, sans pouvoir encore tirer lui-même profit de l'entreprise. De là le discours musclé tenu par le colonel au lendemain de l'émeute, pour maintenir ses troupes mobilisées, et qui tranche avec l'extrême prudence de la veille :

« Croix-de-Feu, Briscards, Volontaires nationaux, vous avez fait votre devoir en frères et en héritiers du poilu. Plaignez les exécutants irresponsables qui ont fait couler le sang parisien. Tenez pour hors la loi française les Ministres responsables de ces meurtres : comptez sur nous pour leur imposer un déshonneur éternel.

« La nation déjà vous appelle [...]. Son regard clair vous a distingués. Soyez forts, calmes et prêts [58]. »

Prêts à quoi? Serge Berstein le résume en une formule heureuse. « Les Croix-de-Feu, écrit-il, resteront donc l'arme au pied, à monter la garde au bord d'un Rubicon que le colonel semble bien décidé à ne jamais franchir [59]. » Ni à son profit, ni pour celui d'un éventuel Mussolini français. Comme beaucoup d'autres acteurs de la journée du 6, il se ralliera sans trop de chagrin à la solution Doumergue.

Le second fait est la résistance que La Rocque a opposée au sein de son propre mouvement aux projets activistes et aux tendances fascisantes d'une minorité de militants groupés autour de Pierre Pucheu et de Bertrand de Maudhuy. Ces dirigeants des Volontaires nationaux avaient présenté au colonel, au moment où celui-ci faisait connaître, avec la publication de *Service public*, son propre projet politique, un plan visant à établir en France un régime fort, d'inspiration technocratique et corporatiste (il était prévu d'adjoindre aux deux assemblées un conseil des corporations), faisant de la région l'unité de base du système mais renforçant en même temps considérablement les tendances étatiques aux dépens de l'initiative privée et du capitalisme libéral [60]. La Rocque, qui craignait à juste titre que ce plan n'inquiétât sa clientèle bourgeoise, le rejeta sans ménagement, provoquant le départ des jeunes contestataires. D'autres les rejoignirent un peu plus tard et nombre de ces dissidents – parmi lesquels les représentants de sections rebelles au discours relativement modéré du « chef », à son légalisme et à son souci de ne pas laisser le mouvement s'abandonner à des positions racistes – rallièrent par la

58. *Rapport fait au nom de la commission d'enquête..., op. cit.*, p. 1287-1288.
59. S. Berstein, *Le 6 février 1934, op. cit.*, p. 229.
60. Cf. Ph. Mâchefer, *Ligues et fascismes en France..., op. cit.*, p. 23.

140

suite les PPF de Doriot ou d'autres organisations fascisantes. Il en était donc des Croix-de-Feu comme de l'Action française, quoique à un moindre degré : jugé trop mou et trop figé sur des positions conservatrices par des éléments que séduisaient la doctrine et l'activisme du fascisme, le mouvement du colonel de La Rocque voyait s'éloigner de lui des militants qu'il avait nourris de sa sève et qui allaient parfois devenir ses pires adversaires.

Dernier point, la dissolution des ligues, le 18 juin 1936, ne transforme pas les Croix-de-Feu en une association clandestine et subversive, voire en un « remake » radicalisé, comme ce sera le cas des francistes de Bucard. Elle donne au contraire naissance, avec le Parti social français, à un grand parti de masse, se voulant fédérateur des droites mais résolument conservateur. Certes, dans son effort de pénétration de milieux jusqu'alors plutôt allergiques à sa propagande, le mouvement de La Rocque est amené à radicaliser certains points de son programme : aux représentants du monde agricole, qui vont bientôt représenter le quart des adhérents du PSF, il propose comme Dorgères (les régions d'implantation des deux organisations sont en gros les mêmes et il leur arrive de lutter de conserve contre les grèves agricoles) la protection du « bien de famille », légué à un héritier unique ; aux petits commerçants et aux artisans il se présente comme le défenseur de l'atelier familial contre les puissances d'argent ; aux ouvriers, il promet une politique de la famille et la garantie d'un salaire minimum. Le commun dénominateur est un anticommunisme virulent, la guerre ouverte menée au « Parti de Moscou ».

Rien de tout cela ne constitue un programme fasciste. En fait, La Rocque et ses amis chassent sur les terres du parti radical et s'efforcent, en affichant un anticommunisme de choc et un anticapitalisme moins timide qu'il ne l'avait été jusqu'alors dans le milieu Croix-de-Feu, d'attirer à lui les déçus du Front populaire. Ce combat sur deux fronts a valu à La Rocque d'être considéré par la gauche comme le fasciste numéro un – ce que certes il ne méritait pas mais a été le point de départ d'une légende tenace –, de dresser contre lui la droite conservatrice et modérée, qu'il avait bien servie mais qu'inquiétaient désormais ses ambitions électorales, enfin de faire figure aux yeux des véritables ennemis du régime, fascistes et monarchistes, de renégat et de sauveur du parlementarisme honni. Cela n'empêchera pas le PSF, assagi et rallié au principe démocratique des élections, de devenir au cours des deux années qui précèdent le déclenchement de la guerre – avec un effectif qui doit tourner autour du million d'adhérents et son réseau serré de sections et de fédérations – la première grande formation moderne de la droite française [61]. Si les élections prévues pour 1940 avaient eu lieu, il aurait selon toute vraisemblance emporté une centaine de sièges. L'histoire en décidera autrement. Quant à François de La Rocque, sur lequel pèsera longtemps, répétons-le, le soupçon d'avoir été *potentiellement* un « Mussolini français », après avoir dans un premier temps soutenu (avec des réserves) la politique du « premier Vichy [62] », et même approuvé, après Montoire, le « principe d'une collaboration [63] », il entrera dans la résistance en 1942, sera arrêté par la Gestapo et déporté l'année suivante. Libéré du camp d'otages d'Itter (dans le Tyrol) à l'extrême fin des hostilités, puis assigné à résidence après son retour en France, il mourra en avril 1946 des suites de sa captivité.

Fascistes d'opérette et squadrisme à la française

Parmi les aventuriers de la politique qui avaient cru trouver dans les Croix-de-Feu l'instrument de leur propre ascension et l'outil éventuel de la conquête du pouvoir, on rencontre l'inévitable François Coty, bailleur de fonds de diverses entreprises réactionnaires et fascisantes de l'entre-deux-guerres et magnat de la presse que sa mégalomanie et sa prodigalité finiront par ruiner (« l'odeur qui n'a plus d'argent », dira *Le Canard enchaîné* du parfumeur milliardaire, à l'heure de la grande déconfiture). Sa fortune, François Coty, de son vrai nom Spoturno (il est né à Ajaccio en 1874), l'a en effet amassée depuis les toutes premières années du siècle, dans la fabrication, la vente et l'exportation (en particulier aux États-Unis) des parfums qui portent son nom. Au lendemain du premier conflit mondial, devenu milliardaire pendant la guerre, il se prend à rêver d'une grande carrière politique, mais sa candidature aux sénatoriales de 1921 est un échec. Désormais, ce qu'il n'a pas obtenu du suffrage des grands électeurs, Coty va s'efforcer de le conquérir par le biais de ses entreprises de presse et en apportant un soutien logistique et financier à tout ce qui lui paraît de nature à ébranler la république parlementaire.

61. R. Rémond, *Les Droites en France, op. cit.*, p. 214-215.
62. Ph. Mâchefer, « Sur quelques aspects de l'activité du colonel de La Rocque et du *Progrès social français* pendant la Seconde Guerre mondiale », *Revue d'histoire de la Seconde Guerre mondiale*, 1965.
63. J.-P. Azéma, *De Munich à la Libération, 1938-1944*, Paris, Le Seuil, *Nouvelle Histoire de la France contemporaine*, vol. 14, p. 221-222.

142

Avant de mettre sur pied sa propre ligue, la pitoyable Solidarité française, Coty va utiliser ses deniers au profit successivement de l'AF – selon Eugen Weber, l'organe monarchiste aurait reçu de sa part quelque deux millions de francs entre 1924 et 1928 [64] –, du Faisceau de Georges Valois et de son antenne médiatique, *Le Nouveau Siècle*, de l'Association des membres de la Légion d'honneur au péril de leur vie, de Léon Demoge, à qui il offrira avant les Croix-de-Feu l'hospitalité de l'immeuble du rond-point des Champs-Élysées (où il a installé *Le Figaro* en 1926), enfin du mouvement que va bientôt présider La Rocque, lequel nous l'avons vu ne tardera pas à se brouiller avec le parfumeur milliardaire, comme l'avait fait quelques années avant lui le leader du premier parti fasciste français. Après sa rupture avec Valois, Bucard bénéficiera également de l'appui de Coty, avant de se séparer lui aussi bruyamment du magnat de la presse réactionnaire.

C'est en effet dans le domaine du journalisme politique que s'exerce prioritairement l'action de François Coty [65]. En 1922, celui-ci s'est rendu maître du *Figaro*, en rachetant pour dix millions à Camille Aymard les actions majoritaires de ce respectable quotidien. Sous la houlette de Coty, qui avant d'assurer lui-même en 1927 la direction politique du journal, en confiera la responsabilité à Lucien Romier, un professionnel venu de *La Journée industrielle*, la vieille feuille conservatrice ne va pas tarder à perdre sa respectabilité, en même temps que sa clientèle qu'inquiète fortement le ton plébéien et volontiers ordurier adopté par le journal et qui n'apprécie que médiocrement l'apologie sans nuance que fait du régime mussolinien l'industriel, devenu éditorialiste et inconditionnel de la dictature des faisceaux. Le changement de style et de contenu, l'agressivité envers les hommes de l'AF et envers Poincaré, alors au zénith de l'opinion modérée, le populisme fascisant du discours, qui préfigure celui de *L'Ami du Peuple*, expliquent le déclin rapide du journal et la vague de désabonnements, parmi lesquels celui du maréchal Lyautey. Des 100 000 lecteurs du *Figaro* de l'immédiat après-guerre, il en restera tout juste une dizaine de milliers en 1933, au moment où Coty en perd le contrôle et où s'effondre son empire de presse.

Car il s'agit bel et bien d'un empire. En janvier 1928, Coty achète *Le Gaulois*, qui fusionnera un an plus tard avec *Le Figaro*. Au même

---

64. E. Weber, *L'Action française, op. cit.*, p. 219.
65. Sur le personnage et sur son action politique, l'ouvrage de référence, malheureusement non publié, est la thèse de Fred Kupferman, *François Coty, journaliste et homme politique*, thèse de IIIe cycle, 2 vol., Paris X-Nanterre, 1965.

moment, il ressuscite la vieille feuille bonapartiste *L'Autorité*, dont il confie la direction à Paul-Julien de Cassagnac. Toujours en 1928, il négocie sans succès les actions de *La Lanterne* et du *Rappel*, après la mort de leur direction, Du Mesnil. Il a plus de chance avec *L'Intérêt français*, arraché à l'orbite de l'Action française et avec *Les Nouvelles économiques et financières*. D'après Fred Kupferman, l'industriel ligueur aurait, entre 1922 et 1934, acheté ou fondé cinq journaux parisiens (dont un hebdomadaire, *L'Ami des sports*) commandité ou subventionné une quinzaine d'autres, parmi lesquels *Le Réveil des contribuables* et divers organes professionnels et syndicaux, enfin il aurait directement ou indirectement placé dans sa mouvance plus de trente organes de la presse régionale [66].

Mais le plus beau fleuron de l'empire, l'organe qui va servir à Coty d'instrument de conquête d'une clientèle populaire, sommairement politisée et sensible à la démagogie de ses propos, c'est *L'Ami du Peuple*, lui aussi lancé en 1928 et doublé, quelques mois plus tard, d'une édition du soir. Succès immédiat de ce « journal à deux sous », vendu quinze centimes de moins au numéro que ses concurrents, et du coup en butte à l'hostilité déclarée du Consortium des « cinq grands » (*Le Petit Parisien*, *Le Matin*, *Le Journal*, *Le Petit Journal*, *L'Écho de Paris*), des messageries Hachette et de l'agence Havas. Face à ces forces conjuguées du « grand capital » de presse, le parfumeur mégalomane ne se laissa pas intimider et réussit à coup de millions à imposer son journal, couvrant les murs de Paris d'affiches immenses, créant son propre réseau de distribution avec des dépôts indépendants, souvent installés dans les bureaux de tabac [67], recrutant des nuées de vendeurs à la criée et obligeant finalement les messageries Hachette à accepter *L'Ami du Peuple* dans les kiosques parisiens et dans les dépôts des gares, où le trust de la distribution n'avait que des pouvoirs de gérance.

De cette bataille gagnée – *L'Ami du Peuple* tirait déjà à 700 000 exemplaires en juin 1928, à un million en 1930 –, ou plutôt de cette victoire à la Pyrrhus (Coty a laissé dans la bagarre une bonne partie de sa fortune), le directeur politique du *Figaro* allait se servir de tremplin pour tenter l'aventure politique, et en attendant pour diffuser sa phraséologie primaire, mais efficace, auprès d'une population de petites gens; clientèle « populaire » plus que strictement prolétarienne, pour reprendre la distinction que nous avons faite à

66. F. Kupferman, *op. cit.*, p. 235 sq.
67. *Histoire générale de la presse française*, publiée sous la direction de Claude Bellanger, Jacques Godechot, Pierre Guiral et Fernand Terrou, Paris, PUF, t. III, *De 1871 à 1940*, 1972, p. 542.

144

propos des mouvements antisémites de la fin du siècle dernier ou du syndicalisme jaune, sensible aux slogans démagogiques d'un journal qui, au demeurant, ne joue pas sur la corde sensible du récréatif. *L'Ami du Peuple* en effet n'attire ni par l'originalité de sa mise en page, ni par la qualité de ses informations. Il ne joue ni sur l'illustration, qui est à peu près inexistante, ni sur le goût du fait divers ou du roman-feuilleton. Son contenu est celui d'une feuille d'opinion, avec de longs articles polémiques qui frappent surtout par la véhémence du ton. Et pourtant il répond à une attente, qui est celle de catégories frustrées, et peut-être davantage par la prospérité de l'heure (il connaît ses grandes heures en 1928-1931), dont certains bénéficient plus que d'autres, que par la crise qui s'annonce.

Dire que la thématique qu'il développe est celle du fascisme ne signifierait pas grand-chose. On y retrouve, inlassablement répétés, les slogans qui avaient fait, trente ou quarante ans plus tôt, les beaux jours de la « droite révolutionnaire », dans la bouche ou sous la plume d'un Drumont, d'un Guérin, d'un Morès ou d'un Biétry : la haine du parlementarisme décadent, de la finance internationale, cette « horde bigarrée de rapaces et de faméliques, prêts à toutes les audaces [68] », la dénonciation du « capitalisme pillard, anonyme, irresponsable et vagabond », opposé par *L'Ami du Peuple* au bon capitalisme, « fondé sur le travail [69] », la guerre déclarée à la « bureaucratie nantie » et aux « fonctionnaires budgétivores [70] », la collusion de l' « internationale juive » et du « marxisme pangermaniste [71] », une xénophobie violente et polymorphe, etc. Un discours donc qui n'est pas né de la veille et qui a encore de belles heures devant lui. Certes, le fascisme est présent dans la feuille de Coty, mais c'est celui des autres, en particulier celui qui a pris racine de l'autre côté des Alpes et dont *L'Ami du Peuple* ne perd pas une occasion de faire l'apologie. Pour ce qui est de la France, on se réclame plutôt de la tradition césaroplébiscitaire – au moment du 6 février Coty se dira « fermement bonapartiste [72] » – et si l'on parle de la nécessité de substituer un État fort au déliquescent parlementarisme, c'est plutôt d'une restauration qu'il s'agit que d'une révolution.

Avec la crise des années trente, Coty va cependant accélérer le pas en direction d'un putschisme fascisant qui va conduire ses troupes à

68. F. Coty, *L'Ami du Peuple*, 6-9-1928.
69. *Ibid.*, 10-7-1933.
70. *Ibid.*, 22-9-1928.
71. *Ibid.*, 13-9-1928. J'emprunte ces citations au livre de J. Plumyène et Lasierra, *Les Fascismes français*, *op. cit.*, p. 47-48.
72. Déposition de Jean Renaux devant la commission parlementaire, *op. cit.*, p. 15.

145

l'affrontement de février 1934, non plus du côté des « braves gens », contribuables en colère et anciens combattants de l'UNC, et des disciples légalistes du colonel de La Rocque, mais au premier rang des émeutiers de la Concorde. Ces troupes, ce sont les hommes de la Solidarité française, une ligue qui, sous l'impulsion directe du magnat de la presse ultra-nationaliste, a été fondée au début de 1933 et que dirige un ancien officier des troupes coloniales, le commandant Jean Renaud, secrétaire général du mouvement.

Avec cette organisation, qui prétend rassembler 300 000 adhérents en 1934, mais n'a sans doute jamais eu plus de 10 000 membres, dont quatre ou cinq mille militants actifs, on entre de plain-pied dans le fascisme français. Un « fascisme-mouvement » réduit à sa plus simple expression, sans doctrine structurée ni véritables cadres. Une sorte de cohorte prétorienne composée de nervis, recrutée dans les éléments marginaux du prolétariat et parmi les chômeurs, pour appuyer les grands desseins du candidat dictateur, lui-même en pleine paranoïa politico-policière (sa propriété de Louveciennes est reliée à la Seine par un souterrain.) Paradoxe, le pire dénonciateur de l'invasion « métèque » a enrôlé parmi ses hommes de main une compagnie de Nord-Africains, ce qui fera ironiser *Le Canard enchaîné* sur la « sidilarité française ». Tout ce petit monde est organisé en brigades d'intervention, regroupées sans complexe en « régions », enchemisé de bleu et coiffé du béret. Pas de symbolique compliquée sur l'écusson rouge qui orne la poitrine de ces squadristes d'opérette, mais le coq gaulois de nos héros du muscle national. On claque des talons et l'on salue à la romaine. On entraîne pour le grand soir, ou pour d'éventuelles expéditions punitives de petits commandos motorisés.

La « pensée » ne s'éloigne guère des propos de « café du commerce » tenus depuis cinq ans par l'éditorialiste de *L'Ami du Peuple* et repris sur différents modes par l'ensemble de la presse Coty, ainsi que dans l'organe du mouvement : *Le Journal de la Solidarité française*. Déjà à demi ruiné par son divorce, par le ralentissement de ses affaires et par ses prodigalités politico-financières, l'aspirant dictateur – qui a été élu maire d'Ajaccio en 1931 et affiche, répétons-le, des fidélités bonapartistes – continue de psalmodier la rénovation de l'État, la nécessaire instauration d'un régime corporatiste, la haine du capitalisme « apatride », des « métèques » et des juifs, le rejet violent du parlementarisme et du communisme, etc. Propos de démagogue, appelés à faire école jusqu'à nos jours, mais qui ne sont pas sans rappeler ceux de Mussolini et d'Hitler à leurs débuts. L'adhésion de Jean-Pierre Maxence, venu de la Jeune Droite pour combattre aux côtés de « militants ouvriers et paysans, vraiment

146

ouvriers, vraiment paysans [73] », ne suffira pas à relever le niveau de la ligue et de son environnement journalistique. Rien de cela ne résistera à la ruine de Coty, qui a été évincé du *Figaro* en novembre 1933, dont *L'Ami du Peuple* a été mis en liquidation judiciaire deux mois plus tard [74], et qui meurt en juillet 1934, au moment où une minorité dissidente se constitue en un mouvement concurrent : la Solidarité nationale. En juin 1936, la Solidarité française, ou ce qu'il en reste, sera emportée par la vague des dissolutions d'organisations subversives décidées par le premier gouvernement Blum et les formations qui tenteront d'en prendre le relais – Parti de rassemblement populaire français, Amis de la Solidarité française et Parti du Faisceau français de Jean Renaud – sombreront vite dans l'anonymat du groupuscule.

Avec la Solidarité française et les entreprises de presse de Coty, on navigue encore dans les eaux de la tradition ligueuse d'un césarisme plébiscitaire, ayant revêtu les oripeaux à la mode du fascisme, ou d'un « national-socialisme » plus conforme peut-être aux modèles hérités des « fièvres hexagonales [75] » de la fin du siècle dernier. Plus proche de la version mussolinienne, au point d'en constituer parfois la copie conforme, ou du moins d'aspirer à le faire, on trouve le francisme de Marcel Bucard [76].

Ce fils d'un boucher de Saint-Clair-sur-Epte a déjà derrière lui une longue carrière d'agitateur d'extrême droite lorsqu'il dépose, en septembre 1933, les statuts du Parti franciste. Après de bonnes études au collège catholique de Grand-Champs, près de Versailles, puis au petit séminaire, il est sur le point d'être ordonné prêtre lorsque éclate le premier conflit mondial. Agé de dix-huit ans et demi, de santé fragile, le jeune Bucard s'engage volontaire pour le front et s'y couvre de gloire. Deux fois décoré, trois fois cité, dix fois blessé, il est capitaine en 1918. L'armistice fait de lui un nostalgique de l'aventure guerrière et un déclassé incapable de renouer avec sa vocation d'adolescent. « Nous les vrais de la guerre, écrira-t-il

73. J.-P. Maxence, *Histoire de dix ans (1927-1937)*, Paris, Gallimard, 1937, p. 217.
74. F. Kupferman, *op. cit.*, introduction. En 1934 sera créée une nouvelle société dite Société générale de presse, et *L'Ami du Peuple* passera à Pierre Bermond. La ligne politique restera inchangée (Bermond étant membre du comité directeur de la SF) jusqu'en 1936, date à laquelle le journal est repris par le tandem Flandin-Taittinger.
75. Pour reprendre la belle expression de Michel Winock : *La Fièvre hexagonale*, Paris, Calmann-Lévy, 1986.
76. Il existe désormais un ouvrage traitant spécifiquement de ce mouvement malheureusement un peu trop factuel et hagiographique. A. Deniel, *Bucard et le francisme*, Paris, J. Picollec, 1979.

147

quelques années plus tard, [...] sommes-nous jamais redescendus » du front[77]. Ou encore ceci :

« La guerre... a fait de la grandeur et de la beauté. Jamais on n'a su aussi pleinement, aussi bien vivre dans ces étranges pays du front, parce que jamais on n'a su aimer aussi bien, aussi juste. C'est le temps où le bon de l'homme est mis à nu – où l'on a peur moins pour soi-même que pour les autres – où l'on aime le bonheur étranger comme le sien propre. A commencer familièrement chaque jour avec la mort sur le champ de bataille, on apprend toute l'importance et la douceur enivrante de la vie. On devient inapte au banal et aux petites méchancetés. La générosité et l'héroïsme sont le pain quotidien des hommes qui défendent leur mère, la terre nourricière[78]. »

Bucard aurait peut-être pu satisfaire son goût des « mâles aventures » en faisant carrière dans l'armée, encore que, sorti du rang, il avait peu de chances de monter bien haut dans la hiérarchie. Mais, ses blessures ayant laissé des traces, il doit démissionner en 1923. A la recherche d'un point de chute, il ne s'engage pas tout de suite dans l'activisme d'extrême droite et tente d'abord sa chance, très prosaïquement, comme colistier de Tardieu. Le vent souffle alors à gauche en ce printemps 1924 et au héros Bucard les électeurs de l'Oise préfèrent le mutin Marty. La cause est entendue. Son incapacité à vivre le « banal », son fanatisme mystique, le jeune officier démissionnaire va les mettre au service des milices privées qu'il organise, dans l'attente d'une révolution bolchevique dont le Cartel et sa politique anticléricale (il milite un moment à la Fédération nationale catholique) lui paraissent être le prologue, et dont il recrute les membres parmi ses anciens compagnons de combat.

En 1925, Bucard suit Georges Valois au Faisceau et se trouve bientôt à la tête des Légions, ces troupes de choc du premier fascisme français. Chargé en septembre 1926 de la direction de la propagande du mouvement, il se fait également journaliste et collabore notamment à *La Victoire*, le journal de Gustave Hervé, ancien socialiste révolutionnaire devenu pendant la guerre un ultra du nationalisme. En 1928, c'est la rupture avec Valois. Celui-ci reproche à la fois à Bucard sa moralité douteuse – « son genre, écrit-il, c'était le double genre combattant et religieux, lyrique, déchirant, avec une pointe d'obscénité. Il porte sur lui des images pieuses et des images

77. M. Bucard, *La Légende de Marcq*, Paris, 1925.
78. *Ibid.*, p. 27-28.

148

pornographiques [79] » –, ses gros besoins d'argent, qui coûtent cher au mouvement et ses liens avec Coty dont il représente l'antenne appointée au sein du Faisceau.

Dès la fondation de *L'Ami du Peuple* en 1928, Bucard se voit confier la rédaction de la page hebdomadaire consacrée au combattant. Pendant trois ou quatre ans, il suit pas à pas le parfumeur milliardaire, profitant de ses libéralités et jouant à son profit le rôle de poisson-pilote en milieu ancien-combattant. Il participe à diverses entreprises de presse de l'industriel, collabore à *L'Autorité* et au *Rappel*, feuilles néo-bonapartistes avec lesquelles il se sent alors en osmose, et dirige pendant quelque temps un hebdomadaire du groupe, *La France combattante*, spécialisé dans la récupération politique des ex-poilus et auquel collaborent Maurice de Barral et le futur chef de la Solidarité française : Jean Renaud.

Au début des années trente, alors que les premiers effets de la crise commencent à se manifester, offrant une chance aux démagogues de tout poil et aux aspirants dictateurs, il apparaît à un homme comme Bucard qu'il y a beaucoup à faire dans ce terreau. Mais il y a aussi beaucoup de candidats prêts à tirer les marrons du feu contre-révolutionnaire. Autour du patron du *Figaro* et de *L'Ami du Peuple*, alors en pleine ascension, la tendance serait plutôt à la bousculade et Bucard, à qui ont échu jusqu'alors des fonctions de rabatteur, plutôt que de leader, a peu de chance d'émerger au tout premier rang. Aussi choisit-il, avec la bénédiction de Coty, qui lui alloue en cadeau de rupture la coquette somme de 2 millions de francs [80], de prendre la direction de la petite formation ultra-réactionnaire à laquelle son inspirateur, Gustave Hervé, va donner le nom de Parti socialiste national et qui, lui aussi, ne constitue qu'un avatar du bonapartisme, prônant la réconciliation nationale, la collaboration des classes et les vertus du « bon » capitalisme. Fiasco monumental. La collaboration entre les deux hommes ne durera guère plus d'un an.

En 1933, Marcel Bucard fait figure d'ambitieux solitaire. Comme le Mussolini de 1919, il est à la recherche d'une clientèle politique, mais à la différence de son modèle italien, il entend en même temps s'assurer de confortables revenus. Non qu'il soit dans le besoin. Il a épousé la fille d'un industriel et ne risque pas de devoir pointer au chômage. Mais l'homme, comme le dit Hervé, n'aime pas manquer de « munitions » et sa courte expérience du Parti socialiste national

79. G. Valois, *L'Homme contre l'argent, op. cit.*, p. 294.
80. A. Deniel, *Bucard et le francisme, op. cit.*, p. 21.

et de sa filiale activiste, la Milice socialiste nationale, l'a définitivement dégoûté du militantisme gratuit. Il va donc tenter de lancer sa propre entreprise politique et faire en sorte qu'elle soit en même temps une source de profit. Selon certaines sources, nullement confirmées il est vrai par des documents d'archives [81], il aurait alors eu l'idée de fonder un comité pour l'érection d'un monument au cardinal Mercier – ancien primat de Belgique, mort en 1926 – et, devenu secrétaire général de cet organisme, il aurait détourné les fonds ainsi recueillis pour constituer le capital de base du mouvement qu'il avait décidé de créer. Il est vraisemblable d'autre part que, comme il l'affirmera lui-même plus tard, sans citer nommément ses bailleurs de fonds, il a reçu l'appui, ou la promesse d'appuis de certains milieux financiers [82].

C'est en septembre 1933 que Bucard fonde, avec une poignée de fidèles, le « mouvement d'action révolutionnaire » auquel il donne aussitôt le nom de francisme, emprunté à René-Louis Jolivet, dont le petit groupe d'étudiants bonapartistes était apparenté à *La Libre parole* d'Henry Coston. Lui-même avait donné le *la* en écrivant dans *La Victoire*, quelques semaines avant de se séparer d'Hervé pour fonder sa propre organisation : « Notre Francisme est à la France ce que le Fascisme est à l'Italie. Il ne nous déplaît pas de l'affirmer [83]. »

D'entrée de jeu le leader du francisme affiche ses ambitions qui ne sont pas minces. Il veut être, il sera le Mussolini français. Il copie les poses avantageuses du Duce. Il se fait donner par ses fidèles le titre de « chef ». Il exige de ses troupes une discipline et une obéissance absolues. Ses troupes? Elles ne représenteront jamais que quelques milliers d'adhérents, recrutés, comme ceux de la Solidarité française, dans les éléments déclassés de la petite bourgeoisie, chez les « cols blancs » et dans certaines couches marginales du prolétariat urbain.

Les « bastions » du mouvement sont, outre la région parisienne où se trouvent les militants les plus nombreux, le Midi méditerranéen,

---

81. Dans son ouvrage sur Bucard et le francisme, Alain Deniel me fait grief, de manière très courtoise d'ailleurs, d'avoir repris sur ce point des accusations non démontrées lancées par les communistes en 1935, dans l'ouvrage que j'ai publié en 1973, en collaboration avec Marianne Benteli (*Le Fascisme*, Paris, Richelieu/Bordas). Je lui concède volontiers qu'il n'y a à cet égard que de fortes présomptions.

82. Selon Deniel « on » lui aurait promis 200 millions qu'il aurait d'ailleurs refusé par la suite, étant en désaccord avec ses commanditaires sur les questions de politique étrangère. Cf. *op. cit.*, p. 25.

83. *La Victoire*, 20-8-1933.

150

certains départements de l'Est, plus tard le Nord, les pays de Loire et l'Algérie (comme la SF, il aura même des adhérents musulmans). Une organisation famélique donc, mais très agressive et à laquelle Bucard donne une organisation copiée sur celle du squadrisme transalpin. Les francistes portent la chemise bleue, le béret et le baudrier de cuir fauve. Ils saluent à la romaine et se plaisent à multiplier les démonstrations de force : défilés, exercices de tir, camps d'été, quelques expéditions punitives contre les militants de gauche et les syndicalistes, ce qui vaudra à un certain nombre d'entre eux d'être arrêtés et emprisonnés.

Rien de bien original non plus dans la « doctrine », que diffuse un organe à faible tirage, Le Franciste. Au début, subventionné semble-t-il par des éléments particulièrement réactionnaires du patronat, Bucard se contente de prôner la défense d'un ordre paternaliste « hardi, qui proclame la noblesse du travail et la primauté du travailleur, rétablisse la conscience professionnelle, restaure la famille, protège l'épargne et accorde les intérêts particuliers avec l'intérêt général [84] ». Nous ne sommes pas très loin des préceptes énoncés par le colonel de La Rocque dans Service public : une sorte de voie moyenne entre un bonapartisme repeint aux couleurs de la modernité et le traditionalisme qui imprègne la doctrine de l'AF et qui triomphera à Vichy. Le mouvement se donne même, comme celui des Croix-de-Feu, des allures de milice chrétienne (le congrès annuel commence par une messe solennelle). Mais bientôt, tandis que les subsides alloués par certains industriels passent dans les mains d'autres leaders de l'ultra-droite, les idées et le ton se durcissent. Dès lors, se voulant et se proclamant ouvertement fascistes, Bucard et ses amis – il a été rejoint en cours de route par un jeune agrégé de philosophie, Paul Guiraud, fils du rédacteur en chef de La Croix et par Bertrand Motte, de la grande famille des industriels du textile de la région du Nord – donnent à leur discours une tonalité plus violemment constestaire de l'ordre bourgeois.

Ils vitupèrent simultanément « le système capitaliste et la démo-cratie des jouisseurs », « le matérialisme grossier » et « le système collectiviste des négateurs de la nation ». Comme leurs homologues d'outre-monts, ils prêchent l'unité du peuple et sa soumission à une discipline commune, une hiérarchie des valeurs privilégiant l'héroïsme, la subordination de l'individu et des corps intermédiaires à l'État tout-puissant, une nouvelle organisation de la société fondée

84. « Appel au francisme » : tract rédigé en octobre 1933, à la veille de la fondation officielle du mouvement, et tiré à un million d'exemplaires.

151

sur les principes du corporatisme, le culte du chef charismatique et la sacralisation de la jeunesse. Ils reconnaissent l'utilité de la propriété privée en tant que fonction sociale et n'hésitent pas à menacer d'expropriation ceux qui ne sauraient pas la faire fructifier dans l'intérêt de tous. Pratiquant, comme tant d'autres représentants de la droite « révolutionnaire », le syncrétisme historique appliqué au passé de la nation française, ils associent dans un même culte Jeanne d'Arc et les communards, précédant dans cette voie Doriot et le PPF. L'alliance du nationalisme et du spontanéisme anarchissant n'est-elle pas l'un des traits majeurs du premier fascisme?

En matière de politique étrangère, si l'on peut qualifier ainsi l'alignement du francisme sur les dictatures totalitaires, Bucard prône sans complexe le rapprochement avec l'Allemagne hitlérienne et surtout l'amitié italienne, point de départ d'une véritable fusion des deux « races latines » (« si notre nom de Nation est France, écrit Bucard en février 1934, notre civilisation s'appelle romaine ») [85]. Ceci s'explique très largement par l'affluence dans les caisses du parti de fonds de provenance étrangère. L'examen des archives du Minculpop – le ministère italien de la Propagande – ne laisse aucun doute sur le fait qu'en 1934 et 1935, dans le contexte de la mise en place par les dirigeants de Rome d'une soi-disant « internationale fasciste [86] », Mussolini et Ciano n'ont pas ménagé leurs efforts dans ce sens. Bucard touche, pour ses besoins personnels, 10 000 lires par mois et pour son mouvement 50 000 lires versées mensuellement par le sous-secrétariat à la presse et à la propagande. Avec l'Anglais Mosley, l'Espagnol José Antonio Primo de Rivera et le prince de Stahremberg, chef de la Heimwehr autrichienne, le leader du francisme représente ainsi l'un des « agents » les mieux payés du fascisme d'obédience romaine. Lorsqu'en décembre 1934 se tiendra à Montreux, en Suisse, à l'initiative du général Coselschi – un fasciste de la première heure que le Duce a placé à la tête des soi-disant « Comités d'action pour l'universalité de Rome [87] – un congrès

---

85. *Le Franciste*, février 1934.

86. Sur les tentatives du gouvernement fasciste en vue de constituer une « internationale », cf. Michael A. Ledeen, *Universal Fascism*, New York, 1972. Sur les applications de cette politique à la France, voir : M. Gallo, *Contribution à l'étude des méthodes et des résultats de la propagande fasciste dans l'immédiat avant-guerre (1930-1940)*, Nice, 1968, thèse dactyl. Max Gallo donne les principales conclusions de sa thèse (en changeant les noms des protagonistes) dans son ouvrage publié chez Plon : *La Vᵉ Colonne*, Paris, 1970.

87. Ces organismes, le CAUR, avaient leur siège dans la plupart des grandes villes du monde. Ils dépendaient d'un organisme central, dont le siège se trouvait dans la capitale italienne : l'Istituto per l'Universalità di Roma, présidé par le général Coselschi.

152

international des organisations *fascistes* rassemblant les délégués de treize pays, c'est Bucard qui est choisi pour représenter le fascisme français, alors que son mouvement compte à ce moment, en tout et pour tout, une dizaine de milliers de membres.

Après juin 1936, le parti fasciste ayant lui aussi été dissous, la manne italienne se fait plus rare. Elle se trouve alors relayée par des subsides d'origine allemande, moins généreusement distribués il est vrai au chef des francistes qu'à ses concurrents germanophiles, les Chaumet, Coston, Jean Renaud et autres Darquier de Pellepoix [88]. Quant aux milieux économiques français – ceux du moins que la panique de l'été 36 a incités à se chercher des défenseurs ou des hommes de main pour une éventuelle « contre-révolution préventive [89] » – ils ont à peu près unanimement boudé le francisme [90], jugeant celui-ci trop ouvertement aligné sur ses modèles étrangers et surtout incapable de s'implanter dans le paysage politique français.

C'est en effet l'imitation servile du fascisme mussolinien qui explique la faible audience du parti de Bucard. Il s'y ajoute au début la concurrence exercée par un autre mouvement fasciste – ou plus spécifiquement peut-être national-socialiste – celui qu'animent Henry Coston et l'équipe de *La Libre Parole*, la vieille feuille antisémite fondée par Drumont. En 1933, au moment où se constitue son mouvement, Bucard ne fait pas encore, en effet, profession d'antisémitisme. « Le Francisme n'est pas antisémite, proclame en mars 1934 l'organe du mouvement, il est antimétèque », et Paul Ferdonnet, le futur « traître de Stuttgart », dénonce alors dans les colonnes du même journal le « racisme allemand [91] ». C'est seulement à partir de 1936, au moment où Bucard et ses amis se rapprochent de l'hitlérisme, que le francisme s'engage, en moins virulent peut-être que son concurrent direct, sur la voie empruntée par Coston, et par tant d'autres !

Ce qu'a été le francisme dans la vie politique française ? Fort peu

88. Voir sur ce point la thèse de Philippe Burrin et les références qu'elle comporte concernant les liens entre ces différents personnages et les services du IIIe Reich. *Le Fascisme satellite...*, *op. cit.*, p. 58 et note 7, p. 96.

89. Pour reprendre la formule qu'Angelo Tasca avait appliquée à l'Italie de 1920. *Cf. Nascita e avvento del fascismo*, Florence, 1950.

90. Deniel cite un très petit nombre de commanditaires qui seraient intervenus au moment de la création du francisme, mais dont la plupart se seraient vite désintéressés du mouvement : Dargouge et Payot, industriels de Tours, les Motte, Mme Paul Nocard, de la parfumerie Pivert, un industriel parisien Daumard. Cf. *op. cit.*, p. 59.

91. J. Plumyène et R. Lassierra, *Les Fascismes français...*, *op. cit.*, p. 62.

153

de chose assurément. Lors de l'émeute du 6 février, les 150 ou 200 hommes de Bucard qui participeront (aux premières loges) à la manifestation le feront à titre personnel. Deux mois plus tard, le leader du mouvement refusera de s'agréger au Front national, qu'il considère à juste titre comme une union des droites. Bucard se veut et se dit fasciste. Le fascisme n'est ni de droite ni de gauche, et il n'admet pas de concurrence. Bucard restera donc seul, entouré de sa légion de desperados en chemise bleue, admirateurs enthousiastes d'un mussolinisme qui, à l'époque, n'a plus grand-chose de commun avec les ferveurs nihilistes des belles heures du squadrisme.

Par son idéologie, par sa clientèle, par les méthodes expéditives dont il prône l'emploi à défaut de pouvoir les expérimenter autrement que de façon sporadique, le francisme appartient de toute évidence à la catégorie du « premier fascisme », produit spontané sous d'autres cieux d'une situation-catastrophe que la France n'a pas connue, donc produit *national*, héritier d'un passé et d'une culture endogènes. Or, sous le signe de la roue dentée et à l'ombre de la francisque, c'est un fascisme d'importation que l'ancien compagnon de Valois a tenté d'acclimater en France : un fascisme maladroitement greffé sur un corps social rebelle aux traitements externes.

Jusqu'à sa dissolution en 1936, quoique « renforcé » par le ralliement du Parti populaire socialiste national d'André Chaumet et du Parti socialiste national indépendant du Dr Rainsart [92], puis sous les formes à peine modifiées et tout aussi groupusculaires des Amis du franciste, des Comités de diffusion du franciste et de l'Université populaire du francisme (créée en mars 1937), enfin du Parti unitaire français d'action socialiste et nationale – fondé en novembre 1938 et désormais violemment antisémite – le mouvement de Bucard restera jusqu'à la guerre ce que ses commanditaires étrangers avaient souhaité qu'il fût, pour servir leurs desseins déstabilisateurs ou pour appuyer leur action internationale : une petite légion de fidèles à la botte des dictatures. Pas plus que la Milice socialiste nationale de Gustave Hervé, où Bucard avait fait ses premières armes de dirigeant politique et dont le nom dit explicitement le souci d'allégeance au modèle hitlérien, toute cette poussière d'organisations fantômes ne parviendra pas à rassembler plus de quelques centaines de militants actifs, collaborateurs avant la lettre du IIIᵉ Reich et de son alliée latine.

Au chapitre des épiphénomènes politiques – mais des épiphénomènes bruyants et sanglants – il faut encore mentionner le Comité

92. Ce dernier circonscrit à la région du Havre.

154

secret d'action révolutionnaire, le CSAR, fondé à l'époque du Front populaire par un ancien militant de l'Action française, le polytechnicien Eugène Deloncle. Ce fils de capitaine au long cours mort en service après que son navire eut été éperonné par un bateau britannique (un destin qui rappelle celui du père de Jean-Marie Le Pen) a dû travailler dur pour sortir « dans la botte » de l'X. Officier d'artillerie pendant la Grande Guerre, il se comporte lui aussi en capitaine courageux (une blessure, deux citations, la Légion d'honneur à titre militaire, bref tout ce qu'il faut pour meubler plus tard la carte de visite d'un dirigeant « fasciste »), mais il ne songe pas, une fois la paix revenue, à faire carrière sous les armes [93]. Devenu ingénieur de haut vol dans l'industrie des constructions navales [94], on le retrouve au début des années trente expert à la Cour d'Appel de Paris pour les problèmes de navigation, administrateur d'une bonne dizaine de sociétés et responsable des représentants de sa corporation dans l'organisation maurrassienne. Un bourgeois respectable donc, politisé à l'extrême droite mais dont rien ne laisse présager qu'il va devenir le patron d'une société secrète en guerre ouverte avec la République.

Constitué avec pour noyau initial des éléments activistes venus de la 17e section de l'Action française, un groupe de Camelots du Roi du XVIe arrondissement, animé par Jean Filliol et dont plusieurs membres avaient participé le 13 février 1936, jour des obsèques de Bainville, à l'attentat contre Léon Blum [95], le CSAR voit le jour au lendemain de l'interdiction des ligues par le gouvernement de Front populaire. Comme le Faisceau, il est donc une émanation de l'AF dont ses dirigeants jugent l'action et l'idéologie totalement inadaptées aux nécessités de l'heure. Dans la formation maurrassienne, on professe un semblable mépris pour ces dissidents mal sortis de l'adolescence, jouant à la « franc-maçonnerie retournée [96] », et c'est Pujo qui par dérision va donner à l'organisation de Deloncle le surnom qui lui restera : la Cagoule.

Société secrète, dont les membres sont soigneusem ..t sélectionnés

93. Sur le CSAR et sur ses dirigeants voir : Philippe Bourdrel, *La Cagoule*, Paris, Albin Michel, 1970 et Paul Serant, *Les Dissidents de l'Action française*, Paris, Éd. Copernic, 1978.
94. Il avait été parmi les concepteurs du paquebot *Normandie*.
95. Circulant en voiture en provenance du Palais-Bourbon, Blum avait été reconnu sur le boulevard Saint-Germain et agressé par un petit groupe de Camelots du Roi. Blessé à la tempe, il put échapper à ses agresseurs en se réfugiant dans un immeuble de la rue de l'Université, sous la protection d'ouvriers travaillant à la réfection des lieux.
96. L'expression est de Deloncle lui-même.

155

et doivent se soumettre à un rite symbolique d'initiation, accompagné d'un serment, le CSAR est en relation étroite, dès sa création, avec certains milieux militaires et patronaux. D'après ce que l'on sait du financement de la Cagoule, ont largement concouru à alimenter ses caisses – outre la manne étrangère et le produit de quelques attaques à main armée – des industriels de l'automobile et du pneumatique, des fabricants connus d'apéritifs et de pâte dentifrice, plusieurs groupes bancaires et compagnies d'assurances, ainsi que la très subversive Ligue des contribuables, en la personne de son président en exercice, Lemaigre-Dubreuil, P-DG des huiles Lesieur. Deloncle a sûrement reçu des représentants du monde des affaires beaucoup moins d'argent que Doriot, mais infiniment plus que Bucard. Il est vrai que sa haine de la république parlementaire, dont il avait avec beaucoup de soin programmé le renversement, ne s'accompagnait pas comme chez le leader des francistes de professions de foi anticapitalistes.

Au nom de la défense des « braves gens » menacés par un obsessionnel « complot communiste », le CSAR s'est en effet donné comme objectif la prise du pouvoir au moyen d'un putsch préparé par des groupes de combat clandestins qui quadrillent le territoire et disposent d'armes modernes. Après le coup de filet de novembre 1937, la police découvrira dans la région parisienne et en province des stocks d'armes automatiques, de grenades, de munitions diverses et des tonnes d'explosifs, sans parler des stylomines « aveuglants » et des milliers de brassards portant le sigle de la CGT et des partis de gauche, en vue d'actions provocatrices. On trouvera également des rapports sur les dépôts d'armes de l'armée, les forts, les casernes et les cartoucheries, ainsi que les plans des différents ministères, une cartographie minutieuse des catacombes et des égouts de Paris et la liste des dépôts d'autobus dont les conjurés devaient, à l'heure H, s'emparer pour transformer les paisibles véhicules de la STCRP en automitrailleuses!

Avec du recul, la conspiration « cagoularde » peut prêter à sourire. Pourtant Deloncle et son état-major de ligueurs déçus et de sicaires – un Filliol, un Jacques Corrèze, tous deux comme Deloncle anciens de la 17e section de l'AF, un docteur Martin, un Jean Moreau de la Meuse, un François Méténier, pour ne citer que ces quelques noms – ne sont pas des hommes seuls et le CSAR n'est pas sans ramifications dans les milieux de droite et d'extrême droite. Dans le courant de l'année 1936, plusieurs anciens dirigeants des Croix-de-Feu se sont ralliés à l'organisation clandestine, rejoints par le groupe de Joseph Darnand et les folkloriques et sinistres « Chevaliers du Glaive » à

156

Nice, les musulmans d' « Algérie française » (décidément représentés dans plusieurs groupuscules fascistes), les « Enfants d'Auvergne », mouvement dans lequel militent des ouvriers et des cadres de chez Michelin, ainsi que par les rescapés du Parti révolutionnaire national et social, passés à la clandestinité dès mars 1936. Cela ne suffit pas à constituer une « armée » de l'ombre et les chiffres avancés par Philippe Bourdrel dans son utile récit de l'entreprise cagoularde – 12 000 militants pour la seule région parisienne – sont démesurément grossis.

Il reste que le CSAR « civil » forme une petite légion de jusqu'au-boutistes dont l'influence n'est pas absolument nulle. Elle l'est d'autant moins que la sociologie du mouvement diffère fortement de celle des bandes fascisantes de Bucard et de Jean Renaud. Le monde des « cols blancs », et particulièrement celui des ingénieurs, des techniciens supérieurs, des cadres de l'industrie et du tertiaire, y est puissamment représenté. De surcroît, l'organisation de Deloncle se double d'une filière militaire. Elle a réussi en effet à s'infiltrer dans l'armée par l'intermédiaire de l'UCAD (Union des comités d'action défensive), fondée en novembre 1936 par un as de l'aviation de 14-18, le général en retraite Edmond Duseigneur, et par le duc Pozzo Di Borgo, ancien collaborateur intime de La Rocque et à cette date en froid avec ce dernier. D'autre part, Deloncle est en rapport avec le commandant Loustaunau-Lacau, membre de l'état-major du maréchal Pétain et animateur au sein de l'armée des réseaux secrets « Corvignoles ». Ni Loustaunau ni Pétain n'apporteront leur caution aux projets putschistes du chef de la Cagoule. En revanche, le vieux maréchal Franchet d'Esperey aura la faiblesse de prêter une oreille complaisante aux propos de Deloncle auquel il a incontestablement apporté son appui. En cas de succès du coup d'État, c'est lui que les dirigeants du CSAR se proposaient de porter au pouvoir.

A défaut de putsch réussi, le CSAR devra se contenter du rôle d'exécuteur des basses œuvres pour le compte de la droite ultra-réactionnaire ou des services secrets étrangers. Parmi ses principaux faits d'armes, il faut citer l'assassinat du Soviétique Navachine, directeur à Paris de la Banque commerciale pour l'Europe du Nord, le double meurtre des frères Rosselli, perpétré près de Bagnoles-de-l'Orne en juin 1937 par un petit commando de tueurs dirigé par le sinistre Filliol et commandité par Ciano, lequel – avec l'accord du Duce – a promis des armes à Deloncle en échange de la vie des deux dirigeants antifascistes, la liquidation de Laetitia Toureaux (agent double? maîtresse de l'un des chefs de l'organisation?), le sabotage d'avions de combat destinés à l'Espagne républicaine, etc. Toutes ces actions, et pas mal d'autres s'inscrivent dans une stratégie de déstabilisation du gouvernement de Front populaire et, au-delà de cet objectif à court terme, de mise en place d'un régime autoritaire.

Autoritaire mais certainement pas *fasciste*. Certes, il y a dans l'organisation de Deloncle, parmi la pègre de premiers et de seconds couteaux qui fraient avec le SIM italien et sont prêts à tirer à vue sur tout ce qui bouge à gauche, d'authentiques admirateurs du Duce et du Führer : on en retrouvera d'ailleurs bon nombre dans la fraction ultra du collaborationnisme et parmi les tueurs de la Milice ou de la Gestapo française. Mais à côté de ces hommes de main, dont certains sont d'ailleurs d'anciens Camelots en rupture avec leur famille politique, le CSAR relève plutôt de la tradition ultraciste. Les chefs, dont certains appartiennent au « monde des châteaux », les mots d'ordre, les buts restent dans la tradition de l'extrême droite classique. On rêve de retour à l'ancienne France, non de promouvoir une démocratie plébiscitaire. On a songé à un maréchal de France pour présider aux destinées de la nation régénérée et rendue à ses hiérarchies traditionnelles, non à faire appel à un Doriot, ou à quelque autre leader enchemisé du fascisme à la française. Quant aux attentats à la bombe contre les sièges de la Confédération générale du patronat français et de l'Union des industries métallurgiques – exécutés en septembre 1937 par une petite équipe de cagoulards parmi lesquels figurent un ingénieur de chez Michelin, Locuty, un haut cadre de la Société commerciale des pétroles, Moreau de la Meuse et un industriel de Chamalières, Méténier – ce sont de pures provocations qui n'ont rien à voir avec une quelconque volonté d'action contre le capitalisme.

Deux mois plus tard, le ministre de l'Intérieur Marx Dormoy déclenchera une offensive de grand style contre les conspirateurs du CSAR. Perquisitions, arrestations, dénonciations de comparses aboutissent à l'inculpation pour « complot contre la sûreté de l'État » d'une soixante de personnes, parmi lesquelles Deloncle, Duseigneur, Moreau de la Meuse et le duc Pozzo Di Borgo. Les autres, dont Filliol que l'on retrouvera dans tous les mauvais coups pendant l'Occupation, parviendront à échapper à la police et à prendre le chemin de l'exil.

Un fascisme de masse : le Parti populaire français

Tous les mouvements fascistes et fascisants dont il a été question jusqu'à présent ont en commun la maigreur de leurs effectifs et l'étroitesse de leur base sociologique. Il en va différemment du seul grand parti fasciste de masse qui se soit jamais développé dans notre pays : le Parti populaire français (PPF) de Jacques Doriot. Pourtant, comme l'a récemment encore démontré le spécialiste de cette organisation [97], il est de toutes les formations « fascistes » de l'entre-deux-guerres celle qui doit vraisemblablement le plus aux circonstances et à la personnalité de son chef.

Né en 1898 à Bresles, dans l'Oise, celui-ci est d'origine très modeste. De tous les grands leaders fascistes (y compris Mussolini), il est le seul qui soit à proprement parler d'extraction prolétarienne. Son père, Georges Doriot, fils d'un paysan du Morvan et d'une ouvrière d'ascendance italienne [98], exerce son métier de forgeron dans un petit atelier de réparation de machines agricoles. Agnostique, il ne fréquente ni l'église ni les organisations politiques et syndicales de la classe ouvrière, mais il a été membre de la Ligue des droits de l'homme. Sa mère, au contraire très croyante et qui fera donner à son fils une classique éducation religieuse, partage son temps entre son métier de couturière à domicile, les tâches domestiques et, dans les jours difficiles, des heures de ménage faites chez les autres.

Bon élève de l'école primaire, titulaire du CEP, puis d'un brevet d'ajusteur, le jeune Doriot pratique divers « petits boulots » – il est notamment employé dans une laiterie à Abbeville – avant de gagner la région parisienne. Il a tout juste dix-sept ans quand il arrive à Saint-Denis – une ville avec laquelle s'identifiera désormais la plus grande partie de son existence – et devient manœuvre aux usines Sohier. De là il passe à la fabrication de moteurs Aster, puis aux fonderies de La Fournaise où il acquiert une qualification d'ouvrier métallurgiste et entre en contact avec des militants cégétistes et socialistes.

En 1916, Doriot s'inscrit aux jeunesses socialistes. Selon son biographe, il se serait moins intéressé aux activités du parti qu'à la

97. Jean-Paul Brunet, *Jacques Doriot*, Paris, Balland, 1986. Sur le leader du PPF, on pourra également consulter l'ouvrage pionnier de l'Allemand Dieter Wolf, *Doriot, du communisme à la collaboration*, Paris, Fayard, 1969.

98. *Ibid.*, p. 16.

lecture [99] d'ouvrages de toute nature et à la fréquentation du club de boxe local. Pourtant l'expérience n'est pas sans conséquences pour l'avenir. La section à laquelle le jeune ouvrier métallurgiste a adhéré, celle de Saint-Denis, a rompu avec l'esprit de l'Union sacrée et soutient la minorité pacifiste de la SFIO. Le futur leader du PPF y subit malgré lui une double influence : celle des « zimmerwaldiens » (du nom du congrès tenu à Zimmerwald, en Suisse en 1915), qui va le conduire, lors du congrès de Tours, à suivre les partisans de l'adhésion à la IIIe Internationale, c'est-à-dire à devenir communiste; celle d'autre part des syndicalistes révolutionnaires, nombreux dans cette commune de la banlieue ouvrière, et dont la fréquentation [100] a pu développer chez cette force de la nature un penchant au spontanéisme et à l'action directe.

Mobilisé en avril 1917 dans l'infanterie, Doriot combat successivement au Chemin-des-Dames – où son régiment est à peu près complètement anéanti – puis sur le front de Lorraine. Il s'y comporte courageusement et reçoit une citation pour avoir ramené derrière les lignes un camarade blessé. En 1919, il est affecté à l'armée d'Orient, ce qui le conduit à assister à la révolution de Béla Kun et au coup de main de D'Annunzio à Fiume. Ses biographes nous laissent sur ce point dans l'incertitude. A-t-il ou non eu l'occasion d'assister aux parades des légionnaires fiumains, aux discours enflammés du *comandante* s'adressant à la foule électrisée par son verbe superbe, à l'explosion de fanatisme national s'exprimant dans les cris de guerre de ses partisans – *Eîa, Eîa, alalà!* – bref aux premiers balbutiements de ce qui va devenir la liturgie fasciste? Et si oui, quel souvenir en a-t-il gardé? En tout cas, ses trois années de service militaire accomplies, il est démobilisé en mai 1920, marqué comme tous les hommes de sa génération par le temps passé au front.

Marqué, mais non « désaxé » comme un Bucard ou un Drieu La Rochelle. Doriot est un homme simple. Comme Mussolini, auquel il ressemble par bien des traits, et comme des millions de combattants obscurs, il a « fait son devoir ». La guerre ne l'a fait sortir ni de lui-même ni de son statut social. Elle n'a pas transformé un petit bourgeois en un lansquenet. Promu soldat de première classe en fin de parcours, le métallo de Saint-Denis n'a pas trop de mal à reprendre son bleu de travail. Peut-être a-t-il déjà cet esprit « aven-

---

99. *Ibid.*, p. 18.
100. J.-P. Brunet fait remarquer qu'avant même d'adhérer à la SFIO, Doriot avait subi l'influence d'un vieux militant anarcho-syndicaliste nommé Bizot. Cf. *op. cit.*, p. 17.

160

turier » que dénoncera quelques années plus tard Maurice Laporte, l'un de ses rivaux en politique [101] : en tout cas il ne semble pas qu'au moment du congrès de Tours, qui le voit se rallier à la tendance majoritaire, il ait fait un choix carriériste et considéré le « parti » comme le tremplin de son ascension personnelle.

Celle-ci est toutefois extrêmement rapide. En 1922, après un premier séjour à Moscou, il devient secrétaire à l'Internationale communiste des jeunes : ce qui lui permet de siéger au Présidium de l'exécutif du Komintern et d'y côtoyer les ténors de la révolution européenne et les dirigeants du jeune État soviétique. Deux ans plus tard, il est membre du Comité central et dirigeant des Jeunesses communistes de France. Il a vingt-six ans et, porté par la vague de retour qui a balayé le Bloc national, il est depuis mai 1924 député du secteur « Seine-banlieue », élu (alors qu'il était encore sous les verrous, condamné pour propagande antimilitariste) avec huit de ses camarades du « Bloc ouvrier et paysan ».

Jacques Doriot est à cette date l'étoile montante du parti, en même temps que l'enfant chéri de l'Internationale. C'est un orateur remarquable – pas seulement un bateleur de meeting : ses envolées et ses reparties cinglantes à la Chambre feront parfois les beaux jours du spectacle parlementaire –, un meneur d'hommes doublé, quand il le veut, d'un fin tacticien politique. Ses discours et ses articles contre l'intervention française dans la Ruhr et contre la guerre du Rif lui valent une immense popularité parmi les militants du parti, encore accrue par les mois passés à la Santé, où il retourne en 1928 après que ses collègues eurent voté la levée de son immunité parlementaire. A l'heure où Staline devient le chef tout-puissant du communisme international, il paraît avoir de bonnes chances d'accéder au poste de secrétaire général du PC.

Pourtant, les rapports entre le jeune député communiste et la direction du parti ne tardent pas à se tendre. L'individualisme et l'arrivisme de Doriot, son goût du beau geste et de l'action directe, l'idée qu'il commence à se faire également de ce que devrait être le communisme à la française, tout cela l'incline à ne pas subir sans réagir la discipline du mouvement et ses brusques changements d'orientation, dictés par la stratégie stalinienne. Aussi, lorsqu'en 1928 le parti communiste adopte, conformément aux directives de l'Internationale, la tactique « classe contre classe », ce qui implique le refus de l'unité d'action et le rejet de toute alliance électorale avec le

---

101. Doriot l'ayant remplacé comme secrétaire général des jeunesses communistes. Cf. M. Laporte, *Les Mystères du Kremlin (Dans les coulisses de la IIIe Internationale)*, Paris, 1928.

« social-fascisme » (en l'occurrence la SFIO), Doriot engage avec les autres dirigeants du PCF, et notamment avec Thorez – désormais soutenu par l'IC – une guérilla intérieure qui va durer plus de cinq ans.

C'est en effet au sein des instances dirigeantes du parti, et non sur la place publique (jusqu'en 1934 il se garde de toute prise de position officielle en ce sens et affiche une stricte orthodoxie), que Doriot préconise l'unité d'action tactique avec les socialistes, seul moyen estime-t-il – et la façon dont Hitler a pris le pouvoir en Allemagne ne peut que le confirmer dans ce sentiment – de barrer la route au fascisme. Car le point de départ de la dissidence doriotiste est bien là : non pas dans une dérive fascisante et programmée de longue date de son activisme marxiste, mais dans la prise de conscience du caractère suicidaire de la stratégie du Komintern, face à la montée du fascisme en Europe. Il n'était d'ailleurs pas le seul dirigeant communiste européen à avoir compris que le repli sectaire des PC, crispés sur leurs espérances millénaristes de voir la révolution surgir d'une crise du capitalisme dont le fascisme n'était que l'avatar ultime [102], ne pouvait conduire le prolétariat qu'à la déroute. Avant lui, l'Italien Angelo Tasca avait tenu le même langage de la nécessaire alliance avec la fraction antifasciste de la bourgeoisie, au sein de l'Internationale et dans les instances dirigeantes de son propre parti, et avant lui il avait été sommé d'abjurer ses « erreurs » puis exclu de la famille communiste.

Sans doute y a-t-il dans le comportement politique du maire de Saint-Denis – il a accédé à cette fonction en février 1931 et n'a pas cessé depuis de renforcer sa position dans ce « fief » de la banlieue rouge – autre chose qu'une clairvoyance prophétique et désintéressée à l'égard de la conduite à adopter envers le fascisme. Quand il déclare, en mars 1934 : il y a « entre le fascisme et nous une lutte pour gagner les masses. Un certain nombre de couches sociales qui paraissent décisives sont mobilisées derrière le fascisme, alors qu'elles devraient être une source d'appoint pour le prolétariat [103] », le Komintern n'a pas encore modifié sa stratégie d'ensemble à l'égard du fascisme international. C'est seulement au milieu de 1934 que Moscou donnera son feu vert pour la constitution d'un front commun contre le totalitarisme brun ou noir. Il a donc, si l'on veut,

102. Sur cette question, cf. N. Poulantzas, *Fascisme et dictature. La IIIᵉ Internationale face au fascisme*, Paris, Maspero, 1970 et P. Milza, *Les Fascismes*, Paris, Imprimerie nationale, 1985, p. 112-119.
103. J. Doriot, *Lettre ouverte à l'IC*, « Les communistes de Saint-Denis et les événements du 6 au 12 février », p. 10.

162

historiquement raison : contre l'état-major du parti et contre ceux qui, de l'extérieur, lui dictent son comportement envers les socialistes. Ou plutôt il a raison *avant eux*. Il est un point sur lequel Philippe Burrin insiste à juste titre dans sa thèse, c'est la perception très juste que Doriot a eue – à peu près seul parmi les hauts dirigeants du PCF – de l'évolution de la diplomatie soviétique. Depuis l'automne 1933, un rapprochement très discret s'était amorcé entre le Kremlin et le gouvernement français, rapprochement qui aboutirait dix-huit mois plus tard à un pacte paraphé par Laval, mais qui n'avait pas échappé à nombre de commentateurs politiques [104]. La direction du PC s'était appliquée à démentir toute rumeur d'alliance qui pût jeter le trouble dans les rangs du parti et Doriot n'avait pas été le dernier à en parler comme d'une « calomnie » et d'une « absurdité [105] ». Mais il n'en jugeait pas moins l'éventualité hautement probable et estimait que, dans le cas où elle se réaliserait, l'IC ne pourrait faire autrement que de réviser sa ligne révolutionnaire, partant de renoncer à la tactique « classe contre classe ». Il pensait donc qu'en agissant dans le sens de l'unité d'action avec les socialistes il prenait quelques longueurs d'avance sur ses partenaires adversaires du Bureau politique, devenant ainsi au moment du virage stratégique du Komintern l'incontournable homme du moment [106].

Pour qu'il en soit ainsi, et aussi parce qu'il était dans son tempérament d'agir, il ne pouvait attendre indéfiniment l'arme au pied que, la situation évoluant, la direction du PC tirât finalement les marrons du feu. De là la position de franc-tireur qu'il adopte à partir du 6 février et qui va le conduire en quelques semaines à la guerre ouverte contre le groupe Thorez et à la dissidence. Dès le 9 février, alors que le Bureau politique a donné comme consigne aux dirigeants du PC de se tenir à l'abri hors de la capitale afin d'échapper aux menaces d'arrestations, il est avec Barbé à la tête des manifestants (beaucoup viennent de Saint-Denis et de Saint-Ouen) [107] qui se heurtent violemment aux gardes mobiles dans le quartier de la gare de l'Est. Le 12, lors de la grève générale à Saint-Denis, il prend part aux actions communes menées localement par les communistes et les socialistes. « Je veux, déclare-t-il lors du meeting tenu au théâtre municipal, que nous prenions cet engagement : s'il y a des gens qui

104. Notamment après les voyages de Pierre Cot et d'Herriot à Moscou en septembre 1933, puis avec la rencontre Litvinov-Paul Boncour du 31 octobre.
105. Meeting salle Bullier, *L'Humanité*, 9-11-1933.
106. Sur tous ces points voir : Ph. Burrin, *Le Fascisme satellite*, *op. cit.*, p. 220-224.
107. Barbé était secrétaire du rayon de Saint-Ouen.

163

veulent briser cette unité d'action, il faut jurer de les chasser du mouvement ouvrier et de les exterminer [108]. » Pas moins! Au cours des semaines qui suivent, il constitue, dans son fief de la banlieue nord, un comité d'action dans lequel on trouve deux socialistes et deux membres de la CGT. Enfin en avril, ce sera la publication et la diffusion, à des dizaines de milliers d'exemplaires, de la « Lettre ouverte à l'Internationale communiste [109] », texte émanant du rayon de Saint-Denis et en appelant au Komintern « mieux informé [110] » de l'orientation et des pratiques du Comité central. Graves manquements à la discipline auxquels la direction du parti va mettre quelque temps à répliquer. Elle attend pour cela une décision de l'Internationale, laquelle n'interviendra qu'au début du mois de juin : à un moment où le tournant frontiste, préconisé depuis plusieurs années par Doriot, aura été pris. Abandonné par le comité exécutif du Komintern au « bras séculier » d'une Conférence nationale convoquée par Thorez dans son fief d'Ivry, Doriot est exclu le 26 juin à l'unanimité des présents [111]. Ironie d'une histoire partisane qui en compte bien d'autres, le secrétaire général du PCF achève son discours par cette phrase : « A tout prix nous voulons l'unité d'action. »

La naissance du Parti populaire français ressemble beaucoup à celle du mouvement fasciste italien. Comme le Mussolini de 1919, Doriot se retrouve après son exclusion à la tête d'une petite clientèle politique d'activistes de gauche, parmi lesquels on rencontre d'anciens communistes ou oppositionnels au PC, comme Henri Barbé (exclu lui aussi en 1934 à la suite de l'affaire Barbé-Célor et lui aussi très implanté dans la banlieue nord), Paul Marion, ancien rédacteur à *L'Humanité*, ou Victor Arrighi, ancien directeur de la Banque ouvrière et paysanne. A côté de ces « ténors », il peut compter sur l'appui de plusieurs milliers de communistes qui l'ont suivi dans sa sécession : tout d'abord la majorité des militants de Saint-Denis (environ 800 sur un total de 900), puis des groupes relativement importants dans les communes voisines de Pierrefitte, Villetaneuse, l'Ile-Saint-Denis, Bobigny et Bagnolet où les dissidents se sont regroupés autour des « Amis de l'unité ouvrière » et des comités de

108. Cité par J.-P. Brunet, *Doriot, op. cit.*, p. 152.
109. Ce texte avait été adopté à une majorité de 120 voix contre 55, lors de la conférence du rayon de Saint-Denis, réunie du 10 au 12 mars 1934. Le libellé imprimé était suivi de 45 signatures. *Ibid.*, p. 158.
110. Le document fut remis au Bureau politique du PCF le 11 avril.
111. Doriot n'avait pas été invité et les militants qui avaient pris sa défense furent systématiquement écartés de la Conférence. L'exclusion fut officiellement prononcée par le Comité central le 27 juin.

164

défense de *L'Émancipation*[112]. Dans le reste de la région parisienne et en province, l'exclu n'a en revanche qu'une audience très réduite, la direction du PC s'appliquant à contrer ses entreprises de débauchage en envoyant ses troupes de choc porter dans les meetings doriotistes une contradiction musclée.

Quelles sont au début de l'été 1934 les motivations du maire de Saint-Denis? Sans doute la volonté de faire prévaloir ses thèses sur l'unité d'action avec les socialistes. Mais le PC ayant lui-même pris le virage en juillet, son initiative est vite noyée dans la grande vague de fond qui annonce 1936. Or, tout comme Mussolini au sortir de la guerre, Doriot a maintenant les dents longues. L'homme a d'ailleurs beaucoup changé depuis l'époque où Barbé le décrivait comme un « moine bolchevique », un « véritable ascète » qui « ne boit pas, ne fume pas, ne prend aucun plaisir [113] ». Six ou sept ans plus tard (en 1929), le même Barbé dit à quel point il a été saisi par la transformation de l'ancien secrétaire général des jeunesses communistes, devenu « un politique astucieux, sceptique, désabusé et je-m'en-fichiste qui s'amusait et ironisait sur tout ce qu'il vénérait quelques années avant [114] ». Le « grand Jacques », le militant efflanqué des années héroïques de l'immédiat après-guerre, a pris du poids, politiquement mais aussi physiquement. L'ascète est devenu amateur de bonne chère, de vins fins et de compagnie galante. Il n'est pas le seul dans le parti et ce mûrissement ne signifie pas qu'il fût *lui* prédestiné à faire de la politique l'instrument de son appétit de jouissance. Un ambitieux? Un aventurier? Un homme de pouvoir? Doriot est probablement tout cela dès le début, comme Mussolini. Mais cela ne suffit pas à faire de l'un et de l'autre des fascistes potentiels. Leur soif d'ambition et de pouvoir, ils auraient pu en d'autres circonstances l'étancher dans leur famille politique d'origine. Simplement, ayant rompu avec elle pour des raisons qui ne relèvent pas toutes de leur mégalomanie, ils vont, une fois le divorce consommé, mettre tout en œuvre pour échapper à la marginalisation.

Pour le Doriot de 1934, la montée du « front populaire » semble annoncer à brève échéance l'avènement de la gauche, à un moment où lui-même se retrouve seul ou du moins coupé des forces politiques candidates au pouvoir. Bien plus, le parti communiste paraît devoir tirer le plus grand profit des élections prochaines, en usant d'une

112. L'organe des communistes de Saint-Denis.

113. H. Barbé, *Souvenirs de militant et de dirigeant communiste*, mémoires manuscrits, Hoover Institution on War and Peace, Univ. de Stanford. Cité par J.-P. Brunet, *Doriot, op. cit.*, p. 35.

114. *Ibid.*, p. 104.

tactique dont il estime à juste titre avoir été l'initiateur. Cela, le maire de Saint-Denis le supporte mal. D'autant plus mal que c'est Thorez qui se pose maintenant en champion de l'unité d'action, et que toutes les déclarations antérieures à son exclusion, dans lesquelles Doriot par souci de ne pas porter sur la place publique ses divergences avec la direction du PC mettait en sourdine sa volonté unitaire, sont désormais tirées des oubliettes, soumises à d'astucieux montages et utilisées contre le dissident pour « démontrer aux travailleurs » qu'il avait toujours été hostile à la constitution d'un bloc antifasciste.

Ses démêlés avec les dirigeants du PCF ont donc éveillé chez Doriot – tout comme chez Mussolini la rupture avec le parti socialiste – un vif ressentiment à l'égard d'un parti auquel il avait consacré toute sa vie militante. Phénomène appelé à devenir classique et qui avait déjà fait à l'époque bon nombre de victimes. « L'univers communiste, écrit Philippe Burrin, avait engagé Barbé et Doriot dans tout leur être et ils en restèrent tributaires lorsqu'au bout du chemin, ils allaient se retourner violemment contre tout ce qui l'incarnait, dans le désir inextinguible de lui faire payer l'idéalisme de leur jeunesse et le cynisme sans succès des années récentes [115]. » De là l'idée de prendre appui sur une nouvelle force politique, capable peut-être de s'insérer dans le courant unitaire et de drainer, sur des slogans révolutionnaires et pacifistes – le « défaitisme révolutionnaire » est en effet au cœur de son entreprise, par réaction contre le néo-patriotisme du PCF et contre une politique étrangère qui, misant sur le rapprochement avec l'URSS, ne peut que renforcer cette dernière – une partie de la clientèle du PCF. Aussi songe-t-il d'abord au petit Parti d'unité prolétarienne fondé en 1930 par d'anciens oppositionnels communistes, dont Frossard, et de fait le parti « pupiste » l'appuie lors de la campagne pour les cantonales de 1935. Mais son impact sur les masses et son implantation nationale sont trop faibles pour que le maire de Saint-Denis puisse songer à en faire le noyau du grand rassemblement « unitaire » dont il rêve. Ne pouvant s'insérer dans la coalition socialo-communiste et y jouer les premiers rôles, il croit – assez naïvement semble-t-il pour un homme qui sait d'expérience ce qu'est le poids des appareils – pouvoir court-circuiter les deux grandes formations de la gauche provisoirement unie et reconstruire sur leurs décombres un véritable parti ouvrier qui soit aussi éloigné du sectarisme et de la dépendance communiste à l'égard de Moscou que du parlementarisme mou de la SFIO.

115. Ph. Burrin, *Le Fascisme satellite, op. cit.*, p. 224.

166

« Il faut, déclare-t-il en octobre 1934 devant ses fidèles du " rayon majoritaire [116] " de Saint-Denis, construire quelque chose de neuf, qui ait l'idée claire du socialisme, de la nécessité, de la préparation de la lutte pour le pouvoir, qui ait des racines profondes jusque dans les moindres chantiers, dans les moindres usines, les moindres villages. Il faut un Parti qui élabore lui-même sa tactique par des discussions profondes sur les problèmes du socialisme en France et qui, par conséquent, respecte le droit absolu des minorités [...]

« C'est un tel Parti qui, par ses contacts populaires, pourra éviter les fautes du parlementarisme social-démocrate, mais qui évitera aussi les fautes du sectarisme communiste [117]. »

Le mouton à cinq pattes en quelque sorte, continûment rêvé par les dissidents des diverses composantes du mouvement ouvrier – oppositionnels, trotskistes, socialistes révolutionnaires et « non conformistes », etc. – vite promus au rang de chefs de chapelle, à moins d'orienter dans une autre direction et avec d'autres alliances le mouvement de masse dont ils ont, à tort ou à raison, conscience d'être l'expression. Doriot, comme Mussolini, n'a pas échappé à ces pesanteurs et à cette logique. Dans le courant du second trimestre 1935, il conçoit l'idée de créer sa propre organisation politique.

Depuis quelque temps, des contacts avaient été pris entre le petit groupe de Saint-Denis, composé d'anciens communistes, passés ou non par d'autres organisations avant de rejoindre Doriot (Marion avait transité par la SFIO et les néo-socialistes, Arrighi était entré en 1930 au parti radical), et quelques dissidents des grandes formations nationalistes : Claude Jeantet, qui avait dirigé le groupe des étudiants de l'AF, Jean-Marie Aimot, venu du francisme et de L'Ami du Peuple, et surtout l'équipe relativement étoffée d'anciens Volontaires nationaux qui avaient rompu avec La Rocque en juillet 1935 pour cause de dérive fascisante (on se souvient que le leader des Croix-de-Feu avait rejeté à cette date le programme radical qu'ils avaient élaboré). Parmi ces derniers figuraient Bertrand de Maudhuy, Yves Paringaux, le journaliste Claude Popelin et surtout Robert Loustau et Pierre Pucheu, ce dernier devenu à l'issue d'une brillante carrière dans l'industrie responsable du Comptoir sidérurgique, puis de l'omniprésent Comité des Forges. Avec lui, c'était donc déjà un représentant éminent du monde des affaires qui s'intéressait à

---

116. Par opposition au nouveau rayon que la direction du PCF avait créé à Saint-Denis pour faire la reconquête de sa clientèle, captée par la scission doriotiste.

117. Discours de Doriot à la conférence du rayon (6-7 octobre), L'Émancipation, 13-10-1934.

167

l'entreprise doriotiste. A ces activistes se mêlaient déjà quelques journalistes et écrivains connus : un Bertrand de Jouvenel qui, chargé deux ans plus tôt d'une enquête sur le chômage, avait rencontré le maire de Saint-Denis et avait été fasciné par sa personnalité, ou un Drieu La Rochelle, qui avait publié en 1934 un livre dont le titre disait clairement l'attraction qu'exerçait sur lui l'expérience musso-linienne : *Socialisme fasciste*, et qui voyait en Doriot le guide potientiel d'un authentique fascisme français : le seul des éventuels candidats à la dictature qui pût « prendre en main un élan collectif, le serrer, et le projeter [118] ».

On retrouve donc aux origines de ce qui va devenir le PPF les deux courants dont la fusion caractérise le premier fascisme : celui de l'extrême gauche révolutionnaire et celui du nationalisme antiparle-mentaire. Mais à la différence de ce qui s'est passé en Italie une quinzaine d'années plus tôt – et cette différence est à mon sens fondamentale –, le fascisme de Doriot ne se développe pas, dans un premier temps, à l'abri des influences du monde des affaires. Il est, au contraire, à peu près immédiatement pris en charge par les représentants de grands intérêts privés, ce qui d'entrée de jeu l'apparente davantage au *second fascisme* et ce qui fait de lui, dans le contexte politique français, quelque chose d'infiniment moins spontané que ne l'a été, au cours des dix-huit mois qui ont suivi sa fondation, le mouvement créé par Mussolini.

D'après les travaux de Dieter Wolf [119] et de Jean-Paul Brunet [120], qui ont mené l'un et l'autre sur cette question une enquête minu-tieuse, Doriot se trouve dès la fin de 1935 en relation, par l'intermédiaire de Claude Popelin, avec des représentants du monde économique – et non des moindres – en quête d'un meneur d'hommes capable de prendre la tête d'un mouvement anticommuniste dirigé contre le Front populaire et susceptible de drainer une partie de sa clientèle électorale. Les principaux sont Pierre Pucheu pour le Comptoir sidérurgique, Paul Baudouin, directeur de la Banque d'Indochine et Gabriel Leroy-Ladurie, P-DG de la banque Worms, lequel joue un rôle capital dans le financement du PPF à ses débuts et continuera par la suite de le subventionner. Il paraît établi que dès cette période de gestation, l'intervention d'un noyau important de

118. P. Drieu La Rochelle, *Socialisme fasciste*, Paris, Gallimard, 1934, p. 129.
119. D. Wolf, *Doriot, du communisme à la collaboration, op. cit.*
120. J.-P. Brunet, *Jacques Doriot, op.cit.*, p. 234-238. Brunet a pu compléter nombre de renseignements fournis par Wolf en utilisant les archives de la préfecture de police de Paris.

168

grands intérêts privés ait été suffisante pour débarrasser Doriot et ses amis de leurs soucis financiers. Par la suite, l'organisation doriotiste bénéficiera des subsides de plusieurs banques parisiennes (Rivaud, Verne, Rothschild, Dreyfus, Lazare, BNCI, Banque d'Indochine), des Aciéries de l'Est, de firmes automobiles et alimentaires, d'associations patronales telles que le Comité central des houillères, le Cercle des chambres syndicales de France, l'Association nationale de l'expansion économique, les Industriels lainiers du Nord, etc., et de divers groupes de pression : Union des intérêts économiques, Union militaire française, Union coloniale, etc. Sans oublier l'intervention, au niveau régional des milieux d'affaires locaux, en particulier à Marseille et dans la région lyonnaise, ainsi que les fonds généreusement alloués par Ciano, notamment lors de l'achat par le parti du quotidien *La Liberté*. Tout cela représente au total des sommes considérables qui apparaissent rarement dans la comptabilité officielle du parti et se trouvent réparties, selon les directives discrètes du maire de Saint-Denis, entre la Caisse centrale du PPF et ses organes de presse.

Tel est le contexte dans lequel se constitue à Saint-Denis, fin juin 1936, le Parti populaire français. Le succès est immédiat. Selon *L'Émancipation nationale* – l'organe des communistes dionysiens est devenu, en modifiant son titre, celui de la formation doriotiste – il y aurait eu déjà plus de 30 000 adhérents fin juillet, 100 000 en octobre, 200 000 en septembre 1937. Au début de 1938, l'effectif aurait atteint les 300 000 membres. Bien entendu, ces chiffres sont démesurément gonflés. Dieter Wolf, qui s'en tient avec raison aux chiffres fournis par le premier caissier du parti, indique qu'il n'y a jamais eu plus de 50 000 à 60 000 cotisants, et que, sur cet effectif, le nombre des véritables militants ne dépasse pas 15 000. Brunet estime pour sa part qu'à son apogée le PPF a pu atteindre une centaine de milliers d'adhérents. C'est beaucoup moins que le PSF, mais c'est assez pour que l'on puisse parler de l'organisation doriotiste comme d'un parti fasciste de masse : le seul que la France ait connu, le seul qui, si les circonstances s'y étaient prêtées, aurait pu former le noyau d'une cristallisation totalitaire.

L'implantation géographique du PPF traduit assez fidèlement l'ambivalence du mouvement. Le parti de Doriot est fortement représenté dans la région parisienne, principalement dans les localités ouvrières de la banlieue nord, où le PCF est loin d'avoir reconquis tous les bastions militants que la dissidence doriotiste lui avait enlevés. Les autres places fortes se situaient dans les zones traditionnellement favorables à un certain extrémisme de droite : Marseille, le département du Var, les Alpes-Maritimes, le couloir rhodanien. Hors de ces régions et de quelques villes isolées (Bordeaux, Reims, Rouen, Clermont-Ferrand), son influence est très faible, particulièrement dans les régions rurales. Différence fondamentale avec le PSF : le fascisme doriotiste ne prend pas racine dans le même terreau que le dorgérisme. Enfin il faut noter qu'en Algérie, le mécontentement provoqué par le décret Blum-Violette [121] a puissamment contribué au développement du mouvement parmi les « pieds-noirs » : phénomène récurrent dont nous retrouvons la trace jusqu'à nos jours.

S'agissant de l'origine des adhérents du PPF, trois faits méritent d'être mentionnés. En premier lieu leur âge. Le parti de Doriot est un mouvement de jeunes. En 1938, la moyenne d'âge se situe à trente-quatre ans et la proportion des anciens combattants ne dépasse pas 20 %, ce qui constitue, entre autres, une différence profonde avec le mouvement du colonel de La Rocque. D'autre part leur origine politique, celle en tout cas des cadres du parti telle que nous permet de la mesurer la statistique publiée par celui-ci à la suite de son premier congrès [122]. Notons tout d'abord que le gros bataillon des délégués (38,7 %) rassemble ceux qui déclarent n'avoir antérieurement appartenu à aucun parti. Viennent ensuite, avec 33,1 %, les anciens adhérents des partis de gauche (les ex-communistes à eux seuls représentent plus de 21 % des mandats). La droite traditionnelle et les mouvements catholiques sont très faiblement représentés, alors que les anciens adhérents des organisations d'extrême droite forment près du quart des congressistes : très exactement 23,6 % parmi lesquels une nette majorité d'anciens Croix-de-Feu et Volontaires nationaux.

Troisième élément à souligner, l'extraction sociale des adhérents du PPF, évaluée elle aussi de manière indirecte, et qui permet néanmoins de fixer des ordres de grandeur. L'élément ouvrier domine incontestablement, même s'il faut accueillir avec la plus grande prudence les indications données par la presse du PPF. Lors du premier congrès national du parti, en novembre 1936, on dénombre 422 ouvriers et paysans sur un total de 740 délégués, soit 57 % (les ouvriers à eux seuls représentent 49 % de l'ensemble), l'autre groupe important étant constitué par les diverses fractions de la classe moyenne (21 %) de commerçants et membres des professions libérales, 22 % d'employés). L'afflux d'anciens communistes ayant rejoint

121. Ce texte prévoyait l'entension de la citoyenneté française à 27 000 musulmans, lesquels pouvaient ne pas renoncer pour autant à leur statut spécial de musulmans.
122. *L'Émancipation nationale*, 14-11-1936.

170

au PPF leur ex-leader (35 000 ou 40 000 selon la presse doriotiste, mais là encore le chiffre est fortement exagéré) explique cette prédominance de l'élément prolétarien – plus nette encore à la base, en particulier dans les Bouches-du-Rhône où il représenterait 78 % de l'effectif [123] – de même que les adhésions de nombreux chômeurs en plein désarroi politique et l'absorption d'éléments marginaux, parfois ouvertement liés à la pègre : tels les nervis marseillais groupés autour de Simon Sabiani et de son Parti d'action socialiste, passé en bloc au PPF dès juillet 1936. Considéré cependant à l'échelle nationale, le parti de Doriot mordra peu, en dépit de son caractère plébéien affirmé, sur la masse ouvrière et il éprouvera les plus grandes difficultés à prendre pied dans les entreprises, comme l'auraient souhaité ses bailleurs de fonds. Les statistiques publiées dans *L'Émancipation nationale* au lendemain du deuxième congrès – en mars 1938 – révèlent d'ailleurs qu'à cette date la sociologie du parti s'est sensiblement modifiée : la proportion des ouvriers est tombée à 37 % (soit une différence de 12 points avec le congrès précédent), celle des représentants des classes moyennes est passée de 43 % à 58 % [124]. Le véritable « parti passoire » qu'est alors devenu le PPF se rapproche donc de la physionomie classique des grandes formations fascistes européennes : PNF et NSDAP.

On pourrait disserter à n'en plus finir sur le degré de fascisme « au sens platonicien du terme » qu'a comporté le parti de Jacques Doriot. Cela ne présenterait guère plus d'intérêt que le même exercice appliqué aux modèles italien et allemand. A partir du moment où l'on se réfère à une définition impliquant non seulement des critères idéologiques, mais un certain type de structure et de pratique, on peut considérer que le PPF a été – avec ses traits propres qui sont le reflet de la spécificité hexagonale – un authentique mouvement *fasciste* : même si Doriot et la plupart de ses lieutenants en répudient l'étiquette jusqu'à la guerre, même si son fascisme ne naît pas spontanément d'une situation de détresse comme son homologue italien mais se trouve en partie télécommandé par certaines fractions de la classe dirigeante.

Fasciste, le PPF l'est d'abord dans son comportement. Certes, l'ancien antimilitariste de choc qu'a été Jacques Doriot ne le prédispose pas à faire de son parti une formation paramilitaire. Choix personnel, mais aussi perception réaliste de la nature de sa clientèle.

---

123. Selon Jean-André Vaucoret, *Un homme politique contesté, Simon Sabiani (Biographie)*, thèse de IIIᵉ cycle, univ. de Provence, 1978, ex. dactyl., p. 413,
 124. *L'Émancipation nationale*, 12-3-1938.

171

La culture communiste du noyau dur de ses militants se serait sans doute difficilement accommodée d'un alignement vestimentaire et gestuel sur des modèles étrangers ou nationaux longtemps considérés comme le mal absolu. On renonce donc à faire porter l'uniforme aux fidèles et l'on s'interdit – le règlement du parti le dit encore clairement en 1938 [125] – de faire sortir le service d'ordre du mouvement de sa vocation originelle. Très vite cependant, le PPF va emprunter au fascisme, outre la violence de ses méthodes, qui n'a pas besoin de chemise de couleur pour s'exprimer dans la rue et dans les meetings (il est vrai que les communistes avaient en général pris l'initiative en sabotant dès l'été 1934 les réunions du maire de Saint-Denis), le cérémonial et la liturgie auxquels les ligues – comme la plupart des formations nationalistes européennes de l'époque – ont eu elles-mêmes abondamment recours. Entrent ainsi dans la pratique du mouvement la remise des fanions aux sections, le salut que l'on cherche naïvement à démarquer du modèle « romain » [126], l'insigne (« une stylisation de la francisque gallique, se rapprochant du graphisme de la croix celtique ») [127], le drapeau (celui de la fête de la Fédération de 1790), l'hymne (« Libère-toi! France, libère-toi! »), composé par un métallo et par un employé de banque dionysiens [128], le cri de ralliement (« En avant, Jacques Doriot »), le serment de fidélité prêté au parti et à son chef [129], enfin à partir de 1938 l'appel aux morts, repris du rituel fasciste, nazi et phalangiste, pour honorer les « martyrs » de la cause (plusieurs militants du PPF avaient été tués lors d'affrontements avec les communistes).

L'idéologie relève également de la catégorie des *fascismes*. Il s'agit

125. « Le service d'ordre ne doit, en aucune façon, être considéré comme une organisation paramilitaire ou comme une troupe de choc; il n'existe et ne doit rien exister de semblable au PPF. » Cité par Ph. Burrin, *Le Fascisme satellite, op. cit.*, p. 395.
126. « La main droite bien ouverte, les doigts joints, légèrement inclinés en avant au niveau de la figure, le geste, enfin, d'un officier, qui fait signe à ses soldats d'avancer derrière lui. » Cf. R. Millet, *Doriot et ses compagnons*, Paris, Plon, 1937. Ce geste compliqué ne fut guère reproduit que sur les photos destinées à la propagande et à l'édification des militants. Tout naturellement, les foules lui préférèrent le salut fasciste.
127. Victor Barthélemy, *Du communisme au fascisme. L'histoire d'un engagement politique*, Paris, Albin Michel, 1978, p. 111.
128. A. Henry et A. Fontaine. L'historien allemand Dieter Wolf qualifie cet hymne de « mauvaise copie de *La Marseillaise* », *op. cit.*, p. 194.
129. « Au nom du peuple et de la patrie, je jure fidélité et dévouement au Parti populaire français, à son idéal, à son chef. Je jure de consacrer toutes mes forces à la lutte contre le communisme et l'égoïsme social. Je jure de servir jusqu'au sacrifice suprême la cause de la révolution nationale et populaire d'où sortira une France nouvelle, libre et indépendante. »

172

toutefois d'un fascisme seconde manière, déjà dépouillé de ses aspects les plus révolutionnaires. Ce qui domine en effet c'est l'anticommunisme – un anticommunisme revanchard, plus violemment hostile encore à Staline qu'à Thorez – et l'antiparlementarisme. Certes, Doriot ne manque pas de fustiger le capitalisme et ses excès, mais le programme économique et social, élaboré par Robert Loustau, ne s'aventure pas très loin dans la voie du socialisme national. Il n'envisage en aucune façon d'étatiser les entreprises, ni de porter atteinte à la propriété privée et au libre profit, dans la mesure où ce dernier reste dans des limites « morales ». Les fondements mêmes du capitalisme se trouvant ainsi épargnés, il ne reste plus que les voies étroites du réformisme corporatiste. Doriot se réclame donc d'une charte du travail d'inspiration mussolinienne, tandis que Marion se préoccupe d'organiser les loisirs des masses sur le modèle du *Dopolavoro*. Un peu plus originales peut-être sont les conceptions « technocratiques » du chef du PPF. Elles visent à une gestion plus rationnelle des entreprises, substituant à l'anonymat du capital – préoccupé de rentabilité immédiate donc crispé sur le court terme – l'association des patrons et des travailleurs, tant au niveau des responsabilités que de la répartition des bénéfices. Le principe d'autorité n'est en aucune façon remis en cause. Bien au contraire le PPF se prononce pour le renforcement des hiérarchies. Mais il estime en même temps que les techniciens et les cadres de l'entreprise pourraient disposer d'un pouvoir d'intervention dans la désignation de son responsable. « L'ordre nouveau, explique Loustau, sera l'ordre des cadres, leur victoire sera la victoire de l'intelligence et du courage sur la tyrannie du nombre et celle de l'argent [130]. »

S'agissant des institutions dont le chef du PPF voudrait doter la France, ce sont celles d'un État « populaire » et décentralisé. République plébiscitaire trouvant en elle-même la force de se régénérer, ou dictature imposée à l'occasion d'une grande crise nationale, ce n'est pas tellement la nature du pouvoir central qui retient son attention mais bien davantage les structures profondes de l'État-nation : la famille, la corporation, la commune et surtout la région, ou plutôt la « province » qui est en France le cadre naturel de la vie politique, économique et sociale. Ici, on le voit, le « fascisme » de Doriot trouve ses limites qui sont celles de la tradition et la construction qu'il appelle de ses vœux n'est pas sans rapport avec les vues maurrassiennes et avec la culture du nationalisme français. Déjà par ce biais, le PPF revêt un caractère traditionaliste, qui va peu à

130. *L'Émancipation nationale*, 26-11-1937.

173

peu s'accentuer au fil des ans. En associant à son tour le culte de Jeanne d'Arc à celui des communards [131], en évoquant la « terre » et les « morts », en se prononçant pour la renaissance d'une paysannerie forte, Doriot ne renouait-il pas avec le discours barrésien?

Projet réactionnaire par conséquent, mais aussi projet totalitaire : projet de remodelage du corps social à l'image du PPF, parti-société appelé à refaire, comme le dit Marion, « le corps et l'esprit de la France ». Comme ses homologues italien et allemand, le fascisme doriotiste rêve de forger un « homme nouveau » dont les signes caractéristiques seront « le goût du risque, la confiance en soi, le sens du groupe, le goût des élans collectifs et le souvenir des fois unanimes qui ont permis les cathédrales et les miracles français [132] ». Le « miracle » est français mais le ton et le contenu du discours sont calqués sur ceux des inspirateurs étrangers. On croirait entendre un Starace vantant les mérites de la « coutume fasciste ». Ce n'est pas le simple effet du hasard, ou plutôt de la coïncidence des projets. Doriot et ses lieutenants ne cachent pas leur admiration pour les totalitarismes voisins. Phénomène très répandu à l'époque mais qui, au PPF, ne se limite pas aux éloges verbaux. Par son rituel, par ses pratiques, par le mysticisme qui anime les plus fervents de ses militants, par les rapports qu'elle entretient avec les grands mouvements fascistes européens (le NSDAP et le PNF, mais aussi la Phalange espagnole), la formation doriotiste dit clairement, en pleine veillée d'armes, sa volonté d'occuper une place dans l' « Europe nouvelle », c'est-à-dire dans une Europe dominée par les puissances de l'Axe. D'entrée de jeu, elle accepte donc sa satellisation et c'est probablement là que réside la principale contradiction du fascisme de Doriot et plus généralement celle du fascisme français : un fascisme qui pratique le discours musclé mais pas le discours de guerre, qui exalte les vertus viriles et la vie dangereuse, mais fait profession de pacifisme, qui rêve comme Jouvenel [133] d'une « nouvelle aristocratie » imposant sa loi aux « pantouflards » et aux « ruminants », mais qui déjà a accepté sa position de vassal dans la hiérarchie conçue par le Führer.

Le reste est beaucoup moins contradictoire. Beaucoup de réaction et un peu de révolution, une volonté de modernité coexistant avec un

131. « Le Parti populaire français, écrit Paul Marion, est la seule formation politique qui, en plein accord avec sa doctrine et ses desseins ait, à quelques jours d'intervalle, déposé deux couronnes, l'une au pied de la statue de Jeanne d'Arc, l'autre au mur des Fédérés », L'Émancipation nationale, 5-6-1937.

132. Paul Marion, Programme du Parti populaire français, Paris, Les Œuvres nationales, 1938, p. 99.

133. Bertrand de Jouvenel, L'Émancipation nationale, 16-1-1937.

174

discours et une pratique ruralistes, le culte des traditions et le souci de fonder une nouvelle élite, le rejet du « capitalisme » dans le respect du capital, le syncrétisme appliqué à l'histoire de la nation (ici Jeanne d'Arc et les communards, ailleurs Garibaldi et l'empereur Auguste), tout cela on le retrouve dans le fascisme mussolinien, trop souvent considéré chez nous comme un modèle homogène alors qu'il est, dès l'origine et plus encore après son arrivée au pouvoir, traversé de courants contraires entre lesquels son fondateur navigue au gré des vents dominants.

Ceux qui soufflent sur la France de l'immédiat avant-guerre vont incliner Doriot dans le sens du ralliement aux positions de l'extrême droite classique. A partir de 1937, il se rend compte que l'anticléricalisme de son mouvement lui ôte toute possibilité de mordre sérieusement sur la clientèle bourgeoise que convoite ce parti « attrape-tout », et il amorce un virage retentissant en direction des catholiques. « Rappelez-vous, s'écrie alors Drieu – au demeurant aussi peu religieux que Doriot –, que vous êtes le peuple qui a donné à l'Europe ses cathédrales, ces puissants monuments de l'élan collectif, de la foi unanime [134]. » Les colonnes de *L'Émancipation nationale* se font accueillantes aux écrits de purs réactionnaires comme Gaxotte [135] et Doriot lui-même ne répugne pas à figurer à la même tribune que Maurras [136]. Enfin le PPF qui, au début, n'avait rien de spécifiquement raciste, s'oriente à partir de 1938 – sous le triple effet de son glissement à droite, de son alignement sur le totalitarisme brun et des pressions exercées par la branche algérienne du mouvement [137] – vers des positions de plus en plus résolument antisémites.

Cette évolution s'explique par le désir qu'a Doriot de rassembler autour de lui toutes les forces anticommunistes et tous les adversaires du Front populaire. C'est dans cette perspective qu'il tente après les événements de Clichy, en mars 1937 – à l'issue d'une soirée récréative donnée dans cette localité, une contre-manifestation de gauche avait tourné à l'émeute, faisant 7 morts et plus de 300 blessés – de prendre la tête d'un « Front de la Liberté » englobant son propre parti, celui de La Rocque et d'autres formations de la droite

---

134. *L'Émancipation nationale*, 13-8-1937.
135. A l'occasion notamment du tricentenaire de la naissance de Louis XIV. Cf. Ph. Burrin, *Le Fascisme satellite, op. cit.*, p. 406.
136. *Ibid.*
137. Lors du IIᵉ congrès du PPF d'Afrique du Nord, en novembre 1938, Victor Arrighi devait déclarer : « En Algérie, il faut abroger le décret Crémieux et replacer les Juifs dans la nation étrangère qui est la leur. Il faut dans la métropole réviser les naturalisations d'après-guerre. »

nationale. Le PSF ayant refusé de s'associer à cette entreprise – n'y adhèrent que le Parti républicain national et social de Taittinger (qui a remplacé les JP après leur dissolution en juin 1936) et la très respectable Fédération républicaine de Louis Marin, dont le groupe parlementaire réunit 57 députés, ainsi que quelques personnalités comme Xavier Vallat, Philippe Henriot et Jean-Louis Tixier-Vignancour – le Front de la Liberté sera un échec. La tentative aura néanmoins eu pour effet d'accentuer les tendances « bourgeoises » du PPF et de lui enlever de ce fait son originalité en même temps qu'une partie de son audience.

Le virage opportuniste du Parti populaire français aboutit donc à un résultat opposé à celui qu'avait escompté son leader. Sur le terrain où il s'est placé, celui d'un anticommunisme de choc acceptant de jouer le jeu parlementaire afin de rassembler l'électorat des droites sur des positions ultra-conservatrices, il n'y a de place que pour un seul mouvement et c'est celui du colonel de La Rocque qui a alors le vent en poupe. En cherchant à ratisser large et à se rallier une clientèle bourgeoise, Doriot a pris le risque d'éloigner de lui ceux qui avaient cru trouver dans le PPF l'expression d'un fascisme à la française répondant à leurs espérances « révolutionnaires » – c'était le cas d'un Drieu La Rochelle et de la plupart des intellectuels venus au PPF lors de sa phrase ascendante –, et aussi de se couper de sa clientèle populaire. L'élection de Saint-Denis, consécutive à la destitution de Doriot par le ministre de l'Intérieur Marx Dormoy, marque dès juin 1937 l'amorce d'un reflux dans son propre bastion – il obtient en effet moins de 38 % des suffrages –, verdict confirmé en août lors des législatives partielles. Doriot ayant démissionné de son siège de député et confié à Yves Malo, secrétaire de la section de Saint-Denis du PPF, le soin de reprendre le flambeau, assiste à une véritable déroute de ses troupes dans le lieu même où son mouvement avait pris naissance, et ceci au profit du communiste Fernand Grenier, élu avec 54 % des voix contre moins de 26 % au candidat du PPF.

Deux faits vont, dans le courant de l'année 1938, entraîner le rapide déclin du mouvement doriotiste. D'une part, l'effritement de la coalition de Front populaire, qui éloigne le « danger communiste » et incite les grands intérêts à se montrer moins prodigues de leurs fonds. L'arrivée au pouvoir de Daladier, l'échec retentissant de la grève générale du 30 novembre 1938, l'installation en France d'une sorte de climat d'union sacrée motivée par la montée des périls extérieurs, tout cela joue contre une formation politique qui demeure hésitante entre la voie du radicalisme subversif et celle du ralliement

176

aux institutions, largement tenue par le Parti social français. D'autre part, le maintien d'une ligne défaitiste, déjà critiquée par certains dirigeants au moment de Munich – Bertrand de Jouvenel rompt à cette date avec le PPF, Pucheu en reste membre mais attaque sans ménagement le chef au sein même du Bureau politique –, devient de plus en plus difficile à tenir à partir du moment où se précisent la volonté agressive d'Hitler et les revendications territoriales de l'Italie.

Dès la fin de 1938, la direction du PPF se trouve en pleine crise. Au cours des semaines suivantes, les critiques se font de plus en plus vives à l'encontre de Doriot qui ne rassemble plus autour de lui que les « défaitistes » inconditionnels, des hommes comme Henri Lèbre et Claude Jeantet, et les vieux compagnons de Saint-Denis venus avec lui du PC lors de la scission de 1934-1935. Les autres, les anciens Volontaires nationaux rassemblés autour de Pucheu (Maudhuy, Loustau, Paringaux, etc.) et les « non-conformistes » de gauche ralliés également en 1936, les Marion, Arrighi, Drieu, etc., engagent avec le leader du PPF une guérilla intérieure qui s'achèvera par la démission des contestataires. Ceux-ci, principalement Pucheu, Marion et Arrighi reprochent à la fois à Doriot ses méthodes de commandement (tenant davantage de celles du vieux routier de la politique partisane que du leader charismatique dont ils avaient rêvé de faire un dictateur), le caractère de plus en plus dissolu de sa vie privée et surtout la dérive opportuniste de son mouvement et son alignement sur les positions des ennemis de la France. Qu'après les manifestations tapageuses des députés italiens, accueillant Ciano aux cris de « Tunisie! Djibouti! Corse! [138] », le parti de Doriot puisse encore accepter d'émarger aux fonds secrets du Minculpop et militer en faveur d'un rapprochement avec Rome, voilà qui choque profondément tous ceux qui dans le PPF font passer l'option ultra-nationaliste avant le pacifisme à tout crin. De même que la mollesse dont font preuve Doriot et ses amis à l'égard de l'hitlérisme et de ses visées agressives : du moins jusqu'au printemps 1939.

Non que les « pacifistes » de la veille soient du jour au lendemain devenus « bellicistes ». Dans une lettre datée du 19 janvier 1939, Marion récuse à la fois le « parti de la paix à tout prix » et le « parti de la guerre [139] » et, parmi les dissidents de 1939, nombreux sont ceux que l'on retrouvera à Vichy, partisans – au moins pendant quelque

---

138. A la suite de cette manifestation de toute évidence télécommandée par le pouvoir, les journaux fascistes ajoutèrent, pour faire bon poids, Nice et la Savoie.

139. Cité par Philippe Burrin, *op. cit.*, p. 425.

177

temps – de la collaboration avec l'Allemagne. Certes, le PPF, comme dans son ensemble le fascisme français, a souffert de la contradiction fondamentale qu'il y avait à se réclamer à la fois de la mystique totalitaire (largement fondée sur l'idée d'une régénération de la race par la guerre) et du défaitisme pacifiste, du culte de la nation et de l'alignement plus ou moins explicite sur la politique étrangère de l'Axe. Au niveau des dirigeants, il ne faut cependant pas exagérer le poids de ce déchirement. Dès cette époque, l'anticommunisme et l'antisoviétisme tiennent lieu de drapeau à certains d'entre eux, devenant l'épicentre d'une pensée qui subordonne la nation à la croisade contre le bolchevisme. Plus fondamental est le constat de la faillite du doriotisme, en tant que force politique susceptible de mobiliser les masses et en tant que forme spécifique d'un fascisme français distinct de l'ultra-droite réactionnaire et traditionaliste. C'est à bien des égards parce qu'ils considèrent que le PPF n'a plus d'avenir que nombre de ses représentants les plus en vue quittent le navire à la veille du naufrage, entre novembre 1938 et les premières semaines de 1939.

Privé de ses intellectuels et d'une partie de son état-major, abandonné par tous ceux qui avaient cru que Doriot pouvait devenir un Mussolini français – et non un Français mussolinien –, peu à peu coupé des masses dans lesquelles il avait commencé à prendre racine, le PPF ne représente plus à la veille de la guerre qu'une force marginale, de plus en plus nettement alignée sur l'extrême droite traditionaliste. Lorsqu'il effectue un pèlerinage à Lourdes en juin 1939, lorsque, s'adressant quelques semaines plus tôt aux jeunes du PPF réunis en congrès à Marseille, Doriot leur parle de respect de la foi, de l'autorité et de la famille, lorsqu'il dénonce les instituteurs subversifs et les « métèques » envahisseurs, ce n'est déjà plus la voix d'un chef *fasciste* qui s'adresse aux légions clairsemées de ses fidèles, mais celle d'un rallié à la cause de l'ultra-conservatisme. Le geste, le rituel, l'inspiration totalitaire restent tributaires des élans fascistes de la première heure, mais le discours et au fond le projet sont devenus ceux de la droite réactionnaire et traditionaliste, décidément appelée à occuper – ou à reconquérir – dans notre pays, et dans ce secteur de l'opinion, une position hégémonique.

178

Dérives fascisantes de la gauche rénovatrice

A côté de l'authentique formation fasciste de masse qu'a constitué le Parti populaire français de Jacques Doriot et des divers groupuscules d'extrême droite se réclamant ouvertement de la même famille politique que les totalitarismes mussolinien ou hitlérien, la France a connu dans le courant des années trente un « phénomène d'imprégnation fasciste » qui dépasse singulièrement les limites que lui assigne Raoul Girardet dans son article pionnier de 1955 [140].

Cette sensibilité fasciste ou fascisante, qui est l'une des caractéristiques majeures – mais pas la seule – de ce que Jean Touchard a appelé l' « esprit des années trente [141], a affecté la société française dans toutes ses dimensions et si le *fascisme* proprement dit, en tant que phénomène de masse pouvant sérieusement aspirer à la conquête du pouvoir, n'est en rien comparable à ses homologues italien et allemand, si la France au contraire a été globalement imperméable à la tentation totalitaire – pour des raisons sur lesquelles nous aurons l'occasion de revenir –, cela ne veut pas dire que les emprunts faits à l'idéologie, à la mystique ou à la pratique du fascisme soient circonscrits aux formations politiques que nous avons fait entrer dans la catégorie des fascismes.

Cela dit, il ne faut pas confondre le fascisme et l'air du temps. Nous l'avons déjà constaté à propos des ligues et des organisations d'anciens combattants. Le goût de l'uniforme et du défilé militaire, la nostalgie des fraternités viriles, l'esprit de « bande », la rhétorique antiparlementaire et antiploutocratique reproduisant le discours contre l' « arrière », le mépris du professionnalisme politicien, etc., tout cela est tributaire de la guerre autant et davantage que de l'imitation du fascisme, lequel se nourrit lui-même de la mystique combattante et de ses retombées dans le champ politique. Le traumatisme produit par le premier conflit mondial, le sentiment de l'irréversibilité des mutations qu'il a entraînées, la prise de conscience de l'impossibilité qu'il y a à appliquer à cette situation nouvelle des solutions classiques suscitent, dans toutes les familles politiques, une profonde remise en question des constructions idéologiques et institutionnelles façonnées par le XIXᵉ siècle.

« Ce qui est frappant, écrit Serge Berstein, c'est la concomitance

140. R. Girardet, « Notes sur l'esprit d'un fascisme français », *op. cit.*
141. J. Touchard, « L'Esprit des années trente », *op. cit.*

des thèmes proposés par ces courants, au-delà de quelques nuances, qui révèle un diagnostic identique sur la crise de la démocratie libérale et les moyens d'y parer : volonté de renforcer l'exécutif pour pallier la faiblesse du système parlementaire, nécessité d'une économie organisée ou dirigée sous le contrôle de l'État, exigence d'une organisation sociale sur une base corporatiste qui permette de réaliser un consensus national mettant fin aux déchirements des classes, doctrine internationale de pacifisme par l'organisation d'une Europe dont la clé de voûte serait l'entente franco-allemande [142]. »

Et il a raison de souligner ce point essentiel : le fascisme n'est qu'un élément de ce puissant courant rénovateur. Il puise sa sève aux mêmes sources. Il emprunte des idées et des solutions à une nébuleuse qui le dépasse et qui est celle des idéologies de troisième voie [143]. Celles-ci, nous l'avons vu, ne sont pas nées avec la guerre, mais la guerre leur a apporté de nouveaux matériaux et leur a donné un second souffle. Que le fascisme ait avec nombre d'entre elles des points communs, cela n'a rien de surprenant. Que par son dynamisme et sa « réussite » il soit parvenu à capter certains de ces courants, à les faire entrer comme le dit Philippe Burrin dans son « champ d'attraction [144] », et à partir de là à les dévoyer, cela ne signifie ni que la captation a été achevée, ni qu'elle s'est exercée sur l'ensemble du courant, ni surtout qu'elle a obéi à une sorte de prédestination. On ne peut, comme le fait Sternhell, conclure qu'à partir de choix originels puisés à une même source, tel individu ou tel groupe aient été de manière irréversible condamnés à devenir fascistes (le Déat collaborateur de l'Occupation déjà présent en quelque sorte dans le dissident socialiste de 1933), et pas davantage confondre la partie et le tout en baptisant « fasciste » toute personnalité dont le discours coïncide sur un certain nombre de points avec l'idéologie de la droite totalitaire, même si, sur d'autres points – parfois fondamentaux – le désaccord est total.

Ces remarques préalables étant faites, on peut dire de l' « esprit des années trente » qu'il a commencé à souffler avant la coupure chronologique qui est censée le définir – vraisemblablement aux alentours de 1926-1927 –, ce qui indique que la volonté de rupture et de rénovation est davantage liée à la guerre qu'à la crise, et que d'autre part il a soufflé avec une égale intensité sur l'ensemble du paysage politique français : à gauche comme à droite.

142. S. Berstein, « La France des années trente allergique au fascisme », *Vingtième siècle*, nº 2, avril 1984, *op. cit.*, p. 88.
143. *Ibid.*
144. Ph. Burrin, « La France dans le champ magnétique des fascismes », *Le Débat*, nº 32, novembre 1984, p. 52-72.

180

A gauche, l'intérêt que portent au fascisme un certain nombre de dirigeants radicaux et de personnalités proches du radicalisme, ainsi que tout un courant rénovateur du socialisme démocratique opérant au sein de la SFIO, s'inscrit d'entrée de jeu dans une perspective de défense de la démocratie. Joue ici un réflexe analogue à celui qui a conduit Doriot à la dissidence, à savoir qu'il faut pour vaincre le fascisme lutter sur *son* terrain, en utilisant les mêmes armes que lui et en cherchant à capter sa clientèle petite-bourgeoise. Il ne s'agit évidemment pas de s'aligner sur les objectifs des totalitarismes mussolinien, puis hitlérien, mais de s'inspirer des éléments qui leur assurent dynamisme et efficacité pour remuscler la démocratie décadente et la république embourgeoisée.

Dès 1927-1928, au moment précis notons-le où le régime mussolinien tend à la fois à se radicaliser en tant que dictature et à s'éloigner de ses objectifs originels, on observe ainsi au sein de la famille radicale, plus précisément dans la mouvance des « Jeunes-Turcs », une tendance à s'inspirer ainsi non du contenu du fascisme, mais de ses méthodes et de son « style ». On se souvient de la campagne menée à cette date par Dubarry dans *La Volonté*, en vue de la création d'un parti nouveau, et du dialogue engagé à cette occasion avec *Le Nouveau Siècle* de Valois. L'un des premiers à répondre à Dubarry avait été l'ancien syndicaliste révolutionnaire Charles Albert, rallié à l'Union sacrée au moment de la guerre et plus tard au néo-socialisme de Déat, mais alors très proche des rénovateurs du parti radical. « Pourquoi pas un fascisme de gauche ? » s'interrogeait Charles Albert, et il précisait en ces termes cette insolite question :

« Le fascisme n'est pas une doctrine politique, il ne préconise pas une forme définie d'organisation sociale. C'est à proprement parler une méthode d'action, une discipline, une conception particulière de l'intervention des citoyens dans la vie publique. De ce que ces moyens et cette discipline d'action ont été utilisés jusqu'ici pour des fins réactionnaires... faut-il en conclure qu'ils ne pourraient l'être pour d'autres fins ? Est-ce à dire que, formés et conduits par des hommes d'un autre tempérament, d'une autre mentalité, d'une autre race en un mot, des groupes d'action directe analogues aux faisceaux italiens ne pourraient pas accomplir une besogne de redressement national sans offenser l'humanité et violer les Droits de l'homme [145] ? »

145. *La Volonté*, 13-5-1927. Cité in S. Berstein, *Histoire du parti radical*, Paris, Presses de la Fondation nationale des sciences politiques, t. 2 – *Le Temps des crises et des mutations, 1926-1939*, 1982, p. 119.

Et de proposer dans la foulée un plan de réforme de l'État associant à un pouvoir fort, d'inspiration jacobine, une organisation de l'économie et de la société sur un modèle corporatif : les deux ingrédients majeurs de toutes les dissidences de gauche visant jusqu'à la veille de la guerre à la rénovation nationale et à la régénération d'une république parlementaire inadaptée aux temps modernes. Dans la même veine et dans la même mouvance, et dans une perspective encore plus nettement activiste que celle de Charles Albert, s'inscrit le projet d'un autre représentant des « Jeunes Équipes », le journaliste Pierre Dominique, rédacteur à *La République* et au *Rappel*, lui aussi contempteur de l'embourgeoisement de la démocratie française face au dynamisme des totalitarismes noir et rouge. Lors du débat lancé par Dubarry, Dominique s'était prononcé pour un « futurisme français, mobile et dynamique [146] ». L'année suivante, il publie coup sur coup deux ouvrages : *Les Fils de la louve* et *La Révolution créatrice* (ce dernier édité chez Valois), dans lesquels il proclame à la fois son hostilité envers la dictature mussolinienne, jugée par lui réactionnaire et belliqueuse, et la nécessité dans laquelle se trouve la France de s'inspirer pour survivre de sa « méthode révolutionnaire », de la « forme nationale de syndicalisme » qui lui a permis d'intégrer les masses et même de sa « philosophie de la violence [147] ». Tout en se réclamant sans complexe de la tradition radicale, trahie par le parti, il appelle de ses vœux une « révolution » visant à rendre à la République son énergie et son pouvoir d'attraction sur la jeunesse. L'objectif à court terme de cette révolution? L'abandon catégorique de la démocratie parlementaire [148]. Son instrument? Le parti radical, mais un parti radical lui-même régénéré par les « Jeunes Équipes » et transformé en un parti d'avant-garde, en une cohorte enthousiaste de moines jacobins ne reculant ni devant l'impératif de la lutte révolutionnaire, ni devant la perspective d'une dictature de salut public.

Fasciste le Pierre Dominique de 1928? D'une certaine manière oui : si le fascisme pouvait être réduit à sa matrice gauchiste, un mélange de jacobinisme blanquiste et de syndicalisme révolutionnaire d'inspiration sorélienne. Or, répétons-le, à aucun moment, y compris en ses commencements, le fascisme ne saurait être confondu avec l'une de ses composantes. Beaucoup plus qu'à l'activisme des

146. *Le Rappel*, 31-5-1927

147. Cf. S. Berstein, *Histoire du parti radical*, t. 2, *op. cit.*, p. 120. Les termes cités sont tirés de l'ouvrage de P. Dominique : *Les Fils de la louve*, Paris, Éditions de France, 1928, p. 93.

148. S. Berstein, *op. cit.*, p. 121.

182

premières troupes mussoliniennes, la démarche d'un Pierre Dominique fait songer à celle de la gauche boulangiste, elle aussi venue du radicalisme intransigeant, déçue par l'immobilisme de la république parlementaire et attirée par un projet plébiscitaire qui n'est que la résurgence d'une certaine forme de jacobinisme. Tout cela mis au goût du jour et intégrant des éléments formels empruntés certes au modèle transalpin mais aussi à la conception bolchevique de la révolution et de la dictature (provisoire) du parti. Certes, on retrouve par la suite l'auteur de *La Révolution créatrice* et son journal *La République* (qui recevra des subsides du gouvernement de Rome) [149], à la droite du parti radical, adversaire de la coalition de front populaire, « munichois » avant la lettre, antisémite à la veille de la guerre [150] et en fin de compte directeur du service de presse de Vichy : un parcours classique chez un certain nombre de radicaux et qui ne passe ni par la dissidence proprement dite ni par l'adhésion au fascisme.

L'extension à l'Europe et à la France de la crise américaine, puis l'arrivée au pouvoir de Hitler devaient doublement peser sur l'évolution de certains représentants du radicalisme français. Jouent de façon croissante pour eux une répugnance de principe à l'égard du fascisme destructeur des libertés qui menace de submerger l'Europe et une incontestable fascination envers des régimes qui ont su réaliser l'unité de la nation, promouvoir une nouvelle élite (non fondée sur l'argent) et trouver une voie originale entre l'anarchie économique libérale et le totalitarisme bureaucratique soviétique. A l'origine de toutes les dissidences et de toutes les dérives, on retrouve toujours la même idée : face au dynamisme des dictatures, la démocratie française ne peut survivre qu'en adoptant certaines de leurs méthodes, en corrigeant elle-même ses tares les plus criantes – l'immobilisme parlementaire, l'égoïsme des groupes sociaux antagonistes, les déchirements internes, etc. – et en adoptant à leur égard une attitude de conciliation. A partir de là, les trajectoires divergent et sont loin d'aboutir, dans la plupart des cas, à un alignement sur les régimes fascistes. Sur deux points fondamentaux, le projet de la gauche dissidente s'oppose en effet à ces derniers : le totalitarisme qui constitue l'un des traits majeurs du fascisme-régime et l'adoption d'une politique extérieure belliqueuse.

Tels sont les éléments qui motivent par exemple l'évolution d'un

---

149. M. Gallo, *Contribution à l'étude des méthodes et des résultats de la propagande fasciste dans l'immédiat avant-guerre (1930-1940)*, Nice, 1968, thèse dactyl., t. II, p. 176 et doc. 52, t. IV, p. 428.
150. Cf. ses articles dans *La République* des 3 et 4 octobre 1938.

183

Jules Romains, d'un Alfred Fabre-Luce et d'un Bertrand de Jouvenel, trois personnalités issues de la mouvance radicale et pour lesquelles le salut de la France passe par la nécessité de se mettre partiellement « à l'école » des réalisations mussoliniennes et hitlériennes. Partant de l'idée d'un nécessaire rapprochement avec l'Allemagne, condition indispensable au maintien de la paix – et comme beaucoup d'autres « dissidents » inconsciemment manipulé par les services de la propagande nazie (via le Comité France-Allemagne) – le premier appelle de ses vœux, au nom des idéaux ressuscités de la Révolution française, « une démocratie hiérarchisée, selon d'autres lois que celle de l'argent [151] » : ce que seul le fascisme a su réaliser depuis le grand bouleversement de 1789. Fondateur, en février 1933, de l'éphémère revue *Pamphlet*, à laquelle collabore Pierre Dominique et dont les sympathies vont plutôt à l'Italie, le second estime (comme tant d'autres!) que sans être directement « exportable », l'expérience mussolinienne peut apporter à la France des « enseignements profitables [152] », en matière notamment de corporatisme et de restauration de l'autorité.

L'un et l'autre seront à l'origine du « Plan du 9 juillet », élaboré au printemps 1934 dans une perspective de rénovation institutionnelle et de rassemblement national et auquel adhéreront des personnalités de tendances aussi diverses que Marion, Bertrand de Maudhuy, Jean Coutrot (pour le groupe des technocrates de X-Crise), Armand Hoog (pour la Jeune République), Roger de Saivre (pour les Jeunesses patriotes) et de jeunes radicaux de stricte obédience comme Jacques Kayser et Pierre Mendès France. Véritable auberge espagnole où chacun était censé trouver son compte, ou à peu près [153], le rassemblement du 9 juillet n'avait que deux dénominateurs communs : l'idée d'une nécessaire conciliation avec l'Allemagne révisionniste et surtout la volonté de promouvoir, dans le sens du renforcement de l'exécutif, une réforme constitutionnelle. Rien de très spécifiquement fasciste on le voit dans ce programme d'ailleurs très vite abandonné. Rien non plus qui en fasse une antichambre du fascisme. En 1936, on retrouve Fabre-Luce dans la mouvance doriotiste, en compagnie de Jouvenel, tandis que l'auteur des *Hommes de bonne volonté* donne son adhésion au Front populaire,

151. J. Romains, *Problèmes européens*, Paris, Flammarion, 1933, p. 182.
152. A. Fabre-Luce, « Le Fascisme est-il exportable », *Pamphlet*, 19-1-1934. Cité in Ph. Burrin, *Le Fascisme satellite, op. cit.*, p. 73.
153. « L'aspiration à un renforcement de l'exécutif était générale, mais l'on divergeait sur le reste », écrira Fabre-Luce dans ses mémoires. *Vingt-cinq ans de liberté*, t. I – *Le Grand Jeu (1936-1939)*, p. 154.

184

dans le sillage de Daladier qui incarne à ses yeux le renouveau du radicalisme jacobin et qu'il suivra en 1938 sur la voie de l'union nationale.

Une même préoccupation de régénération du régime et de retour aux sources jacobines du radicalisme motive au départ la démarche de Bertrand de Jouvenel. Pour ce grand bourgeois venu au parti radical en 1925 et devenu l'une des têtes pensantes du mouvement Jeune-Turc, la politique de réconciliation avec l'Allemagne a été l'une des constantes de son engagement, de même que le souci de rendre à la formation valoisienne le dynamisme qui avait fait d'elle jusqu'au premier conflit mondial le pôle d'attraction de la démocratie française. C'est parce qu'elle a à ses yeux failli à cette mission et perdu son audience auprès de la jeunesse qu'après avoir tenté, comme beaucoup d'autres représentants de sa génération (il est né en 1903), de la réformer de l'intérieur, il rompt avec elle en 1934 pour fonder une petite revue dont l'existence sera également très brève : *La Lutte des jeunes*. Il y accueille tout ce que le « non-conformisme » du temps comportait d'esprits enclins – à gauche comme à droite – à rechercher des solutions susceptibles de donner à la France plus de cohésion et de poids dans la vie internationale. Jouvenel s'y prononce lui-même en faveur d'un exécutif fort substituant à la pâle institution présidentielle l'action d'un « Premier ministre chef de l'État nommé pour deux ans et assisté par une petite équipe de ministres techniciens et remplaçant la Chambre des députés par un " Conseil des Corporations " [154] ». Il dénonce le « pouvoir de l'argent » et se déclare, comme beaucoup d'autres dissidents de la gauche, intéressé par le projet « planiste » du socialiste belge Henri de Man. Il manifeste donc un intérêt évident pour des formules que le fascisme a mises en pratique et il ne cache pas son souci de voir la France entretenir de bons rapports avec l'Italie et avec l'Allemagne (comme en témoignent la fameuse interview d'Hitler en février 1936 et les liens qu'il entretient avec le Comité France-Allemagne).

Entré au PPF parce qu'il a cru voir dans la formation doriotiste le grand parti de rassemblement et de rénovation qu'il appelait de ses vœux depuis sa rupture avec la radicalisme et après un bout de chemin fait avec les « néos » – il a été battu aux élections de 1936 sous cette étiquette –, Jouvenel va y jouer pendant deux ans un rôle important, donnant des articles à *La Liberté* et devenant rédacteur en chef de *L'Émancipation nationale*. Il développe dans ces deux

154. *La Lutte des jeunes*, 25-2-1934.

185

organes de la presse doriotiste une thématique fascisante peu éloignée de celle des principaux représentants de la droite « non conformiste » : culte de la force, nécessité de mettre fin à la décadence de la France, anticapitalisme et antiparlementarisme, dénonciation des hiérarchies traditionnelles auxquelles doit être substituée une nouvelle aristocratie, composée d'hommes d'action et fondée sur les « services présents rendus à la nation [155] ». Tout cela est présent dans le fascisme de stricte obédience mais aussi dans la plupart des projets de rassemblement national et de restauration de l'autorité, élaborés par les formations dissidentes de droite et de gauche. Il y manque pour que l'on puisse parler de *fascisme* le désir clairement exprimé d'éliminer la démocratie et l'acceptation du caractère totalitaire de la société fasciste. Sur ces deux points, à dire vrai essentiels, Jouvenel se refuse à franchir le pas au cours des deux années passées aux côtés de Doriot et surtout, à la différence de nombreux compagnons de route du fascisme français, il se range à l'automne 1938 dans le camp des antimunichois, ce qui l'amène à rompre avec le PPF.

Plus caractéristique encore de la dérive fascisante – non aboutie – du radicalisme rénovateur est la trajectoire de Gaston Bergery et de son mouvement « frontiste ». Ici cependant, comme chez Doriot et comme chez Déat, c'est la volonté d'opposer une barrière efficace aux entreprises du fascisme qui va conduire le vice-président du groupe parlementaire radical-socialiste à la Chambre non pas à la dissidence – il a quitté le parti au début de 1933 – mais à la recherche d'une formule politique visant à mobiliser la gauche contre le fascisme sur le terrain même où celle-ci pouvait marquer des points.

Entré au parti radical par la grande porte en 1923 [156], devenu l'année suivante chef de cabinet d'Herriot puis, en 1928, député de Mantes, cet avocat d'extraction bourgeoise avait occupé dans la formation valoisienne des positions d'extrême gauche, à la fois par conviction et par souci de se concilier les voix du PC qui l'avaient puissamment aidé à emporter au second tour son siège de parlementaire. Alignant ses votes à la Chambre sur ceux de la SFIO, collaborant à *Monde* de Barbusse, il jugeait timorés les projets rénovateurs des jeunes radicaux et opposait à leur conception déjà peu orthodoxe de dirigisme économique un programme de nationa-

155. B. de Jouvenel, *L'Émancipation nationale*, 16-1-1937. Article cité.
156. Secrétaire général adjoint interallié de la Commission des réparations, poste qu'il occupait depuis 1920, Bergery fut présenté en 1922 à Herriot, qui cherchait alors à rassembler des informations sur cette épineuse question et qui fut séduit par la personnalité et par les qualités d'expert du jeune avocat.

lisations qui lui avait valu d'être tenu par ses adversaires pour un « radical-bolchevik ». En politique étrangère, il prônait une attitude conciliatrice envers l'Allemagne, impliquant l'abandon des réparations et le désarmement contrôlé, et il pensait que cette marque de la bonne volonté française suffirait à tenir les nazis éloignés du pouvoir puis, une fois leur victoire consommée, à satisfaire les visées révisionnistes du Führer (il tenait ce dernier pour un pur démagogue et ne percevait pas la spécificité totalitaire du national-socialisme : en quoi il ne se différenciait guère de la majeure partie de la classe politique française!)

Révolutionnaire dans ses objectifs, Gaston Bergery était aussi, comme Pierre Dominique, un activiste par les moyens qu'il proposait de mettre en œuvre pour instituer une « Quatrième République » pure et dure : union à la base avec les socialistes, constitution d'un grand parti de la gauche rénovée dont les chefs ne seraient que les mandataires révocables, formation d'« équipes de combat » s'appuyant sur une majorité de citoyens mais capables le moment venu de s'emparer du pouvoir. Donc, une fois encore, un jacobinisme de choc, peu conforme à l'esprit et aux pratiques du parlementarisme mais dont les buts essentiels demeuraient le renouveau du parti radical (dont Bergery pensait avec infiniment de naïveté qu'il pouvait attirer à lui les suffrages des centaines de milliers de déçus du communisme) et le renforcement de la République.

On conçoit que ce gauchisme impatient – vécu par Bergery comme un retour aux sources du radicalisme – avait peu de chance de s'accommoder des circonvolutions du parti et de l'extrême prudence d'Herriot, échaudé par la déconfiture du Cartel et peu empressé de faire la politique pour laquelle les électeurs de 1932 avaient envoyé à la Chambre une majorité de gauche. Le refus du leader radical de s'associer aux socialistes dans la direction des affaires, son adhésion à la politique déflationniste de la droite, son intransigeance à l'égard de l'Allemagne inclinèrent Bergery, après le coup d'éclat du congrès de Toulouse [157] à quitter le parti radical en février 1933. Trois mois plus tard, toujours désireux de constituer – mais désormais de l'extérieur du parti – un grand rassemblement de la gauche unie et considérant que l'antifascisme militant pouvait servir à celle-ci de ciment et de drapeau, il lançait le mouvement Front commun avec l'appui de

157. Lors du congrès du parti, qui eut lieu à Toulouse en novembre 1932, Bergery attaqua Herriot avec une violence inhabituelle dans les instances dirigeantes du radicalisme, reprochant notamment au président du Conseil d'avoir partie liée avec les réactionnaires. La virulence du ton choqua beaucoup la majorité des congressistes. Cf. S. Berstein, *Histoire du parti radical, op. cit.*, t. 2, p. 246-247.

quelques socialistes comme Georges Monnet et Marceau Pivert, de syndicalistes comme Delsol, du fondateur de la Ligue internationale contre l'antisémitisme Bernard Lecache, de Georges Izard qui venait lui-même de fonder la Troisième Force et d'une petite cohorte d'intellectuels parmi lesquels figuraient Paul Langevin, Jean-Richard Bloch, Jean Lurçat et Drieu La Rochelle.

Front commun, dont les effectifs ne paraissent pas avoir dépassé les 5 000 adhérents, principalement des jeunes venus de tous les horizons de la gauche, s'est trouvé pris à partir de 1934 entre deux tendances antagonistes (il en sera de même des « néos ») qui expliquent à la fois sa marginalisation et le sens de sa trajectoire politique : d'une part la montée du « fascisme », ou plutôt de ce que la gauche considérait globalement comme tel, et de l'autre la difficile, mais irrésistible poussée d'un courant antifasciste surgi de la base mais vite récupéré par les états-majors des grandes formations de gauche. Pionnier de la coalition unitaire qui allait donner naissance au Front populaire en jouant sur le réflexe antifasciste, Bergery ne pouvait espérer jouer un rôle et mobiliser une clientèle qu'en donnant à son antifascisme une tonalité particulière, à la fois plus gauchiste dans son discours que les organisations établies et plus soucieuse qu'elles de battre le fascisme *sur son terrain*.

Février 1934 a en ce sens marqué un tournant. Depuis sa fondation, le frontisme n'avait manifesté envers le parlementarisme « décadent » et « byzantin » aucune indulgence. « On ne rapièce pas ce qui est pourri », pouvait-on lire en juillet 1933 dans *Mantes-Républicain*. L'émeute du 6 février et les suites politiciennes qui lui avaient été données n'inclinèrent pas l'ancien vice-président du groupe radical à voler au secours du régime, tel qu'il était. Plus que jamais il lui paraissait évident qu'on ne sauverait la démocratie qu'en la rénovant, ce qui à ses yeux passait non seulement par une restauration jacobine de l'autorité mais aussi et surtout par sa réorientation à gauche, et que l'on ne viendrait à bout du fascisme qu'en retournant contre lui les armes qui avaient fait sa force en d'autres lieux et qui assuraient désormais son succès dans un pays comme la France : l'intérêt porté aux « masses » inorganisées et enclines à préférer les « mots d'ordre colorés » et les « formules simples » aux obscurs débats doctrinaux [158], la hardiesse des méthodes de propagande, la mise en œuvre d'une formule politique associant au monde ouvrier les diverses fractions de la classe moyenne.

158. Interview de G. Bergery dans *1934*, 28-3-1934.

188

Tout en s'associant à la riposte populaire des 9 et 12 février 1934, Bergery voulut donner à sa protestation contre les atermoiements de la classe politique un caractère de bravade en démissionnant de son siège de député. Le geste marquait de sa part une volonté évidente de montrer que son combat contre le fascisme transcendait les limites partisanes, en même temps qu'il donnait à son éventuelle réélection un fondement plébiscitaire. C'est dire qu'au-delà du gauchisme affiché, on avait déjà fait quelques pas du côté de l'adversaire. Attaqué à gauche et à droite, le leader de Front commun ne fut battu que d'une courte tête [159] et il attribua son échec à l'alliance de fait de l'« argent » et des communistes, première étape d'une évolution qui allait bientôt conduire Bergery à combattre sur le double front de l'anticapitalisme et de l'anticommunisme, c'est-à-dire à se placer sur une orbite où dissidents de gauche et de droite tendaient tradition-nellement à se rejoindre.

On peut affirmer cependant que jusqu'en 1938 le courant animé par le directeur de *La Flèche* – l'organe hebdomadaire du frontisme, fondé en août 1934 – ne constitue ni un fascisme de la première génération, ni un « fascisme de gauche » en supposant que cette expression ait un sens. Pas plus que l'interventionnisme des républi-cains et des syndicalistes révolutionnaires dans l'Italie de 1915. Il est une authentique expression de la gauche « non conformiste » visant comme le néo-socialisme à rénover la République, à donner un nouveau souffle au projet social-démocrate et à établir un véritable barrage contre ce qu'il perçoit de réactionnaire dans le fascisme. C'est dans cette perspective, inspirée à la fois par la tradition jacobine et par le marxisme qu'il réclame la suppression – momen-tanée – du régime parlementaire, domestiqué par les puissances financières, son remplacement par un « gouvernement de combat appuyé sur l'ensemble des travailleurs des villes et des campagnes, organisés en syndicats et en coopératives », l'adoption par la suite d'un « véritable régime représentatif » fondé sur le « suffrage univer-sel intégral » et sur la révocabilité des mandats, la décentralisation du pays en grandes régions économiques, la nationalisation de certains secteurs clés (banques, assurances, grande industrie, transports), enfin une amorce de décolonisation. Tout cela fait davantage songer au programme des mouvements de résistance pendant la guerre, ou à celui de l'organisation antifasciste italienne Giustizia e Libertà qu'au projet fasciste, avant et après la prise du pouvoir. L'imprégnation

159. L'élection partielle du 29 avril 1934 donna une avance de moins de 300 voix au concurrent de Bergery.

fasciste ne résidait que dans certains éléments du discours (l'idée notamment d'un « ordre nouveau » qui naîtrait « par la force et par la pensée ») et de la liturgie (projecteurs éclairant la tribune et les fanions portant l'emblème du mouvement : une flèche rouge dans un cercle blanc) et encore faut-il là aussi faire la part de l'air du temps.

La fusion opérée en novembre 1934 avec le mouvement Troisième Force de Georges Izard, une organisation aux effectifs très réduits qui s'était constituée l'année précédente dans le sillage de la revue *Esprit*, modifia peu les orientations du courant frontiste, lequel adopta simplement à cette occasion l'appellation de Front social. C'est seulement à partir du milieu de 1935 que l'on put constater un lent glissement vers le centre et la progressive adoption d'une stratégie de rassemblement transcendant les frontières de la gauche et de la droite dans le but de récupérer – la leçon du 6 février avait été retenue – les grandes masses « apolitiques ». Déjà il s'agissait moins de battre le fascisme sur son propre terrain que de prendre sa place. Le frontisme continuait de batailler au nom de la démocratie, de la justice, de l'humanisme et des droits de l'homme, mais à ces valeurs traditionnellement associées à la gauche, il n'hésitait pas à en ajouter d'autres – la cohésion de la nation, la moralité publique, l'autorité, le culte de la camaraderie – qui appartenaient tout autant sinon davantage à l'héritage de la droite et dont les ligues s'étaient faites les propagatrices passionnées. On ne s'éloignait guère cependant de l'orthodoxie jacobine.

La dérive devait s'accentuer après l'avènement du Front populaire dans le sens d'un anticommunisme croissant et du renforcement des tendances pacifistes, anticapitalistes et antiparlementaires. Pariant sur l'inévitable échec de la coalition de gauche, Bergery et ses amis décidèrent en novembre 1936 de transformer leur mouvement en un parti frontiste, destiné à récupérer les énergies unitaires gaspillées par les formations traditionnelles et à devenir le cristallisateur de la volonté de changement, clairement manifestée par les masses.

Celles-ci ne vinrent jamais au rendez-vous que leur avaient fixé les dirigeants frontistes. A son apogée, le mouvement paraît ne pas avoir rassemblé plus de deux ou trois mille adhérents (avec une forte retombée en 1938-1939). Aussi faut-il chercher ailleurs l'influence du frontisme. Dans le petit monde de la gauche intellectuelle où se recrutent les 25 000 ou 30 000 lecteurs de *La Flèche*, et dans divers cercles « non conformistes » appartenant à la même mouvance politique : minoritaires cégétistes rassemblés autour de Belin et de la revue *Syndicats*, représentants de la gauche radicale comme Jean

190

Zay ou de l'aile révolutionnaire de la SFIO comme Marceau Pivert, fraction pacifiste du Comité de vigilance des intellectuels antifascistes, « spiritualistes » d'*Esprit*, qui – comme Mounier lui-même – appréciaient le rôle de « franc-tireur » joué par Bergery dans la nébuleuse des organisations liées au Front populaire.

L'exiguïté de la base militante du frontisme, son incapacité à mordre sur les masses et à se substituer au Front populaire déclinant en tant que pôle de rassemblement, l'évolution personnelle de Bergery qui, à la suite d'un voyage effectué en Italie dans le courant de l'été 1937, voyait d'un œil plus favorable les réalisations mussoliniennes [160], les distances qu'il avait prises à l'égard du gouvernement Blum, tout cela inclina nombre de compagnons de route du mouvement à s'en détacher et avec eux l'ancien dirigeant de la Troisième Force Georges Izard qui, à l'automne 1937, coupa les ponts avec Bergery pour passer à la SFIO. Cette scission accentua fortement le glissement à droite du frontisme et l'adhésion de son leader à un projet de « rassemblement national » qui n'avait plus grand-chose à voir avec les idéaux unitaires des débuts. Le rapprochement avec le PPF, la collaboration de Marcel Déat à *La Flèche*, l'ouverture vers les anciens Croix-de-Feu firent le reste. En janvier 1938, Bergery annonçait à la Chambre qu'il se désolidarisait de la majorité de Front populaire en refusant de donner sa voix au second gouvernement Chautemps [161] et se prononçait pour un « rassemblement de tous les Français, à quelques opinions qu'ils aient appartenu, quelles que soient leurs origines sociales, mais décidés à construire une économie et une monnaie qui soient au service de l'homme au lieu de l'asservir ».

Par la suite, il continua de récuser avec vigueur l'étiquette « fasciste de gauche » qui était fréquemment accolée à son nom et à l'organisation qu'il dirigeait, se déclarant résolument hostile à la politique extérieure du fascisme, « à fond contre le racisme » et « à fond pour la défense de la liberté [162] ». Mais en même temps il développait des thèmes dont le fascisme s'était fait le propagateur : socialisme national, construction de l'État sans classes, exaltation de la « bourgeoisie révolutionnaire », etc. Il devait même au moment de Munich – qu'il approuva sans réserve – teinter ses propos d'un

---

160. Il ne semble pas que, lors de son séjour à Rome, Bergery ait été en contact avec des responsables fascistes de quelque importance. Cf. Ph. Burrin, *op. cit.*, p. 330, note 62.

161. Lors du vote qui devait conclure le débat du 21 janvier 1938, Bergery se retrouva seul à refuser la confiance au gouvernement Chautemps, 500 députés votant pour.

162. *La Flèche*, 29-1-1938.

191

antisémitisme non dissimulé. Tout cela ne fait pas du frontisme un fascisme au sens propre du terme. Antichambre du fascisme si l'on veut, comme l'a été, dans l'Italie de 1914-1915, toute une fraction de l'interventionnisme de gauche – jacobine, républicaine, plus favorable à la démocratie plébiscitaire qu'au parlementarisme – qui passera au fascisme après la guerre, ou plutôt qui en constituera la matrice de gauche. Mais dont beaucoup de représentants pourront tout aussi bien devenir des activistes de l'antifascisme. Après la défaite de 1940, on retrouvera d'ailleurs Bergery auprès du maréchal Pétain, qui l'enverra en ambassade à Moscou puis à Ankara, non aux côtés des leaders du fascisme collaborationniste.

Bien que Marcel Déat soit allé beaucoup plus loin que le principal dirigeant du frontisme sur la voie de la fascisation, on ne peut pas dire que les choix politiques que lui-même et ses amis ont opérés entre 1933 et 1936 aient déterminé leur évolution ultérieure et leur conduite sous l'Occupation. Sur ce point, on ne peut que donner raison à Jean Touchard lorsqu'il professait il y a près de vingt ans, s'opposant à une interprétation [163] que Sternhell allait reprendre à son compte dans *Ni droite ni gauche* [164] en pratiquant une peu soutenable démarche rétrospective, qu'il « serait tout à fait inexact et injuste de dire qu'en 1933, au moment de la scission des " néos ", Déat est déjà une sorte de crypto-fasciste et que, s'il s'écarte de la SFIO, c'est parce qu'il est séduit par le modèle du national-socialisme [165] ».

En fait, comme le néo-radicalisme dont nous venons de passer en revue les diverses moutures, le courant néo-socialiste procède de la même veine et du même constat : l'immobilisme de la gauche, concrétisé par l'échec du Cartel et l'inadéquation du parti aux aspirations des masses et aux mutations provoquées par la guerre. De même que chez les jeunes radicaux, les problèmes posés par la crise et la pesanteur exercée par l'avènement du nazisme et par l'aggravation de la situation internationale interviennent dans le processus rénovateur, mais ils interviennent comme accélérateur de tendances déjà perceptibles à la fin des années vingt. La révision de la doctrine socialiste que Marcel Déat propose dans son ouvrage *Perspectives socialistes* date de 1930 : elle est donc antérieure d'un ou deux ans aux retombées sur la France de la grande dépression américaine et vise moins à résoudre les problèmes conjoncturels posés par le

163. Défendue notamment à l'époque par Daniel Ligou.
164. *Op. cit.*, chap. 5.
165. J. Touchard, *La Gauche en France depuis 1900*, Paris, Le Seuil, 1977. Cours professé en 1967-1968 à l'Institut d'études politiques et complété par Michel Winock.

192

capitalisme en crise qu'à s'interroger sur les chances qu'a le socialisme orthodoxe d'accéder au pouvoir et de répondre aux besoins d'une société moderne.

La démarche de Déat, un intellectuel d'extraction modeste, le type même de « boursier républicain, formé dans le giron du jacobinisme [166] » et de la philosophie officielle (les maîtres de cet agrégé de philo sont Durkheim et Kant), passe donc par une révision du marxisme qui n'est ni, bien sûr, la première en date ni la seule du genre au moment où elle est formulée. Révisionnisme d'inspiration bernsteinienne plus que sorélienne et qui s'inscrit dans une constellation d'écrits d'où émergent à côté de ceux du Belge de Man – dont l'étude fondamentale, *Au-delà du marxisme*, est parue en 1927 – les ouvrages de deux autres représentants de la social-démocratie française : André Philip, auteur d'un petit livre intitulé *Henri de Man et la crise doctrinale du socialisme*, publié en 1928 et Jules Moch, qui avait fait paraître l'année précédente un ouvrage très favorable à l'expérience productiviste américaine [167]. Or, ni Jules Moch, ni André Philip ne devaient suivre les « néos » dans la scission de 1933.

Battu aux législatives de 1928, Marcel Déat avait mis à profit les deux années passées à la Chambre, non comme député mais comme secrétaire administratif du groupe parlementaire SFIO, pour donner dans son livre une forme structurée aux idées qu'il exposait depuis la faillite du Cartel sur l'avenir du socialisme dans une société industrialisée aussi fortement différenciée que l'était la société française au seuil des années trente. Fortement influencé par Bernstein et par de Man, l'auteur de *Perspectives socialistes* développait une thématique résolument anticapitaliste dont l'originalité portait essentiellement sur trois points : le rôle de l'État, appelé à devenir l'instrument du contrôle de l'économie et du changement social, la façon dont il pouvait être utilisé par les socialistes pour promouvoir cette transformation sans attendre une hypothétique et lointaine conquête du pouvoir, enfin l'idée que le socialisme n'avait de chance de vaincre le capitalisme qu'en favorisant la constitution d'un front de classe associant les classes moyennes au prolétariat. Cette idée d'une alliance des exploités, on la retrouvait dans le petit groupe des syndicalistes de la « Révolution constructive », plus proche des idées de De Man et moins branché sur les implications politiques à court terme de ce choix stratégique. Pour Déat et pour les hommes

166. Boursier au lycée de Nevers, puis à Henri-IV, le jeune Déat fut très marqué par la personnalité du philosophe Alain.
167. J. Moch, *Socialisme et rationalisation*, Paris, 1927.

qui partageaient sa conception révisionniste du rôle du parti, Renaudel, adversaire de toujours du « dogmatisme guesdiste » et ex-inconditionnel de l'Union sacrée, Adrien Marquet, député-maire de Bordeaux et « participationniste » par ambition plus que par conviction profonde, Barthélemy Montagnon, député du XVIIIᵉ arrondissement de Paris, il s'agissait dans l'immédiat de rompre avec l'attitude de splendide isolement pratiquée par la direction de la SFIO et d'accepter de soutenir un gouvernement « bourgeois », voire de participer à la direction des affaires.

En fait, au-delà du serpent de mer de la « participation » et de la « non-participation », qui opposait la majorité du groupe parlementaire à la majorité du parti, c'était bien autre chose qui était en jeu dans l'esprit des représentants du courant « néo-socialiste ». Lors du congrès de Paris, qui allait en juillet 1933 consacrer la scission, Déat – redevenu député l'année précédente en battant Duclos dans le XXᵉ arrondissement – interrogeait Léon Blum : « Allez-vous attendre la longue maturation de l'économie capitaliste? Allez-vous attendre que le pouvoir tombe entre vos mains comme un fruit mûr? Allez-vous attendre que tout soit préparé pour la succession et que vous n'ayez plus qu'à vous asseoir dans le fauteuil d'où vous dirigerez l'ensemble de l'économie? [168] » Et au « fatalisme » du leader de la SFIO il opposait la « volonté d'agir » et de « transformer le monde » qui était censée animer les hommes de son courant.

Volonté offensive donc de la part des « néos », mais aussi et surtout certitude que pour vaincre le fascisme « interne et externe » il n'y avait pas d'autre voie possible que d'engager la lutte sur *son* terrain, en utilisant à d'autres fins les mêmes armes que lui et en visant à détacher de lui les couches sociales sur lesquelles il s'était jusqu'alors appuyé. De là les développements présentés par Déat, Montagnon et Marquet devant les congressistes de 1933, sur l'opportunité de conquérir les classes moyennes – devenues particulièrement réceptives depuis le déclenchement de la crise à la thématique fasciste – de constituer un État fort et de faire du parti socialiste un parti d'ordre et un parti national. *Ordre, Autorité, Nation* : la formule volontairement provocatrice allait être reprise par les « néos » au lendemain de la scission sous la forme d'une brochure contenant les textes des discours prononcés lors du congrès de Paris par les chefs de file de la dissidence [169]. Blum n'avait pas attendu cette mise au point pour se déclarer « épouvanté », sans toutefois considérer que le « socialisme

---

168. Cité in J. Touchard, *op. cit.*, p. 185.
169. La brochure contenait les textes des discours de Déat, Marquet, Montagnon et Max Bonnafous.

194

national » dont se réclamaient Déat et ses amis fût assimilable en quoi que ce soit au « national-socialisme » qui venait de triompher en Allemagne. Ce qu'il reprochait aux « néos », ce n'était pas d'être devenus fascistes, mais de subir en essayant de capter les forces dont il s'était nourri la « contagion du fascisme [170] », dès lors d'avoir nécessairement à choisir un jour ou l'autre entre la fin et les moyens.

De la scission de juillet 1933, qui avait entraîné le départ de 27 députés et 7 sénateurs SFIO et la défection de quatre fédérations (Gironde, Var, Tarn, Hérault), devait naître le petit Parti socialiste de France dont les effectifs chutèrent en dix-huit mois de près de moitié et ne dépassaient guère la dizaine de milliers d'adhérents au début de 1935. Parti de notables, sans aucune emprise sur les « masses » tant convoitées et parti traversé dès sa naissance de courants contraires, bien que Déat ait eu le souci de l'organiser d'entrée de jeu en tirant la leçon de l'« expérience italienne et surtout allemande », c'est-à-dire « comme une sorte d'armée, capable de s'imposer par la force et comme la préformation d'un État nouveau [171] ». On n'ira pas très loin cependant dans la mise sur pied d'« équipes d'action » et, lorsque au second congrès du parti, en mai 1934, Marquet fera parader ses « girondins » en chemise grise, l'initiative sera assez mal reçue, notamment par le vieux démocrate républicain qu'était Renaudel. Peu de temps après, Marquet quittera d'ailleurs le parti, entraînant avec lui Max Bonnafous et la majorité des militants de la puissante fédération de la Gironde [172]. Le PSdF ne survivra pas très longtemps à cette nouvelle scission du mouvement socialiste, une partie des « néos » se retrouvant par la suite, avec Déat – lui-même battu, comme Montagnon, aux élections de 1936 – dans l'une des petites formations constitutives du Front populaire, l'USR (Union socialiste républicaine) aux côtés d'autres « non-conformistes » de gauche.

La plupart des dissidents de 1933 sont en effet restés jusqu'à la veille de la guerre des hommes de gauche et leur principal représentant plus que tout autre. Certes leur démarche, leurs projets, leur conception du parti-État, leur idéologie de rassemblement national, l'idée qu'ils se font du rôle des classes moyennes, les critiques qu'ils adressent aux partis traditionnels et au jeu parlementaire, leur aspiration à la constitution d'un État fort, leur attirance envers l'économie dirigée et le corporatisme, toutes ces idées qu'ils parta-

170. Ph. Burrin, *Le Fascisme satellite, op. cit.*, p. 157.
171. M. Déat, « Le Parti sera l'État », *Notre temps*, 21-1-1934.
172. Marquet fonda en novembre 1935 le Parti néo-socialiste de France.

195

gent avec les représentants de la nébuleuse « non-conformiste », dont beaucoup iront beaucoup plus loin qu'eux-mêmes sur la voie de la fascisation, font que l'on peut parler à leur égard d'attraction, d'imprégnation ou de contagion du fascisme. A quoi s'ajoutent les choix de la politique étrangère, foncièrement pacifistes et non exempts d'une certaine admiration pour les réalisations de la dictature. Mais leur option majeure reste la rénovation de la démocratie et il manque à leur entreprise des éléments fondamentaux pour que l'on puisse la qualifier de fasciste ou de crypto-fasciste : le nationalisme exacerbé, la volonté d'expansion, le militarisme, l'exaltation de la force et de la hiérarchie, le culte du chef et le totalitarisme en puissance. Quant aux accusations d'avoir émargé au budget du ministère italien de la « Culture populaire » [173], au même titre que le PPF et les francistes, elles ne résistent pas à un examen serré des archives de cette institution, promue par le gouvernement de Rome au rang de grande dispensatrice des subsides accordés aux sympathisants du régime. Que Déat ait après le désastre de 1940 donné un tout autre contenu à son « socialisme national » et choisi la voie de la collaboration active ne signifie pas que ces options aient été la résultante quasi inéluctable de la ligne adoptée en 1930 avec la publication des *Perspectives socialistes*, ou en 1933 lors de la dissidence « néo ». Partis de prémisses peu éloignées des siennes, d'autres rénovateurs du socialisme – activistes comme lui et partisans de la révision du marxisme – prendront une part intense à la lutte contre le totalitarisme noir : le cas de Carlo Rosselli, dont l'abondante correspondance avec Déat nous apprend à quel point il était proche de certaines des options du leader des « néos » [174] et qui, devenu l'un des principaux dirigeants du fuoruscitisme, tombera en juin 1937 sous les balles et les coups de poignard des authentiques fascistes de la Cagoule, est à cet égard significatif.

Il reste que la trajectoire de certains dissidents de la SFIO, comme celle de nombreux rénovateurs radicaux, minoritaires cégétistes et autres « non-conformistes » de gauche, tous ralliés à l'idée d'un compromis avec les dictatures et à l'idée que le fascisme ne pouvait être battu que sur son terrain, en retournant contre lui ses armes et ses clients potentiels, tous désireux de rassembler les masses apoliti-

---

173. Sur ce point les recherches effectuées par Philippe Burrin dans les archives italiennes font un sort aux assertions de Max Gallo sur le prétendu financement des « néo-socialistes » par les services italiens. Cf. *op. cit.*, p. 195, note 128.

174. Sur les rapports entre Rosselli et le néo-socialisme, cf. E. Decleva, « Le Delusioni di una democrazia : Carlo Rosselli e la Francia – 1929-1937 », in *Italia e Francia dal 1919 al 1939*, a cura di J.-B. Duroselle e E. Serra, Milan, ISPI, 1981, p. 39-84.

196

ques et condamnés à n'être entendus que de minces légions issues de la gauche intellectuelle, témoignent du pouvoir d'attraction des fascismes européens à la veille de la guerre. Non de cette « fascisation » de la société française dont font état, de façon un peu hâtive, certains écrits révisionnistes.

De la révolte contre le « désordre établi » au fascisme des intellectuels

L'« imprégnation fasciste » qui caractérise à bien des égards l'esprit des années trente n'a pas le même sens à droite et au « centre » – si l'on peut qualifier ainsi le spiritualisme d'*Esprit* et le carrefour intellectuel que constitue le mouvement de l'« Ordre nouveau » – que chez les dissidents des grandes formations de la gauche non communiste. Dans ce secteur au demeurant très minoritaire de l'opinion, nous venons de le voir, on s'est intéressé au fascisme et au national-socialisme dans le but, hautement affirmé, de le battre à son propre jeu et de donner un nouveau souffle à la démocratie moribonde. Si en se nourrissant ainsi de la substance de l'autre – ou du moins des ingrédients qui avaient fait son succès – certains se sont insensiblement laissé capter par l'adversaire, devenant en quelque sorte (et de manière tardive) fascistes par mimétisme, la plupart sont restés jusqu'à la guerre fidèles à leurs options originelles, cherchant non pas à détruire le régime démocratique mais au contraire à lui rendre son efficacité et son pouvoir d'attraction, dans une perspective néo-jacobine déjà expérimentée à d'autres moments de crise et de « fièvre hexagonale ».

La fascination exercée par les fascismes sur l'autre versant de la génération de 1930 est d'une nature toute différente. Les deux familles peuvent se rejoindre comme se sont rejointes, dans l'Italie de l'immédiat après-guerre, les diverses matrices dont la fusion fait la spécificité du fascisme, comme elles se rejoindront parfois au temps de l'occupation allemande (dans des formations d'un gabarit infiniment plus modeste et dans des conditions totalement différentes), mais le point de départ est à l'opposé des objectifs initiaux de celle qui vient d'être décrite. Issues principalement de la mouvance maurrassienne, mais aussi de chapelles idéologiques dont le commun dénominateur est le rejet (total ou partiel) du système de valeurs hérité de la philosophie des Lumières et de la Révolution française (rationalisme, individualisme, scientisme, etc.), les jeunes individualités qui peuplent cet horizon du paysage « non conformiste » sont en effet à la recherche d'un substitut à la démocratie bourgeoise et à ses fondements philosophiques et culturels. Ils renouent en ce sens avec l'état d'esprit contestataire de l'ordre établi qui avait caractérisé la grande vague antipositiviste de la fin du XIXᵉ siècle et sont, comme tous ceux qu'elle avait portés, en quête d'un « ordre nouveau ».

Le fascisme est né après la guerre de la résurgence et de l'amplification de ce courant dont il incarne en quelque sorte la concrétisation réussie. Il n'est donc pas anormal qu'il soit devenu une dizaine d'années plus tard un pôle de référence incontournable pour toute une cohorte de clercs recrutée parmi les « fils de la génération du charnier [175] ». Pour la plupart d'entre eux, nés dans les toutes premières années du siècle, les ardeurs et les questionnements de l'adolescence ont coïncidé avec le naufrage du vieux monde. Ils ont eu entre treize et vingt ans au moment de la *victoire* (celle de leurs pères) et leur arrivée à l'« âge de raison » s'est accompli sur fond d'embrasement révolutionnaire, de contre-révolution triomphante et de messianisme rénovateur.

Or il ne s'est rien passé de très exaltant dans l'hexagone au cours de la décennie qui a suivi la guerre. Ou plutôt, si l'aspiration au changement a envahi le champ de la culture et des mœurs, elle n'a guère eu de prise sur un monde politique avant tout préoccupé de « retour à la normale ». Face à la montée en puissance des jeunes États totalitaires et à l'enthousiasme que suscitent, ici ou là, le communisme et le fascisme, la démocratie bourgeoise et la « république des professeurs [176] » paraissent ne plus avoir grand-chose de neuf à offrir à la génération montante. Ni le Bloc national, ni le Cartel des gauches, ni les « modérés » qui occupent le devant de la scène depuis l'échec de ce dernier n'ont réussi à donner au régime un souffle nouveau et à enrayer ce qui apparaît à beaucoup comme l'inéluctable déclin de la nation française. De cette crise du régime, de l'incapacité manifestée par la démocratie parlementaire à gérer le changement social et à rivaliser avec les dictatures, nous avons vu que nombre de jeunes représentants de la classe politique avaient eu conscience avant même que la France ne fût touchée par les premiers effets de la « grande dépression ». Mais au-delà des ratés et de l'enlisement institutionnels, c'est d'une véritable crise de civilisation

175. P. Ory et J.-F. Sirinelli, *Les Intellectuels en France de l'affaire Dreyfus à nos jours*, Paris, A. Colin, 1986, p. 90.
176. Selon la formule consacrée par le livre célèbre d'Albert Thibaudet : *La République des professeurs*, Paris, Grasset, 1927.

dont fait le constat toute une partie de la génération intellectuelle de 1930 : celle que les travaux de Jean Touchard et de Jean-Louis Loubet del Bayle ont étiquetée comme « non conformiste ».

Fascistes ou fascistoïdes, les « non-conformistes » des années trente? En dépit des quelques précautions d'écriture dont il assortit son diagnostic, Zeev Sternhell incline très fortement en ce sens en consacrant à cette nébuleuse idéologique -- baptisée par lui « fascisme spiritualiste » - le dernier chapitre de *Ni droite ni gauche* [177]. C'est aller bien vite en besogne et appliquer la loi de l'amalgame à tout et à n'importe quoi. Tout a déjà été dit sur la méthode employée par Sternhell pour étayer sa thèse de la fascisation de l'intelligentsia française : approche strictement phénoménologique de la question étudiée, indifférence affichée à l'égard de la chronologie et de l'environnement factuel, déterminisme régressif appliqué à la biographie des personnalités les plus douteuses et surtout rattachement d'une pensée à la catégorie du « fascisme » en vertu du constat de quelques caractères communs à l'une et à l'autre. Il n'y a pas lieu d'insister sur ces dérapages épistémologiques, sinon pour faire remarquer que la petite cohorte des « non-conformistes » constitue la cible principale de l'amalgame. Contentons-nous d'évoquer brièvement la topographie du « non-conformisme » et de situer celui-ci par rapport au champ d'attraction des fascismes.

Unanimes à exiger une rupture avec le « désordre établi » (l'expression apparaît dans la revue d'Emmanuel Mounier en mars 1933), les « non-conformistes » des années trente sont loin de former une tribu homogène. Grossièrement, on peut distinguer trois groupes entre lesquels il existe des passerelles et des terrains de parcours communs où se croisent des hommes et des idées venus d'horizons divers. Le premier dans l'ordre chronologique et le plus aisément classable est celui de la « Jeune Droite ». Apparu en 1928, il rassemble autour de revues plus ou moins éphémères telles que *Les Cahiers, Réaction, La Revue française, La Revue du siècle, La Revue du XXᵉ siècle* et un peu plus tard *Combat*, de jeunes intellectuels appartenant à la mouvance maurrassienne mais que l'immobilisme de l'AF a rendus impatients de trouver d'autres lieux de réflexion et d'expression. Figurent ici, à côté d'un Jean-Pierre Maxence, d'un Robert Francis et d'un Robert Brasillach, qui deviendront effectivement fascistes, des hommes comme Thierry Maulnier, Jean de Fabrègues, Maurice Blanchot, Pierre Andreu, Christian Chenut et René Vincent, pour ne citer que les plus

---

177. *Op. cit.*, chap. 7.

199

représentatifs. Caractéristique à maints égards de l'esprit rénovateur des années trente, la « Jeune Droite » représente en même temps la moins originale des entreprises « non conformistes » en ce sens que, recueillant une partie de l'héritage maurrassien, elle conserve de puissantes attaches avec le traditionalisme de l'Action française et n'offre pas un visage aussi radicalement nouveau que ceux des deux autres courants.

Ceux-ci présentent en effet une plus grande originalité et sont du même coup plus difficiles à situer sur le classique éventail des positionnements politiques. Parler de « centre » à propos de L'Ordre nouveau et de « gauche » pour qualifier l'orientation d'Esprit, comme le fait Alastair Hamilton [178], n'a guère de sens appliqué à des courants qui répudient précisément ces catégories et se définissent eux-mêmes par leur volonté de dépasser les clivages traditionnels. Admettons cependant que, par rapport à la « Jeune Droite », ils se développent sur un versant ouvert à des influences diverses et qui n'est pas stricto sensu celui de la « révolution conservatrice ».

De ces deux môles du « non-conformisme », le plus éloigné des itinéraires et des balises idéologiques reconnus est probablement celui de l'« Ordre nouveau ». Par cette appellation générique, il faut entendre non seulement la revue qui a commencé à paraître en 1933 et a pris le nom du groupe fondateur, mais ce groupe lui-même – constitué dès 1929 autour de personnalités d'origine et de formation aussi différentes qu'Alexandre Marc, Arnaud Dandieu (venu du socialisme), Robert Aron, Jacques Naville (ancien trotskiste), Jean Jardin proche de l'AF), Daniel-Rops (qui venait de se rapprocher du catholicisme) et Denis de Rougemont (fils de pasteur, revenu au protestantisme après avoir flirté pendant quelque temps avec le surréalisme) [179]. Se rattachent également à lui la revue Plans de Philippe Lamour, le bulletin Mouvements fondé en 1932 par André Poncet et Pierre-Olivier Lapie, qui passera dès l'année suivante au Front commun de Bergery et à l'antifascisme militant, enfin un embryon d'organisation politique avec ses « cellules » locales et associatives destinées à devenir les noyaux autonomes de la société future, dans une perspective assez proche de celle du frontisme seconde manière.

Le troisième groupe, de loin le mieux connu [180] et le plus

178. A. Hamilton, L'Illusion fasciste. Les intellectuels et le fascisme, 1919-1945, trad. de l'anglais, Paris, Gallimard, 1973.
179. Cf. J.-L. Loubet del Bayle, op. cit., p. 82.
180. Voir notamment : Michel Winock, Histoire politique de la revue Esprit 1930-1950, Paris, Le Seuil, 1975.

200

prestigieux, est celui qui s'est formé au début de 1930 autour de Georges Izard, d'André Deléage et de Louis-Émile Galey et qui devait donner naissance deux ans plus tard à la revue *Esprit*, dirigée dès sa création par Emmanuel Mounier et à laquelle vont collaborer, entre autres, Jean Lacroix, Étienne Borne, Pierre-Henri Simon, Georges Duvau, Henri Marrou, Aldo Dami et André Philip : en majorité des universitaires, appartenant à la génération des 25-35 ans et proches pour la plupart [181] d'un catholicisme influencé par Maritain ou par les divers courants de la démocratie chrétienne. Malgré les réticences de Mounier à l'égard d'une équipe dont il jugeait le comportement impérialiste et dogmatique – « Je prie chaque jour le Père, écrivait-il à Alexandre Marc, qu'il nous garde de l'esprit *Ordre nouveau*. A part cela, nous sommes d'accord [182] » –, des liens étroits unissent jusqu'à la fin de 1933 la petite revue de la rue des Saints-Pères (environ mille abonnés à cette date) et le mouvement animé par Dandieu et Marc, au point que l'on envisagera sérieusement de part et d'autre de faire d'*Esprit* l'organe littéraire de l'Ordre nouveau. Le projet ayant fait long feu, de même que la tentative opérée par Galey et Izard pour lier à *Esprit* la petite organisation activiste de la Troisième Force, Mounier va s'efforcer de mettre sur pied, dans le courant de l'année 1934, sa propre organisation : les « Amis d'Esprit », rassemblés eux aussi en « cellules » appelées à constituer le « noyau explosif » de la future révolution personnaliste. On le voit, la tendance d'une partie du monde intellectuel et de fractions politiques dissidentes à s'organiser en minorités agissantes, en petites communautés élitistes promises à la direction de la société à venir, donc à se poser en « élite de remplacement », est assez largement répandue dans la France des années trente, et avec elle l'affirmation de valeurs qui s'opposent au moins partiellement à celles qui forment le socle idéologique de la république parlementaire. Faut-il pour autant y décrypter une adhésion au projet fasciste et à sa mise en œuvre hors de l'hexagone ?

Écartons d'entrée de jeu la thèse de la prédestination. Outre son caractère parfaitement anti-historique, elle serait ici d'autant plus déplacée que seule une petite cohorte de « non-conformistes » a rejoint, au milieu des années trente, les organisations relevant à peu près explicitement du « fascisme » – Jean-Pierre Maxence la Solida-

---

181. Notons cependant que l'équipe d'*Esprit* comprenait également un petit nombre d'incroyants, comme Pierre-Aimé Touchard et André Ulmann.
182. Cité par E. Lipiansky, « L'Ordre nouveau, 1930-1938 », in *Ordre et démocratie*, Paris, PUF, 1967, p. 9.

rité française, Loustau et Robert Francis le PPF – et que plus rares encore sont ceux qui, venant de ce secteur, sont allés jusqu'au bout de la dérive collaborationniste et pronazie. Certes, on retrouve un certain nombre d'entre eux dans le Vichy de l'an 40 et leurs idées ne sont pas sans influence, nous le verrons, sur les concepteurs de la « révolution nationale » et sur ceux qui, avec l'école des cadres d'Uriage, rêvent de donner à celle-ci une nouvelle élite, en rupture avec celle qu'a façonnée le moule républicain. Mais ni Uriage, ni le premier Vichy, ni d'ailleurs le second, ne sont assimilables au fascisme et l'on sait d'autre part à quel point certaines idées émises par les « non-conformistes » des années trente ont pesé sur les orientations idéologiques et sur les choix de société opérés par la Résistance.

Second élément de réponse : sur deux points fondamentaux, les différents groupes qui forment la nébuleuse « non conformiste » s'opposent à l'esprit et à l'idéologie du fascisme. Le premier est le refus du mythe guerrier, dont nous savons qu'il constitue l'un des traits majeurs du discours fasciste. Sans doute sommes-nous en présence d'un phénomène qui dépasse très largement le secteur ici concerné et imprègne en profondeur la masse de l'opinion française, droite ligueuse comprise même lorsque celle-ci se donne l'apparence d'une organisation paramilitaire. Baudriers et bérets basques, chemises de couleur et marche au pas cadencé ne suffisent pas à faire des Croix-de-Feu ou des Jeunesses patriotes l'équivalent des formations de combat fascistes et nazies car il manque très précisément à ces groupes de fonder leur action et leur autojustification verbale sur l'éthique guerrière dont se nourrit la rhétorique fasciste. Toutefois, il y a chez les « non-conformistes » des années trente quelque chose de plus que le pacifisme diffus qui irrigue l'ensemble du tissu social français. Il y a une sorte de refus irrévérent du caractère sacré de la guerre victorieuse, qui tranche avec l'esprit ancien-combattant et qui fait du traité de Versailles – œuvre d'un « homme du XIXe siècle, Clemenceau », et d'« un Américain visionnaire et attardé [183] » – le symbole de la faillite d'une génération. Dans une « Lettre à Hitler » parue en novembre 1933 et qui a fait quelque bruit, *L'Ordre nouveau* exprimait en ces termes sa volonté de se désolidariser des erreurs passées :

« Nous n'avons, ni de près ni de loin, la moindre responsabilité dans la guerre, nous ne nous considérons pas comme liés par le Traité

183. Daniel-Rops, *Les Années tournantes*, Paris, Éditions du Siècle, 1932, p. 142.

202

imbécile et meurtrier que nos délégués – et les vôtres – ont conclu. Nous ne consentons point à reconnaître le visage de notre patrie dans l'image glacée d'un système où, sous des apparences juridiques, la justice est trahie. Les combinaisons d'affaires et de basse politique qui sont au fondement du Traité de Versailles, nous les vomissons comme vous. Les Traités de 1919 nous sont aussi étrangers que les Traités de Londres ou d'Unkiar Skelessi dont nous apprenons dans nos manuels les combinaisons et les dates : reliquats du XIXe siècle, ils expriment l'idéologie stupide du principe des nationalités, ils sont pour nous nuls et non avenus [184]. »

L'autre trait qui distingue – avec des nuances – les courants « non conformistes » du fascisme est le rejet du nationalisme, moins virulent on s'en doute à la Jeune Droite, sur laquelle pèse toujours l'héritage maurrassien, qu'à l'Ordre nouveau et à Esprit où l'on ne cherche pas de la même façon à établir des distinguos subtils entre nationalisme agressif, « exaltation de la volonté de puissance [185] » (lisons le nationalisme fasciste) et « nationalisme de défense », imposé à notre pays par la situation de l'Europe, donc légitime. De cette répudiation du nationalisme érigé par les générations qui les ont précédés soit en « forme idéologique et abstraite [186] », sans le moindre enracinement charnel et affectif, soit en mystique collective porteuse de toutes les fièvres belliqueuses, les « non-conformistes » ne tirent pas le moindre argument en faveur de l'« abstraction internationaliste » – assimilée par les doctrinaires de L'Ordre nouveau au « cosmopolitisme du Café du Commerce [187] » –, et du « pacifisme à l'eau de Genève », lequel n'a rien à voir avec l'authentique volonté de paix. « La paix, écrit Mounier, est l'épanouissement de la force. La vraie paix n'est pas un état faible où l'homme démissionne. Elle n'est pas non plus un réservoir indifférent au bon comme au pire. Elle est la force [188]. »

De là découlent une vision des relations internationales et une certaine idée de la France que n'aurait pas répudiées le de Gaulle des années soixante. D'un côté l'aspiration à voir se constituer une « confédération des régions européennes » transcendant les nationalismes étroits mais respectueux des « patries ». De l'autre, l'affirmation d'un génie français encore capable, en dépit de toutes les

184. L'Ordre nouveau, n° 5, novembre 1933, p. 25-26.
185. J. de Fabrègues, Réaction, n° 2, mai 1930, p. 39.
186. R. Aron et A. Dandieu, Décadence de la Nation française, Paris, Riéder, 1931, p. 80.
187. C. Chevalley et A. Marc, L'Avant-poste, février 1931, p. 25.
188. Esprit, n° 5, février 1933, p. 826.

carences et de toutes les compromissions de la démocratie bourgeoise, de prendre la tête d'une croisade rénovatrice. La conclusion de *La Révolution nécessaire*, publiée en 1933 par Aron et Dandieu, est à cet égard significative :

« Ce qui est beau, écrivent les deux porte-parole de l'Ordre nouveau, c'est la lutte contre la mort. Ce qui est grandiose, c'est la victoire de l'homme. Le long des côtes de la Méditerranée et de la mer du Nord, remontant le Danube ou le Rhin, s'avance l'antique ennemi de l'homme. On l'appellera l'État, matérialisme, racisme ou tyrannie; mais son essence est plus profonde et n'a de nom en aucune langue, surtout pas en français. Ce n'est pas notre faute si la France est en effet, aujourd'hui comme hier, la dernière écluse. Ce n'est pas notre faute si le pays des petits rentiers du Traité de Versailles est tout de même aussi le dernier refuge continental des hommes libres. Ce n'est pas notre faute si, pour sauver l'Occident et l'Europe, nous devons d'abord, aujourd'hui, nous appuyer sur la France. Il ne s'agit pas de défendre une cité ou une idée. Il ne s'agit pas de défense, mais de choix, d'affirmation, de création, de Révolution. Nous sommes sur la terre décisive. L'heure est venue, allons-y [189]. »

On ne peut pas exprimer plus nettement le souci qu'ont les représentants de cette fraction de la famille « non conformiste » – mais ceux de la Jeune Droite et d'*Esprit* ne tiennent pas un discours très différent – de se démarquer des totalitarismes triomphant dans l'Europe des années trente. Du communisme bien sûr que, toutes familles confondues, on condamne sans réserve comme étant à la fois « un système contre l'homme [190] » et le « rigoureux achèvement réformiste des erreurs les plus monstrueuses du capitalisme [191] ». Mais aussi du *fascisme* – au sens générique du terme – que les « non-conformistes » ont d'autant plus de mérite peut-être à prendre pour cible qu'ils reconnaissent volontiers ce qu'ils ont de commun avec lui, ainsi que la fascination qu'exercent sur nombre d'entre eux sa force vitale, sa modernité et ses potentialités révolutionnaires.

Les traits communs sont évidents et bien connus : le rejet sans appel de la démocratie bourgeoise et du parlementarisme, à la fois effets et causes du déclin de l'Occident, le procès intenté au libéralisme, au capitalisme et aux hiérarchies de l'argent, le refus du matérialisme marxiste, l'exaltation de la jeunesse, le souci ou plutôt

---

189. R. Aron et A. Dandieu, *La Révolution nécessaire*, Paris, Grasset, 1933, p. 277.
190. J.-P. Maxence, *Histoire de dix ans (1927-1937)*, Paris, Gallimard, 1939, p. 138.
191. R. Aron, *L'Ordre nouveau*, nº 3, juillet 1933, p. 21-22.

204

l'obsession d'enrayer la « décomposition » de la nation, la répugnance enfin à exprimer le débat d'idées en termes de « droite » et de « gauche ». Tout cela, on le retrouve, plus ou moins accentué ou tempéré, dans d'autres secteurs de l'opinion, dans la contestation ligueuse, dans certaines organisations d'anciens combattants, dans les minorités dissidentes de la gauche non communiste, parfois de manière plus diffuse chez l'homme de la rue. Faut-il pour autant déduire de ces convergences multiples l'idée d'une irréversible fascisation de la société française? Certainement pas. Les « non-conformistes », comme beaucoup d'autres représentants du monde intellectuel et de la classe politique, ne font que traduire en termes de critique du régime et des valeurs sur lesquelles il se fonde, la crise morale et l'aspiration au renouveau qui affectent toute une génération. Que de la volonté de surmonter cette crise et de promouvoir ce renouveau soient issues des formes de contestation de l'ordre ou du *désordre* établis qui présentent de larges zones de recouvrement avec le fascisme, cela ne fait aucun doute et les « non-conformistes », répétons-le, sont les derniers à le contester. Cela toutefois ne suffit pas pour gommer les différences et pour opérer un amalgame que les contemporains de la Jeune Droite et de l'Ordre nouveau ne se sont pas privés de faire. N'est-ce pas déjà Mounier qui écrivait en janvier 1934 : « Plusieurs jeunes écoliers marxistes, plus assidus à justifier les manuels qu'à comprendre leur temps, ont trouvé contre nous, après des embarras divers, la lourde tactique que leur suggérait l'éloquence fasciste. Il leur a suffi de lancer ce théorème : Tout mouvement anticapitaliste qui n'est pas marxiste est, par définition, fasciste, et de le faire rendre avec la fatuité doctrinaire et le superbe aveuglement des partisans [192] »?

La fascination elle, a joué, c'est incontestable. Diversement suivant les tendances et les personnalités. Durablement pour les uns, de manière conjoncturelle et éphémère pour d'autres, au gré des cheminements de la politique intérieure et des affaires internationales. Avec des différences parfois radicales selon qu'il s'agissait de l'Italie ou de l'Allemagne. Marquée par ses ascendances maurrassiennes, la Jeune Droite a de bonne heure marqué ses distances envers le national-socialisme et affiché plus longtemps que les autres ses affinités pour l'expérience mussolinienne. L'Ordre nouveau a été un peu moins prompt à percevoir la véritable signification de l'hitlérisme et a conservé, après l'avènement du nazisme, une certaine sympathie pour les autres courants du nationalisme alle-

192. *Esprit*, n° 16, janvier 1934, p. 533.

205

mand. Quant à *Esprit*, s'il a jusqu'en 1935 clairement manifesté son admiration pour certains aspects du fascisme – Mounier et Ulmann ont représenté la revue lors du congrès sur les institutions corporatives qui s'est tenu à Rome en mai 1935 [193] –, il a à partir de cette date, et en attendant le « faux pas de 1940 », continûment figuré dans le camp adverse. Répondant aux propos simplificateurs de Sternhell, Michel Winock a raison d'écrire à ce sujet :

« Rien n'est donc simple dans cette guerre des idées. Voir *Esprit*, la revue de Mounier. On peut y relever maintes ambiguïtés – et assurément un discours hostile à la démocratie (bourgeoise) et au parlementarisme (radical-socialiste) –, hostilité qui a pu contribuer, admettons-le, au moins dans l'univers des symboles, à la déstabilisation du régime. Mais *malgré* ce discours, il serait judicieux de noter ce que fut l'attitude d'*Esprit* devant la guerre d'Éthiopie, face à la guerre d'Espagne, au moment du renoncement de Munich, contre la vague de xénophobie et d'antisémitisme dont la France est le siège en ces années de crise. Sur tous ces problèmes concrets, la revue de Mounier a pris position dans un sens qui engageait à la résistance au fascisme [194]. »

De surcroît, aucun des trois principaux courants de l'intelligentsia « non conformiste » n'a attendu le tournant qu'a constitué, dans le champ des relations internationales, la rupture du front de Stresa pour proclamer que – toute question de sympathie ou d'antipathie mise à part – le fascisme ne saurait être considéré comme un modèle par ceux qui appelaient de leurs vœux la « révolution personnaliste » et la rénovation de la nation française. Dès janvier 1934, Mounier dénonçait dans la « tentation fasciste », à laquelle il reconnaissait avoir été attentif, « la plus dangereuse démission qui nous soit aujourd'hui proposée », et il précisait en quoi il se sentait étranger et opposé aux pratiques du totalitarisme hitlérien et mussolinien :

« Pseudo-humanisme, pseudo-spiritualisme qui courbe l'homme sous la tyrannie des " spiritualités " les plus lourdes et des " mystiques " les plus ambiguës : culte de la race, de la nation, de l'État, de la volonté de puissance, de la discipline anonyme, du chef, des réussites sportives et des conquêtes économiques. Nouveau matéria-

---

193. Étaient présents à ce congrès organisé par le PNF, outre Mounier et Ulmann, R. Aron, C. Chevalley et R. Dupuis pour l'Ordre nouveau, J. de Fabrègues et T. Maulnier pour la Jeune Droite, J. Roditi et P. Marion pour *L'Homme nouveau*. En tout une quinzaine de personnes.
194. M. Winock, « Fascisme à la française ou fascisme introuvable », *op. cit.*, p. 43.

206

lisme, en fin de compte, si le matérialisme c'est réduire et asservir sur tous les plans le supérieur à l'inférieur [195]. »

Propos qui faisaient écho à ceux de deux représentants de l'Ordre nouveau, René Dupuis et Alexandre Marc, auteurs d'un ouvrage paru chez Plon l'année précédente et dans lequel on pouvait lire ceci :

« Le fascisme a prétendu libérer l'homme de l'esclavage du matérialisme, mais en faisant de l'État l'expression suprême de la vie matérielle et spirituelle de la nation, il réduit en fin de compte le spiritualisme qu'il prétendait incarner à un matérialisme détourné car la statolâtrie, sous la forme absolue qu'il lui donne, n'est autre que la transposition politique du matérialisme [196]. »

On pourrait multiplier les citations en ce sens [197], comme Sternhell multiplie celles qui, empruntées aux mêmes auteurs, lui paraissent fonder la thèse selon laquelle il y aurait eu dans la France des années trente un «fascisme spiritualiste» dont il place il est vrai davantage le centre de gravité du côté de *Combat*, la revue de Thierry Maulnier et de Jean de Fabrègues, que de l'espace intellectuel occupé par la revue *Esprit* et par le mouvement de l'Ordre nouveau. De cette confrontation de morceaux choisis et coupés de leur contexte, il ressort au moins ceci que si les « non-conformistes » des années trente ne sauraient être absous du péché de lèse-démocratie – dans la forme abâtardie que le régime avait prise à cette date et qui suscitait bien d'autres critiques blasphématoires que les leurs, y compris chez d'authentiques démocrates –, et ont peut-être apporté leur modeste concours à la déstabilisation de la république parlementaire, ce comportement ne peut en quoi que ce soit être assimilé au *fascisme*, dont la plupart des représentants de la nébuleuse « personnaliste [198] » ne partageaient ni l'éthique guerrière, ni le mysticisme national, ni le respect idolâtre de l'État et de la race, ni enfin la volonté totalitaire d'instaurer une « religion de masse » au service du nombre.

195. E. Mounier, *Esprit*, nº 16, janvier 1934, p. 535.
196. R. Dupuis et A. Marc, *Jeune Europe*, Paris, Plon, 1933, p. XX.
197. Voir sur ce point : J.-L. Loubet del Bayle, *Les Non-Conformistes des années 30*, *op. cit.*, auquel j'ai emprunté quelques-unes des citations qui précèdent.
198. Le terme « personnaliste » ne s'applique pas seulement à la pensée d'Emmanuel Mounier et des autres représentants du groupe « Esprit ». Les jeunes intellectuels qui s'exprimaient dans les publications de l'Ordre nouveau et de la Jeune Droite en faisaient un usage permanent, cherchant moins à se référer à un système philosophique cohérent et achevé qu'à un certain nombre d'intuitions communes. Cf. J.-L. Loubet del Bayle, *op. cit.*, p. 337 sq.

En somme, ce sont des choix idéologiques et éthiques qui, tenant à leur culture politique, à leur engagement religieux, pour certains à leurs attaches demeurées très fortes avec la famille maurrassienne, ont empêché la plupart des « non-conformistes » de subir durablement l'attraction du fascisme : autrement dit, de subordonner leurs convictions à leur soif d'action et de changement, à l'illusion lyrique dont était porteuse cette « poésie de la nation » dans laquelle Brasillach croyait découvrir le symptôme et le remède au « mal du siècle » de sa génération.

Pour un petit nombre d'entre eux, et pour quelques autres venus d'horizons politiques différents, l'exaltation affective, les forces passionnelles, le refus d'un monde prosaïque et somnolent, bref le romantisme du verbe et de l'action l'a au contraire emporté sur toute autre considération, l'adhésion émotionnelle, viscérale – parfois désespérée – précédant celle de la raison, quand raison il y a, dans le choix du modèle, ou plutôt du mode de vie fasciste. Question d'époque, de milieu, de génération, sans doute, mais aussi d'itinéraire psychologique personnel, comme en témoigne par exemple le destin de Pierre Drieu La Rochelle.

« Après avoir lu ce récit, écrit en 1934 l'auteur de *Socialisme fasciste*, on peut imaginer que j'aie trouvé de grandes satisfactions dans l'air fasciste. Mon ondoiement s'y trouve à son aise et s'y justifie. Cette gêne que me donne chaque classe ou chaque parti en particulier; cette envie de faire une politique de gauche avec des hommes de droite et de voir ces hommes de droite amendés, élargis par cette politique; cette envie de redresser les hommes de gauche en les reprenant dans une discipline, en leur redonnant le sens du prestige, de l'élégance, l'élégance, rien de plus populaire; la crainte de voir se perdre le trésor de nos disciplines les plus intimes, si compromises, si fragiles et pourtant capables encore de tant de métamorphoses; cette passion de révolutionner et de pourtant continuer – voilà tous les sentiments que nourrit mon moi depuis vingt ans dans son immobilité, parmi l'essaim de mes légères excursions à droite et à gauche. Le fascisme lui apporte à ce rêve le point d'appui autour duquel il peut se mouvoir et tourner comme un bon moteur.

« Mais me suis-je donc enfin enchaîné, moi l'intellectuel? Voire. Le fascisme comme tendance c'est une chose; mais les formes particulières et inévitablement triviales que montre le fascisme ici et là, c'en est une autre. Je travaillerai peut-être, j'ai sans doute toujours travaillé déjà à l'établissement d'un régime fasciste en France, mais je resterai libre vis-à-vis de lui demain comme hier. Ma fatalité

208

d'intellectuel, qui m'aura mêlé intimement à la conception, me séparera dès la mise au monde, dès les premiers pas du nouveau régime dans le siècle [199]. »

Ce texte explicite assez bien le sens de l'engagement de Drieu et, au-delà de ce cas individuel, celui d'une petite légion de jeunes intellectuels d'origine bourgeoise venus au fascisme à l'issue d'un itinéraire compliqué, « ondoyant » entre la droite et la gauche, entre la révolution et la conservation, entre leur attachement aux valeurs traditionnelles et l'horreur que leur inspire une société figée dans un immobilisme sénile. Peu ou pas de justification idéologique donc dans le choix d'un « socialisme fasciste » que l'auteur de *L'Europe contre les patries* ne se préoccupe nullement de définir, mais un acte existentiel qui s'est d'abord accompli dans la rue – le soir du 6 février 1934 – et qui est censé donner une signification aux contradictions et aux « excursions » antérieures.

Cet acte, il est avant tout la recherche d'un remède au mal de vivre qui poursuit depuis l'adolescence ce fils d'une « famille de petite bourgeoisie catholique, républicaine, nationaliste [200] », en révolte contre son milieu et davantage encore contre son géniteur, dont il redoute plus que tout au monde de reproduire les faiblesses et l'existence ratée [201]. De là la hantise d'avoir à assumer un destin ordinaire et la honte qu'éprouve ce garçon fragile et qui a peur des coups pour la faiblesse de son propre corps [202]. De là, à la fois, sa fuite dans le rêve et son refus de s'accepter comme rêveur. De là enfin, un dégoût de soi-même qui développe très tôt chez le jeune Drieu des tendances suicidaires, et qu'il s'efforce de compenser par l'exaltation de tout ce qui a trait à la vie, à la force et à la virilité. Rien d'exceptionnel au demeurant dans cette « enfance d'un chef », ponctuée de rêveries héroïques que nourrissent l'iconographie napoléonienne – « J'ai connu Napoléon avant la France, avant Dieu, avant moi », écrira l'auteur d'*État civil* [203] – et les récits peuplés de Chouans et de corsaires dont est prodigue sa grand-mère maternelle.

199. P. Drieu La Rochelle, *Socialisme fasciste*, Paris, Gallimard, 1934, p. 234-235.
200. *Ibid.*, p. 219.
201. Drieu a peint dans *Rêveuse bourgeoisie*, dont il a entrepris la rédaction le jour même de l'enterrement de son père, ce personnage qu'il décrit comme un lâche et un vantard.
202. Cf. Marie Balvet, *Itinéraire d'un intellectuel vers le fascisme : Drieu La Rochelle*, Paris, PUF, 1984. Ces pages s'inspirent également des deux communications présentées par Marie Balvet en 1985 et 1986 dans les séminaires du Centre d'histoire de l'Europe du XXᵉ siècle de la Fondation nationale des sciences politiques.
203. P. Drieu La Rochelle, *État civil*, Paris, Gallimard, 1921, p. 45.

Ni dans les lectures adolescentes qui sont classiquement celles des jeunes bourgeois de sa génération : Barrès, Péguy, Maurras, Kipling, Dostoïevski, D'Annunzio, Jack London et bien sûr Nietzsche, dont il dévore le *Ainsi parlait Zarathoustra* à quatorze ans et auquel il restera fidèle toute sa vie.

Deux événements vont achever de modeler la personnalité ambivalente de Drieu. L'échec au diplôme de sortie de l'École libre des sciences politiques en juin 1913 et, l'année suivante, le bref rendez-vous avec l'idée qu'il se fait de la geste guerrière sur le champ de bataille de Charleroi. Le premier marque la ruine de ses espérances de faire carrière dans la diplomatie et fait de lui un révolté contre le monde des grands bourgeois et des hommes âgés qui n'ont pas su reconnaître son talent. Le second – une charge héroïque au coude à coude avec ses camarades de combat, dont il a semble-t-il pris l'initiative aux premiers jours de la guerre [204] – lui révèle non seulement qu'il n'est pas un lâche mais qu'il peut avoir, sous les dehors de la faiblesse, la trempe d'un héros et d'un chef. « C'est là que s'est nouée ma vie », écrira-t-il dans *La Comédie de Charleroi* [205].

La guerre a donc révélé à lui-même ce petit bourgeois qui avait vécu son échec à Sciences-Po comme un ratage définitif (il avait alors sérieusement songé au suicide). Du moins la première phase de la guerre : celle qui permet encore d'exprimer par de « beaux gestes » d'authentiques vertus guerrières et de vivre les rêves de gloire conçus dans la première adolescence. Celle qui demeure compatible avec les grands mythes de l'histoire militaire : Marathon [206], les croisades, la légende napoléonienne, etc. Très vite viendront la déception et l'horreur de la « guerre industrielle ». Non parce qu'elle tue davantage et plus sauvagement que celles qui l'ont précédée – Drieu est fasciné par la mort et rien ne lui paraît plus noble que le geste héroïque de l'homme qui meurt au combat – mais parce qu'elle est la négation même de l'épopée guerrière et réduit le combattant à l'état de victime passive. Elle est « morne » et « anonyme ». A l'image de la société qui la produit, elle est sous l'emprise des « bureaucrates », des fonctionnaires et des profiteurs en tout genre. Elle ne doit plus rien, ou presque, à l'exploit individuel et son issue ne dépend que de la

---

204. A la suite d'une semaine de marche forcée et de découragement, entre le 14 et le 20 août 1914. Cf. M. Balvet, *op. cit.*, p. 20-21.

205. P. Drieu La Rochelle, *La Comédie de Charleroi*, Paris, Gallimard, 1934.

206. « Je crus à Marathon, écrit-il à propos de son " exploit " de Charleroi. Des jeunes hommes nus sous le fer, s'élançaient », *Mesure de la France*, Paris, Grasset, 1922, p. 23.

210

puissance de la machine, monstre machiavélique et « Moloch implacable ». Elle révèle donc par son caractère inhumain l'inhumanité et le cynisme de la civilisation moderne. En condamnant celle-ci pour déviance meurtrière, Drieu instruit déjà le procès de la bourgeoisie et de ses valeurs.

C'est donc, comme beaucoup de jeunes hommes de sa génération, un « guerrier » floué qui fait retour à la vie civile. A Charleroi, en août 14 et l'année suivante en Champagne, il a tout juste eu le temps de humer l'« odeur des mâles aventures » et de se découvrir homme d'action, avant de connaître avec l'enlisement des tranchées l'humiliation de la peur et les « postures de la honte ». Rescapé de l'enfer, ce « passant qui ne peut se passer de la guerre [207] », accepte mal de rentrer dans le rang et d'être replongé dans la médiocrité du temps quotidien. « Quelle ressemblance entre mes rêves d'enfance, dira-t-il, où j'étais un chef, un homme libre qui commande et qui ne risque son sang que dans une grande action, et cette réalité de mon état civil qui m'appelait, veau marqué entre dix millions de veaux et de bœufs? » Aussi va-t-il chercher à fuir le destin ordinaire qui le guette dans d'autres rêves, dans la littérature, dans un donjuanisme désespéré d'« homme couvert de femmes [208] » – qui méprise l'objet de ses désirs et accepte en même temps d'en être le hochet –, dans une existence de dandy oisif jouissant de son impuissance et de sa propre destruction. Contemplation masochiste d'un moi qu'il déteste et dont la lente décomposition lui paraît être le reflet de celle qui ronge la société bourgeoise.

De là les quelques « excursions » dans le champ politique que motive chez Drieu le désir de trouver un remède salvateur, pour lui-même et pour la communauté dont il est le produit : nation ou entité européenne transcendant les patries et qui déjà lui paraît être le véritable cadre de la révolution à venir. Excursions éphémères qui vont conduire le « feu follet » à voir « deux fois Maurras pendant cinq minutes » et à flirter avec le Redressement français, à faire un bout de chemin avec Bergery et avec le « Comité d'Amsterdam », ou encore à « téléphoner à la secrétaire de la Vᵉ section du parti socialiste pour lui demander les conditions d'adhésion [209] ». Jusqu'au moment où, renouant lors du 6 février avec l'activisme du temps de guerre, il pourra proclamer : « [...] méprisant le capitalisme épuisé, qui prolonge ses jours par la corruption de la démocratie et méprisant

207. M. Balvet, *op. cit.*, p. 30.
208. C'est le titre même du livre publié chez Gallimard en 1925.
209. *Socialisme fasciste*, p. 240.

211

le socialisme prolétarien qui depuis un siècle donne – dans la mauvaise fortune en Europe, dans la bonne fortune en Russie – la preuve cent fois répétée qu'il n'est qu'un mythe, je me sais et me déclare socialiste [210] ». Socialiste fasciste.

En effet, le socialisme dont se réclame Drieu ne vise pas à l'amélioration du sort matériel des classes laborieuses, ce qui ne peut en fin de compte qu'accélérer leur embourgeoisement et leur décadence (symbolisée à ses yeux par la belote, l'« apéro » et la pêche à la ligne). Dépassant et effaçant les clivages que la civilisation industrielle a introduits dans le corps social, il doit s'appliquer à développer chez tous les hommes les forces morales et physiques qui constituent leur véritable dignité : ce que ni le capitalisme anonyme et égoïste, ni le matérialisme marxiste ne sont en mesure de leur apporter. Cela ne pourra s'accomplir que par un bouleversement révolutionnaire qui, pour être mené à son terme, devra s'incarner dans une force politique nouvelle, ouverte à ce qu'il reste d'éléments sains dans la société malade et pervertie de l'ère machiniste :

« Un parti, écrit l'auteur de *Socialisme fasciste*, qui repose sur une base assez large pour englober plusieurs des forces en présence. Parti animé d'une grande force dynamique et synthétique, parti qui fusionne plusieurs données aujourd'hui séparées. Qui ne souffre pas des limites dont souffre chaque formation existante. Parti qui bénéficie des enthousiasmes isolés et sans but. »

Et il ajoute : « Il est évident que c'est désigner un parti qui soit sur le modèle des grands partis qui ont triomphé dans le monde depuis vingt ans – à Moscou, à Rome, à Berlin, à Angora, à Varsovie et à Washington.

« C'est ici qu'il faut parler brutalement.

« Ce parti ne peut être que national et socialiste [211]. »

En même temps, par réaction contre la décadence bourgeoise – transposition ou sublimation du dégoût que lui inspire sa propre personne et d'une inaptitude durable à vivre avec son époque [212] – il développe une thématique vitaliste qui fait de la vie en commun, du sport, du culte de la force et de la virilité les éléments rédempteurs d'une société corrompue par la civilisation moderne et l'ultime chance de porter remède au déclin français. On le voit, dans le choix que fait Drieu de se proclamer fasciste en 1934, les considérations proprement idéologiques comptent infiniment moins que l'admiration

210. *Ibid.*, p. 238.
211. *Socialisme fasciste, op. cit.*, p. 95-96.
212. Dominique Desanti, *Drieu La Rochelle ou le séducteur mystifié*, Paris, Flammarion, 1978.

212

vouée par lui à un système de mobilisation sociale qui s'est donné comme fin première de changer l'homme, de régénérer son esprit et son corps et de restaurer les vertus qui ont fait la grandeur des sociétés préindustrielles et de leurs élites. « La définition la plus profonde du fascisme, écrit-il, c'est celle-ci : c'est le mouvement politique qui va le plus franchement, le plus radicalement dans le sens de la grande révolution des mœurs, dans le sens de la restauration du corps – santé, dignité, plénitude, héroïsme – dans le sens de la défense de l'homme contre la grande ville et contre la machine [213]. »

On pourrait s'attendre à ce que le « réveil » de 1934 soit aussi et d'abord celui du « rêveur casqué »; à ce qu'en faisant de son adhésion au fascisme un choix *éthique* (Raoul Girardet a raison je crois de l'opposer à celui de Brasillach qui s'inscrit davantage dans l'ordre de l'esthétique), Drieu fasse sienne la mythologie guerrière du fascisme *réel*. Or – et nous retrouvons ici l'un des traits majeurs du « fascisme » et du nationalisme français de l'époque – il hésite au moment de franchir le pas. Il ne retient de la rhétorique guerrière que la fonction de métaphore dont elle est porteuse. Le fascisme dont il rêve – et il le rêve plus européen que national – aura pour mission de retremper la race et de forger une nouvelle élite en développant en elles les vertus du guerrier. L'« instinct de guerre » en effet est une nécessité pour les individus et pour les États. Il préserve les premiers de l'anéantissement anonyme dans un conformisme moutonnier et les seconds du dépérissement et de la mort historique. Aussi l'État a-t-il pour devoir d'entretenir l'idée de guerre chez ses sujets et de les préparer physiquement et moralement à l'« ultime divertissement ». Jusque-là rien de très différent du discours fasciste, tel qu'il circule de haut en bas de la pyramide totalitaire dans les pays où il s'est rendu maître du pouvoir. Et tel qu'il est utilisé par les dictateurs pour mobiliser les masses au service de leurs entreprises belliqueuses. C'est seulement à partir de ces prémisses que les propos divergent, s'agissant du moins des écrits des années trente. Alors que Mussolini et Hitler préparent au grand jour une guerre qu'ils déclarent inévitable et qui, plus encore que la précédente, sera une guerre industrielle totale, Drieu redit dans son credo fasciste de 1934 : « La guerre militaire moderne est sur toute la ligne une abomination. Je me suis efforcé depuis quinze ans de démontrer et de faire sentir que cette guerre, en effet, détruit toutes les valeurs viriles [214]. »

213. P. Drieu La Rochelle, *Chronique politique. 1934-1942*, Paris, Gallimard, 1943.
214. *Socialisme fasciste, op. cit.*, p. 137.

213

De là résulte la pédagogie fasciste de Drieu, née de l'incontournable contradiction entre son amour de la guerre *idéale* – Marathon, l'« homme à cheval [215] », les charges héroïques au clairon – et l'horreur que lui inspire la guerre moderne, qui fait l'homme « rampant, épouvanté et honteux [216] », et qui détermine chez ce « fou de guerre » ce qu'il faut bien appeler son pacifisme. Qu'attend-il, dans ces conditions, d'un fascisme à la française?

D'un côté la régénération de la nation et de sa jeunesse par la part faite au développement des vertus guerrières dans la formation des générations nouvelles, condition indispensable pour maintenir vivantes leurs potentialités « révolutionnaires ». « Voulant garder l'esprit révolutionnaire, écrit Drieu, nous savons que nous voulons garder l'esprit de guerre éternelle qui en est la source et la garantie. Il faut que l'homme s'entretienne comme un homme, c'est-à-dire comme un guerrier. » « Il n'est que trop facile à l'homme moderne de devenir un clerc. Au contraire, pour rester un guerrier, il lui faut faire un effort, c'est donc que par là il se déséquilibre et se défait, et qu'il doit y prendre garde. C'est ainsi que dans le bellicisme des fascistes, il y a un effort beaucoup plus qu'un abandon, un effort qui se crispe, qui s'exaspère [217]. »

De l'autre, l'impérieuse nécessité d'empêcher que la tension ainsi imposée au corps social n'aboutisse à l'enclenchement d'un processus belligène, lequel ne peut déboucher que sur l'« abomination » d'une nouvelle tuerie industrielle. « Dans le fascisme, poursuit le nostalgique de la " comédie de Charleroi ", la crispation est de trop et signale une erreur. Le fascisme – il parle de celui qui a triomphé à Rome et à Berlin – demande trop à l'homme; en même temps qu'il lui redonne la vie, l'orgueil de sa jeunesse, il le prépare à une mort hideuse et stérile [218]. »

Au fascisme français de corriger cette erreur en réduisant la mythologie guerrière à sa fonction de métaphore et en cherchant une dérivation « pacifique » aux instincts qu'elle est censée cultiver. « Notre effort, dit encore Drieu, pour être plus mesuré, pourrait être plus heureux. En analysant notre but mieux que les autres, nous pourrions nous façonner à une tension plus saine et peut-être plus durable. A cause de la déviation démoniaque qu'a subie la guerre moderne, nous nous contenterons de l'exercice transposé de la

215. *L'Homme à cheval* est le titre de l'ouvrage publié par Drieu La Rochelle en 1943.
216. *Socialisme fasciste, op. cit.*, p. 141.
217. *Ibid.*, p. 152-153.
218. *Ibid.*, p. 153.

214

guerre : le sport. La guerre peut bien supporter une transposition comme l'amour. Il y a loin du rapt primitif à l'amour sentimental. Il faut bien que l'espèce se contente de cette transposition et de cette atténuation de l'instinct de reproduction. Remplaçons les batailles par des matches de football, l'héroïsme de la terre par l'héroïsme du ciel [219]. »

Fascisme raisonnable autant que fascisme rêvé, dès lors qu'il prive le régime à instaurer de ce qui fait le principal ressort de ses modèles constitués. Donnons encore une fois sur ce point la parole à Drieu :

« Je propose à la jeunesse française qu'elle soit raisonnable en face des jeunesses russe, italienne, allemande, qu'elle regarde en face le bien et le mal, qu'elle tire le bien de la leçon que ces jeunesses lui donnent et qu'elle en écarte le mal. Qu'elle soit sportive et révolutionnaire comme ces jeunesses, mais qu'elle brise avec la guerre militaire. Qu'elle soit consciente et forte en même temps, connaissant le sport comme une transposition et une libération de la guerre militaire, connaissant la révolution comme une guerre véritable aux conséquences dangereuses mais possiblement limitables. Proposant cela, j'ai conscience de ne point verser dans les excès du rationalisme ou de l'idéalisme, j'ai conscience d'obéir aux lois d'une philosophie naturelle, car il est de la nature de l'homme de dompter la nature [220]. »

Attitude qui doit être replacée dans son temps et comparée à celle des autres représentants du fascisme français et des courants politiques et intellectuels fascistoïdes. Elle ne tranche ni avec le discours ligueur, ni avec celui des « non-conformistes » et des dissidents de gauche entrés dans le champ d'attraction des fascismes. Elle est conforme aux orientations du PPF, auquel Drieu – que fascine la forte personnalité de Doriot – donne dès sa création son adhésion enthousiaste. Il sera d'ailleurs déçu par le chef du seul parti fasciste de masse que la France ait connu et se détournera de lui en 1938. A partir de cette date, il ne croit plus aux chances d'une révolution fasciste, surgie de l'intérieur, et place ses ultimes espérances dans un bouleversement général dont l'instrument ne peut être que le totalitarisme nazi.

Ainsi se précise, dès les années de l'immédiat avant-guerre, l'itinéraire qui va conduire ce faible épris de volonté de puissance et que hante l'idée de sa propre décomposition, à l'admiration, assumée

219. *Ibid.*, p. 153.
220. *Ibid.*, p. 137.

215

jusqu'au suicide, du racisme hitlérien et de la barbarie régénératrice véhiculée par le grand homme blond aux yeux bleus [221]. « J'aime trop la force, écrira-t-il en janvier 1942 dans la *Nouvelle Revue française*, j'ai trop admiré son déploiement dans mon pays à ses belles époques et trop désespérément souhaité sa renaissance pour ne pas la saluer là où elle est et tâcher d'en ramener sur les miens les avantages dont nous ne sûmes plus nous faire les initiateurs. »

De ce romantisme fasciste surgi avec les événements de 1934, Drieu incarne une version atypique, si l'on compare son engagement à celui de ses homologues, issus pour la plupart du giron maurrassien et dont l'hebdomadaire *Je suis partout* constitue à partir de 1936 le point de rassemblement. Le journal avait été fondé par Arthème Fayard en novembre 1930 et il avait d'entrée de jeu, sous la houlette de Gaxotte, pris le visage classique d'un organe d'extrême droite. Tout au plus se singularisait-il par une ouverture sur l'étranger qui contrastait avec le gallocentrisme habituel de la presse conservatrice. Peu à peu cependant, la vieille garde maurassienne avait dû céder le pas et la plume à de jeunes écrivains pour la plupart également façonnés par l'AF mais dont l'itinéraire s'était, depuis le début de la décennie, sensiblement écarté de la mouvance traditionaliste : Robert Brasillach, Maurice Bardèche, Lucien Rebatet, Thierry Maulnier, Claude Jeantet, Georges Blond, tous passés par le « non-conformisme » de la Jeune Droite et impliqués dans les diverses aventures éditoriales auxquelles l'aile fasciste de ce courant avait donné naissance, de *Réaction* à *Contacts* et de la *Revue du XXᵉ siècle* à *1933*, en attendant le mensuel de Thierry Maulnier, *Combat*, publié à partir de janvier 1936 et l'éphémère hebdomadaire *L'Insurgé*, du même Maulnier et de Jean-Pierre Maxence, qui militera en 1937 pour une insurrection visant à instaurer en France un régime corporatif musclé.

Sous l'impulsion de ces dissidents ou semi-dissidents de l'AF, auxquels s'étaient joints quelques éléments venus d'autres horizons politiques – l'ancien communiste Camille Fégy et Alain Laubreaux, venu du radicalisme toulousain, *Je suis partout* n'avait pas tardé à se donner des allures fascisantes, consacrant dès 1932 un numéro spécial enthousiaste à l'Italie mussolinienne et affichant ses sympathies pour les entreprises d'un Degrelle, d'un Mosley, d'un Codreanu et bientôt d'un Hitler. Effrayés par ses prises de position en faveur

221. N'écrivait-il pas dès 1921 : « J'étais grand, blond. Les yeux bleus, la peau blanche. J'étais de la race nordique, maîtresse du monde. J'étais droit, dur, avec des ruses directes. Naïf, plein d'un égoïsme généreux. Une secrète mystique, au fond du goût de la puissance »?, *État civil*, Paris, Gallimard, 1921.

216

des dictateurs et des candidats à la dictature, en même temps que par la virulence de ses attaques contre les juifs, contre le Front populaire et plus généralement contre la société bourgeoise, la librairie Fayard décida, peu après la formation du gouvernement Blum, de saborder la revue. Pour la sauver, Brasillach et ses amis acceptèrent de réduire leurs appointements, se constituant en « soviet de la presse française » tout en faisant appel à d'autres commanditaires : l'imprimeur parisien Georges Lang, l'industriel lyonnais André Nicolas, tous deux sympathisants royalistes, ainsi que Charles Lesca, ami et admirateur de Maurras, qui avait hérité d'une fortune sud-américaine faite dans la conserve de viande [222] et rêvait lui aussi de restauration monarchiste.

Malgré le resserrement apparent de ses liens avec l'Action française (les nouveaux propriétaires avaient en réalité peu d'influence sur la ligne du journal), Je suis partout allait au cours des années suivantes accentuer fortement sa dérive fasciste, entraîné dans cette voie par les éléments les plus radicaux de l'équipe rédactionnelle, dont Robert Brasillach avait officiellement pris la direction en juin 1937, et drainant une clientèle infiniment plus large — tant dans le microcosme intellectuel que parmi les lecteurs anonymes — que celle des groupuscules et des cercles qui se réclamaient ouvertement de l'idéologie des faisceaux [223]. Ce à quoi n'étaient pas étrangers la xénophobie et l'antisémitisme croissants de la revue, en prise sur ce point avec de larges secteurs de l'opinion française [224]. D'abord plus proche de l'Italie que de l'Allemagne, la « bande de Je suis partout » (ainsi baptisée par un collaborateur de l'AF) en vint peu à peu, sous l'influence notamment de Claude Jeantet, responsable de la rubrique allemande, de Rebatet et de Georges Blond, à faire l'apologie du national-socialisme dont la politique raciale répondait, mieux que celle du Duce, à sa propre haine des juifs.

De cette « bande », qui a constitué pendant trois ou quatre ans l'épicentre du fascisme des intellectuels, Brasillach a été à la fois l'homme à tout faire et le « cerveau ». Né en 1909, donc de quatorze ans moins âgé que Drieu, cet ancien normalien de la rue d'Ulm s'est

222. E. Weber, L'Action française, op. cit., p. 554.
223. Sur JSP et son équipe, l'indispensable ouvrage de référence est celui de Pierre-Marie Dioudonnat : Je suis partout, 1930-1944. Les maurrassiens devant la tentation fasciste, Paris, 1973.
224. Sur la xénophobie de l'extrême droite française des années trente, on consultera : Ralph Schor, L'Opinion française et les étrangers, 1919-1939, Paris, Publications de la Sorbonne, 1985.

lui aussi engagé dans l'activisme politique au lendemain du 6 février 1934. Jusque-là, il avait partagé son temps entre une intense production littéraire (cinq essais, autant de romans, une pièce de théâtre, un volume de poésies) et une activité journalistique épisodique exercée, depuis 1931, dans la mouvance de l'Action française. Engagé par bravade juvénile et provocatrice, autant que par conviction, dans l'aventure « non-conformiste », mais gardant des liens très forts avec l'église maurrassienne, il se découvre brusquement radicalisé par l'émeute sanglante de la Concorde. Moins sans doute par les leçons politiques qu'elle lui inspire que par fascination esthétique. « Seuls les révolutionnaires, écrira-t-il dans *Notre avant-guerre*, ont compris le sens des mythes et des cérémonies [...] si le 6 fut un mauvais complot, ce fut une instinctive et magnifique révolte, ce fut une nuit de sacrifice, qui reste dans notre souvenir avec son odeur, son vent froid, ses pâles figures courantes, ses groupes humains au bord des trottoirs, son espérance invincible d'une Révolution nationale, la naissance exacte du nationalisme social dans notre pays [225]. »

Quelques voyages accomplis dans les pays où « il se passe quelque chose », en Espagne où couve le feu contre-révolutionnaire, en Italie « le pays qui tient la plus grande place dans l'histoire des Français de ce temps [226] », en Belgique où il fait la connaissance de Degrelle – ce jeune homme « qui a appelé à son secours son enfance » et auquel il trouve « quelque chose du Dargelos des *Enfants terribles* [227] » – plus tard en Allemagne où se construisent les « cathédrales de lumière », en Espagne encore au temps de la guerre civile, achèvent de faire de l'ancien khâgneux, portrait accompli du « jeune homme » des années trente, un *fasciste*. Choix existentiel, comme celui de Drieu dans lequel la fascination esthétique pour cette « poésie même du XXᵉ siècle » l'emporte sur toute autre considération :

« Le fascisme, dira-t-il, n'était pas pour nous, cependant, une doctrine politique, il n'était pas davantage une doctrine économique, il n'était pas l'imitation de l'étranger, et nos confrontements avec les fascismes étrangers ne faisaient que mieux nous convaincre des originalités nationales, donc de la nôtre. Mais le fascisme, c'est un esprit. C'est un esprit anticonformiste d'abord, antibourgeois, et l'irrespect y avait sa part. C'est un esprit opposé aux préjugés, à ceux de la classe comme à tout autre. C'est l'esprit même de l'amitié,

225. R. Brasillach, *Notre avant-guerre*, Paris, Plon, 1941, réédité en livre de poche, 1973, p. 198.
226. *Ibid.*, p. 212.
227. *Ibid.*, p. 313.

218

dont nous aurions voulu qu'il s'élevât jusqu'à l'amitié nationale [228]. »

On retrouve ainsi chez Brasillach et chez ses amis de *Je suis partout*, les sentiments et les idées chers à Drieu La Rochelle : une vision lyrique de la nation régénérée et purifiée aboutissant à un antisémitisme raciste, qui n'est déjà plus tout à fait celui de l'Action française et qui apparente davantage le fascisme français au nazisme qu'à son homologue italien, l'adhésion aux postulats brumeux du socialisme national, le refus des valeurs petites-bourgeoises et le mépris du bien-être matériel, le culte de la force et de la jeunesse, l'oubli de soi dans la chaleur fervente du groupe [229], etc. Tout cela était déjà plus ou moins présent et clairement repérable dans le nationalisme français de la fin du XIXe siècle, en tout cas sur son versant barrésien. Il y a, c'est vrai, une filiation sur laquelle nous ne reviendrons pas. Mais il y a aussi une différence fondamentale qui tient à la place qu'occupe la nation française dans l'idée que se font du monde et de son histoire les maîtres à penser du fascisme français.

Certes, ils cultivent passionnément l'espérance d'une renaissance française. Ils ont cru que le « grand soir » du 6 février pourrait accoucher d'une « révolution » et ils ont salué en Doriot le chef charismatique dont la France avait besoin pour enrayer son déclin. Or ils ont, depuis 1934, accumulé les désillusions. Les journées de février ont donné naissance au « Front commun », dont le succès électoral deux ans plus tard a été suivi de la « grande peur » des possédants. Doriot n'a pas réussi à faire basculer les masses du côté de la révolution nationale et s'est enlisé avec ce qu'il lui reste de troupes dans les sables de l'agitation verbale. La France de 1938 n'a pu faire autrement que de négocier avec Hitler et le seul « dictateur » qu'elle a su se donner est un pur produit de la république radicale. Quant aux Français, rien ne pourra décidément – sinon la guerre? – les détourner de l' « apéro et de la belote ». De là la question que commencent à se poser à haute voix nos squadristes de la plume : la France est-elle récupérable? A-t-elle encore assez de substance vive pour que s'accomplisse de l'intérieur la révolution qui pourrait la sauver? Et la réponse donnée est souvent négative. Dans le roman à demi autobiographique qu'il publie en octobre 1939 [230], Drieu le dit

---

228. *Ibid.*, p. 362.

229. Raoul Girardet insiste avec raison sur l'importance de ce qu'il appelle l' « esprit de bande » dans certains milieux politiques français de l'immédiat avant-guerre. Cf. « Notes sur l'esprit d'un fascisme français », *op. cit.*, p. 543.

230. *Gilles* a été publié en octobre 1929 avec de nombreux passages supprimés par la censure de guerre. La version intégrale est parue chez Gallimard en 1942.

sans détours : « Jamais plus, songeait Gilles, jamais plus la sève ne repassera dans ce peuple desséché. » « Les Français n'ont plus qu'une passion, celle de crever [231]. »

On dira que la « hantise du périssable » et la crainte de voir la France atteinte d'un mal incurable ne sont pas absentes des écrits barrésiens et Michel Winock a raison de rapprocher la « parabole fasciste » de Drieu de certains textes de l'écrivain lorrain [232]. Néanmoins, de la perception qu'il a du déclin de la nation française, Barrès ne tire pas, comme ses épigones des années trente, une leçon de désespérance nihiliste aboutissant en quelque sorte à l'acceptation de la loi du plus fort. Qu'importe après tout que la nation s'efface et que la révolution vienne de l'extérieur, si telle doit être la condition du salut? Dès 1938, c'est déjà en ces termes que se pose pour nombre d'intellectuels fascistes le problème des rapports avec les puissances de l'Axe.

Tous ne le règlent pas encore en appelant de leurs vœux – comme Lucien Rebatet ou comme Alphonse de Châteaubriant [233] – un renversement des alliances au profit du Reich hitlérien. On peut même dire que, pour certains de ces jeunes hommes dont la culture politique reste fortement marquée par l'empreinte maurrassienne, la sympathie manifestée à l'égard du régime ou de la liturgie nazis n'est plus exclusive – c'est le cas de Brasillach lui-même – d'un antigermanisme structurel. Ce qui domine cependant, c'est le désir de voir se constituer une communauté fasciste transcendant les frontières et les nations, une sorte d' « Internationale » de l'ordre nouveau capable d'engendrer une civilisation nouvelle et d'insuffler à la « race » française l'énergie qui lui fait défaut. Cette communauté, nos intellectuels fascistes ont cru l'entrevoir dans les grandes messes païennes auxquelles les dirigeants des États totalitaires ont convié un petit nombre d'entre eux. Et surtout sur les champs de bataille d'Espagne où quelques-uns ont combattu au coude à coude avec les phalangistes et avec les légionnaires du totalitarisme noir. De cette illusion est née l'image qu'ils se font du futur de l'Europe, conçue comme le refuge des valeurs spirituelles face aux deux géants matérialistes que sont la Russie et l'Amérique anglo-saxonne. Toute l'évolution du fascisme intellectuel français sous l'Occupation se trouve dans ce regard hallucinatoire posé sur « notre avant-guerre ».

231. *Gilles*, p. 339 sq.
232. M. Winock, « Une parabole fasciste : *Gilles* de Drieu La Rochelle », *Le Mouvement social*, n° 80, juil.-sept. 1972.
233. Alphonse de Châteaubriant, qui avait acheté un chalet dans la Forêt Noire en 1935, a publié deux ans plus tard *La Gerbe des forces*, ouvrage dans lequel il exposait sans complexe sa certitude des intentions pacifiques du Führer.

4

La France de Vichy a-t-elle été fasciste?

Toute l'historiographie du fascisme français bute, à un moment ou à un autre, sur la question fondamentale de la nature du régime qui a été instauré dans notre pays à la suite de la capitulation parlementaire des 9 et 10 juillet 1940.

Qu'on le considère ou non comme *fasciste* dépend à bien des égards l'interprétation qui sera faite de la décennie qui précède la guerre, voire celle de l'histoire contemporaine de notre société, jugée par les uns radicalement allergique à la tentation totalitaire, par les autres au contraire déjà fortement contaminée par le virus fasciste à la veille du second conflit mondial, et toute prête à se plonger avec délice dans « le torrent de fange et d'ordure [1] ».

Non fasciste, et le voici assimilé à la droite réactionnaire et revanchiste, replacé dans une tradition politique aussi ancienne en France que la République et, pour certains du moins, partiellement blanchi de ses errements les moins pardonnables. Fasciste, et s'appliquent à son interprétation les théories qui s'efforcent, depuis soixante ans et plus, de donner un sens à l'une des folies les plus meurtrières du siècle : le complot du « grand capital » (dans sa version hexagonale des « deux cents familles »), l'adhésion des masses déboussolées au délire d'une poignée d'exaltés, la dérive totalitaire de toute une fraction de la gauche, marxiste et non marxiste, une « parenthèse » dans notre histoire ou le produit d'un passé qui n'est pas seulement celui des autres, etc [2]. Comme si à la question posée

1. B.-H. Lévy, *L'Idéologie française, op. cit.*, p. 37.
2. Sur les interprétations historiographiques et autres du phénomène fasciste, cf. R. De Felice, *Le Interpretazioni del fascismo*, Bari, Laterza, 1969 (la dernière édition date de 1983, trad. française : *Comprendre le fascisme*, Paris, Seghers 1975). Voir également : P. Milza, *Les Fascismes*, Paris, 1985, *op. cit.*, chap. V.

l'on attendait de l'historien qu'il réponde « coupable » ou « non coupable ». Comme si le fascisme avait eu l'exclusivité des crimes commis contre la démocratie et contre l'homme, avant et pendant la Seconde Guerre mondiale. Un exemple? Ce sont les policiers de Vichy qui font la chasse aux juifs en 1943, autour de la synagogue de Nice, non les soldats de Mussolini envoyés au contraire pour empêcher les premiers d'accomplir leur sinistre besogne.

Ceci pour préciser qu'il ne s'agit pas ici d'absoudre Vichy en lui délivrant, après beaucoup d'autres, un brevet de *non-fascisme*, mais seulement d'appeler les choses par leur nom. Par souci de rigueur épistémologique : cela va de soi. Parce que les mots ne doivent pas servir d'aliment aux manipulateurs de l'histoire, et que ceux-ci ne manquent pas, à gauche comme à droite. Peut-être également – l'historien est aussi un citoyen et la rigueur n'exclut pas la vigilance – pour cette raison que si danger il y a aujourd'hui de voir renaître quelque part une « bête immonde », c'est chez nous, du côté des thuriféraires discrets de l'ordre moral vichyssois, qu'il faut le chercher, plutôt que chez les héritiers d'un fascisme qui – *stricto sensu* – n'a jamais occupé dans notre pays qu'un espace marginal.

Encore faut-il, s'agissant de la période au cours de laquelle il a triomphé chez nos voisins, nous interroger sur les raisons de cette marginalité.

L'impossible « révolution » fasciste

Que malgré ses difficultés la France des années trente ait résisté à la tentation totalitaire, cela s'explique par un certain nombre de traits qu'elle partage pour la plupart avec d'autres États démocratiques européens – la Belgique, les Pays-Bas, la Norvège, confrontés comme elle à une brusque et éphémère poussée fasciste entre 1934 et 1937 – et qui vont d'ailleurs se trouver en partie modifiés par la défaite.

1. Le premier de ces caractères me paraît sinon déterminant, du moins d'une pesanteur plus forte que celle qu'on lui attribue généralement en France. Il a trait à la nature et aux dimensions de la crise qui affecte notre pays dans le courant des années trente et qui est sans commune mesure avec celles qui ont frappé l'Italie et l'Allemagne. Précisons : il ne s'agit pas seulement des énormes difficultés économiques qu'ont rencontrées ces deux pays, le premier

222

au début de la décennie 1920, le second de manière récurrente en 1921-1923 puis une dizaine d'années plus tard. Certes, les six millions de chômeurs allemands de 1932 ont pesé lourd dans la balance mais, Serge Berstein a raison de le rappeler [3], la Grande-Bretagne a eu au moins autant de chômeurs que l'Italie et les États-Unis en ont compté proportionnellement plus que l'Allemagne, sans que le fascisme y ait été, de même qu'en France où le nombre des sans-emplois fut au demeurant infiniment moindre [4], autre chose qu'un phénomène mineur.

La différence essentielle est donc ailleurs. Dans la gravité de la menace révolutionnaire et dans la très forte destructuration sociale qu'ont connues au lendemain de la guerre les deux futurs États fascistes. Dans ce que le sociologue Jules Monnerot définit comme une « situation de détresse », à savoir : « la décentration de la société, la *mobilisation*, au sens étymologique, de sa composante la plus stable : les classes qui s'identifient avec la régularité sociale par excellence et sur lesquelles repose l'ordre politique tel qu'il était [5] ». « Ces catégories sociales, précise l'auteur de *Sociologie de la révolution*, sont atteintes par l'insécurité et l'incertitude, et se trouvent de ce fait jetées dans les dispositions psychologiques qui font les catégories révolutionnaires [6]. » Ce qui implique une « demande de pouvoir » infiniment plus forte que dans les pays où les « oligarchies en possession d'état » n'ont pas subi la même faillite et où la relève des élites s'est accomplie dans la longue durée.

Il y a bien eu en France une crise du pouvoir, une remise en cause dans de nombreux secteurs de l'opinion des conditions de fonctionnement de la république parlementaire, mais elle est loin d'avoir eu, sur le terrain politique, les mêmes effets simplificateurs que dans les pays où s'est manifestée une véritable menace révolutionnaire. Autrement dit au moment où cette crise devient patente, il ne s'opère pas autour du noyau dur fasciste, épicentre de l'opposition au régime, la même polarisation qu'en Italie et plus tard en Allemagne. Et cette dispersion des forces, qu'illustre bien la manière dont s'est déroulée la manifestation du 6 février 1934, concourt puissamment à l'échec du projet subversif.

2. Second caractère, qui joue dans le même sens, l'impossibilité

3. Berstein, « La France des années trente allergique au fascisme », *Vingtième siècle*, nº 2, avril 1984, *op. cit.*, p. 83 sq.
4. On compte environ 450 000 chômeurs en France au point le plus aigu de la crise pour 6 millions en Allemagne et 14 millions aux États-Unis.
5. J. Monnerot, *Sociologie de la révolution*, Paris, 1969, p. 549-550.
6. *Ibid.*

223

qu'éprouvent les représentants du *fascisme* français – ceux qui en revendiquent l'étiquette comme ceux qui se rattachent, sans afficher leur appartenance, à ce phénomène transnational – à se rassembler en un seul mouvement et à placer leurs espoirs sur un leader unique. Dire que la France des années trente n'a pas connu de dirigeant charismatique de la trempe d'un Mussolini ou d'un Hitler n'a pas grande signification. Certes, pour s'en tenir aux chefs de file d'un fascisme plus ou moins conforme aux modèles étrangers, les Bucard, Coty et autres Deloncle font figure de bien médiocres candidats à la dictature. Mais, d'une part, il n'en est pas de même de Doriot, dont les qualités de meneur d'hommes, le talent d'orateur et le magné- tisme ne sauraient être mis en doute, et d'autre part le « génie » politique rétrospectivement attribué à Mussolini et à Hitler, dont le succès est largement tributaire des circonstances, se réduit après examen à des vertus très ordinaires de manipulateur de foules et de politicien opportuniste. En revanche il est vrai qu'aucun des courants dans lesquels s'est incarné le fascisme français n'a été capable – et il en sera de même pendant la guerre – d'en rassembler les troupes et d'exercer sur elles, ainsi que sur les courants périphériques, son pouvoir d'attraction et de captation.

3. Autre trait fondamental : l'appartenance de la France au camp des nantis et des puissances « satisfaites » du remodelage de l'Europe opéré par les traités, alors que là où il a finalement triomphé le fascisme s'est nourri des frustrations de toutes sortes provoquées par le règlement du conflit. Comme la Grande-Bretagne, avec laquelle elle partage la suprématie coloniale, la France de l'entre-deux- guerres n'a aucune revendication territoriale à faire triompher. Or le fascisme porte en lui l'esprit de revanche et l'impérialisme. Il est inséparable de l'éthique guerrière et préfigure, dès sa naissance, la société militaire qu'il rêve d'instaurer. Il considère la guerre non seulement comme inévitable pour la réalisation de ses objectifs révisionnistes, mais comme nécessaire au façonnement de l'homme nouveau. Appliqués à la France, ces fantasmes belliqueux n'ont aucune chance de s'imposer à l'opinion et il est clair que cette absence d'agressivité prive le fascisme hexagonal d'un ressort essen- tiel. Elle l'incline à s'accommoder du pacifisme ambiant, pis, à en rajouter sur ce dernier, et partant à programmer sa propre satellisa- tion.

4. Surtout, le principal obstacle au succès d'un fascisme français réside dans la résistance qu'oppose à ses entreprises une culture politique solidement ancrée au modèle républicain. Dans l'adhésion de la très grande majorité de la nation à un système de valeurs et à

des institutions que l'on souhaîte rendre plus efficace mais que peu de Français aspirent à détruire. Y compris à droite. Y compris chez les partisans d'une solution autoritaire, lesquels nous avons pu le constater penchent davantage du côté de La Rocque que de Doriot.

Là où le fascisme et le national-socialisme ont pu compter sur le ralliement massif de classes moyennes que la démocratie libérale n'avait pas su conquérir, ces catégories sociales se partagent en France majoritairement entre une droite conservatrice puissante, ralliée de longue date à la république parlementaire et une gauche radicale qui, incarnant la tradition républicaine, conserve après la guerre une bonne partie de son audience. Confrontées aux effets multiformes de la crise et à la montée du péril extérieur, des fractions importantes de l'opinion et du monde politique ont été amenées à radicaliser leur critique du parlementarisme, jugé incapable de maîtriser les problèmes de l'heure et pour tout dire inadapté à la société moderne. Mais dans les rangs de ceux qui formulent ce jugement négatif, nombreux sont les républicains de stricte obédience qui songent avant tout à réformer le régime et à lui insuffler une vigueur nouvelle. Que certains de ces rénovateurs, « Jeunes-Turcs », jeunes radicaux, néo-socialistes et autres « non-conformistes » de gauche et du centre, soient par la suite devenus fascistes ou proches du fascisme, cela ne change rien au constat que l'on peut faire de l'attachement d'une majorité de Français aux pratiques et aux idéaux de la démocratie.

La France de 1939 n'est donc pas près de basculer dans la dictature et le totalitarisme. Elle aspire certes à plus de stabilité gouvernementale, à plus de fermeté dans la conduite des affaires de l'État. Si, consciente ou non de ses faiblesses, elle demeure attachée au maintien de la paix, elle connaît un regain de patriotisme avec, comme contrepartie négative, une tendance fâcheuse à chercher des boucs émissaires et à dénoncer l'« ennemi intérieur ». Mais, contrairement à une légende tenace, elle paraît résolue à ne pas se coucher devant Hitler [7]. La seule organisation fasciste de masse qui se soit jamais développée sur son sol – le Parti populaire français – est en pleine décomposition et le « dictateur » qu'elle s'est donné, d'abord pour tenter de sauver la paix, puis pour la préparer à l'inévitable

7. Les sondages réalisés après Munich (les premiers du genre à l'échelle de l'hexagone) indiquent nettement qu'une forte majorité de Français se déclare favorable à une attitude de fermeté face à de nouvelles exigences hitlériennes. Sur l'évolution de l'opinion française dans l'immédiat avant-guerre, cf. J.-B. Duroselle, *La Décadence, 1932-1939*, Paris, Imprimerie nationale, p. 355 sq.

affrontement [8], ne s'appelle pas Bucard ou Doriot mais Édouard Daladier et il n'a pas grand-chose de commun avec les promoteurs de l'ordre nouveau. Il est donc abusif et faux de dire, comme le fait Bernard-Henri Lévy, qu'elle est prête à se livrer « sans retenue, avec une allégresse obscène » à une « authentique révolution fasciste [9] ». La dictature qui s'installe à Vichy en juillet 1940 n'est ni authentiquement *fasciste*, ni attendue par un peuple à genoux.

Le « premier Vichy »

De juin 1940 à novembre 1942, la France vaincue présente un cas très particulier dans l'Europe allemande. Coupée en deux par la « ligne de démarcation », elle comprend une zone dite « libre » au Sud, sur laquelle s'exerce l'autorité d'un gouvernement légalement constitué, et une zone occupée au Nord où les Allemands règnent en maîtres.

En théorie, la souveraineté de l'État français ne s'applique pas seulement à la première et s'étend à l'ensemble du territoire métropolitain. Mais l'article 3 de la convention d'armistice limite fortement en zone sud les prérogatives du gouvernement de Vichy. Il stipule en effet que ce dernier « invitera immédiatement toutes les autorités et tous les services administratifs français en territoire occupé à se conformer aux réglementations des autorités militaires allemandes et à collaborer [10] avec ces dernières d'une manière correcte ».

Dans cette fraction de l'hexagone où leur domination peut ainsi s'exercer de manière directe, les Allemands vont laisser se développer des groupes fascistes collaborationnistes, de manière à jouer sur l'opposition entre les deux France, jusqu'au moment où, ayant occupé la zone sud et voulant obtenir davantage de la « collaboration d'État », ils pousseront à la fascisation du régime instauré par le maréchal Pétain.

Car la différence est grande entre le « premier Vichy » – lequel

8. Les sondages d'opinion opérés en 1939 soulignent que les Français, dans leur majorité, jugent désormais la guerre inévitable. Cf. J.-P. Azéma, *De Munich à la Libération, 1938-1944*, Paris, Le Seuil, 1979, p. 35.
9. *Op. cit.*, p. 37.
10. Le terme figurant dans la version allemande de la convention est *zusammen arbeiten*.

226

correspond en gros aux dix-huit premiers mois de la dictature maréchaliste – et le fascisme. Ce dernier constitue en effet, et de manière consciente, un effort d'adaptation à la société industrielle. Prenant acte de la destructuration du corps social, il ne cherche pas à restaurer l'ordre ancien, mais au contraire à bâtir une société nouvelle, fondée sur des communautés non traditionnelles (le parti unique, les formations paramilitaires, des organisations professionnelles et des mouvements de jeunesse entièrement dépendants du parti et de l'État et placés en situation de monopole, etc.), et il vise à l'avènement d'une humanité futuriste ayant rompu ses attaches avec le passé. La « révolution nationale » vichyste, qui est, comme le dit René Rémond, l'« autre nom de la contre-révolution [11] », opère au contraire un retour aux sources, et aux sources les plus lointaines de la tradition nationale.

Vaincue, humiliée, frappée comme le dit un rapport préfectoral d'octobre 1940 d'une « véritable anesthésie intellectuelle et morale [12] », la France se tourne instinctivement vers ses racines les plus profondes, comme un soldat blessé vers son enfance. Telle était déjà, d'une certaine façon, la signification de l'exode du printemps 40 : « La France ne fuit pas seulement devant le Teuton, le Prussien, le nazi. Elle se fuit en quelque sorte elle-même : elle se répudie comme France industrielle et citadine et se replonge dans une sorte d'archaïque état de nature, dans une ruralité élémentaire [13]. »

« Le coup de massue de la défaite, écrit Robert Paxton, qui en un instant avait fait d'un peuple fier et sceptique une foule de flagellants avides de souffrance et de discipline, se dissipa aussi vite que l'hébétude de la victime d'un accident de la route [14]. » En attendant, c'est lui qui explique cette ferveur du « maréchalisme de base [15] » qui touche toutes les couches de la société, tous les âges, toutes les sensibilités politiques, et avec elle l'acceptation quasi unanime du régime de Vichy, de son idéologie régressive, de sa volonté de rétablir l'ordre moral et de restaurer les valeurs, les cadres (famille, corporations), les élites (notables), les activités (travail de la terre, artisanat) de l'ancienne France.

Revanche, incontestablement, d'une France rurale, catholique, traditionaliste, sur le libéralisme des grands intérêts industriels et

11. R. Rémond, *Les Droites en France, op. cit.*, p. 235.
12. Il s'agit du préfet de l'Ain, dans une lettre du 30-10-1940.
13. J. Plumyène et R. Lasierra, *Les Fascismes français, op. cit.*, p. 146.
14. Robert O. Paxton, *La France de Vichy, 1940-1944*, Paris, Le Seuil, 1973, éd. poche, p. 54.
15. J.-P. Azéma, *De Munich à la Libération..., op. cit.*, p. 106.

financiers et sur le radicalisme des « nouvelles couches », dont l'alliance préside depuis soixante ans aux destinées de la nation, autant que sur le spectre rouge incarné par les hommes du Front populaire. Revanche donc de la fraction la plus rétrograde du corps social et des forces politiques qui sont censées parler en son nom, contre tout ce qui représente la modernité et le changement. Mais revanche partagée, ou du moins acceptée, par une majorité de Français que la débâcle a rendue temporairement amnésique de sa culture.

En effet, c'est d'abord contre le régime défunt, contre la république bourgeoise et parlementaire que s'élèvent d'un peu partout les clameurs revanchistes. Réaction classique au lendemain d'une défaite militaire grave, dont les républicains avaient eux-mêmes tiré profit après Sedan et qui joue cette fois en leur défaveur. Au-delà des soi-disant « responsables » de la défaite – ceux qui ont engagé le pays dans la guerre et ceux qui n'ont pas su lui donner les moyens de la gagner – c'est de tout un personnel, de toute une classe, de tout un système politique que Vichy instruit le procès, approuvé par la plus grande partie de l'opinion. Sont livrés pêle-mêle à la réprobation publique, outre les dirigeants du Front populaire et les syndicats, tous ceux à qui il est fait grief d'incarner, dans ce qu'il a de nocif et de corrompu, l'ordre ou le « désordre » républicain : l'état-major et les notables du parti radical, la franc-maçonnerie et même les « hussards » du régime dont les « séminaires laïques » – les écoles normales – sont supprimés.

De proche en proche, c'est tout l'héritage de 1789 qui est répudié par Vichy, et c'est pourquoi le régime qui se substitue à la IIIᵉ République s'inspire des principes depuis toujours défendus par la tendance la plus réactionnaire de la droite : celle de l'ultracisme contre-révolutionnaire, relayé depuis le début du siècle par l'Action française. C'est en ce sens que Maurras a pu parler de « divine surprise » pour qualifier l'entreprise maréchaliste [16], sans que l'on doive pour autant considérer la révolution nationale comme la pure et simple projection de ses idées [17] :

« Le pétainisme, écrit Jean-Pierre Azéma, c'est avant tout « la convergence d'idées lointainement reçues des droites, badigeonnées de quelques ingrédients empruntés aux années trente. Ce pessimisme fondamental, ce moralisme sentencieux, cet élitisme antidémocrati-

16. C'est le titre d'un article de Maurras paru dans *Le Petit Marseillais* du 9-2-1941.
17. Contrairement à ce qu'affirme un peu vite Olivier Wormser : *Les Origines doctrinales de la Révolution nationale*, Paris, Plon, 1971.

228

que, cette construction organisatrice de la société, ce nationalisme défensif et replié sur lui-même ont un fondement bien réactionnaire – au sens précis du terme. C'était un pot-pourri – somme toute banal – d'idéologies fleurissant à la fin du XIXᵉ siècle, maurrassisme compris, sans que ce syncrétisme qui se prétendait régénérateur fasse une part démesurée au système de Maurras [18]. »

Il reste que le groupe ultra-minoritaire des hommes de l'AF figure dès les premiers jours parmi les inspirateurs du nouveau régime et concourt, plus que les autres dans un premier temps, à fixer ses choix institutionnels et idéologiques. La substitution d'une société « organique » à la société individualiste, la restitution des fonctions et des pouvoirs usurpés par l'État moderne aux groupes et aux communautés « naturelles », la soumission du politique à l'économie et au social, la mise en place d'un *État français* corporatiste, hiérarchisé, théoriquement décentralisé et réduit aux fonctions d'arbitrage et de maintien de l'ordre, tels sont les principaux emprunts du premier Vichy à la pensée maurrassienne. Emprunts théoriques pour la plupart, dont on va voir qu'ils ne vont pas tarder à être contredits par les faits. Et surtout, refus de suivre Maurras sur le point cardinal de sa doctrine, à savoir le retour à la monarchie. S'il est vrai que, sous le sceptre étoilé du maréchal, la France de Vichy est à bien des égards une monarchie sans monarque – tout comme l'Espagne de Franco et la Hongrie de l'amiral Horthy – il est clair que Pétain n'a pas l'intention d'être un nouveau Monk : ni en 1940 ni deux ans plus tard, lorsque Laval offrira au prétendant au trône un portefeuille de ministre du Ravitaillement [19]!

Ajoutons à cela que les idées et les pratiques ultra-conservatrices du nouveau régime relèvent d'une culture politique dont l'Action française n'est que l'un des rameaux. Les grands thèmes de la révolution nationale, et les mesures qu'ils inspirent – « retour à la terre », exaltation de la famille et du travail artisanal, rétablissement de l'ordre moral et des vertus régénératrices dont il est censé être porteur, substitution aux structures artificielles nées des errements de la raison et de la révolution (les syndicats, les départements, etc.) des cadres organiques de l'ancienne France (corporations, provinces), restauration des valeurs spirituelles assurée par l'alliance du pouvoir et de l'Église –, tout cela Vichy le puise aux sources d'un traditionaliste teinté de catholicisme social dont les représentants ne sont pas tous des disciples de Maurras. Des hommes comme Xavier Vallat, Philippe Henriot, Jacques Chevalier ou comme le général Weygand,

18. *Op. cit.*, p. 80.
19. *Op. cit.*, p. 85, note 2.

tous réactionnaires bon teint, passés ou non par la Fédération nationale catholique, ne peuvent que se trouver d'accord sur de nombreux points avec la vision passéiste qui paraît devoir présider à la reconstruction de la France.

Est-ce à dire que le régime instauré par le maréchal Pétain soit assimilable en tous points aux dictatures réactionnaires qui ont fleuri un peu partout en Europe dans le courant de l'entre-deux-guerres et n'ont que peu de traits communs avec le fascisme [20] ? Certainement pas et, si des ressemblances existent, elles ne s'appliquent pas de la même manière à tous les régimes considérés et ne suffisent pas à régler sans autre forme de procès l'épineuse question de l'appartenance ou de la non-appartenance de Vichy à la catégorie des *fascismes*.

S'agissant toujours du « premier Vichy », c'est semble-t-il avec le régime paternaliste du Dr Salazar que la parenté est la plus étroite. Du moins si l'on considère les objectifs affichés par les deux dictatures : restauration des structures d'encadrement et des élites traditionnelles, rétablissement de l'ordre moral et du magistère spirituel de l'Église, refus du modernisme et de la civilisation industrielle, avec ce que cela implique de méfiance à l'égard du totalitarisme fasciste qui en est un produit idéologique, au même titre que le libéralisme et le socialisme marxiste. Sur deux points au moins cependant, la différence avec l'expérience lusitanienne saute aux yeux. D'une part, dès lors qu'il s'applique à un pays fortement et anciennement industrialisé, l'itinéraire régressif auquel Vichy convie ses adeptes relève davantage de l'utopie. D'autre part – et ceci est tout aussi déterminant – le milieu dirigeant vichyste est beaucoup moins homogène que celui qui préside, depuis le début des années trente, aux destinées de l'*Estado Novo*. Ce qui, d'entrée de jeu, introduit un hiatus entre les intentions du noyau dur ultra-réactionnaire et celles des autres inspirateurs du pouvoir.

En effet, les meilleurs spécialistes de la période s'accordent à le souligner, « Vichy n'est pas un bloc [21] ». Stanley Hoffmann le définit à la fois comme une « dictature pluraliste » et comme « la grande revanche des minorités [22] ». Pas nécessairement, en tout cas pas exclusivement celle des « ratés », comme le proclame cruellement Bernanos, mais à bien des égards celle des marginaux de la politique, des « non-conformistes » de tout poil et aussi, pour un certain nombre

---

20. Sur les critères de différenciation entre régimes *fascistes* et dictatures réactionnaires ou traditionalistes, cf. P. Milza, *Les Fascismes, op. cit.*

21. R.O. Paxton, *La France de Vichy, op. cit.*, p. 140.

22. S. Hoffmann, *Essais sur la France. Déclin ou renouveau*, Paris, Le Seuil, 1974.

d'entre eux, des « laissés-pour-compte du suffrage universel [23] ». A côté des doctrinaires de la contre-révolution, on trouve tout, ou à peu près, autour de l'hôtel du Parc et dans les coulisses de la cour maréchaliste. Hommes de gauche, en petit nombre, comme François Chasseigne, député socialiste de l'Indre et futur commissaire général au Travail, ou comme Gaston Bergery, qui poursuit ici sa dérive fasciste et deviendra en 1941 ambassadeur à Moscou. Syndicalistes dissidents rassemblés autour de René Belin, ancien secrétaire général adjoint de la CGT, dont Vichy fera un ministre du Travail. Hommes de droite surtout, venus de tous les secteurs du spectre : anciens doriotistes comme Marion, principal responsable de la propagande à Vichy de 1941 à 1943, représentants de l'ultra-droite ligueuse et bonapartiste comme Ybarnegaray, venu du PSF, ou Roger de Saivre, ancien des Jeunesses patriotes, maurrassiens nous l'avons vu et conservateurs de choc, nombreux parmi les militaires (eux-mêmes en position de force à Vichy) et les hauts notables ministrables, enfin et surtout, car ce sont eux qui contrôlent en majorité les rouages concrets du nouveau régime, politiciens « modérés » comme Laval et Flandin, anciens leaders du centre droit passés avec armes et bagages du côté du conservatisme musclé.

De cette tour de Babel politique où conservateurs endurcis et rénovateurs en tout genre se côtoient et rivalisent d'ardeur courtisane pour accéder aux premiers rôles, émerge une petite légion de « technocrates » (le terme est anachronique mais la fonction sociale et politique est déjà bien vivante dans la France de l'an 40) : brillants sujets sortis de la rue d'Ulm (Pucheu), de l'École libre des sciences politiques (Lehideux), de l'X (Bichelonne, Barnaud, Gibrat) ou de Centrale (Bouthillier, Lamirand), devenus hauts fonctionnaires, chefs d'entreprise, gestionnaires de grandes sociétés industrielles ou financières, passant de l'une à l'autre de ces fonctions avant de « pantoufler » dans tel ou tel cabinet ministériel, voire, pour certains d'entre eux (c'est le cas d'Yves Bouthillier dont Paul Reynaud a fait un ministre) d'entrer en politique.

Point n'est besoin pour expliquer cette montée en force des grands commis de recourir à la théorie du complot, utilisée à l'époque par les adversaires, traditionalistes et collaborationnistes, de ces partisans de la modernisation et de la rationalisation des structures économiques et administratives de la France. Certes, à l'heure de la grande crise, ces *managers* et autres décideurs de haut vol, issus d'un même milieu et formés par les mêmes Grandes Écoles, également persuadés de la

23. Y. Durand, *Vichy. 1940-1944*, Paris, Bordas, p. 53.

231

nécessité d'accroître la productivité et l'harmonie sociale, convaincus comme Tardieu (et à contre-courant de l'opinion dominante) qu'il y avait quelque chose de bon à tirer de l'expérience américaine, ont eu entre eux des contacts. Ils ont fréquenté les mêmes colloques et les mêmes cercles « non conformistes » – comme X-Crise de Jean Coutrot –, écrit dans les mêmes revues – notamment dans *Les Nouveaux Cahiers* d'Auguste Detœuf –, agité les mêmes idées, cherché pareillement à dépasser le libéralisme et le marxisme, opté pour des solutions élitistes et « planistes [24] ». Mais cela ne suffit pas à étayer en quoi que ce soit la thèse d'une conspiration souterraine du « mouvement synarchique d'Empire [25] », inspirée par le polytechnicien Coutrot, télécommandée par la banque Worms, et qui aurait eu pour objectif, dès l'avant-guerre, de contrôler les rouages de l'État et de porter au pouvoir les représentants du « grand capital ».

Le vide politique qui accompagne, après la débâcle, l'élimination ou le simple effacement d'une partie considérable du personnel de la IIIᵉ République, les contraintes de la conjoncture et l'appui rencontré par les « technocrates » modernistes auprès d'hommes d'influence tels que Lucien Romier – ancien président du Redressement français [26], au demeurant resté fidèle à une certaine orthodoxie libérale – et Henri Moysset, conseiller politique de Darlan, expliquent assez clairement l'émergence de ce groupe sur la scène vichyssoise, sans qu'il soit nécessaire de faire intervenir des interprétations occultes, dont nous savons aujourd'hui qu'elles relèvent de l'imaginaire [27].

Une tentation totalitaire?

Ce qui est certain c'est que les nécessités de l'heure et la montée en puissance des « jeunes cyclistes [28] » vont avoir pour effet de modifier

---

24. Sur cette question voir notamment : R. Kuysel, *Technocrats and Public Economic Policy : from the Third to the Fourth Republic*, Rome, Banco di Roma, 1973.

25. Ce mouvement de type maçonnique a bel et bien existé, mais il n'a jamais eu le moindre pouvoir économique ou politique.

26. Organisation fondée dans les années trente par l'industriel de l'électricité, Ernest Mercier.

27. Grâce en particulier aux travaux de R. Kuysel : « The Legend of the Vichy Synarchy », *French Historical Studies*, 1970.

28. Pour reprendre l'expression appliquée par J.-P. Azéma à la fraction technocratique du pouvoir vichyste, expression qu'il emprunte lui-même à Moysset, *op. cit.*, p. 86, note 5.

232

assez vite et de manière radicale les pratiques de gouvernement du nouveau régime.

Première entorse aux principes affichés par les inspirateurs de la révolution nationale, l'irruption de l'État dans le champ de l'économie et de l'organisation sociale. Entre le corporatisme rêvé par les traditionalistes et celui qui, très tôt, préside dans la France de Vichy aux relations entre les partenaires sociaux, la distance est considérable. Pétain a eu beau dénoncer dans le capitalisme importé de l'étranger un « asservissement aux puissances d'argent » et promettre, dans son discours du 12 octobre 1940, un « régime social hiérarchisé », garantissant la « dignité du travailleur », ou encore déclarer que l'exploitation familiale était « la principale base économique et sociale de la France », ce sont bel et bien les détenteurs du capital et de la puissance économique qui mènent le jeu et tirent les plus grands bénéfices de l'organisation corporatiste du travail. Les syndicalistes qui, derrière Belin, ancien secrétaire général adjoint de la CGT devenu ministre de la Production industrielle, ont cru qu'il serait possible de faire vivre des « syndicats libres dans une profession organisée [29] » et de substituer l'arbitrage à la grève [30] n'ont pas tardé à déchanter devant les mesures adoptées par le pouvoir. Au nom de la « justice sociale » et de l'intérêt national, celui-ci décide en effet, dès l'automne 1940, d'interdire les grèves et le lock-out, puis de dissoudre toutes les organisations de travailleurs et d'employeurs. Les syndicats locaux restent autorisés [31] mais les grandes centrales nationales – CGT et CFTC – sont supprimées.

Autrement dit, le monde du travail fait rapidement le constat d'une évolution qui rappelle, en beaucoup plus ramassé dans le temps, celle du corporatisme fasciste italien, l'État joignant ses forces à celles du patronat pour faire prévaloir un ordre social favorable aux intérêts de ce dernier, tout en imposant ses propres directives et son pouvoir de contrôle à l'ensemble des activités économiques.

En effet si la Confédération générale du patronat français (CGPF) est dissoute, au nom de l'égalité de traitement avec les organisations ouvrières, la loi du 6 août 1940 réintroduit, par le biais des comités d'organisation, une structure dominée par les employeurs. Chargés de recenser les entreprises et les moyens de production dont elles disposent, d'établir les plans de fabrication, de répartir les matières

---

29. R.O. Paxton, *La France de Vichy, op. cit.*, p. 207.
30. Cf. sur ce point l'ouvrage de Georges Lefranc : *Les Expériences syndicales en France de 1930 à 1950*, Paris, 1950, p. 37-40.
31. Sauf pour les membres de la fonction publique.

premières, de fixer les salaires et les prix, ces organismes financés par une taxe imposée aux sociétés adhérentes consolident à la fois le pouvoir patronal et la prépondérance des grandes entreprises, alors même que le pouvoir fustige les méfaits du grand capital. Certes, l'État exerce un contrôle étroit sur les comités d'organisation dont les membres sont nommés par le ministre de la Production industrielle. Mais de la même façon qu'en Italie à l'apogée de l'ère mussolinienne, il s'opère une profonde osmose entre les représentants de la puissance publique et ceux du monde des affaires, et lorsque Pierre Pucheu, ancien dirigeant du Cartel de l'acier, remplace René Belin à la Production industrielle (février 1941) [32], c'est à bien des égards le lobby de l'industrie lourde qui prend en main les commandes de la machine économique.

Pour des raisons identiques – d'un côté les effets de l'autarcie, elle-même motivée par la guerre d'Éthiopie et par la dépression mondiale, de l'autre ceux de l'occupation allemande et de la pénurie –, la France de Vichy, comme l'Italie fasciste à la veille de la guerre, tend ainsi à rompre avec son propre discours officiel et avec les idéaux de solidarité et de restauration des valeurs et des structures traditionnelles qui imprègnent la doctrine corporatiste, pour d'une part renforcer le poids et l'influence des grands intérêts privés, et d'autre part pour donner un souffle nouveau à l'économie capitaliste.

Ce programme passe en premier lieu par la mise au pas du monde du travail. Les syndicats étant supprimés, les comités locaux qui ont théoriquement à charge de représenter les salariés – et ne voient le jour qu'en octobre 1941 – doivent limiter leurs ambitions aux questions strictement professionnelles et deviennent rapidement des instruments disciplinaires manipulés par le pouvoir et par les patrons. La « Charte du travail [33] », dont l'objet affiché est de remplacer la lutte des classes par la collaboration des divers partenaires sociaux, « prenant conscience de leur intérêt de citoyens dans une nation désormais unie [34] », introduit en fait, comme son homologue transalpin, un syndicalisme officiel, obligatoire, mais privé de toute fonction politique et désarmé par la suppression du droit de grève. Ni le discours idéologique dont elle est porteuse – elle enjoint notamment aux chefs d'entreprise de se montrer charitables avec leur person-

32. Il sera lui-même remplacé en juin 1941 par François Lehideux, neveu du constructeur automobile Louis Renault.
33. La « loi sur l'organisation sociale des professions », dite « Charte du travail » fut promulguée le 4 octobre 1941.
34. Message du maréchal Pétain du 6 juin 1941.

234

nel –, ni la prolifération d'organismes destinés à l'élaboration et à la diffusion de la doctrine corporatiste (Institut d'études corporatives et sociales, Collège d'études syndicales et corporatives, École des hautes études corporatives, etc.), ne peuvent faire illusion. Comme le fascisme italien, comme le national-socialisme, le régime de Vichy pratique, sous le couvert du corporatisme inter-classiste et d'un réformisme social au demeurant plus timide que celui des deux États totalitaires fascistes, une politique de classe favorable aux intérêts des possédants.

Autre point de ressemblance avec l'Italie mussolinienne : l'évolution qui s'opère à Vichy au cours de la première année du régime va dans le sens de la modernité, de la rationalisation et du dirigisme technocratique, donc à contre-courant du catéchisme idéologique confectionné par les doctrinaires de la révolution nationale. Dans le monde rural, où étaient censés résider les germes principaux du renouveau français, le discours sur le « retour à la terre », sur la défense de la petite propriété paysanne, sur la décentralisation et l'autonomie des structures corporatives ne résiste pas très longtemps aux effets conjugués du poids des agrariens dans la société vichyssoise et des impératifs de la mobilisation économique. Si le premier ministre de l'Agriculture du régime, Pierre Caziot, s'efforce de promouvoir l'exploitation familiale de gabarit modeste et de jouer le jeu de l'autonomie corporative, avec son successeur, Jacques Leroy-Ladurie, représentant des tendances modernistes du monde agricole, c'est au contraire la grande agriculture capitaliste qui se trouve favorisée [35], tandis que s'appesantit, par le biais de la « Corporation paysanne », devenue entre les mains de la haute administration un instrument de répartition et de collecte, le contrôle de l'État sur le monde rural.

Il en est de même dans l'industrie où, sous la houlette de François Lehideux, successeur de Pucheu à la Production industrielle, s'affirment des tendances rationalisatrices et technocratiques qui s'épanouiront en France après la Libération, mais qui sont déjà dominantes en Italie et en Allemagne à la fin des années trente. La filiation endogène et hexagonale, qui va des milieux « planistes » de l'avant-guerre à Vichy et de Vichy à la IVe République, ne doit pas faire oublier cette parenté avec les expériences totalitaires.

En désaccord formel avec les principes énoncés, le dirigisme économique va de pair avec une centralisation renforcée et avec un

---

35. Sur la politique agrarienne du gouvernement de Vichy, consulter P. Barral, *Les Agrariens français de Méline à Pisani*, Paris, Colin, 1968, p. 256-282; sur la « Corporation paysanne » : I. Boussard, *La Corporation paysanne*, Paris, 1973.

alourdissement croissant de l'appareil administratif. Le régime de Vichy, dont les principaux inspirateurs avaient si hautement vilipendé les fonctionnaires « budgétivores » lorsqu'il s'agissait de ceux de la République, aura probablement été – du moins en termes quantitatifs – l'âge d'or des fonctionnaires. Leur nombre en effet est passé de 600 000 à près d'un million en trois ans, soit une augmentation de 65 %! Sans aucun contrepoids, dès lors que les assemblées et les administrateurs élus ont disparu et que les hommes politiques sont tenus en suspicion, l'administration prend en main les leviers de commande. Hauts fonctionnaires dans des organismes centraux dont le dirigisme accroît le nombre et les compétences, préfets dans les départements, maires nommés remplaçant dans les communes les magistrats désignés par le suffrage universel, la centralisation atteint, au grand désappointement des maurrassiens, son apogée avec Vichy. Celui-ci pourra bien, au printemps 1941, créer des « régions économiques » et placer à leur tête des préfets régionaux [36], il n'en résultera pas la moindre amorce de décentralisation. Bien au contraire, les nouveaux fonctionnaires d'autorité installés par le régime ne tarderont pas à concentrer entre leurs mains d'importants pouvoirs, notamment économiques et policiers, cela aux dépens des notables locaux sur lesquels Vichy était théoriquement censé s'appuyer.

On peut certes considérer ces résurgences jacobines comme autant de môles de résistance opposés par la tradition républicaine aux pratiques régressives de la révolution nationale. Perçu de cette façon, et seulement de cette façon, le phénomène ne peut que renforcer dans leur conviction tous ceux qui, dans l'interprétation qu'ils donnent du régime maréchaliste, privilégient les facteurs endogènes et les traits de continuité. « Quelle que soit, par ailleurs, la sévérité avec laquelle il convient d'apprécier cette période particulièrement déprimante de l'histoire française, écrit Alain-Gérard Slama, il est presque consolant de penser qu'elle a échappé à l'épidémie fasciste pour des raisons de culture plus encore que de conjoncture [37]. » Le jacobinisme faisant obstacle aux projets organicistes et décentralisateurs des maurrassiens, l'« authentique pluralisme des débats intérieurs au pouvoir [38] », inclinant celui-ci en faveur de la continuité et le démarquant du « monolithisme fasciste », la politique industrielle et

---

36. Yves Durand fait justement remarquer que le découpage régional ressemble beaucoup à celui qui avait été élaboré par Vidal de Lablache avant 1914 et qui est proche du découpage actuel. Cf. Y. Durand, *Vichy, 1940-1944*, Paris, Bordas, 1972, p. 75.

37. A.-G. Slama, « Vichy était-il fasciste? », *Vingtième siècle*, juillet-septembre 1986, p. 53.

38. *Ibid.*, p. 50.

236

les pratiques dirigistes contredisant, au nom des bienfaits de la modernité, l'archaïsme du discours, voilà quelles auraient été, selon Slama, quelques-unes des contraintes que notre culture politique aurait imposées au régime issu de la révolution nationale, l'empêchant de dériver trop loin du point d'ancrage constitué par le modèle républicain.

Admettons-le. En faisant toutefois remarquer que ces contradictions sont également présentes dans le fascisme italien, lequel est lui aussi traversé de débats internes – entre ruralistes et modernistes [39], entre « technocrates » et notables traditionnels, entre partisans et adversaires d'un capitalisme rationalisé, etc. – et ne peut à aucun moment, y compris en fin de parcours, être considéré comme « monolithique ». Encore une fois, et à condition de tenir compte des conjonctures qui sont différentes, il faut comparer ce qui est comparable : le Vichy de 1940-1941 et le fascisme au lendemain de la prise du pouvoir, non dans la forme plus ou moins achevée qu'il a revêtue à la veille du second conflit mondial.

Ceci nous ramène à une question déjà posée dans ce chapitre. Faut-il déduire de cette comparaison que le régime instauré par le maréchal Pétain a plus de points communs avec les totalitarismes italien et allemand qu'avec les dictatures ultra-conservatrices qui ont triomphé en Europe de l'Est et du Sud entre les deux guerres, de la Roumanie aux États baltes et de la Pologne à la péninsule Ibérique? À cette interrogation fondamentale appliquée au premier Vichy, la plupart des historiens français donnent, sans trop longtemps délibérer, une réponse négative. Robert Paxton hésite davantage et c'est probablement sur ce point que son très beau livre laisse le lecteur sur sa faim. « La " révolution nationale " de Vichy, écrit l'historien de Columbia, se situe manifestement plus près du conservatisme que du fascisme. Pétain lui-même se trouvait plus de points communs avec Franco et Salazar qu'avec Hitler [40]. » Et deux pages plus loin, passant en revue les « vraies valeurs » de la France maréchaliste : « A cet égard, Vichy se situe, par rapport à l'ère libérale et industrielle, plus près somme toute de l'Allemagne nazie et de l'Italie fasciste que de l'Espagne et du Portugal [41]. »

Incontestablement, le régime de Vichy adopte dans le courant de

39. Sur le débat entre modernisme et défense de la ruralité dans l'Italie mussolinienne, cf. entre autres le chapitre consacré à la culture fasciste in P. Milza et S. Berstein, *Le Fascisme italien, 1919-1945*, Paris, Le Seuil, 1980, p. 290-292.
40. R.O. Paxton, *La France de Vichy, 1940-1944, op. cit.*, Le Seuil, coll. « Points-Histoire », p. 222.
41. *Ibid.*, p. 224.

l'année 1941 un certain nombre de traits qui marquent une rupture profonde avec le passé immédiat de la France démocratique et républicaine, voire avec des traditions plus anciennes de libéralisme et de tolérance. Est-ce à dire qu'il succombe purement et simplement à la tentation totalitaire et qu'il s'apparente dès lors aux expériences hitlérienne et mussolinienne? Disons que, dans le contexte éminemment artificiel de l'occupation et de la satellisation de fait opérées par l'Allemagne, il adopte certains aspects et certains objectifs du totalitarisme sans franchir, semble-t-il, le pas décisif.

La mise au pas des opposants et des ennemis supposés du régime, comme l'adoption d'un système répressif transgressant les règles de l'État de droit relèvent classiquement d'un autoritarisme dictatorial qui n'est spécifique ni des régimes fascistes ni même des pouvoirs d'exception mis en place, ou acceptés, par les classes dirigeantes de l'ère industrielle. On sait que, prenant acte des résistances produites par sa politique, le maréchal Pétain a fait connaître aux Français, dans le discours fameux du 12 août 1941 (dit du « vent mauvais ») [42], toute une série de mesures destinées à briser les oppositions et à étouffer les voix discordantes : suppression des partis politiques et de l'indemnité parlementaire, accroissement des moyens d'action de la police, nomination de « commissaires au pouvoir », création de juridictions d'exception, comme les « sections spéciales » auprès des cours d'appel pour juger les délits politiques, obligation faite aux ministres, militaires, magistrats et hauts fonctionnaires de prêter un serment d'allégeance personnelle au chef de l'État, etc. Dispositions dont on trouve aisément l'équivalent dans nombre de dictatures, passées et présentes, et qui rappellent beaucoup celles que le gouvernement fasciste a adoptées après les retombées de l'affaire Matteotti, à un moment où l'Italie commençait tout juste à s'engager sur la voie du totalitarisme. Elles ne suffisent pas cependant à faire de Vichy l'équivalent de ce que sera une quinzaine d'années plus tard le régime mussolinien, à savoir un régime réactionnaire de masse, authentiquement *fasciste* (au sens générique du terme) et totalitaire.

La formation et l'encadrement de la jeunesse marquent assez clairement l'absence d'un véritable projet totalitaire à Vichy. Si la fonction enseignante est soigneusement épurée de tous ses éléments « corrompus » et « corrupteurs », les juifs, les francs-maçons, les

---

42. Ainsi nommé par référence à une phrase prononcée par le maréchal et dans laquelle il déclarait s'inquiéter du « vent mauvais » qui s'était levé sur plusieurs régions de France.

communistes, les républicains militants, si les séminaires laïques et républicains que constituaient les écoles normales d'instituteurs sont supprimés et remplacés par de simples instituts de formation professionnelle, si le lycée est rétabli dans son statut d'institution élitiste [43], rien de tout cela ne vise à forger, dans un même moule égalitaire et pétri d'idéologie futuriste, un *homme nouveau fasciste*. Bien au contraire, l'accent est mis sur les humanités classiques (il est vrai qu'il en est de même en Italie jusqu'à la réforme Bottai de 1938) et l'homme dont on s'efforce d'introduire le culte parmi les nouvelles générations d'écoliers – à grand renfort de « posters », de bandes dessinées, de photographies, de chansons, ou de « petites phrases » habilement tirées de la prose maréchaliste – n'a rien d'un tribun de la plèbe ou d'un condottiere moderne. Il suffit de feuilleter les manuels scolaires de l'époque – la plupart reproduisant ceux de l'avant-guerre – pour se convaincre que le contenu de l'enseignement a somme toute peu changé pendant l'intermède vichyste. Les livres de lecture, de morale, d'instruction civique (voire d'arithmétique!), confectionnés dans les années trente, sont là pour nous rappeler que l'on n'a pas attendu pour exalter les valeurs du travail, de la famille et de la patrie qu'elles deviennent les vertus cardinales de l'État français. Et Paxton n'a pas tout à fait tort d'écrire, parlant de la politique scolaire de Vichy : « Personne ne songe à modifier les grands principes sur quoi se fondait le système scolaire de la IIIᵉ République, ni même à supprimer certaines des améliorations apportées par le Front populaire, par exemple en reculant à 14 ans l'âge de la scolarité obligatoire [44]. »

Mais l'école n'est pas tout. En Italie, elle constitue même pendant plus de quinze ans (principalement dans le secondaire) un môle de résistance difficilement pénétré par l'idéologie nouvelle et par les pratiques totalitaires du régime. L'essentiel, à savoir l'enrégimentement des jeunes, la militarisation des corps et des esprits, l'absorption à hautes doses du catéchisme fasciste, bref tout ce qui concourt au conditionnement de générations promises à une véritable mutation culturelle, relève du système d'encadrement dépendant du parti dans une perspective visant à assurer à ce dernier une hégémonie sans partage en matière de formation et d'encadrement de la jeunesse. Or sur ce point Vichy reste très en retrait, comparé aux expériences totalitaires italienne et allemande.

43. Le second cycle des écoles primaires supérieures est supprimé, les classes élémentaires des lycées sont développées, on exige des frais de scolarité dans le second cycle, etc.
44. R.O. Paxton, *La France de Vichy...*, *op. cit.*, p. 244.

En effet, en dépit du souhait de certains admirateurs de ces expériences extra-hexagonales, le gouvernement du maréchal s'est continûment refusé à instituer un mouvement de jeunesse unique, disputant le façonnement idéologique des générations nouvelles aux organisations laïques existantes et surtout à celles relevant de la mouvance catholique. Certes, le mouvement des Compagnons de France, qui rassemble des garçons de quinze à vingt ans en compagnies rurales, urbaines, itinérantes, théâtrales, fait un peu figure d'organisation officieuse. Mais il n'est ni obligatoire ni exclusif des autres mouvements. Au contraire, dans le droit fil des expériences développées dans l'entre-deux-guerres, le scoutisme, les Auberges de jeunesse, les organisations de la jeunesse catholique, JOC, JEC, JAC, etc., connaissent un essor spectaculaire – le 21 juin 1942 à Lyon, pour le quinzième anniversaire du mouvement, c'est par dizaines de milliers que les jocistes défilent dans les rues de la métropole rhodanienne [45] –, tout en gardant à l'égard du régime une autonomie que n'apprécient guère les Pucheu, Bergery et autres partisans de la jeunesse unique. Les vagues projets d'intégration de la JOC par les Compagnons de France, quoique soutenus par certains jésuites et semble-t-il par le cardinal Gerlier [46], ne donneront aucun résultat.

Il apparaît toutefois que la pesanteur du pouvoir est plus forte sur les jeunes adultes que sur les adolescents. Placés sous l'autorité du général de La Porte du Theil, les Chantiers de jeunesse sont mis sur pied dans la seconde moitié de 1940, d'abord pour encadrer la classe mobilisée en juin, puis – avec de nombreuses exemptions – tous les jeunes gens en âge d'accomplir leurs obligations militaires : ceci pour une période de huit mois. Il s'agit à la fois de conserver, malgré les dispositions de l'armistice, un embryon de service militaire et d'endoctriner les jeunes dans l'esprit de la révolution nationale. Là aussi il existe une concurrence, acceptée par le régime, avec les camps de jeunes chômeurs en attente de réinsertion professionnelle organisés par la JOC sous le nom de « Moissons nouvelles », mais elle n'engendre pas de conflit majeur [47].

Quant aux futures élites de la nation, on sait que le régime s'est appliqué à les former dans des écoles de cadres dont la plus célèbre est celle d'Uriage, dirigée par Pierre Dunoyer de Segonzac. Rassemblés pour quelques semaines dans une atmosphère de camp scout, de

45. P. Pierrard, M. Launay, R. Trempe, *La JOC. Regards d'historiens*, Paris, Éditions ouvrières, 1984, p. 83.
46. *Ibid.*
47. *Ibid.*, p. 81.

futurs hauts fonctionnaires et des candidats à l'encadrement des Chantiers de jeunesse viennent s'y forger, par l'exercice physique quotidien, la réflexion collective et les débats idéologiques une mentalité de « chef » conforme, du moins c'est ce que l'on espère dans l'entourage du chef de l'État, aux idéaux de la révolution nationale. Or, si l'esprit qui souffle à Uriage est à bien des égards celui du « non-conformisme » des années trente, et partiellement donc celui du premier Vichy, les réalités du maréchalisme et sa lente dérive totalitaire et collaborationniste ont tôt fait de décevoir la clientèle et les principaux responsables de l'école des cadres. « Pétrie de personnalisme » – Mounier y a multiplié les interventions –, nourrie de la pensée de Péguy et de Proudhon avant de passer en bloc à la Résistance en 1942, celle-ci n'aura été à aucun moment cette pépinière de fascisme que l'on s'est plu parfois à décrire. Incontestablement liée au régime dans les premiers temps de son existence, imprégnée d'un air du temps que respirent des millions de Français traumatisés par la défaite, ambiguë certes, mais comme l'ont été dans leur immense majorité les représentants de l'intelligentsia et de la classe politique, elle a symbolisé pendant quelque temps la tendance libérale et pluraliste d'une révolution nationale qui, on le constate une fois de plus, n'a rien de monolithique [48].

Pas de monopole exercé sur la formation idéologique des jeunes donc, comme cela est de règle dans les États totalitaires fascistes et pas davantage de mobilisation permanente des adultes dans des organisations strictement dépendantes du pouvoir. Pour faire passer son message et pour diffuser les thèmes de la révolution nationale, Vichy dispose certes d'un appareil de propagande qui s'inspire des expériences étrangères mais qui est loin d'en revêtir le même caractère obsessionnel et de pouvoir prétendre à la même efficacité. C'est seulement dans le courant de l'année 1941 que, sous l'impulsion d'Henri Moysset et surtout de Paul Marion, les efforts jusqu'alors dispersés pour assurer le contrôle des esprits prennent une certaine cohérence, avec la création du secrétariat général à l'information et avec le développement des « comités de propagande du Maréchal », formés de militants bénévoles. Relayée par des services locaux, à la tête desquels sont placés des délégués régionaux et départementaux à la propagande, l'action persuasive du gouvernement peut ainsi

48. Sur Uriage consulter : P. Dunoyer de Segonzac, *Le Vieux chef*, Paris, Le Seuil, 1971 ; R. Josse, « L'École des cadres d'Uriage », *Revue d'histoire de la Deuxième Guerre mondiale*, 1966 ; et surtout : J. Bourdin, « Des intellectuels à la recherche d'un style de vie : l'École des cadres d'Uriage », *Revue française de science politique*, 1959.

s'exercer à divers niveaux, ces organismes assurant une surveillance étroite de tout ce qui est dit, écrit et représenté graphiquement et orchestrant les campagnes d'opinion lancées par le pouvoir. Rien de comparable cependant, qu'il s'agisse de l'ampleur des moyens employés, de leur coordination (Vichy ne réalisera jamais complètement l'unité de ses services de propagande), et aussi du degré d'alignement obtenu, avec ce qui se passe dans les États totalitaires voisins, autour de Goebbels et de Ciano.

Ceci, sans doute, parce que Vichy n'a pas su – ou plutôt n'a pas voulu – se doter de l'instrument qui constitue, dans les régimes authentiquement *fascistes,* la courroie de transmission indispensable à la mise au pas totalitaire du corps social, à savoir le parti unique, à la fois agent d'intégration et de mobilisation permanente des masses et vecteur privilégié de constitution d'une nouvelle élite. Ce dont les notables et les technocrates de Vichy ne voulaient à aucun prix.

L'idée d'un parti unique totalitaire, construit sur le modèle du Parti national fasciste et du NSDAP, a pourtant été agitée dans les coulisses du pouvoir, dans le courant de l'été 1940. Dès le 9 juillet, Marcel Déat en a esquissé le projet dans *L'Œuvre,* avant de rassembler autour de lui et de Gaston Bergery un comité *ad hoc* où figurent principalement des néo-socialistes. Néanmoins, d'authentiques représentants de la droite ultra-conservatrice, comme Xavier Vallat, siègent également dans le « bureau provisoire du comité d'organisation du parti national unique », lequel prend langue avec Doriot et avec des responsables des mouvements d'anciens combattants (UNC et Union fédérale) [49]. Un projet d'une dizaine de pages, s'inspirant des expériences italienne et allemande, est mis noir sur blanc le 26 juillet et est soumis le lendemain à l'examen du maréchal. Un mois plus tard, ce dernier donnera, sans la moindre équivoque, une réponse négative.

Ont milité en ce sens des oppositions venues de trois secteurs différents. La droite réactionnaire tout d'abord, hostile par principe à la colonisation de l'État par un parti d'inspiration fasciste dominé par d'anciens représentants de la gauche. Weygand est contre et le fait savoir à Pétain en même temps qu'il fait pression sur Vallat pour que celui-ci se retire de la cellule organisatrice. Maurras intervient dans le même sens auprès du maréchal, non sans avoir dénoncé le projet

49. Dans l'intervention qu'elle a faite, le 28-5-1986, au séminaire de doctorat du cycle supérieur d'histoire du XXᵉ siècle de l'IEP (sur le thème « Vichy était-il fasciste ? »), Michèle Cointet a longuement présenté cette question du refus du parti unique par le maréchal Pétain. Voir également son livre : *Vichy et le fascisme,* Paris, Éd. Complexe, 1987.

242

avec vigueur dans les colonnes de *L'Action française*. Les critiques viennent ensuite du PSF, qui avait pourtant placé deux observateurs au comité mais qui, en la personne de son leader, juge inacceptable d'associer Doriot – considéré comme « vendu aux Allemands » – à une opération pour laquelle, par ailleurs, La Rocque n'avait guère manifesté d'enthousiasme. A l'intérieur enfin des sphères gouvernementales, Laval se déclare hostile à l'entreprise de Déat, son concurrent auprès d'Abetz et potentiellement de Pétain. Pressé de ces différents côtés et peu enclin lui-même à fonder une structure autonome peuplée d'éléments durs, ambitieux et difficilement contrôlables, le maréchal mettra fin brusquement aux espoirs des partisans du parti unique en annonçant, à la fin du mois d'août 1940, la création de la Légion des combattants. Il y aura bien une autre tentative dans les premières semaines de 1941, patronnée cette fois par un familier du maréchal, Dumoulin de Labarthète, et à laquelle sont associés des PSF, des doriotistes et d'anciens socialistes. Déat, qui suit désormais sa propre trajectoire, se tient en dehors de cette combinaison, laquelle échoue d'ailleurs très vite et de manière définitive [50].

La Légion en effet n'est pas assimilable à un parti unique fasciste. Certes, les circulaires qui font suite à sa fondation précisent qu'elle doit agir en liaison avec l'État et ses représentants, pour diffuser sa propagande, soutenir son action, l'informer de l'opinion publique, ce que Xavier Vallat traduit en ces termes métaphoriques : « Légionnaires, soyez les yeux et les bras du Maréchal jusque dans les coins les plus reculés de la France. » Mais, en rassemblant dans une même organisation structurée sur une base départementale les diverses associations d'anciens combattants et en lui assignant pour tâche de propager les principes de la révolution nationale, les dirigeants vichyssois ne cherchent pas à édifier ce « pilier fondamental du système autoritaire et totalitaire de l'État nouveau » (selon la formule de Gentile) que constitue le parti unique dans un régime fasciste : à la fois instrument de domination des rouages de l'État et de transformation radicale de la société, pénétrée par lui jusqu'au plus profond de la sphère des activités privées. Parti gouvernemental donc, plutôt que parti unique fasciste, tel qu'il s'en est développé entre les deux guerres dans les États autoritaires de l'Europe de l'Est (Roumanie, Bulgarie) et tel qu'ont fonctionné dans les dictatures ibériques l'*União Nacional* portugaise et la Phalange espagnole, dans sa version conservatrice postérieure à la victoire du fran-

---

50. Y. Durand, *Vichy. 1940-1944. op. cit.*, p. 98.

243

quisme [51]. Une raison de plus pour voir dans le Vichy première manière l'équivalent de ces régimes d'exception d'inspiration traditionaliste plutôt que l'homologue des totalitarismes italien ou allemand.

Plus ou moins unanimement approuvé par une population que la défaite a traumatisée, le Vichy de l'an I n'est donc pas un régime *fasciste*, au sens où nous employons ce mot pour désigner les dictatures totalitaires de masse mussolinienne et hitlérienne. Et cela, il faut le dire et le redire, bien qu'il ait affiché d'entrée de jeu un racisme d'exclusion préparatoire aux pires excès, et pris en quelque sorte les Allemands de vitesse dans la course aux mesures antisémites et xénophobes appliquées à la population de l'hexagone. On sait en effet que, dès cette première période, qui est encore celle du quasi-consensus, les juifs ont été soumis en France en deux étapes, d'abord en octobre 1940 puis en juin 1941, à un « statut » particulier. Après avoir révisé la nationalité de ses propres ressortissants – plus de 15 000 personnes verront ainsi leur naturalisation annulée [52] –, Vichy a, de son plein gré, interdit aux israélites d'occuper des postes de responsabilité dans l'administration, la magistrature et l'armée, d'exercer une activité ayant une influence culturelle ou médiatique (enseignement, presse, radio, cinéma), et il leur a imposé un *numerus clausus* dans les professions libérales. On a en outre procédé au recensement des juifs (ce qui rendra plus aisées leur déportation et leur extermination ultérieures), puis à leur organisation en une minorité ethnique gérée par l'Union générale des israélites français et à la confiscation de leurs entreprises sans indemnité. Enfin, si le commissaire aux Questions juives, l'ancien député d'extrême droite Xavier Vallat, a refusé jusqu'à son remplacement en 1942 par Darquier de Pellepoix d'étendre à toute la France des mesures que les Allemands avaient déjà appliquées en zone occupée (notamment le couvre-feu spécial et le port de l'étoile jaune), il a été décidé de rapporter la loi du 21 avril 1939 qui punissait les outrances antisémites dans la presse [53], d'abroger la loi Crémieux de 1871 qui faisait des juifs d'Algérie des citoyens français et d'autoriser les préfets à interner « dans des camps spéciaux les étrangers de race juive ».

---

51. Sur la distinction entre parti unique fasciste et parti de gouvernement dans les pays comme l'Espagne et le Portugal, cf. P. Milza, « Les Partis uniques fascistes » : communication au colloque sur « Les appareils de la dictature » organisé par l'université de Paris-I, 5-6 décembre 1985.

52. Très exactement 15 154 dont 6 307 juifs, sur les 500 000 dossiers examinés. Cf. R.O. Paxton, *La France de Vichy..., op. cit.*, p. 168-169.

53. Décision prise dès le 27 août 1940.

Le Vichy satellisé et partiellement nazifié de 1943-1944 ira beaucoup plus loin dans l'abjection et dans l'acceptation de l'horreur quotidienne, mais il ne s'agira plus alors que d'un fantôme d'État, manipulé par les Allemands et isolé de la population (« Une France sans frontières. Un régime sans nom. Un pays sans voix », écrira Du Moulin de Labarthète [54]). Au contraire, le premier Vichy, même s'il « ne règne que sur les deux cinquièmes de la France, alors que le général von Stulpnagel tient sous sa coupe les trois autres [55] », garde sur ce point une autonomie à peu près complète et il a derrière lui une majorité de Français qui, pas plus que le régime lui-même, ne relève *stricto sensu* de la catégorie des « fascismes ». Certes, le consensus ne porte pas spécifiquement sur l'attitude adoptée par Vichy à l'égard des étrangers et des juifs. Mais il intègre tacitement celle-ci dans une acceptation globale (quoique éminemment provisoire) du système : cela d'autant plus aisément que le gouvernement Daladier avait en quelque sorte montré la voie, en créant, par le décret du 2 mai 1938, « une atmosphère épurée autour de l'étranger de bonne foi », puis en plaçant dans des « camps de concentration pour étrangers indésirables » un certain nombre d'ennemis supposés de la démocratie française, la plupart réfugiés politiques venus des dictatures voisines (antifascistes italiens, victimes de la répression nazie, républicains espagnols). « Des décrets de la Troisième République à la loi de Vichy, il y a aggravation du projet, non saut qualitatif [56] », écrit Alain-Gérard Slama dans un article stimulant de la revue *Vingtième siècle*. Et il ajoute ceci, qui mérite réflexion :

« Disons, pour faire court (et au risque de simplifier à l'excès un dossier qui exige une analyse extrêmement nuancée), que l'antisémitisme vichyssois a porté à leur comble les effets pervers de la conception bourgeoise de la citoyenneté (distinguant, à l'origine, entre actifs et passifs, aptes et inaptes) et de son corollaire : la passion maniaque du recensement, du classement catégoriel et du fichier administratif. Propension totalitaire, s'arrogeant le droit d'asseoir ses critères discriminants sur des bases aussi absurdes – et qui, en leur temps, se croyaient " scientifiques " – que celle de la race : oui. Mais fascisme, au sens où le fascisme prétend résoudre les conflits sociaux, atteindre ses fins et mobiliser les énergies de ses recrues en usant d'une stratégie de " bouc émissaire " : certainement pas [57]. »

54. H. Du Moulin de Labarthète, *Le Temps des illusions. Souvenirs (juillet 1940-avril 1942)*, Genève, 1946, p. 406.
55. *Ibid.*, p. 407.
56. A.-G. Slama, « Vichy était-il fasciste? », *op. cit.*, p. 44.
57. *Ibid.*

245

Je pense que Slama a raison de mettre l'accent sur la continuité de certaines tendances et sur la parenté de certaines mesures, prises avant et après la débâcle de 1940. Encore que le « saut qualitatif » me paraisse à bien des égards patent entre les dispositions préventives prises par un gouvernement démocratique dans un contexte de guerre ou de crise internationale – après tout, avec de moindres circonstances atténuantes, l'administration rooseveltienne ne s'est guère comportée de manière différente avec les communautés japonaises de la côte Ouest après Pearl Harbor – et la politique d'exclusion systématique et « raciale » qui caractérise l'attitude du premier Vichy à l'égard des juifs. Il a raison d'autre part d'imputer l'antisémitisme de la révolution nationale à la culture de ses dirigeants, voire dans une certaine mesure à celle de la bourgeoisie (ou d'une fraction de celle-ci), non à la propagation d'un virus venu d'ailleurs. Où il a tort, me semble-t-il, c'est lorsqu'il considère que cet « ailleurs » où règne le racisme biologique et exterminateur coïncide avec la totalité de la mouvance fasciste.

Nous touchons ici à une question fondamentale qui est celle du rapport entre « fascisme » et racisme, et à partir de là entre la nature du régime de Vichy et son comportement à l'égard des juifs. Première constatation en ce domaine, la politique répressive et ségrégationniste de la révolution nationale à ses débuts ne correspond que très approximativement à l'antisémitisme catholique et national de la droite ultraciste et traditionaliste. Lorsque le statut d'octobre 1940 considère qu'est juive « toute personne issue de trois grands-parents de race juive ou de deux grands-parents de la même race si son conjoint lui-même est juif », lorsque les pouvoirs publics vichyssois se refusent à prendre en compte la religion ou l'absence de religion de la génération actuelle, c'est bien sur des critères de *race* qu'est fondée sa délimitation de la communauté israélite. Rien de comparable certes avec ce qui se passera deux ans plus tard, lorsque Darquier de Pellepoix aura pris la direction du commissariat aux Questions juives et que les admirateurs de l'Allemagne nazie auront pris pied avec lui dans les rouages de l'État français. Mais le premier pas est franchi et dans une direction tout de même très éloignée de celle que le gouvernement Daladier avait prise en mai 1938.

On ne saurait donc établir de syllogisme réducteur aboutissant à l'idée que le régime maréchaliste est devenu *stricto sensu* raciste lorsqu'il s'est fascisé. Ce qui en fin de compte reviendrait à considérer que le mal est venu de l'extérieur, alors qu'il fait partie de notre culture ou du moins d'une partie de notre culture. Et à poser comme une vérité première que le racisme est inhérent au fascisme :

ce qui n'a rien d'évident si l'on veut bien se rappeler que, jusqu'à une date tardive (1938), le régime mussolinien a été allergique aux théories et aux pratiques raciales et que s'il a changé d'attitude à la veille de la guerre c'est largement pour des raisons conjoncturelles, liées à ses choix de politique étrangère[58].

S'il y a – sur ce point et toutes proportions gardées – une parenté à établir, ce n'est pas avec le *fascisme,* en tant que phénomène générique propre au XXe siècle européen, mais avec sa version hitlérienne, il est vrai passablement envahissante à partir de 1937-1938. Et cette parenté ne fonctionne pas nécessairement à sens unique. Il est clair en effet que les théories raciales, fondées sur une déformation aberrante et sélective des thèses darwiniennes et des philosophies de l'élan vital, n'ont pas seulement nourri l'argumentation des doctrinaires allemands du national-socialisme. Elles ont en France, dès la fin du XIXe siècle, trouvé un terrain favorable, ce dont témoignent nous l'avons vu les écrits d'un Gobineau, d'un Vacher de Lapouge, d'un Jules Soury, ainsi que le syncrétisme antisémite d'un Drumont.

Autrement dit, il y a bel et bien des racines nationales à l'antisémitisme et au racisme français dont le fascisme des années trente et le collaborationnisme de l'Occupation ont tiré la substance de leur discours, sans qu'il soit besoin pour expliquer celui-ci de recourir à la thèse du pur et simple alignement sur le modèle nazi. Mais, et ceci est plus inquiétant à long terme, l'antisémitisme et le racisme ont eu tendance chez nous à se développer en dehors de la mouvance fasciste et nazie. Le nationalisme barrésien et ses prolongements ligueurs, avant et après le premier conflit mondial, en sont porteurs, tout comme le traditionalisme maurrassien et comme divers courants de l'ultra-gauche (le blanquisme par exemple et certaines tendances syndicalistes révolutionnaires) : en attendant la sinistre synthèse du second Vichy.

Fascismes périphériques

Dans nombre de pays de l'Europe centrale, orientale et méditerranéenne ont coexisté dans l'entre-deux-guerres des régimes autori-

---

58. Cf. R. De Felice, *Storia degli ebrei sotto il fascismo,* Turin, Einaudi, 1961 ; et M. Michaelis, *Mussolini e la questione ebraica*, Milan, Edizioni di Communità, 1982.

taires classiques, plus ou moins vaguement recouverts d'un vernis fascisant et des forces politiques se réclamant ouvertement du fascisme ou du national-socialisme [59]. Entre le pouvoir, généralement détenu par les élites traditionnelles, et ces organisations volontiers contestataires de l'ordre établi, les relations ont été souvent tourmentées, les dirigeants réactionnaires utilisant ces dernières pour faire obstacle aux menaces révolutionnaires, ou simplement pour briser les résistances populaires, puis procédant – pacifiquement ou par la violence – à la mise au pas des « fascistes ». Dans un pays comme la Roumanie, c'est la manière forte qui a été choisie par le roi Carol en 1938, avec l'élimination physique de Codreanu, le leader de la Garde de fer. Dans l'Autriche de Dollfuss et de Schuschnigg, en Espagne et au Portugal, les détenteurs de l'autorité dictatoriale sont parvenus, sans trop de difficulté, à absorber les tendances fascistes qui s'étaient développées à la périphérie du pouvoir. Or en France, comme dans d'autres pays occupés par les armées allemandes et où il existait des noyaux importants de séides de l'ordre nouveau hitlérien, le poids des circonstances extérieures – essentiellement celui de la présence ennemie, étendue à la fin de 1942 à l'ensemble de l'hexagone – a joué dans un sens tout différent. Ce n'est pas le traditionalisme musclé qui a absorbé et dirigé les groupes fascistes ; ce sont ces derniers au contraire qui ont pénétré les rouages de l'État paternaliste et conservateur, radicalisant celui-ci dans un sens totalitaire et assurant, au moins partiellement, sa fascisation.

En effet, si Hitler a jugé utile de jouer pendant deux ans la carte vichyssoise, utilisant au mieux de ses intérêts le mythe de la collaboration d'État et estimant plus avantageux d'avoir comme interlocuteur un gouvernement légitime et au moins partiellement soutenu par la population qu'un pouvoir « ami » mais totalement coupé des masses, il a d'autre part laissé prospérer en zone occupée les groupes fascistes. Il dispose ainsi, en faisant valoir qu'il peut, quand il le veut, constituer en zone nord un pouvoir satellite concurrent de Vichy, d'un puissant moyen de pression sur celui-ci pour obtenir ce qu'il demande.

Or, dès les premiers mois de l'Occupation, ces groupes fascistes se dressent avec violence contre tout ce qui, dans la doctrine et dans la pratique vichyssoises, leur paraît être de nature réactionnaire et à contre-courant de leurs propres projets. Non qu'ils soient hostiles à tous les aspects de la révolution nationale. Le culte de Jeanne d'Arc par exemple, remis à l'honneur par Vichy, appartient tout aussi bien

59. P. Milza, *Les Fascismes, op. cit.*, chap. VIII et XII.

248

à la liturgie du PPF. Seulement, Doriot et ses amis y joignent celui des communards et la différence n'est pas de pure forme. D'autre part la personne du maréchal échappera toujours aux attaques des fascistes parisiens, pour lesquels l'échec de la collaboration d'État n'est pas imputable à Pétain mais aux intrigues politiciennes des pensionnaires de l'hôtel du Parc, à la camarilla qui est censée régner sur les conseils de gouvernement et où dominent, comme l'écrit un rédacteur de *L'Illustration*, « les forces de destruction, la maçonnerie et la juiverie à peine camouflées [60] ». Ce n'est pas cependant au restaurateur de l'ordre traditionnel, incarnation de l'idée métaphysique de monarchie chère à Maurras, que va leur admiration : c'est au chef potentiel d'un État totalitaire et « révolutionnaire ».

Autrement dit, les fascistes français s'accommoderaient assez bien de l'appareil dictatorial et policier mis en place par les hommes de Vichy, à condition d'en occuper les postes de commande au lieu de se trouver rejetés à la périphérie, et de l'utiliser dans des perspectives entièrement différentes.

Bien que les idéaux traditionalistes de la révolution nationale aient vite été contredits par certaines pratiques totalitaires du régime, notamment en matière de politique raciale, le fossé est grand entre les inspirations et les détenteurs du pouvoir dans le Vichy de l'an 40 et les dirigeants de la collaboration parisienne, et il ne va cesser de s'élargir en 1941 et en 1942. A l'« anglophilie » de l'entourage maréchaliste, les fascistes opposent leur conviction que seul un engagement total aux côtés des Allemands et un alignement idéologique sans restriction sur le IIIe Reich peuvent garantir à la France un avenir dans la nouvelle Europe. A la timidité des mesures antisémites, à la « mansuétude » manifestée par Vichy à l'égard des juifs, ils exigent que soit substituée une politique de stricte ségrégation (port de l'étoile jaune, rétablissement des ghettos), voire sans que l'on dise très clairement comment on pourrait y parvenir, d'élimination (Doriot parle de mettre les juifs « hors d'état de nuire » et *Au pilori* conseille dès le début de 1941 de se comporter avec eux comme on le fait avec les poux et avec les invasions microbiennes [61]). Pour eux, la camarilla maréchaliste et les « petits messieurs » qui gravitent autour de l'hôtel du Parc représentent ce qu'ils n'ont cessé de dénoncer pendant les années trente : la bonne conscience des nantis et l'esprit bourgeois, vecteur de la décadence française.

« Les jeunes batailleurs de Vichy, peut-on lire dans *Au pilori* en

---

60. J. De Lesdain, *L'Illustration*, 5-4-1941.
61. *Au pilori*, 14-3-1941.

janvier 1941, sont des pauvres types, mais des bourgeois. L'épaisseur de leurs diplômes les empêche d'entendre battre le cœur du vrai peuple de France, de ce peuple qu'ils méprisent, dont ils se sont toujours servis pour augmenter leur fortune et sa misère [62]. »

Véhémence antibourgeoise donc, dans la veine d'une « droite révolutionnaire » désormais enracinée de longue date dans une portion aisément identifiable du terreau hexagonal. Les « hommes de gauche » y sont-ils majoritaires, comme l'écrivait dès 1946 un Du Moulin de Labarthète [63]? comme ne cesse de le répéter aujourd'hui un Jean-Marie Le Pen? Ou au contraire, le conservatisme timoré de Vichy ayant déçu les soutiens naturels de la contre-révolution musclée, n'est-ce pas principalement dans les rangs de la « droite extrême » que le fascisme collaborationniste a recruté ses troupes? La question est au cœur du débat actuel sur le caractère « fasciste » ou « non fasciste » du Front national et des autres organisations de l'ultra-droite française. Nous y reviendrons.

En attendant, on ne peut que constater qu'il n'y a pas de rupture fondamentale entre le fascisme de l'Occupation et celui de l'avant-guerre. Plusieurs groupes rivaux continuent de se disputer une clientèle hétérogène et manifestement plus restreinte que ne le proclament leurs leaders et leurs antennes médiatiques, ainsi que les fonds généreusement distribués par les services allemands de propagande.

Celui qui s'apparente le plus à la stricte « orthodoxie » fasciste, si par cette expression il faut entendre alignement idéologique sur le modèle mussolinien, est le Parti franciste de Marcel Bucard. De tous les dirigeants du fascisme français de la période de la guerre, Bucard est celui qui peut se prévaloir d'avoir été « fasciste avant tout le monde ». Il l'a été aux côtés de Valois dans les premiers temps du Faisceau, dix ans avant les événements de 1934. Lorsqu'il a fondé son mouvement, en septembre 1933, Déat était encore membre de la SFIO et Doriot l'un des dirigeants les plus en vue du Parti communiste français. « Homme de gauche », il n'en a jamais revendiqué l'étiquette, de même que la plupart des fidèles qu'il a rassemblés autour de lui à son retour de Suisse, où il avait été interné jusqu'en janvier 1941 : un Maurice Koenig, un Louis Tessier, un Paul Guiraud, fils du rédacteur en chef de *La Croix* et idéologue en titre

62. *Ibid.*, 14-1-1943.
63. L'Allemagne s'évertue, écrit Du Moulin de Labarthète, « par la voix de ses séides – hommes de gauche pour la plupart – à ruiner dans cet État nouveau, si mal aligné sur le Reich, ce qu'elle croit être la promesse d'une résurrection prochaine [...] », *Le Temps des illusions, op. cit.*, p. 407.

du francisme. Ses professions de foi ouvriéristes, sa véhémence antibourgeoise, son « socialisme » national fondé sur une conception hiérarchique, totalitaire et raciale de l'organisation sociale le rattachant à la fois à la tradition de la « droite révolutionnaire » française, à l'extrémisme squadriste et à l'hitlérisme première manière. Très respectueux de la figure emblématique du maréchal, il ne peut que s'opposer avec violence aux temporisateurs vichyssois et aux coupables atermoiements des équipes dirigeantes. Tout comme Paul Guiraud qui, parlant de l'ancien ministre de l'Intérieur Georges Mandel (assassiné par la Milice en 1944), écrit en novembre 1941 :

« La survivance de ce bonhomme, un an et demi après le déclenchement de la Révolution nationale, prouve ou bien que celle-ci n'est pas nationale, ou bien qu'elle n'est pas embarquée, qu'elle se refuse à prendre le large, à rompre ses amarres. Plus gravement, est-ce que cette survivance ne témoignerait pas des attaches secrètes des hommes de cette révolution avec les hommes qui, à l'intérieur ou à l'extérieur, représentent encore l'ordre ancien. [...]

« Guillotiner Mandel, ce serait plus que faire payer un bonhomme. Ce serait le symbole de toute une option révolutionnaire, celle qui ferait enfin démarrer sans entrave le mouvement national français. Et c'est pourquoi il est inquiétant de voir encore Mandel respirer. Avec lui, tout ce qu'il y a d'antifrançais dans le monde respire aussi [64]. »

Combien sont-ils, enchemisés de bleu, ceux que Guiraud exhorte en 1942 à devenir les « esclaves volontaires de Marcel Bucard », « incarnation vivante de la France [65] »? Quelques milliers tout au plus, un peu plus nombreux peut-être dans l'Ouest et à Paris que dans le reste de la France occupée [66], petits-bourgeois souvent issus d'autres formations ligueuses, plus rarement de l'AF, mais aussi, en nombre croissant, marginaux en quête d'un état, déclassés en mal de revanche, chômeurs à la recherche d'un couvert ou d'un gîte, etc., pour tout dire une clientèle qui fait songer à celle du squadrisme et aux SA. Leurs ennemis? Les juifs bien sûr, déclarés par Maurice Maurer « responsables collectivement, dans leurs vies et dans leurs

---

64. Cité par A. Deniel, *Bucard et le francisme*, Paris, Éd. J. Picollec, 1979, p. 145.
65. Discours de P. Guiraud devant le IXe congrès du parti en septembre 1942.
66. On trouve également quelques noyaux francistes dans la région de Lyon, les Bouches-du-Rhône, à Nice, en Corse, dans les Vosges et le Jura.

biens, des crimes commis par leurs alliés anglo-américains [67] », puis menacés de « représailles immédiates » ou d'être « rassemblés dans des ghettos en attendant leur déportation massive après la guerre [68] ». Les francs-maçons et les politiciens de la IIIe République, dont beaucoup ont trouvé refuge à Vichy où ils ont entrepris le sabotage de la révolution nationale. Mais aussi les « hauts fonctionnaires chamarrés et galonnés », qui « méprisent de se mêler aux foules populaires [69] », les « trafiquants du marché noir », menacés d'expéditions punitives et du « nœud coulant », les « zazous », à qui l'on promet d'être « fessés » et débarrassés de leurs tignasses [70]. Un programme que les francistes partagent avec les autres mouvements collaborationnistes mais qui est formulé ici avec une particulière violence.

Mais c'est surtout contre la Résistance que vont s'exercer à partir de l'été 1943 les violences francistes, et cela dans un registre qui n'est plus seulement celui du verbe. Tandis que son parti agonise, miné par ses divisions internes et par le mauvais état de santé du « Chef » (il a été opéré deux fois, suite aux graves blessures reçues pendant la Grande Guerre), Bucard laisse ses lieutenants, Guiraud qui lui dispute la direction du mouvement et le Dr Rainsart, organiser une police supplétive qui aide les équipes de Sauckel à traquer les juifs, les réfractaires du STO et les maquisards, tantôt collaborant avec la Milice, tantôt en conflit ouvert avec elle, avant d'être finalement absorbée par l'organisation de Joseph Darnand. Du Parti franciste lui-même, il ne reste pas grand-chose lorsque sonne l'heure de la Libération de la France et c'est tout au plus une poignée de fidèles qui se retrouvera à Sigmaringen autour de l'ancien compagnon de Valois. Avant-dernière réponse d'un scénario qui s'achève pour ce dernier le 19 mars 1946, dans un fossé du fort de Châtillon.

Avec Doriot et son PPF, on change d'échelle et de situation à l'intérieur de la périphérie fasciste. Pour Vichy comme pour les Allemands, Bucard n'aura jamais été qu'un marginal, un second couteau de la collaboration, alors que l'ancien maire de Saint-Denis circule à proximité des chemins du pouvoir, croit y accéder à l'automne 1942 et meurt sur une route allemande en février 1945 dans la peau d'un chef de gouvernement en puissance, baptisé par Ribbentrop « Comité de libération ». L'homme il est vrai est d'une autre trempe et son entreprise a pour elle d'être dans le prolongement

67. Rapport de Maurer au Xe congrès du mouvement, juillet 1943.
68. *Ibid.*
69. M. Bucard, *Le Franciste*, 28-3-1942.
70. Discours de Bucard du 11-4-1943. Cité par J. Deniel, p. 237.

de la seule formation fasciste de masse que la France ait connue.

Proche du pouvoir, Doriot l'est incontestablement au cours des premiers mois de l'ère maréchaliste. Les projets de putsch contre le régime vichyste, ou du moins contre une partie de l'équipe dirigeante, qu'il a vraisemblablement nourris au début de l'été 1940, ont vite été abandonnés lorsqu'il s'est avéré, après l'échec du « parti unique » et le choix fait par Déat d'un anti-vichysme de choc, que le seul créneau laissé vacant par l'ancien dirigeant « néo » et par les autres leaders collaborationnistes était celui de la fidélité à Pétain. Aussi va-t-il tactiquement soutenir tous les actes du chef de l'État, y compris le renvoi de Laval en décembre, en échange de quoi il obtient un siège au Conseil national de l'État français et des subsides, fournis par les fonds personnels et par le cabinet du maréchal [71], pour son mouvement et pour ses journaux : *L'Émancipation nationale* en zone sud et *Le Cri du Peuple* [72] en zone nord. Fidélité à Pétain donc, exprimée de la façon la plus bruyante – Doriot publie au début de 1941 un recueil d'articles intitulé *Je suis un homme du Maréchal* qui vaut son pesant de flagornerie – mais en même temps attaque en règle contre l'entourage du chef de l'État, peuplé selon le leader du PPF de « gangsters » et de « maquereaux en rupture de ban [73] ». La stratégie est claire. Il s'agit à la fois de profiter du vent dominant, qui souffle encore à cette date dans le sens de la ferveur maréchaliste, de tenter d'ouvrir une brèche entre Pétain et les « hommes d'ancien régime » qui impriment à la révolution nationale une direction réactionnaire, puis de s'y engouffrer pour faire la conquête du pouvoir. En attendant, on se contente de noyauter les organisations vichyssoises et de renforcer le parti, autorisé par les Allemands à fonctionner en zone nord en avril 1941, afin de refaire du PPF le grand parti « révolutionnaire » de masse qu'il était avant la guerre.

Aucun de ces objectifs ne sera atteint. Du côté de Vichy, où d'anciens PPF comme Pucheu et Marion sont entrés dans le gouvernement Darlan, on se méfie beaucoup de l'ambition de Doriot et de la direction dans laquelle il voudrait engager le régime. Pétain prend peu à peu ses distances à l'égard de l'ancien maire de Saint-Denis, tout en jouant comme celui-ci le double jeu, et le

---

71. Cf. J.-P. Brunet, *Jacques Doriot, op. cit.*, p. 322.
72. Doriot aurait voulu donner comme titre à son nouveau journal *L'Humanité nouvelle*. Les Allemands le lui refusèrent, peut-être nous dit Jean-Paul Brunet (*op. cit.*, p. 322), pour ne pas heurter les communistes qui avaient été près d'obtenir la reparution de *L'Humanité*.
73. Cité par H. Amouroux, *Quarante millions de pétainistes*, Paris, R. Laffont, 1977, p. 354.

253

ministre de l'Intérieur Pucheu fait interdire le PPF en zone sud, tandis que Doriot durcit ses critiques contre le gouvernement et intègre dans son discours les thèmes les plus outranciers de la collaboration parisienne : antisémitisme délirant et verbalement exterminateur (en attendant que quelques centaines de jeunes doriotistes ne prêtent la main aux Allemands lors de la grande rafle du Vel'd'Hiv, en juillet 1942), diatribes contre les francs-maçons, les communistes, les « profiteurs » de la IIIᵉ République, la « clique de Vichy », la « bourgeoisie anglophile », responsable de la décadence française et de la défaite, etc.

Tandis que le fossé se creuse ainsi avec la « révolution nationale », telle du moins qu'elle fonctionne en zone sud, et que Doriot cherche un appui de moins en moins discret du côté des autorités allemandes et du Führer, l'idéologie et la pratique du PPF tendent de manière croissante à reproduire les modèles hitlérien et mussolinien, en puisant d'ailleurs à l'une et l'autre source – l'antisémitisme racial et paranoïaque du côté allemand, l'impérialisme colonial le plus volontariste et anachronique qui soit du côté italien –, et sans se préoccuper beaucoup de l'irréalisme du projet et de son absence totale d'impact auprès de la population française. Il est vrai qu'en matière de démagogie, d'utopie et d'exclusion, Doriot va beaucoup plus loin que ses concurrents (passés, présents et à venir!) : ne propose-t-il pas en 1941, pour régler le problème du chômage dans la région parisienne non seulement de donner la priorité aux ouvriers français, mais de « reporter vers la campagne les excédents de main-d'œuvre des villes, soit à titre provisoire, soit à titre définitif [74] ». Pour un parti qui exalte la geste communarde, la référence factuelle se situe plutôt du côté des enrôlements de force et des déportations ouvrières de juin 1848 [75].

Le PPF, il est vrai, ne cache pas son jeu. Il se veut parti totalitaire au service d'un projet totalitaire de constitution d'un État populaire et « révolutionnaire » fonctionnant sur le modèle des pays de l'Axe. Pour réaliser son dessein, qui est de devenir le Führer français (Pétain jouant le rôle auquel son âge et son rang paraissent l'avoir destiné, à savoir celui d'Hindenburg), Doriot a à la fois besoin du soutien allemand et de la présence autour de lui d'un puissant mouvement de masse, au moins comparable à ce qu'avait été le PPF

---

74. J. Doriot, *Je suis un homme du Maréchal*, Paris, Grasset, 1941.
75. Après l'échec des ateliers nationaux, la Commission exécutive décida le 4 juin 1848 d'enrôler d'autorité dans l'armée des chômeurs qui étaient employés dans ces organismes et d'envoyer les autres en province, soit pour travailler à la construction des chemins de fer, soit pour défricher la Sologne.

254

des belles années de l'avant-guerre. Or Hitler, on le sait, n'a nulle envie d'installer dans les pays occupés des pouvoirs « frères », à même de réclamer une place au soleil dans l'Europe nouvelle au moment du règlement définitif du conflit. Quant au parti, dont la force si elle était effective pourrait incliner le maître du IIIe Reich à faire un pas dans cette direction, on ne peut pas dire que son essor réponde aux espérances de son leader. Certes, le PPF peut aligner des effectifs autrement consistants que ceux du parti franciste de Bucard. Certainement pas les centaines de milliers d'adhérents dont fait état la presse doriotiste, mais selon des sources concordantes françaises et allemandes une trentaine de milliers de membres à la fin de 1942, parmi lesquels on peut évaluer à 5 000 le nombre des militants actifs, pour la plupart enrégimentés dans les Gardes françaises, l'équivalent des miliciens francistes avec qui ils rivalisent en zèle répressif et en férocité.

En termes de sociologie, de répartition géographique et d'ancienne appartenance politique, le PPF de 1942 diffère assez peu de celui de 1936. Même prépondérance du monde citadin, de la très petite bourgeoisie et des couches populaires, même sur-représentation des déclassés et des marginaux, même implantation prioritaire en quelques zones bien délimitées : Paris et quelques lambeaux de sa périphérie ouvrière, Marseille, Nice, la région lyonnaise, la Corse, l'Afrique du Nord jusqu'au débarquement allié : la géographie classique de l'extrême droite césarienne et plébiscitaire, telle qu'elle avait déjà fixé ses traits à la fin du siècle dernier, et telle qu'elle apparaît encore à l'heure actuelle. Même importance enfin – si l'on se réfère aux statistiques publiées dans *Le Cri du Peuple* à l'occasion du congrès de novembre 1942 et qui portent par conséquent sur les délégués – de l'élément jeune (moyenne d'âge : trente et un ans) et de l'élément originaire de l'extrême gauche (21,6 % d'anciens communistes) ou de l'ultra-droite (près de 26 % d'anciens membres des ligues), les plus nombreux étant toutefois les « sans-parti » (41,8 %). Au total, une physionomie partisane qui s'inscrit dans la tradition de la « droite révolutionnaire » française et qui reproduit en même temps celle des grandes formations fascistes européennes. A cette date, Doriot revendique d'ailleurs hautement le label du totalitarisme fasciste :

« Je me moque, s'écrie-t-il lors du discours de clôture du congrès de novembre 1942 au Gaumont-Palace, des vieilles combinaisons politiciennes. Je me moque de ce que disent ou peuvent dire les stratèges attardés de l'ancien régime! Je ne veux pas faire un parti radical, un parti SFIO, une Fédération républicaine! Je veux faire un parti totalitaire! *Je veux faire un parti fasciste* [76]! »

Ce qui distingue fondamentalement Doriot des autres dirigeants du fascisme collaborationniste, outre ses talents de meneur d'hommes et de tribun, outre la nature de son anticommunisme qui relève chez lui du règlement de comptes familial, c'est qu'il est allé chercher les clés du pouvoir sur les champs de bataille de l'Europe de l'Est. L'agression allemande contre l'URSS le plonge dans la jubilation et le jour même du déclenchement de l'opération Barbarossa, il lance l'idée, aussitôt reprise par Déat, Deloncle et Costantini, de créer une Légion des volontaires français contre le bolchevisme qui est mise sur pied un mois plus tard avec l'assentiment d'Hitler et de Pétain, et dans laquelle il s'engage pour rejoindre le front russe. Désormais, après avoir confié la direction de son parti à un bureau composé de Victor Barthélemy, d'Henri Lèbre, de Maurice-Ivan Sicard et de quelques autres fidèles, Doriot mène conjointement sa croisade anticommuniste et la bataille contre Vichy et contre les autres stars de la collaboration, pour prendre avec l'assentiment des Allemands les commandes d'un gouvernement « révolutionnaire » idéologiquement et diplomatiquement aligné sur le IIIe Reich. Entre deux séjours sur le front de l'Est [77], il tente ainsi de se hisser au pouvoir, d'abord en avril 1942 lors du départ de Darlan puis, avec un peu plus d'atouts dans son jeu, au lendemain du débarquement allié en Afrique du Nord et de l'occupation par les Allemands de la zone sud, en novembre de la même année. En vain : à chaque fois il trouve Laval sur son chemin et Hitler, pour les raisons qui ont déjà été exposées, se refuse obstinément à donner son feu vert.

La troisième composante majeure de la constellation fasciste est le Rassemblement national populaire (RNP) de Marcel Déat. Nouveau venu sur la scène du fascisme français puisqu'il n'est fondé qu'en janvier 1941, il est l'héritier d'un courant de gauche, le néo-socialisme, qui plus tard et de façon moins brutale que le doriotisme, s'est imprégné de thèmes sélectivement puisés dans l'appareillage idéologique des nationalismes totalitaires. C'est dire qu'il conserve des aspects progressistes et planificateurs qui font du RNP un « fascisme de gauche ». Déat lui-même ne manque pas une occasion

256

de souligner les liens qui rattachent son mouvement à la France révolutionnaire. Et pour lui, comme pour Doriot, il n'y a pas de contradiction entre cette attitude et l'adhésion à l'hitlérisme anticapitaliste et socialisant.

Avant de constituer son propre mouvement, Déat nous l'avons vu avait essayé de mettre sur orbite à Vichy ce parti unique, appelé à devenir l'ossature du nouvel État et dont Pétain avait rejeté le principe fin août 1940 [78]. Composite dans son inspiration, son projet mettait l'accent sur des priorités peu éloignées de celles des inspirateurs de la révolution nationale : nécessité de réformer l'appareil administratif et l'enseignement, de châtier les responsables de la défaite, d'« expulser les indésirables », de mettre sur pied un État fort et un système d'organisation économique et sociale de type syndical-corporatiste. C'est sur la conception même du parti, dont Déat souhaitait qu'il pût « se ramifier à l'infini et rayonner partout », donc se transformer en instrument totalitaire de contrôle du peuple et du gouvernement, que portait le désaccord avec les hommes de Vichy. L'hostilité des maurrassiens et de certains représentants de la droite conservatrice, les réticences de La Rocque et de Doriot (pour des raisons toutes différentes), le peu d'enthousiasme manifesté par Laval inclinant dans le même sens, l'entreprise tourna court, au grand mécontentement de l'ancien dirigeant « néo ». La rupture avec l'entourage du maréchal était consommée. Quelques mois plus tard le renvoi de Laval, en mettant fin à ses espoirs d'arriver au gouvernement, le rejetait dans une opposition tapageuse au régime de Vichy.

Le projet d'un parti unique maréchaliste, dans lequel il aurait joué le premier rôle, ayant échoué, Déat décide au début de 1941 de fonder son propre instrument de conquête du pouvoir. Ce sera le Rassemblement national populaire, constitué en janvier 1941 autour d'un petit noyau d'ancien « néos » et de dirigeants de l'Union nationale des combattants (avec le député conservateur Jean Goy, industriel et président de l'UNC), auxquels se sont joints des syndicalistes, des hommes venus de la SFIO comme Francis Desphelippon, ancien responsable des Amicales socialistes, Roland Silly, secrétaire de la section CGT des techniciens et surtout Georges Albertini, ancien secrétaire des jeunesses socialistes et bientôt secrétaire général du RNP, enfin une poignée de communistes dissidents avec Henri Barbé et, plus inattendu dans cette pépinière

78. Sur l'échec du parti unique voir : J.-P. Cointet, « Marcel Déat et le parti unique (été 1940) », *Revue d'histoire de la Seconde Guerre mondiale*, juillet 1973, p. 17-22.

257

gauchisante, l'ancien fondateur de la Cagoule, Eugène Deloncle, lui-même à la recherche d'une clientèle et d'un vecteur pour ses propres ambitions.

Comme chez Doriot, les deux composantes classiques de l'alliage fasciste – d'un côté le marxisme révisionniste et le syndicalisme révolutionnaire, de l'autre l'ultracisme nationaliste – sont ici présentes, avec toutefois une représentation beaucoup plus forte de la première. Certes, Deloncle n'arrive pas seul au RNP où entrent à ses côtés quelques dizaines d'anciens cagoulards ayant transité par le groupusculaire Mouvement social révolutionnaire que le principal dirigeant du CSAR avait constitué dès l'automne 1940. Ils sont néanmoins très minoritaires et vont d'ailleurs quitter le parti en octobre 1941, à la suite de l'attentat de Collette contre Laval et Déat [79] dont ce dernier estime qu'il a été machiné par Deloncle.

Débarrassé de sa droite terroriste et ultra-réactionnaire, le RNP s'engage, à l'intérieur de la constellation collaborationniste, dans une voie relativement originale. Si ces clivages ont encore un sens dans la France de l'Occupation, Marcel Déat se trouve maintenant plus à gauche que le leader du PPF. Dans un contexte il est vrai très différent de celui de 1936, il n'a pas eu besoin des subsides des milieux d'affaires pour lancer son mouvement, et il n'a pas attiré à lui les transfuges de l'Action française. Plus que Doriot, il reste marqué par son passé de militant socialiste et aussi par une culture humaniste qui est à la fois celle de la SFIO et celle des anciens maîtres à penser de cet agrégé de philosophie. De là l'esprit doctrinaire, raisonneur du RNP, son attachement à l'étiquette républicaine, à l'école publique pour laquelle René Chateau polémique avec *Je suis partout*, au suffrage universel que l'on souhaiterait maintenir au niveau municipal et corporatif. De là aussi son anticléricalisme militant, son hostilité très vive à l'égard de Vichy, cette « capitale de la réaction », la persistance en son sein de puissantes tendances pacifistes et internationalistes [80] et sans doute le caractère tardif et relativement modéré de son engagement antisémite. En juillet 1942, après la rafle du Vel'd'Hiv, Déat exprimera son refus de mettre les juifs « en dehors de l'humanité ». C'est bien peu dira-t-on, mais ce peu suffit hélas à distinguer le fascisme de Déat du délire meurtrier des autres dirigeants collaborationnistes.

79. Le 27 août 1941, passant en revue à la caserne Borgnis-Desbordes à Versailles le premier contingent de la LVF en partance pour le front de l'Est, Laval et Déat avaient été blessés par des coups de feu tirés par le jeune terroriste Paul Collette.
80. Ph. Burrin, *La Dérive fasciste. Doriot, Déat, Bergery (1933-1945)*, Paris, Le Seuil, 1986, p. 413-414.

258

Les tendances gauchisantes du RNP n'ont pas tardé à susciter contre lui l'hostilité très vive de l'extrême droite collaborationniste, Doriot en tête qui n'avait que mépris pour le « petit professeur » et le fonctionnaire consciencieux. Toujours prompt à tenir plusieurs fers au feu, Abetz au contraire s'en accommodait fort bien, estimant que le mouvement de Déat était, du fait de ses orientations et des origines politiques de ses dirigeants, celui qui avait le plus de chances d'attirer à lui le peuple de gauche et les syndicalistes. Ce en quoi le représentant du IIIᵉ Reich à Paris se faisait beaucoup d'illusions. Dans l'orbite immédiate du RNP, ou à quelque distance de lui, il y eut en effet de petits groupes de militants venus de divers secteurs de la famille socialiste ou syndicaliste et qui ont peuplé pendant plus ou moins de temps l'étroite demeure du collaborationnisme de gauche. Le groupe France-Europe, l'hebdomadaire *L'Atelier*, le quotidien *La France socialiste* ont inscrit leur trajectoire éphémère dans cette fraction du territoire fasciste, mais, répétons-le, ils n'ont occupé, toutes tendances mêlées, qu'un espace dérisoire.

S'agissant du RNP lui-même, on ne peut évidemment accorder aucun crédit aux chiffres d'adhésions dont il est fait état dans *L'Œuvre*, devenue l'organe quotidien du mouvement, et qui parle de 200 000 membres en mars 1941, de 500 000 en juin de la même année. Là encore nous disposons, pour évaluer les effectifs du RNP, des données croisées des Renseignements généraux et des services de renseignements allemands. Ils concordent pour fixer l'ordre de grandeur autour de 15 000 à 20 000 adhérents en 1942, qui fut l'année de pointe du mouvement, et à 10 000 environ l'année suivante. On voit que les masses ne se sont pas précipitées vers ce « fascisme de gauche », au demeurant beaucoup moins militant que ses deux principaux rivaux, le PPF et même le Parti franciste qui, avec deux fois moins d'adhérents, pouvait aligner un noyau militarisé d'une tout autre envergure. Il y aura bien une Légion nationale populaire en 1942, mais elle se caractérise surtout, semble-t-il, par la minceur de ses effectifs et le manque de pugnacité de ses militants [81]. Pour le reste, si la moyenne d'âge est sensiblement plus élevée au RNP que dans les autres formations fascistes collaborationnistes, il ne se distingue guère de celles-ci par son implantation géographique (surtout urbaine) et par sa répartition socio-professionnelle. Les classes moyennes y sont nettement sur-représentées, les ouvriers sous-représentés et le monde paysan n'y figure que dans une proportion modeste.

81. *Ibid.*, p. 410.

259

A côté de ces trois organisations dominantes et concurrentes du fascisme français des années d'Occupation, prolifèrent les groupuscules ultras aux effectifs parfois symboliques, mais nullement en reste sur les premières en matière d'activisme, de surenchère verbale et de ferveur collaborationniste. On ne peut que citer, pêle-mêle, quelques-unes de ces formations fugitives, rassemblées pendant quelque temps autour d'un homme, d'un projet de journal, ou d'un local octroyé par les autorités allemandes : la Ligue française d'épuration, d'entraide sociale et de collaboration européenne (tout un programme!) de l'ancien « doctrinaire » bonapartiste [82], officier aviateur et grand invalide de guerre Pierre Costantini, le Parti français national-collectiviste du journaliste Clementi, le Front franc de Jean Boissel, architecte et mutilé de guerre lui aussi que le Front populaire a envoyé en prison quelques années plus tôt pour menaces de mort à l'adresse du chef du gouvernement, le Comité d'action antibolchevique de Paul Chack, un officier de la « Royale » venu à la collaboration par haine de la perfide Albion, au demeurant auteur à succès d'ouvrages de poche glorifiant la geste maritime française, le Parti national-socialiste français de Christian Message, ancien séminariste devenu secrétaire d'un syndicat de limonadiers, le Parti social-national de France, la Croisade française du national-socialisme, les Gardes françaises, le Jeune Front de Robert Hersant, etc.

Dans un ouvrage qui a fait date sur la collaboration [83], Pascal Ory a suivi pas à pas l'itinéraire de ces formations groupusculaires et de leurs « petits chefs » rivaux, pratiquant la surenchère verbale et gestuelle en matière d'antisémitisme et de dévotion à la cause national-socialiste. Émergent du lot le groupe Collaboration et le Mouvement social révolutionnaire. Constitué surtout d'intellectuels et d'artistes, le premier a eu pour animateur l'écrivain Alphonse de Châteaubriant, ancien prix Goncourt converti dès l'avant-guerre à l'idolâtrie hitlérienne [84]. Coexistent dans l'hebdomadaire qu'il dirige, La Gerbe, avec les éditoriaux hallucinés de ce chantre de la Bretagne profonde, les plumes de la collaboration académicienne et celles de quelques grands noms de l'intelligentsia vichyste ou simplement attentiste. Tout cela reste cantonné au petit monde parisien des

---

82. On lui doit en particulier une *Grande Pensée de Bonaparte* et une *Ode à la Corse.*
83. P. Ory, *Les Collaborateurs, 1940-1945, op. cit.*
84. Il écriuaient en 1937 dans *La Gerbe des forces* : « Si Hitler a une main qui salue, qui s'étend vers les masses de la façon que l'on sait, son autre main, dans l'invisible, ne cesse d'étreindre fidèlement la main de celui qui s'appelle Dieu » (Paris, Grasset, 1937, p. 136).

260

cercles littéraires, des avant-premières théâtrales et des vernissages.

Il n'en est pas de même du Mouvement social révolutionnaire qui s'inscrit au contraire dans la trajectoire tourmentée de l'activisme collaborationniste. Fondé nous l'avons vu en octobre 1940 par Eugène Deloncle et par ses amis cagoulards, Jacques Corrèze et Jean Filliol, organisateur et principal exécutant, pour le compte des services spéciaux italiens, du meurtre des frères Rosselli en 1937, le MSR a été presque aussitôt absorbé par le RNP. Il retrouve certes une existence autonome à l'automne 1941, mais pour peu de temps et avec des moyens très modestes : une base militante d'un millier de militants et un organe de presse, *La Révolution nationale*, dirigé par Jean Fontenoy. Dans l'intervalle ce sont toutefois les hommes de Deloncle qui, au sein du Rassemblement national populaire, auront constitué l'essentiel des groupes de choc à qui l'on doit sans doute, entre autres méfaits, les attentats contre les synagogues de Paris et l'assassinat de l'ancien ministre socialiste Marx Dormoy. Chassé par d'anciens militants d'extrême gauche, Georges Soulès et André Mahé [85], de ce qu'il subsistait en mai 1942 du mouvement qu'il avait créé, Eugène Deloncle finira dans la peau d'un agent secret de l'Abwehr, abattu par la Gestapo en novembre 1943.

Ce qui rapproche les diverses tendances du fascisme français, par ailleurs rongé par des querelles intestines et par d'âpres rivalités au sommet qui sont de tradition dans l'extrême droite hexagonale, c'est bien évidemment leur attitude à l'égard de l'occupant. Encore que leur ultra-collaborationnisme, quels que soient ses aspects délirants et parfois monstrueux, ne peut être réduit à la trahison pure et simple. Certes, il y a parmi les fascistes français des agents de l'Allemagne, depuis longtemps appointés par les services de Goebbels. Il est clair d'autre part que les mouvements collaborationnistes vivent principalement des subsides que leur accordent les autorités d'occupation. Le goût du pouvoir et de l'argent, la passion de l'aventure et de la vie dangereuse, les revanches à prendre sur des individus, des collectivités ou des institutions, tout cela a pu jouer dans nombre de cas (mais n'en a-t-il pas été de même de certains engagements dans la Résistance?). Cela ne suffit pas cependant à expliquer un choix politique qui, pour beaucoup, se terminera sur le front de l'Est ou devant un peloton d'exécution. Il y a de toute évidence des

85. Georges Soulès, directeur du service des grands travaux auprès de Léon Blum, avait fait partie de la tendance pivertiste de la SFIO. André Mahé venait pour sa part du parti communiste.

261

motivations idéologiques et elles sont différentes de celles qui poussent les hommes de Vichy ou Pierre Laval à la collaboration d'État, les premiers pour atténuer – du moins le croient-ils – les effets de l'Occupation sur les populations civiles, le second par souci d'intégrer la France vaincue à la future Europe hitlérienne.

Pour les partisans de Doriot, de Déat, de Bucard, et davantage encore pour les intellectuels fascistes qui gravitent autour de *Je suis partout*, les Laubreaux, Combelle, Jeantet, Rebatet – dont *Les Décombres*, publiés en 1942 ont remporté un vif succès de librairie [86] –, ainsi que pour Brasillach lui-même et pour Drieu, ce qui compte avant tout c'est la mise en place d'un ordre nouveau qui, dans l'état où se trouve l'Europe, ne peut être que national-socialiste. C'est le rejet du vieux monde bourgeois, conformiste, étriqué, dont nombre d'entre eux ont inlassablement dénoncé la petitesse avant la guerre, et dont ils croient entrevoir la disparition prochaine. C'est enfin l'avènement de l'homme fasciste, héritier de l'esprit nihiliste et « nietzschéen » du squadrisme et des corps francs. Alors que les mouvements dans lesquels certains d'entre eux militent appartiennent à la seconde génération du fascisme, et que les totalitarismes dont ils se réclament relèvent déjà d'un stade ultérieur, ils en sont restés au *premier fascisme*. Ils se sont laissé prendre au mirage socialisant du nazisme, sans voir quelle était la véritable nature de l'hitlérisme, ou sans vouloir regarder celle-ci en face.

Coupés des masses qu'ils voulaient conquérir, en froid avec Vichy, rejetés par conséquent par l'immense majorité de la nation, ils cherchent un substitut à leur espoir d'enrayer le déclin de la France dans l'idée, parfaitement utopique si l'on en juge par la façon dont elle était appréciée à Berlin et à Rome, de l'Internationale fasciste, dans la vision en trompe l'œil d'une Europe réunifiée par Hitler et débarrassée à la fois du communisme et du capitalisme. Ce faisant, à la différence de leurs modèles, nazisme et fascisme italien, dont le discours et la pratique étaient axés sur la grandeur de la nation et sur sa vocation conquérante, ils acceptent la satellisation de la France dans un ensemble européen dominé par l'Allemagne. Déjà, nous l'avons vu, des pans entiers du fascisme français de l'avant-guerre inclinaient dans le sens de cette acceptation d'une hiérarchie nouvelle des peuples et des États, les Français étant à leurs yeux devenus incapables d'enrayer le « déclin » de leur pays. De là leur pacifisme inconditionnel et au demeurant sélectif (certains fascistes français

---

86. Selon P. Ory entre 65 000 et 100 000 exemplaires vendus : l'un des plus gros succès éditoriaux de l'Occupation. Cf. *Les Collaborateurs...*, *op. cit.* p. 118.

262

sont prêts à se battre contre le « communisme » et passeront aux actes lors de la guerre d'Espagne), le peu de répugnance avec laquelle ils ont accepté les subsides fournis par les dictatures étrangères, et déjà, chez les plus fanatiquement convertis au culte de la force, l'idée que la survie de l'Occident et le triomphe de l'homme nouveau exigeaient un immense bouleversement purificateur dont l'agent ne pouvait être que l'Allemagne nazie.

Toute la dérive ultérieure du fascisme collaborationniste est dans cette résignation préalable au déclenchement de la guerre. Et la passion unitaire européenne qui anime ses penseurs et ses dirigeants n'a pas d'autre source. Rares sont ceux qui, comme Rebatet, rêvent encore d'une France redevenue après le conflit « grande nation maritime et coloniale [87] ». La plupart des fascistes français, comme d'ailleurs certains des inspirateurs de la révolution nationale, s'ils espèrent que la paix hitlérienne sera territorialement clémente pour notre pays, s'ils se font comme Déat des illusions sur la « mission » de « reconstruction de l'Europe » dont serait investi le chef du IIIe Reich, acceptent d'entrée de jeu la place que ce dernier paraît avoir réservée à la France : celle d'un État satellisé et d'un partenaire rural de l'Allemagne industrielle et hégémonique. Le collaborationnisme de l'Occupation est bien dans le droit fil du fascisme français des années trente : défensif, replié sur l'hexagone, prioritairement soucieux de préserver les positions françaises et résigné déjà à assumer son destin subalterne. Avec pour compensations le délire du verbe comme substitut de la puissance et les miettes de pouvoir parcimonieusement concédées par l'occupant.

A-t-il cherché au moins à vivre dangereusement son illusion lyrique? S'agissant des intellectuels, Pascal Ory a fait un sort à la mythologie de leur engagement physique dans la croisade fasciste. Aussi agressifs qu'ils soient dans le maniement du verbe et de la menace, les journalistes et les écrivains de la collaboration resteront, sauf exceptions rarissimes, des « combattants du porte-plume [88] ». Ils siègent au comité d'honneur de la Légion antibolchevique comme Luchaire, ils demandent comme Rebatet à « aller sur le front russe », mais c'est pour en visiter les arrières (ce qu'ils avaient déjà fait pendant la guerre d'Espagne), ils peuvent même « jouer au gendarme et au voleur en pleine nuit avec de vraies armes [89] », comme l'a fait Cousteau en Bretagne, sur les pas d'un groupe de miliciens : l'appel aux prestations héroïques est dans l'ensemble destiné aux autres.

---

87. *Les Décombres.*, *op. cit.*, p. 615.
88. P. Ory, *Les Collaborateurs*, *op. cit.*, p. 239.
89. *Je suis partout*, 7-7-1944, cité in P. Ory, *op. cit.*, p. 240.

Dans le petit monde des leaders politiques de la collaboration, l'enthousiasme guerrier n'a pas été plus grand. Lorsque la LVF est constituée, au début de l'été 1941, seul Doriot choisit d'y contracter autre chose qu'un engagement de principe, comme le font les Déat, Deloncle, Fontenoy et autres Costantini, qui se contentent de jouer les sergents recruteurs. Question d'âge et de condition physique pour les uns, de souci pour les autres de ne pas s'éloigner de l'antichambre du pouvoir, ou encore simple désir de jouir des prébendes de la collaboration parisienne. Quoi qu'il en soit ils laissent à d'autres la possibilité d'étancher cette soif d'aventure, de fraternité virile, de romantisme désespéré également qui caractérise l'esprit de ces croisés de l'ordre nouveau, comme autrefois celui des corps francs et des bandes armées du premier fascisme.

Ils ne sont pas non plus très nombreux les « lansquenets » de l'antibolchevisme. On en attendait 15 000 à la fin de l'été 1941, à un moment où tout allait bien pour la Wehrmacht. Il ne s'en présentera pas plus de 8 000 dont la moitié sera rejetée. Cela suffit tout juste à constituer un régiment à deux bataillons qui, portant l'uniforme de l'armée allemande [90], ne sera engagé sur le front proprement dit que pendant deux semaines à la fin de 1941. Le reste du temps, ils sont employés à des opérations de police en pays occupé et, plus épisodiquement, à la chasse aux partisans soviétiques. Les Allemands n'ont d'ailleurs pas une grande confiance dans cette troupe hautement politisée, composée aux trois quarts de militants du PPF et du MSR et qu'agitent périodiquement des affrontements de clans. A plusieurs reprises, ils interviendront auprès des chefs de la Légion pour ramener celle-ci à une plus juste perception de ses devoirs militaires. Non sans résistance de la part de la base légionnaire [91] : une base qui, venue tout droit des groupes de choc de la collaboration idéologique, présente les mêmes traits sociologiques que ceux-ci et que leurs antécédents italiens et allemands. Si l'élément plébéien est de loin le plus important — le terme caractérisant davantage semble-t-il les représentants de la très petite bourgeoisie et ceux du « sous-prolétariat » que les ouvriers d'usine —, si les marginaux, les déclassés, parfois les repris de justice y sont en grand nombre, on y trouve également quelques notables, quelques membres des professions libérales, quelques manieurs de plume comme le journaliste

90. Le seul insigne distinctif est un écusson tricolore que les légionnaires portent sur la manche.

91. En avril 1942, les Allemands ayant exigé des légionnaires qu'ils signent un engagement par lequel ils s'interdisaient toute propagande partisane dans la troupe, il y eut aussitôt 1 500 démissions.

264

Marc Augier et même une petite poignée de « fils de famille », comme ce Jean Mayol de Lupé, aristocrate de vieux lignage et de fidélité légitimiste, dont Pascal Ory nous dit qu'il « exerce en soudard botté son office d'aumônier général de la LVF[92] ».

On retrouvera une partie de ces légionnaires dans la Waffen-SS française au cours de la dernière année de la guerre. A un moment où la croisade contre le communisme est déjà pratiquement perdue. Que reste-t-il alors des mobiles des premiers jours? Le combat pour l'Occident et pour l'Europe nouvelle incarnée par l'Allemagne révolutionnaire a-t-il encore la moindre chance d'être remporté? Pour ceux qui ne sont pas de simples têtes brûlées en quête d'un engagement violent ou d'une solde confortable, il reste la volonté d'aller jusqu'au bout d'une aventure dangereuse et devenue sans espoir. Cette volonté autodestructrice, ce triomphe de l'instinct de mort, les desperados de la LVF et de la SS ne sont pas seuls à en faire un drapeau lors de la débâcle fasciste de 1945. On les retrouve dans de nombreux secteurs de l'intelligentsia collaborationniste, symbolisés par le suicide de Drieu, à l'heure où s'écroule le rêve de l'Internationale fasciste. « Je ne suis pas qu'un Français, je suis un Européen... Mais nous avons joué et j'ai perdu. Je réclame la mort[93]. »

La fascisation de l'État français

A partir des dernières semaines de 1942, deux faits caractérisent le fascisme collaborationniste. D'une part l'audience de plus en plus restreinte qu'il rencontre dans la population et, d'autre part, la pesanteur croissante qu'il exerce sur le second Vichy.

En termes d'adhésions effectives et de militantisme, les organisations collaborationnistes n'ont touché qu'une infime minorité de la population hexagonale. Tous mouvements confondus, leurs effectifs n'ont vraisemblablement pas atteint au moment le plus favorable la centaine de milliers de personnes, auxquelles il faut ajouter, pour mesurer l'impact du discours fasciste, les quelques centaines de milliers de sympathisants, lecteurs assidus de la presse collaborationniste (*Je suis partout* tire à 300 000, *L'Œuvre* voit son tirage se

92. *Op. cit.*, p. 244.
93. P. Drieu La Rochelle, *Récit secret*, Paris, AMG, 1951.

265

stabiliser autour de 130 000) et qui partagent, au moins partiellement, les idées et les phobies des tenants de l'ordre nouveau. Ce ne sont pas des chiffres dérisoires, surtout si on les compare avec les chiffres réels du militantisme politique dans la France de l'entre-deux-guerres. Ils ne permettent pas cependant de parler d'un fascisme de masse, comparable à celui des États totalitaires voisins, y compris pendant la période où il n'était pas encore au pouvoir. De surcroît, il s'agit de maxima qui coïncident avec la période au cours de laquelle le sort des armes paraît incliner du côté des pays de l'Axe. Lorsqu'il devient clair, dans le courant de l'hiver 1942-1943, que l'espoir change de camp, et tandis que le poids de la présence allemande devient plus insupportable dans une France dont le territoire se trouve désormais occupé en totalité, il s'amorce une décrue qui s'accélère bientôt en fonction de la carte de guerre et de l'évolution interne du régime.

Bien avant le débarquement allié en Afrique du Nord, le retour au pouvoir de Laval, en avril 1942, marque un nouveau tournant dans l'histoire de Vichy. Tournant autoritaire plus que totalitaire et renforcement de la collaboration d'État plutôt que fascisation du régime maréchaliste : l'acte constitutionnel du 17 avril 1942 [94], s'il concède davantage de pouvoir au « chef du gouvernement » ne le fait que par délégation et la concentration des responsabilités qui s'opère entre les mains de Laval (qui se réserve à la fois les Affaires étrangères, l'Information et l'Intérieur!) reste en principe révocable à tout moment. D'autre part, la relève de la garde qui s'effectue au sein de l'équipe dirigeante n'introduit pas encore de « fascistes » en titre dans les rouages gouvernementaux. Laval s'est servi et se sert encore des collaborationnistes parisiens comme d'un « épouvantail [95] » destiné à faire pression sur l'entourage maréchaliste, mais il se méfie d'eux et les hommes auxquels il fait appel pour remplacer les démissionnaires et démissionnés de l'équipe Darlan (Cathala aux Finances, Bonnafous au Ravitaillement) n'ont aucune attache avec les ultras de la collaboration. On assiste même au cours des mois suivants au retour discret de politiciens, d'élus locaux et de hauts fonctionnaires qui avaient été frappés d'ostracisme par Vichy du fait de leur passé de serviteurs de la République, en même temps que des contacts sont pris avec d'anciens responsables cégétistes.

94. Il stipulait que « la direction effective de la politique intérieure et extérieure » était « assurée par le chef du gouvernement nommé par le chef de l'État et responsable devant lui ».
95. J.-P. Azéma, *De Munich à la Libération...*, *op. cit.*, p. 220.

266

Ce n'est donc pas d'un *fascisme* dont paraît porteuse la petite révolution de palais du printemps 1942, mais au contraire d'un retour feutré à la « République », dès lors qu'il s'agirait d'une République « musclée » (*Je suis partout* ne qualifie-t-il pas Laval de « républicain musclé »?) dans laquelle le « paysan de Châteldon », qui juge la révolution nationale dépassée et s'applique à reconquérir l'opinion, serait amené à occuper le devant de la scène. Or ce retour tendanciel à l' « ancien régime » va achopper sur le choix que fait le chef du gouvernement d'une collaboration renforcée avec la puissance occupante. Non par affinité idéologique avec celle-ci. Laval n'a rien d'un idéologue et son tempérament, comme sa culture politique, ne le prédisposent pas à jouer les chefs charismatiques. Mais pour amener Hitler à collaborer réellement – alors que le dirigeant nazi raisonnait exclusivement en termes de « pillage » – et pour assurer à la France une place privilégiée dans l'Europe allemande [96].

De ce choix de politique extérieure opéré par Laval, dans un contexte qui est déjà celui de la satellisation de la France, découle le dérapage totalitaire du régime, amorcé par le premier Vichy dans les domaines de la répression, de l'exclusion et de la mise en place d'un appareil judiciaire et policier qui va bientôt jouer, dans les rouages de l'État français, le rôle d'un cheval de Troie du totalitarisme fasciste.

Arrêtons-nous un instant sur la nature des actions qui sont entreprises par le gouvernement Laval entre mai et septembre 1942, donc avant que l'invasion du sud de la France par les armées allemandes ne vienne brusquement changer les règles du jeu : acceptation du principe de la « relève » dont il sera vite évident qu'elle fonctionne à sens unique, nomination d'un antisémite de choc, Darquier dit de Pellepoix, à la tête du commissariat aux Questions juives, obligation du port de l'étoile jaune pour les israélites résidant en zone occupée, autorisation donnée à la Gestapo de venir dépister en zone « libre » les postes émetteurs utilisés par les résistants (opération *Donar)*, engagement des « brigades spéciales » de la police vichyssoise dans la chasse aux « réfractaires », etc. Le plus sinistre de ces actes, le plus accablant pour celui qui en a pris la responsabilité est l'opération « vent printanier », autrement dit la rafle massive des juifs de la capitale, opérée les 16 et 17 juillet 1942 par 900 équipes de policiers français. Environ 13 000 personnes, y compris les enfants de moins de seize ans dont Laval a pris l'initiative de proposer la

96. Voir l'excellente biographie du personnage par Fred Kupferman : *Laval, 1883-1945*, Paris, Balland, 1987.

267

déportation à Dannecker, l'adjoint d'Eichmann [97], sont ainsi arrêtées, parquées dans les pires conditions au Vel'd'Hiv ou à Drancy, puis expédiées pour la plupart vers les camps de la mort.

Ce jusqu'au-boutisme dans la collaboration d'État n'est pas, répétons-le, spécifiquement « fasciste », en ce sens que la plupart des mesures qui sont prises par le gouvernement Laval s'inscrivent dans la continuité de la politique menée par ses prédécesseurs et dans une stratégie de marchandage qui ne doit pas grand-chose à l'idéologie. Simplement, il faut reconnaître que la dérive totalitaire de Vichy est en partie le produit d'une culture politique qui, en France a pu apporter sa pierre au génocide sans être pour autant assimilable à un modèle étranger. En revanche, la radicalisation opérée par la nouvelle équipe dirigeante en matière de répression, de politique raciale et de collaboration avec l'occupant – radicalisation qui va encore se trouver accentuée par l'entrée des Allemands en zone sud – déclenche à la fin de 1942 un processus de fascisation du régime qui va bientôt devenir irréversible.

Fascisation artificielle, plaquée sur une société qui la rejette et qui la combat. En Italie comme en Allemagne, le fascisme s'était imposé de l'intérieur, avec la complicité plus ou moins enthousiaste d'une partie importante du corps social et l'appui d'authentiques mouvements de masse. Dans la France de 1943, devenue majoritairement hostile à Vichy, la fascisation est le résultat de pressions externes qui obligent le pouvoir, plutôt réticent au début mais de plus en plus dépendant de l'occupant, à s'engager dans cette voie. Il s'agit donc d'une fascisation au sommet, d'une fascisation de l'appareil d'État, dont Vichy ne peut plus s'opposer, après l'occupation de la zone sud, à ce qu'il soit colonisé par les représentants du fascisme collaborationniste, et cela tant au niveau gouvernemental – Darlan devient secrétaire général au maintien de l'ordre en janvier 1944 et Déat ministre du Travail en mars de la même année – qu'aux échelons subalternes.

La fascisation du régime de Vichy, en cette phase ultime de son existence et à contre-courant d'une opinion qui rejette désormais avec force le bébé vichyssois avec l'eau du bain collaborationniste, apparaît notamment dans la création de la Milice au début de 1943. Aux origines de cette formation paramilitaire, qui va servir d'auxiliaire aux Allemands dans la lutte contre la Résistance et attirer à

---

97. Le 6 juillet 1942, Dannecker avait adressé à Eichmann le message suivant : « Le président Laval a proposé, à l'occasion de la déportation des familles juives de la zone non occupée, de déporter également les enfants de moins seize ans. Le problème des enfants juifs restant en zone occupée ne l'intéresse pas. »

268

elle un certain nombre de jeunes Français, on trouve dès 1941 en zone sud le Service d'ordre légionnaire (SOL), l'aile extrémiste de la Légion française des combattants.

On sait que cette organisation, créée en août 1940 pour faire pièce au projet totalitaire de Marcel Déat, n'a elle-même rien à voir avec un mouvement fasciste et que les essais qui ont été tentés pour transformer ce qui était fondamentalement une association d'anciens combattants dirigée par des notables de province en un parti unique n'ont pas abouti. Il existe cependant en son sein des éléments durs, incarnés par des hommes comme Jean Bassompierre et Joseph Darnand. Ce dernier, artisan ébéniste d'extraction modeste et combattant couvert de citations et de médailles des deux guerres contre l'Allemagne [98], est un ancien Camelot du Roi, passé à la Cagoule à la fin des années trente et grand admirateur à la veille de la guerre du fascisme mussolinien.

Sur la recommandation de Xavier Vallat, Darnand a été placé par Pétain à la tête de la Légion des Alpes-Maritimes – un département où la sensibilité ultra-droitière est de tradition – et c'est là qu'il organise au début de l'été 1941, à peu près en même temps que se constitue la LVF, le Service d'ordre légionnaire, lequel sera officialisé en janvier 1942, avec l'appui de Pétain et de Darlan et contre l'avis du président de la Légion, François Valentin. Sur le sens de son initiative, Darnand s'expliquera quatre ans plus tard devant les juges de la Haute Cour :

« Il y a eu, dira-t-il, pratiquement autant de légions qu'il y avait de départements. La légion, dans certains départements, était réactionnaire. Dans d'autres départements, elle était très maréchaliste, très " Révolution nationale ". Dans certaines régions du Midi, dans certains coins du Midi, les francs-maçons avaient conservé tous les leviers de commande. Enfin, bref, cette Légion n'était pas animée, elle n'était pas commandée. Chacun faisait ce qu'il voulait.

« Moi j'ai fait une Légion selon mon tempérament [99]. [...] »

Une Légion selon le tempérament de Darnand et de ses amis, Bassompierre, Filliol, Pierre Gallet, Marcel Gombert, Noël de Tissot, cela signifiait une organisation de choc, prête à renouer avec les pratiques terroristes de l'avant-guerre et avec l'esprit des anciens de la Cagoule. De fait, les hommes de l'extrême droite sont majoritaires

98. Darnand a été cité à l'ordre de la nation pendant la Première Guerre mondiale. En 1939-1940 il a combattu dans les corps francs, avant d'être fait prisonnier, puis de s'évader du camp de Pithiviers.
99. Cité in J. Delperre de Bayac, *Histoire de la Milice*, Paris, 2 vol., Fayard, 1969, rééd « Marabout », t. I, p. 96.

au sein du SOL : anciens ligueurs, ex-dissidents de l'Action françaises passés au CSAR de Deloncle, traditionalistes musclés, etc. Un fascisme? Peut-être pas encore pour ces partisans d'un régime autoritaire dont on cherche plutôt l'inspiration du côté de Salazar et de Franco que du maître du IIIe Reich (Mussolini ayant perdu beaucoup de son prestige, notamment à Nice), mais à coup sûr un maréchalisme pur et dur, dont la fidélité au régime s'accommode mal des atermoiements imputés par les dirigeants du SOL aux inspirateurs politiques de Vichy.

Jusqu'en novembre 1942 le SOL – 20 000 hommes tout au plus dont une moitié d'éléments actifs – va jouer en zone sud le rôle d'une troupe de choc de réserve de la révolution nationale. Les activités ne sont pas spécifiquement celles du « maintien de l'ordre ». On fiche les communistes, les juifs, les francs-maçons, les trafiquants, on cherche à « repérer les foyers de propagande antigouvernementale », on fait le coup de poing avec les adversaires politiques, mais les hommes de Darnand, au demeurant très mal vus de la population (comme en témoignent les archives du contrôle postal) doivent se contenter d'être l'avant-garde du maréchalisme. Peu à peu s'affirme cependant la vocation du SOL à devenir une organisation fasciste. Ses militants paradent en uniforme : chemise kaki, béret bleu des chasseurs, cravate noire en signe du deuil de la France, insigne porteur du coq gaulois, de l'épée et du bouclier. Ils célèbrent dans leurs fiefs méridionaux, à Marseille, Nîmes, Montpellier, Narbonne, Aix, Valence et surtout à Nice, de grandes messes maréchalistes dont la liturgie s'inspire de celle des dictatures voisines. Ils chantent, au pas cadencé, une sorte d'hymne au « vainqueur de Verdun » (le « Chant des Cohortes ») [100] dont le dernier couplet dit clairement de quelle façon ils conçoivent la révolution nationale :

« SOL, faisons la France pure : / Bolcheviks, francs-maçons ennemis, / Israël, ignoble pourriture, / Écœurée, la France vous vomit [101]. »

Enfin ils sont appelés à recevoir, dans des « cours et conférences obligatoires », organisés à l'échelon départemental, « une formation politique uniforme qui assure l'unité de pensée ». Il n'y a pas grand-chose à ajouter pour transformer cette formation partisane militarisée et totalitaire en une milice fasciste. Laval, qui se méfie de Darnand et de sa bande de « cagoulards », essaie bien de faire traîner

---

100. Musique de Pierre de Prous et Georges Bailly, paroles d'Antoine Quebria. Il deviendra en 1943 le chant de marche de la Milice.
101. Cf. J. Delperrie, op. cit., p. 107.

270

les choses mais, après les événements de novembre 1942, craignant la prolifération des bandes armées indépendantes et soumis à la pression des Allemands qui entendent désormais que la sécurité de leurs arrières soit assurée par les Français, il doit accepter que le SOL soit transformé en Milice française, aussitôt reconnue d'utilité publique et placée sous la présidence du chef du gouvernement.

Affectée par Pétain en personne aux « missions d'avant-garde, notamment celle du maintien de l'ordre », la Milice de Darnand – celui-ci en est le secrétaire général omniprésent – fonctionne à la fois comme l'embryon d'un parti unique fasciste, instrument de la conquête du pouvoir par le noyau dur du maréchalisme collaborationniste, et comme une police supplétive employée par Vichy dans la lutte contre les maquisards, par exemple au plateau des Glières en mars 1944. Pendant dix-huit mois, elle s'illustre surtout dans des opérations « contre-terroristes », pourchassant sur tout le territoire occupé les « ennemis de la révolution nationale », livrant aux Allemands juifs, communistes et résistants, pratiquant pour son propre compte la torture, l'exécution sommaire ou l'assassinat politique. Maurice Sarraut, en décembre 1943, l'ancien secrétaire général de la Ligue des droits de l'homme Victor Basch un mois plus tard, Jean Zay et Georges Mandel en juin et juillet 1944 tombent ainsi sous des balles miliciennes. Pétain proteste... un peu tard, tandis que Laval cite à l'ordre de la nation les hommes de Darnand tombés au cours des combats contre les maquisards.

Il faut dire que le chef du gouvernement doit compter avec la Milice. Non que celle-ci soit miraculeusement devenue ce mouvement de masse dont le fascisme français aurait besoin pour être chose qu'un épiphénomène politique, brusquement surgi au premier plan par suite d'un trébuchement de l'histoire. Certes, elle est fortement organisée avec son « secrétariat général », basé à Vichy, dirigé par Darnand et auquel collaborent des hommes comme Philippe Henriot, Pierre-Antoine Cousteau, Marcel Binet, Charles Lesca, etc. Elle a son école de cadres (celle d'Uriage qui, dans sa version première, a été dissoute au début de 1943, pour « mauvais esprit »), son hebdomadaire, Combats, confié à Henri Charbonneau, ses barons-condottieres (Jean de Vaugelas, l'ex-aviateur Max Knipping, l'industriel Jacques de Bernonville, Henri de Bourmont, La Noüé du Vair, Lécussan, etc.), parfois issus du « monde des châteaux » comme les anciens du CSAR mais parmi lesquels on trouve également des leaders plébéiens et des marginaux. Tout cela cependant ne suffit pas à faire de la Milice autre chose qu'une petite armée parallèle (équipée par la SS), totalement coupée de la masse des Français, et

271

dont les effectifs ont semble-t-il plafonné à 30 000 [102], dont la moitié seulement constitue avec la Franc-Garde le noyau actif de l'organisation, composée de jeunes volontaires soumis à une discipline militaire et plus plébéienne dans son recrutement que le SOL. Si l'on y rencontre encore en effet quelques fils de notables ou de hobereaux ultra-réactionnaires, le gros de la troupe est d'origine petite-bourgeoise et prolétaire (jeunes ouvriers sans emploi ou fuyant le STO et, trait particulier de la Milice par rapport aux autres formations collaborationnistes, manœuvres agricoles), avec en plus accentué encore que chez Bucard, Déat ou Doriot la dose habituelle de déclassés, de nervis et de repris de justice. Mêlés à des inclinations idéologiques souvent très vagues et à des phobies moins évanescentes, l'attrait de la prime et de la solde, les promesses de « mâles aventures » et de satisfaction impunie des pulsions les plus féroces, la quête pour certains d'une respectabilité reconquise sous l'uniforme, tout cela a incontestablement joué pour attirer à la Milice, comme en d'autres temps et en d'autres lieux à la SA ou chez les squadristes, les représentants de diverses marginalités sociales : sans que l'on puisse pour autant l'assimiler dans sa totalité à la « lie de la terre ». A côté de tortionnaires et de tueurs par vocation, ou de brutes villageoises promues à la dignité de défenseurs de l'ordre, on trouve à la Milice un certain nombre de soldats perdus, de patriotes égarés et d'idéalistes bornés dont Darnand dira, dans une lettre adressée au général de Gaulle à la veille de son exécution, qu'« ils n'ont commis que l'erreur d'être fidèles à un Grand Soldat » et de « ne pas abandonner une cause perdue [103] ». Admettons-le et reconnaissons également qu'un certain nombre de pauvres types, tel le « Lacombe Lucien » de Louis Malle, auraient pu au gré des circonstances se trouver dans un autre camp. Après tout, Darnand lui-même a bien failli passer dans celui de la dissidence en 1943. Cela ne justifie aucun révisionnisme et n'excuse aucun des crimes que la plupart d'entre eux ont commis. Eux aussi ont joué et ont perdu. Disons simplement qu'à la différence des « combattants de la plume », dont le « jeu » d'incitation au meurtre n'a pas été moins sinistre, ils ont en général payé plus cher leur dévoiement.

On parle parfois d'« État milicien » pour qualifier le régime vichyste au cours de la dernière phase de son histoire [104]. On peut accepter cette appellation si elle signifie non que la France de 1944

102. Dont 4 000 seulement pour la zone nord.
103. Lettre au général de Gaulle en date du 8-10-1945.
104. Cf. notamment : M. Cointet-Labrousse, *Vichy et le fascisme*, Bruxelles, Éd. Complexe, 1987.

272

est devenue un État fasciste gouverné par la Milice, dans le sens où l'on parle d'État SS à propos de l'Allemagne nazie à partir de 1942, mais qu'il y a eu colonisation par les hommes de Darnand d'un appareil d'État coupé de la société civile et maintenu en place par le seul bon vouloir de l'occupant.

Avec Joseph Darnand, désormais en guerre ouverte avec les temporisateurs de l'hôtel du Parc et devenu Sturmbannführer de la SS, et avec Philippe Henriot, un ancien traditionaliste bon teint passé au collaborationnisme de choc, c'est bien le fascisme milicien (comme le chef du RNP ce dernier a symboliquement adhéré à la Milice) qui fait son entrée au gouvernement en janvier 1944 : le premier comme secrétaire général au maintien de l'ordre, autrement dit ministre de la police, le second comme secrétaire d'État à l'Information et à la Propagande. Déat qui guignait la vice-présidence du gouvernement, devra attendre la mi-mars pour entrer dans l'équipe dirigeante remaniée et seulement en tant que ministre du Travail et de la Solidarité nationale. Néanmoins, alors que Pétain songeait quelques semaines plus tôt à jouer les Badoglio français et à renvoyer Laval, ce dernier non seulement conserve avec l'appui allemand les rênes du pouvoir mais, poussé par l'occupant sur la voie de la radicalisation totalitaire, introduit au cœur même de l'appareil décisionnel trois fascistes déclarés, dont Darnand qui fait désormais figure d'homme fort du régime.

Cette fascisation, encore discrète il est vrai, de l'instance gouvernementale, s'accompagne d'une colonisation, plus visible celle-ci, de l'appareil administratif, judiciaire et policier par les hommes de Darnand. Philippe Henriot à l'Information substitue ses fidèles aux directeurs de l'administration et installe dans les régions une centaine de délégués à la propagande. Le secrétaire général au maintien de l'ordre concentre tous les pouvoirs en matière de police et de répression. Ses « intendants du maintien de l'ordre », institués par la loi du 15 avril 1944 et choisis parmi les cadres de la Milice (Vaugelas à Limoges, Di Costanzo en Bretagne, etc.), coiffent l'administration préfectorale, en partie infiltrée elle aussi. L'administration pénitentiaire passe également sous le contrôle de Darnand, auquel échoit en même temps l'organisation de la justice expéditive avec la création de cours martiales qui, prenant le relais des « sections spéciales », jugent sans avocat ni recours les individus pris en flagrant délit d'action « terroriste ». Peuplés de miliciens directement désignés par Darnand et qui officient parfois sous le masque, ces tribunaux d'exception n'hésiteront pas en fait à s'installer dans les prisons pour y juger sommairement de simples suspects ou des combattants de l'intérieur arrêtés depuis longtemps. Encore y a-t-il une parodie de procédure dont ne s'embarrassent pas toujours les tueurs de la Franc-Garde, plus ou moins explicitement mandatés par le « Chef » pour liquider les ennemis du régime : FTP, clandestins, et aussi, nous l'avons vu, hommes politiques de la IIIᵉ République, tués parce que jugés responsables de tous les malheurs du pays, complices du communisme, ou simplement parce qu'ils étaient juifs.

Structure milicienne donc, substituant peu à peu son autorité à celle du pouvoir vichyste, et en passe d'occuper les principaux postes de commande de l'État français. Fascisation de Vichy? Si l'on veut. Si Vichy représente quelque chose en 1944 et s'il existe encore à cette date un « État » français. Libre de ses mouvements, la camarilla maréchaliste inclinait plutôt à la fin de 1943 dans le sens d'un retour à petits pas vers le régime défunt, en tout cas à rétablir en France un système représentatif. C'est dans cette voie que Pétain s'était engagé en projetant, une fois achevé le projet constitutionnel dont la rédaction lui avait été confiée en 1940, de réunir l'Assemblée nationale afin de lui remettre les pouvoirs qu'elle lui avait confiés. Cette opération, qui prévoyait également le renvoi de Laval, ayant échoué sur ordre des Allemands, c'est dans une direction toute différente que va évoluer le régime : celle de la radicalisation totalitaire et de la satellisation, mais il s'agit d'une direction imprimée de l'extérieur à une structure de pouvoir réduite à la micro-société ultra-collaborationniste et devenue l'instrument pur et simple de la domination nazie.

Le reste est dans la ligne d'un fascisme français qui, après avoir été avant la guerre l'un des fourriers du pacifisme démobilisateur et le thuriféraire de dictateurs étrangers, avait été sous l'Occupation jusqu'au bout de sa logique en subordonnant le culte de la nation, qui est l'un des ressorts majeurs du fascisme, à celui de l'ordre hitlérien. Un ordre conçu comme le produit transnational de l'hégémonie allemande.

Le terme de toute cette évolution se situe en effet au moment où, dans l'exil de Sigmaringen [105] – une ancienne résidence des Hohenzollern, perchée dans le Jura souabe, où Pétain et Laval ont été assignés à résidence – se constituent, avec la bénédiction des dirigeants nazis, les deux « pouvoirs » parallèles qui se disputent les dépouilles du dernier Vichy : la « Délégation gouvernementale », sur laquelle règnent de Brinon et Déat, et le fascistissime « Comité de

---

105. Sur cette ultime étape de l'histoire de la France vichyste et collaborationniste, cf. H. Rousso, *Pétain et la fin de la collaboration, Sigmaringen (1944-1945)*, Bruxelles, Éd. Complexe, 1984.

libération », dont la direction est confiée à Doriot. Trop tard pour que ce dernier – tué le 22 février 1945 par des balles tirées de deux avions, vraisemblablement alliés [106] – accède enfin au statut de Führer français. L'un et l'autre de ces organismes fantômes, totalement inféodés aux Allemands, n'exerceront jamais leur autorité que sur les quelques centaines de collaborationnistes traqués qui ont pris, après la Libération, le chemin de l'Allemagne.

L' « État milicien », lui, a volé en éclats, au fur et à mesure que les armées nazies abandonnaient le territoire conquis. Ses rescapés, quelques milliers de francs-gardes ayant échappé aux combats de la Libération et aux pelotons d'exécution des épurateurs, ou n'ayant pas pu ou pas voulu se trouver un refuge clandestin, ont rejoint en Allemagne les débris de la LVF et de la Waffen-SS française. Le 12 novembre 1944, les 7 500 hommes ainsi rassemblés sous l'uniforme allemand au sein de la 33e division SS « Charlemagne » prêtaient serment à Hitler, avant de rejoindre le front de l'Est. Beaucoup trouveront la mort en Poméranie, ou dans les ruines de Berlin, au cours des dernières semaines de la guerre. Symbolique engagement du dernier carré de la collaboration dans une guerre voulue par un État fasciste ennemi de la France et sous l'uniforme des soldats d'élite du Reich hitlérien.

Déjà en partie satellisé à la veille de la guerre, le fascisme français découvre ainsi la conclusion logique du choix désenchanté qui avait incliné nombre de ses adeptes à ne voir de salut possible pour l'Occident que dans le grand chambardement du retour à la barbarie. L'Allemagne national-socialiste ayant manqué ce rendez-vous avec l'histoire, il ne reste plus qu'à disparaître avec elle. Sans autre espoir que celui de la destruction, prologue incontournable peut-être à l'accouchement d'un monde nouveau. « A quoi bon faire de la littérature, écrit Drieu deux jours avant de se donner la mort : J'attends les Huns [107]. »

---

106. On a beaucoup dit que la voiture de Doriot avait été mitraillée par des avions allemands, conséquence de règlements de comptes entre services rivaux du IIIe Reich. Jean-Paul Brunet fait un sort à cette thèse dans sa biographie de Jacques Doriot. Cf. *op. cit.*, p. 492-493.

107. P. Drieu La Rochelle, *Récit secret, op. cit.*, p. 85.

5

Le feu sous la cendre (1945-1968)

L'horreur des crimes contre l'humanité commis pendant la guerre par les bâtisseurs de l'ordre nouveau et leurs complices collaborationnistes fait que pèse, depuis la fin du conflit, un discrédit profond et durable sur tout ce qui peut, de près ou de loin, être assimilé au *fascisme*. Pourtant, une fois passé la fièvre des règlements de comptes et l'euphorie de la liberté retrouvée, des mouvements, des individus, des publications se réclamant plus ou moins ouvertement de l'idéologie national-populiste ont fait leur réapparition dans une France en proie aux retombées de la guerre froide et de la décolonisation.

D'abord essentiellement peuplées de nostalgiques de la collaboration et de rescapés des procès de l'épuration, les formations groupusculaires qui se sont alors constituées ont peu à peu attiré dans leurs rangs de jeunes éléments en quête d'un instrument efficace de lutte contre le communisme et d'un monde éloigné des valeurs et du confort « bourgeois », ainsi que des mécontents et des laissés-pour-compte de la société néo-capitaliste. Rien de bien dangereux pour la république parlementaire, remise sur orbite par le général de Gaulle et au demeurant confrontée à des crises d'une ampleur comparable à celles des années trente. Sauf à la fin de la décennie 1950, lorsqu'il s'opère, sur fond de guerre d'Algérie et de paralysie des institutions, une confluence entre ces tendances fascistoïdes renaissantes et l'ultracisme classique, lui aussi resurgi de ces cendres après les années de pénitence qui ont suivi l'effondrement de Vichy.

Il n'y aura pas cependant de « divine surprise » après le 13 mai 1958. L'insurrection algéroise et ses retombées métropolitaines n'accouchent pas d'un « remake » de la révolution nationale, comme l'auraient souhaité nombre d'inspirateurs de la sédition, mais d'une République ragaillardie et remusclée par l'homme du 18 juin. Dès lors, en dépit des accès de fièvre qui ponctuent la fin du drame algérien, l'ultra-droite se trouve confinée pour de longues années dans une marginalité dont le psychodrame révolutionnaire de 1968 ne parvient même pas à la faire sortir.

Premières résurgences

Jusqu'au début de la décennie 1960, le néo-fascisme a bénéficié dans notre pays de trois facteurs favorables : la survie, à travers les vicissitudes de l'immédiat après-guerre, du fascisme collaborationniste, l'accélération du rythme des mutations économiques et les guerres coloniales perdues. A quoi il convient d'ajouter l'anticommunisme ambiant et le poids d'arguments qu'apporte aux prédicateurs de la croisade antibolchevique la révélation des crimes d'un totalitarisme rouge que les États fascistes avaient été les seuls à combattre.

Néanmoins le poids de l'Occupation, les atrocités commises par les SS et par leurs auxiliaires français, l'horreur soulevée par les chambres de torture de la Gestapo et par les camps d'extermination, l'ampleur et la programmation sadique du génocide, tout cela, répétons-le, a jeté, en France comme ailleurs, un discrédit complet sur le fascisme. Pendant plusieurs années, les mouvements se réclamant de lui devront se réfugier dans la clandestinité.

C'est là que l'on trouve au lendemain de la guerre les rescapés de l'épuration. Celle-ci a été moins exterminatrice que ne l'ont prétendu les historiens révisionnistes [1]. Néanmoins, toutes les estimations sérieuses faites depuis une vingtaine d'années [2], en particulier l'enquête menée par le Comité d'histoire de la Deuxième Guerre mondiale, font état d'une dizaine de milliers de victimes [3], ce qui

1. A commencer par Robert Aron qui évaluait à 40 000 le nombre des exécutions sommaires. *Histoire de l'épuration*, Paris, Fayard, 3 vol., 1967-1975.
2. La première est celle de l'Américain P. Novick : *The Resistance versus Vichy. The Purge of Collaborators in Liberated France*, New York, Columbia University Press, 1968.
3. Environ 9 000 exécutions sommaires dont les trois quarts opérées avant le 6 juin 1944 ou pendant les combats de la Libération, à quoi il convient d'ajouter les 767 mises à mort après verdict des cours de justice (sur 7 037 condamnations à la peine capitale, dont 4 397 par contumace). *Cf.* J.-P. Rioux, *La France de la Quatrième République*, t. I – *L'Ardeur et la nécessité, 1944-1952*, Paris, Le Seuil, 1980, p. 54-57.

277

représente tout de même 10 % de l'effectif global des mouvements collaborationnistes et 20 % environ des éléments actifs.

D'autre part, si les exécutions ont frappé plus durement les ouvriers agricoles, les petits cultivateurs, les artisans des petits centres ruraux que le monde citadin, et les militants de base que les cadres, la chasse aux stars de la collaboration a cependant été menée assez rondement pour que les anciennes formations fascistes se trouvent privées de chefs. Doriot mitraillé par des avions alliés sur la route de Sigmaringen, Déat réfugié dans un couvent en Italie [4], Deloncle abattu par la Gestapo, Fontenoy tué dans un combat de rue à Berlin, Bucard et Darnand fusillés, le fascisme français se trouve privé pour longtemps d'un véritable leader. Et aussi de têtes pensantes, car celles-ci n'ont pas été épargnées par la répression de l'immédiat après-guerre. Le suicide de Drieu, l'exécution de Brasillach, de Luchaire, de Paul Chack, la condamnation à mort d'Henri Béraud, de Robert de Beauplan, de Jean Boissel (qui seront finalement graciés), le silence de Céline lui enlèvent ses voix les plus fortes.

Encore que sa conversion soit tardive, seul survit de la génération des grands intellectuels fascistes – qu'il convient de distinguer ici de la masse des hommes de plume de Vichy et des seconds couteaux de la collaboration cérébrale – Maurice Bardèche, l'ancien condisciple à Normale Sup, devenu le beau-frère de Brasillach et, après la mort de ce dernier, le défenseur inlassable des « épurés » et le principal théoricien du néo-fascisme à la française.

« J'aimais beaucoup Brasillach, écrira-t-il en 1959, je l'admirais beaucoup; et, je ne vous le cache pas, c'est la mort de Brasillach et l'épuration qui ont fait de moi un animal politique. La politique ne m'intéressait absolument pas avant cette date; à partir de ce moment-là, j'ai foncé dans la politique [5]. »

Ce fonceur n'a en effet pas attendu très longtemps pour entreprendre la réhabilitation du Vichy collaborationniste, puis celle de l'ordre nouveau hitlérien dont les « erreurs » et les « excès » ne sauraient faire oublier « qu'il y a si peu d'années, l'Europe était une île imprenable, un récif sur lequel les invasions impuissantes se brisaient [6] ». Coup sur coup, il va publier, sur fond de guerre froide commençante, la *Lettre à François Mauriac* (1947), violent réquisitoire contre l'épuration, et *Nuremberg ou la terre promise* (1948), dans lequel il conteste aux alliés le droit, légal et moral, de juger les

4. Jusqu'à sa mort en 1955.
5. *Jeune Nation*, avril 1959.
6. M. Bardèche, *Qu'est-ce que le fascisme?*, Paris, Les Sept Couleurs, 1961, p. 53.

278

dirigeants du IIIe Reich pour des actes qu'ils avaient « peut-être » commis, et qui vaudra à son auteur d'être condamné à un an de prison ferme pour apologie des crimes de guerre (aministié par le président Coty, il ne sera en fait incarcéré que pendant quelques semaines). Le ton est donné, et la première pierre posée pour une histoire « révisionniste » dont nous pouvons mesurer aujourd'hui, avec la relative banalisation du délire faurissonien et la « bavure » universitaire de l'affaire Roques, de quelle vertu narcotique elle est porteuse.

Pour Bardèche – il est alors l'un des premiers, sinon le premier, à oser le formuler à voix haute –, les crimes qui peuvent être imputés au nazisme sont des crimes ordinaires, comme il en existe dans toute guerre. Ils ne sont pas inhérents à la nature du fascisme mais en constituent au contraire une déviation. Il s'en expliquera longuement dans le livre qu'il publiera en 1961 sous le titre *Qu'est-ce que le fascisme?*, apologie de l' « ordre de Sparte », « dernier rempart, estime son auteur, de la Liberté et de la douceur de vivre [7] ».

« Je ne sais, écrit-il alors, si l'on attend que je parle ici des crimes qu'on reproche à l'Allemagne. Le fascisme n'a pas à les prendre à son compte. Aucun lien logique, nécessaire, automatique ne relie le fascisme au racisme. [...] Le fascisme, en tant que système politique, n'est pas plus responsable de la politique d'extermination des juifs que la physique nucléaire, en tant que théorie scientifique, n'est responsable de la destruction de Hiroshima. Nous n'avons donc pas à en charger notre conscience. Et nous devons même combattre la propagande essentiellement politique qui assimile le fascisme et l'antisémitisme systématique. Ce qui s'est passé pendant ces années témoigne surtout du caractère atroce des guerres modernes, puisque les crimes des démocraties, bien qu'ils aient eu un caractère différent, n'ont pas été moins graves que ceux qu'elles ont dénoncés [8]. »

On croirait déjà entendre les défenseurs de Klaus Barbie, lors du procès du chef de la Gestapo lyonnaise en 1987 ou Jean-Marie Le Pen évoquant devant les caméras de RTL le « détail » constitué par les chambres à gaz. En attendant, ces prudences verbales, ce souci plus ou moins tactique de séparer le bon grain fasciste de l'ivraie des « inévitables » crimes de guerre n'empêchent pas Bardèche de faire l'apologie de la SS, cette « élite chargée d'incarner l'idée national-socialiste [9] », de considérer que le peuple allemand et son Führer avaient accompli « d'une façon maladroite, mais avec beaucoup de

7. *Ibid.*, p. 195.
8. *Ibid.*, p. 53-54.
9. *Ibid.*, p. 36.

279

courage », la mission de « défenseur de l'Europe tout entière contre l'invasion russe » *(sic)* dont ils avaient été investis [10], que « l'épopée de la Werhmacht était du point de vue historique une épopée aussi grandiose, aussi importante que l'épopée de la Grande Armée [11] », ni de verser des larmes rétrospectives sur l'agonie du IIIᵉ Reich. « Je ne puis voir sans pitié, sur les images des dernières semaines cet Hitler, hâve, tendu, anxieux, son regard encore plein de lumière, dissimulant de sa main valide la main tremblotante, la main de vieillard qui le trahissait [12]. »

Néanmoins ce n'est pas à l'Allemagne hitlérienne que vont les préférences de Bardèche mais au fascisme italien. Et au fascisme italien dans la version crépusculaire qu'il a donnée de lui-même avec la république de Salò. Fascisme authentique, fascisme de « retour aux sources accompli sous le poing de fer de la défaite [13] » et dont l'héritier spirituel de Brasillach ne voit pas, ou dont il refuse de voir le caractère artificiel et la férocité. C'est en tout cas le modèle qu'il a en tête lorsqu'il fonde en 1951, avec divers représentants du néo-fascisme européen, l'Anglais Mosley, l'Italien Ernesto Massi, le Suédois Per Engdhal, l'Allemand Karl Ernst Priester, etc., le Mouvement social européen.

A l'origine de cette organisation à vocation transnationale, on trouve plusieurs entreprises de rassemblement des nostalgiques de l'ordre nouveau. La première en date est celle qui a tenté de se constituer dès 1947 autour de l' « organisation extérieure » d'Otto Skorzeny, le chef du commando aéroporté qui avait libéré Mussolini en 1943. Dès la fin de la guerre, ce dernier avait mis sur pied un réseau destiné à assurer le passage à l'étranger – Amérique latine, Proche-Orient, Portugal et Espagne – des responsables politiques et militaires du IIIᵉ Reich, en particulier les cadres de la SS. Le réseau « Odessa » – c'était son nom – avait ainsi permis à des milliers de rescapés de l'ordre noir, parmi lesquels un bon nombre d'authentiques criminels de guerre, d'échapper au châtiment et de trouver refuge dans des pays « amis ». Un peu plus tard Skorzeny, qui avait lui-même élu domicile à Madrid, eut l'idée de regrouper les anciens SS en exil, en étendant le recrutement à tous ceux qui, quelle que soit leur nationalité, avaient combattu sous l'uniforme allemand.

Il se constitua ainsi, sous la houlette de Skorzeny, assisté de Hans Ulrich Rudel, un as de la Luftwaffe, du Belge Degrelle et du colonel

10. Entretien avec Joseph Algazy, cité par ce dernier in *La Tentation néo-fasciste en France, 1944-1965*, Paris, Fayard, 1984, p. 208.
11. *Ibid*
12. M. Bardèche, *Qu'est-ce que le fascisme?*, *op cit* , p. 48.
13. *Ibid* , p. 20.

280

Dollmann, ex-agent numéro un de Himmler en Italie, une organisation dite extérieure, dont le centre nerveux se trouvait dans la capitale espagnole, et qui disposait d'antennes importantes au Caire, à Tanger, à Malmö, à Buenos Aires et même à Rome [14]. Entre ces centres de commande circulaient dès 1946, sous le couvert d'une banale activité commerciale, d'anciens nazis de toute provenance, en liaison avec les groupuscules d'ex-collaborationnistes qui n'avaient pas tardé à se reconstituer clandestinement dans la plupart des pays. En France, on trouve trace à cette date d'au moins deux organisations néo-nazies à vocation transnationale : le Front noir international et le Secours noir international, et de deux bulletins confidentiels plus ou moins liés à celles-ci, *Le Drapeau noir* et *Le Combattant européen* (ancien organe de la LVF), sans que l'on sache très bien quels ont été leurs rapports avec l'innocente amicale d'Otto Skorzeny. Ce qui est clair en revanche c'est que la poignée d'ex-collaborationnistes qui en constitue la base militante n'a pas désarmé. Assumant sans complexe l'héritage du nazisme, elle exhale sa haine pour le « capitalisme international, servi par le Juif et le Stalinien [15] » et appelle à l'« épuration de la race française ». Militants du FNI et du SNI devront d'ailleurs rendre des comptes à la justice à la fin de 1946.

Ce sont ces groupes ultra-minoritaires de nazis intransigeants qui, prêchant la reconstitution d'une Europe « socialiste », s'efforcent à partir de 1947 de donner une base un peu plus consistante à leurs aspirations internationalistes. Leur projet se heurte toutefois à la résistance des grands mouvements néo-fascistes européens, le MSI de Giorgio Almirante et le Deutsche Rechtspartei, occupés l'un et l'autre à se refaire une honorabilité, afin de récupérer une partie de l'électorat de droite. Ceux-ci veulent bien que soit mise en place une structure de liaison entre les divers membres de la famille néo-fasciste, mais ils redoutent, pour des raisons largement tactiques, les effets provocateurs d'une conférence au sommet placée sous le signe de la croix gammée. Il faut donc attendre 1950 pour que, sous la houlette de ces formations « modérées », se tienne à Rome la première grande rencontre du néo-fascisme européen. Il ne s'y passe à peu près rien, sinon que l'on décide de se retrouver l'année suivante en Suède, et c'est là, lors du congrès qui réunit à Malmö, en mai 1951, une centaine de délégués appartenant aux principaux mouve-

---

14. A Del Boca et M. Giovanna, *I « Figli del Sole », mezzo secolo di nazi-fascismo*, Milan, Feltrinelli, 1963.
15. Citations in J. Plumyène et R. Lasierra, *Les Fascismes français, op. cit.*, p. 199.

ments européens – Bardèche y représente le Comité national français –, qu'est mis sur pied un embryon d'organisation internationale.

Cette « Internationale de Malmö », qui prend le nom de Mouvement social européen (l'influence du MSI on le voit transparaît jusque dans le choix du sigle), fonde son « programme » sur deux thèmes majeurs : un anticommunisme virulent et la constitution d'une « troisième force » européenne. On envisage de créer un « Empire européen », dirigé par un « gouvernement central de l'Empire ». On parle d' « élection des chefs de gouvernement par plébiscite », de « régulation de la vie sociale et économique par les organes d'un État corporatif », de promouvoir un système éducatif dont le but sera de « faire des hommes et des femmes *forts* », de « régénérer l'homme, la société et l'État spirituellement [16] ». Programme plébiscitaire donc et tendanciellement fasciste, mais non totalitaire et qui s'affirme en principe respectueux d'un minimum de règles démocratiques. Sans doute parce que, dans l'Europe de l'après-guerre, coincée entre le souvenir cuisant du totalitarisme brun et la menace du totalitarisme rouge, l'assaut frontal contre la démocratie a peu de chances d'attirer les masses. De là, la mise en sourdine de certains thèmes. De là également la prudence, imposée par les représentants du MSI et des autres formations néo-fascistes modérées concernant le racisme et l'antisémitisme de choc dont la plupart des petits groupes qui avaient été à l'origine de la rencontre auraient voulu au contraire faire un cheval de bataille. Les « politiques » ne pourront d'ailleurs empêcher les activistes du mouvement de se livrer à Malmö, sous le regard sidéré d'une opinion qui avait probablement cru un peu trop tôt que les vieux démons étaient mortels, aux contorsions de la liturgie fasciste : salut romain, bruit de bottes, défilés aux flambeaux, etc.

Le refus par la majorité opportuniste de voir figurer dans les documents du congrès toute référence à un antisémitisme alors quasi unanimement condamné, eut pour effet de précipiter la rupture entre les deux branches du néo-fascisme européen. C'est sans grand enthousiasme que les nostalgiques de l'hitlérisme, qui avaient pourtant joué un rôle pionnier dans l'internationalisation des courants issus du collaborationnisme, s'étaient rendus à Rome et à Malmö, et c'est sans beaucoup hésiter qu'ils vont, au lendemain même de cette seconde rencontre, pousser à la scission. Ainsi, tandis que sous la présidence du Suédois Per Engdahl, le Mouvement social européen s'efforce tant bien que mal de coordonner l'action d'une quarantaine

16. Texte du manifeste en dix points publié dans *Droit et Liberté*, 2-6-1951.

282

de mouvements néo-fascistes répartis sur une douzaine de pays, il se constitue à Zurich une nouvelle « Internationale », l'Ordre nouveau européen, qu'animent le Suisse Amaudruz et le Français René Binet – lui aussi présent à Malmö mais dans le camp des intransigeants – et qui adopte une attitude farouchement raciste et antisémite. Elle proclame « la nécessité de *défense* de la *race européenne* », un « anticapitalisme judéo-américain » et un anticolonialisme « accompagné d'une ségrégation raciale sévère » et du « retour des groupes ethniques dans leurs espaces traditionnels [17] ». Elle se prononce également pour la troisième force européenne, sous la forme d'une « confédération atteignant une puissance égale à celle des États-Unis et de l'URSS », et elle reprend le programme anticommuniste de sa rivale, mais en le poussant plus loin. Le Nouvel Ordre européen – c'est le nom que prend finalement le mouvement – exige en effet la révision des frontières de 1945 et la libération des pays satellisés par l'URSS à la suite du « partage de Yalta ». Regroupant une cinquantaine de groupuscules originaires d'une vingtaine de pays, le NOE connaîtra un relatif succès entre 1955 et 1961.

Nous nous sommes arrêtés un moment sur ces formes transnationales de la résurgence fasciste parce qu'elles sont révélatrices de la nature même de cette résurgence. La solidarité collaborationniste, qui s'est concrétisée pendant les deux dernières années de la guerre par l'internationalisation de la Waffen-SS a fini par substituer une sorte de patriotisme européen – alibi idéologique de la satellisation acceptée pour les uns, illusion d'appartenir à une communauté raciale d'essence supérieure pour les autres – aux valeurs traditionnelles du nationalisme, se prolonge au lendemain du conflit en volonté de dépasser le cadre étroit de la nation et d'étendre le projet néo-fasciste à l'ensemble du vieux continent. Certes, toute l'extrême droite n'est pas convertie, du jour au lendemain, à la nouvelle religion européenne mais elle en subit peu à peu l'attraction et c'est à bien des égards ce glissement du national au transnational qui donne à cette partie du paysage politique une tonalité qu'il n'avait pas jusqu'alors.

Tel est, très brièvement esquissé, le cadre international dans lequel évoluent, pendant les premières années de la IVe République, les incarnations hexagonales du néo-fascisme européen. Incarnations au pluriel car, pas plus après la guerre qu'avant ou pendant celle-ci, le fascisme français n'a su se donner la moindre apparence d'unité. D'un côté les « modérés » comme Bardèche, dont l'activité consiste

17. Programme cité in J. Algazy, *La Tentation néo-faciste, op. cit.*, p. 302.

surtout à réinventer l'histoire du fascisme en gommant ses aspects les plus odieux. Après l'échec du Mouvement social européen, l'auteur de la *Lettre à François Mauriac,* qui n'a rien d'un organisateur politique ni d'un chef, va consacrer l'essentiel de son temps à l'écriture (*L'Œuf de Christophe Colomb,* 1951, *Les Temps modernes,* 1956, etc.), à l'édition (Les Sept Couleurs, en hommage à Brasillach) et à la direction d'une revue discrètement raciste et ultra-occidentale, *Défense de l'Occident* (fondée en 1952 avec Tixier-Vignancour), tout en maintenant des contacts avec les formations les plus radicales de l'extrémisme de droite et en intervenant épisodiquement dans le débat politique.

De l'autre côté, le marigot des groupuscules activistes qui prolifèrent à l'époque, sans réussir à mobiliser globalement beaucoup plus de quelques centaines d'adhérents, et dont l'existence éphémère a souvent laissé peu de traces. La plus précoce et la plus violente de ces organisations néo-nazies s'est constituée peu de temps après la fin de la guerre autour de René Binet et de son bulletin, *Le Combattant européen,* qui a repris le titre hautement symbolique de l'organe de la LVF dont Binet, qui ne cache pas ses sympathies hitlériennes, exalte la geste héroïque et prophétique. Son programme : « L'épuration de la race française des éléments qui la souillent, les nègres, les juifs et les Mongols; – la conquête de la centrale ouvrière CGT; – la construction du Parti de la révolution socialiste nationale [18]. » On ne saurait être plus clair.

Encore un fasciste venu de la gauche et même de l'extrême gauche : ce qui est, nous l'avons vu, un itinéraire possible et même fréquent au niveau dirigeant, mais non le seul, comme en témoigne la trajectoire d'un Bucard, d'un Deloncle, d'un Philippe Henriot ou d'un Brasillach, sans parler de celle d'Adolf Hitler! René Binet est né en 1914 à Pornichet, près de Saint-Nazaire. Entre seize et vingt ans, il milite aux jeunesses communistes du Havre, puis, après son exclusion de cette organisation, dans un groupe trotskiste [19], première étape qui conduit ce stalinien de tempérament sur la voie de l'antistalinisme militant et bientôt d'un anticommunisme de combat qui incline le jeune Binet à se rapprocher, par passion du règlement de comptes comme Doriot, du fascisme le plus radical, autrement dit du racisme nazi [20].

18. Cité in J. Plumyène et R. Lasierra, *Les Fascismes français, op. cit.,* p. 199.

19. Les Groupes d'action révolutionnaire qui publiaient le journal *La Commune.*

20 Il s'en explique lui-même, assez brièvement d'ailleurs, dans sa *Contribution à une éthique raciste.*

284

Fait prisonnier en 1940 et libéré par les Allemands, René Binet finira la guerre dans les rangs de la 33e division SS « Charlemagne » ce qui l'amène, tout naturellement, à entrer en contact au lendemain du conflit mondial avec les mouvements internationaux issus des initiatives d'Otto Skorzeny et autres dignitaires de l'ordre noir. On le trouve dès lors mêlé à diverses tentatives de reconstitution de la famille fasciste, inlassable instigateur de publications ultra-confidentielles – L'Unité, L'Unité populaire, La Sentinelle, Le Nouveau Prométhée, etc. –, « théoricien » comme Bardèche, mais en beaucoup plus violent et en moins prudent, du néo-fascisme à la française et aussi, ce en quoi il se distingue du beau-frère de Brasillach, chef de parti dans la tradition du genre : charismatique et totalitaire.

Jusqu'à sa mort, survenue en 1957, Binet va développer ses vues doctrinaires dans un flot d'écrits délirants d'où émergent trois ouvrages aux titres significatifs : Théorie du racisme [21], Contribution à une éthique raciste [22] et Socialisme national contre marxisme [23]. Rien de bien original dans le discours imprimé de ce « rêveur casqué », pourfendeur de la « gangue sémitique », mongoloïde ou négroïde » dont il entend dégager la « pensée socialiste [24] ». Rien qui n'ait déjà été dit et redit par les Gobineau, Vacher de Lapouge, Jules Soury et autres pères fondateurs de l'antisémitisme français, ou par leurs homologues et épigones étrangers, H. S. Chamberlain, Rosenberg, Evola, etc. Rien qui puisse justifier que l'« histoire des idées » accorde le moindre intérêt aux obsessions de plume de l'ancien Waffen-SS, sinon que son « œuvre » – en partie publiée au Canada il y a seulement une dizaine d'années – fait partie du bagage idéologique de la dernière génération du néo-nazisme et contribue à entretenir dans ses rangs les fantasmes exterminateurs.

C'est, en attendant, du petit cercle qui gravite autour de ce « théoricien » du racisme que vont sortir les organisations néofascistes les plus virulentes : celles qui assument le plus ouvertement l'héritage idéologique du IIIe Reich : Forces françaises révolutionnaires, Rassemblement travailliste français de Dalbin, ami personnel du dictateur argentin Juan Peron et doctrinaire d'un « justicialisme » tricolore, et surtout Parti républicain d'union populaire (PRUP),

21. R. Binet, Théorie du racisme, Paris, chez l'auteur, 1950.
22. Id., Contribution à une éthique raciste, Montréal, Éd. celtiques.
23. Id., Socialisme national contre marxisme, Montréal, Éd. celtiques, 1978.
24. Id., Contribution..., op. cit., p. 73.

fondé dès 1946 à l'initiative de Binet et d'une poignée d'autres « réprouvés » de la croisade antibolchevique [25]. En fait, parmi les dirigeants du PRUP, il y a d'anciens trotskistes et d'ex-militants du PCF, ce qui explique la ressemblance de ce mouvement avec le noyau initial du PPF de Doriot (le racisme en plus), ou encore avec les nationaux-bolchevistes allemands de l'entre-deux-guerres. Binet lui-même ne cache pas son admiration pour Tito et rêve tout haut [26] de quelque chose qui ressemblerait, à l'échelle européenne, à un « titisme fasciste ».

Il ne faudrait cependant pas se méprendre sur la nature profonde du discours populiste et gauchisant du PRUP et de son leader. Ce dernier, cela ne fait aucun doute, est un produit de la matrice de gauche du fascisme. Comme Doriot... ou comme Mussolini! Mais, de la même façon qu'eux, il s'est imprégné au cours de sa trajectoire politique des idées et des valeurs de l'ultra-droite, lesquelles forment l'autre composante de l'alliage fasciste et finissent par orienter celui-ci dans un sens réactionnaire. Il suffit pour s'en convaincre de lire les pages que l'auteur de la *Théorie du racisme* consacre au rôle que devra, dans la société à construire, assumer la femme, « gardienne du sang, mère de la race et de l'État, source de toute vie dans la Nation, conseillère et guide des générations nouvelles [27] ». A condition de bien vouloir rester à la place que la « nature » lui a assignée :

« Par leur propagande pour l'avortement et l' " émancipation " des femmes, écrit-il encore à l'adresse des destructeurs de la race, ils n'ont fait que des détraqués, bêtes à plaisir ou poupées inutiles, jouets aux mains des satrapes du régime. Les racistes, au contraire, entendent leur rendre, avec l'équilibre de leur sexe, la dignité de leur rôle social [28]. »

En 1947, le PRUP fusionne avec le mouvement dit des Forces françaises révolutionnaires dont le principal dirigeant, Estèbe, anime en Gironde une petite base militante. L'année suivante, Binet lance le Mouvement socialiste d'unité française (MSUF) et son organe hebdomadaire, *L'Unité*. Quoique patronnée par le « modéré » Bardèche, l'entreprise verse dans une violence verbale et dans un antisé-

---

25. On trouve au comité directeur de cette organisation Robert Weber, Jean Flaust, Marcel Delain, Maurice Plais, Poncier et Deberque. *Cf.* F. Duprat, *Les Mouvements d'extrême droite en France depuis 1944*, Paris, Éd. Albatros, 1972, p. 33.
26. *Cf.* son article : « Tito est-il le Doriot slave ? » dans le nº 1 de *L'Unité*.
27. *Théorie du fascisme, op. cit.*, p. 30.
28. *Ibid.*

286

mitisme tels [29] que le ministère de l'Intérieur décide en 1949 de dissoudre le mouvement. Extrêmement minoritaires – elles ne rassemblent au total que quelques centaines d'adhérents – les organisations animées par Binet vont donner à l'aile extrémiste du néo-fascisme français les caractères qu'il conservera jusqu'à nos jours : son extrême agressivité anticommuniste, son radicalisme gauchisant, son racisme fanatique, son goût du complot et de l'action terroriste pratiquée parfois contre lui-même (lorsque René Binet meurt en 1957 dans un accident de voiture, on parle dans les milieux activistes, comme on le fera plus tard pour François Duprat, de règlement de comptes au sein de l'ultra-droite), et jusqu'à son emblème, le vieux symbole celtique de la roue solaire.

Néo-fascisme et néo-vichysme

Dans la même mouvance que René Binet, mais avec une tonalité un peu moins fanatique peut-être, on trouve le mouvement qui s'est constitué en 1947 autour de Charles Gastaut, dit Charles Luca, neveu de l'épouse de Marcel Déat. Baptisé en hommage à l'écrivain-pilote « commandos de Saint-Ex » (la référence, on le voit, n'a rien de totalitaire et encore moins de collaborationniste), il rassemble pendant quelque temps quelques centaines de très jeunes gens, occupés dans des camps d'été à des tâches d'intérêt public [30]. L'esprit qui y règne est un peu celui des « chantiers de jeunesse » de l'époque vichyste mais, en principe, on n'y fait « pas de politique ». Très vite cependant Luca va donner à ses « commandos » une tout autre direction. Équipés militairement, sous le couvert d'une action de préparation militaire, ils pratiquent en rase campagne le maniement d'armes et les exercices guerriers dans la perspective d'un Grand Soir contre-révolutionnaire, tandis que le « commandant » proclame dans l'organe des « Saint-Ex », *Fidélité*, que « le siècle que nous vivons sera celui du fascisme [31] ».

Un peu plus tard, lorsqu'il sera devenu un défenseur ardent de l'Algérie française, Charles Luca parlera de la nécessité de « forger

29. L'une de ses cibles favorites est le ministre de l'Intérieur Jules Moch dont l'anticommunisme peut pourtant être pris difficilement en défaut, mais dont *L'Unité* se demande s'il est français.

30. En particulier la lutte contre les incendies de forêts dans les Landes en 1947.

31. *Fidélité*, décembre 1952.

un type d'homme nouveau, libéré de la tyrannie de l'or comme de la psychose marxiste », appuyé « sur les forces communautaires du Sang et du Sol », « assaini par une politique biologique et culturelle [32] ». Mais dès 1949, sa milice privée est jugée suffisamment dangereuse pour l'ordre public pour que, place Beauvau, on se décide à la dissoudre. Elle est d'ailleurs aussitôt reconstituée sous le nom de mouvement national *Citadelle* par Luca et ses amis, Rémi Raymond et Roland Cavallier, décidément fascinés par l'auteur de *Terre des hommes*, dont on se demande ce qu'il peut bien avoir de commun avec une équipe qui célèbre dans sa revue le vingtième anniversaire de l'avènement d'Hitler, exige l' « abolition de la comédie de la Démocratie parlementaire » et proclame, sous la signature de l'un de ses dirigeants, Jacques Barbier :

« Nous sommes donc amenés à faire table rase de toutes les valeurs pourries du passé.

« Nous voulons promouvoir l'école du Racisme, par le moyen de la lutte des classes, un peuple nouveau de générations révolutionnaires. Nous voulons rassembler pour cette lutte une élite révolutionnaire dont le seul critère sera la valeur biologique. Pas de dégénérés, pas de compromissions avec l'ennemi de Race [33]. [...] »

Transformé en 1953 en Parti socialiste français, puis en Phalange française, le mouvement de Charles Luca – qui a fait le voyage de Malmö avec Binet et s'est rangé comme ce dernier du côté des néo-fascistes intransigeants – a poursuivi jusqu'à la fin de la IVe République son existence groupusculaire, trouvant un peu de souffle en fin de parcours dans le combat pour l'Algérie française, sans jamais réussir lui non plus à mobiliser plus d'un demi-millier de fidèles. Pas plus que pendant les années de l'Occupation, les masses ne se sont précipitées dans les bras des champions de l'ordre nouveau. « Les " fascistes " français de 1946-51, écrit François Duprat, au demeurant peu suspect d'antipathie prononcée à leur égard, étaient visiblement des " poissons hors de l'eau ". Rien d'étonnant à ce qu'ils soient morts asphyxiés [34]. »

Les surgeons de l'extrême droite ne se limitent pas toutefois à la famille néo-fasciste. Certes, comme toutes les périodes de bouleversement profond, la guerre a provisoirement simplifié la topographie des lieux dans cette partie du paysage politique français. Les tendances totalitaires du second Vichy, son acceptation résignée de

32. Documents du premier congrès du Mouvement populaire français, 1959, cité in J. Algazy, *op. cit.*, p. 135.
33. *Fidélité*, décembre 1952.
34. F. Duprat, *Les Mouvements d'extrême droite..., op. cit.*, p. 43.

288

l'ordre nouveau hitlérien, le caractère odieux d'une politique raciale qui est allée au-devant des désirs de l'occupant, tout cela a fait qu'un amalgame s'est opéré au lendemain du conflit entre Vichy – perçu comme un bloc – et le collaborationnisme fasciste. Les préoccupations tactiques et la langue de bois simplificatrice du discours politique aidant, du coup les rescapés de l'orthodoxie maréchaliste et les sympathisants de la révolution nationale ont été assimilés sans nuances aux admirateurs d'Hitler, ce qui peut se concevoir dans le climat de l'époque et d'autant plus que les « néo-vichystes » qui commencent très tôt à manifester leur existence ne pèchent ni par excès d'humilité et de discrétion, ni par manque d'agressivité à l'égard de leurs adversaires, passés et présents.

S'il est question ici de cette fraction de l'ultra-droite, plus proche de la tradition ligueuse et du pétainisme que du collaborationnisme fasciste, c'est parce qu'un certain nombre de ses représentants ont, à un moment ou un autre, conjugué leurs actions et leurs propos avec ceux des néo-fascistes. C'est également parce que, s'il existe sinon un « danger », du moins de fortes pulsions fascistes dans la France de 1987, c'est à bien des égards à la confluence des deux héritages qu'on le doit. Le *fascisme*, ne l'oublions pas, a toujours été, depuis ses origines, une synthèse d'éléments divers, voire contradictoires. Le parti de Mussolini a absorbé et digéré, après sa victoire, ce qu'il subsistait en Italie de nationalisme traditionnel et le NSDAP s'est nourri au début des années trente des vestiges des innombrables groupuscules réactionnaires.

On peut passer rapidement sur les héritiers de La Rocque, tout aussi éloignés du fascisme après la guerre qu'avant ou pendant celle-ci. Que d'anciens militants Croix-de-Feu soient passés chez Doriot et aient fini par endosser l'uniforme de la Milice ou celui des SS, que d'autres aient participé au plus haut niveau (comme Pierre Pucheu) à la collaboration d'État, cela ne change rien à cette donnée : ou alors il faudrait comptabiliser les conversions survenues dans toutes les formations politiques de l'avant-guerre. La Rocque lui-même après avoir suivi le Pétain du premier Vichy, non sans formuler des réserves sur tel ou tel aspect du régime [35], est entré en contact avec la Résistance dès 1942 – suivi par un certain nombre de PSF déçus par la politique maréchaliste [36] – et a été déporté l'année

35. J.-P. Azéma, *De Munich à la Libération...*, *op. cit.*, p. 221-222. L'auteur rappelle néanmoins qu'après Montoire La Rocque avait accepté le « principe d'une collaboration ».
36. Cf. Ph. Mâchefer, « Sur quelques aspects de l'activité du colonel de La Rocque et du *Progrès social français* pendant la Seconde Guerre mondiale », *Revue d'histoire de la Deuxième Guerre mondiale*, 1965.

289

suivante en Allemagne, d'où il s'évadera pour rejoindre les alliés. Pour avoir un moment servi le régime de Vichy, il n'en est pas moins assigné à résidence par le GPRF et le restera jusqu'à sa mort, en avril 1946. Cela ne l'empêche pas de rassembler autour de lui, en août 1945, les éléments d'une petite formation politique, le Parti républicain et social de la réconciliation française, à la tête duquel figurent quelques-uns des fidèles du « colonel » : son fils Gilles de La Rocque, André Portier, André Voisin, Joseph Levet et Jean Ybarnégaray.

L'hostilité affichée envers les « oligarchies financières » et le souci de promouvoir « une participation accrue des éléments populaires » sont parmi les rares éléments qui rappellent le discours national populiste de l'avant-guerre. Pour le reste, le Parti de la réconciliation française se prononce sans équivoque pour des institutions républicaines « rénovées » (le RPF ne dira pas autre chose) et pour une évolution de la démocratie « conforme aux principes des droits de l'homme et du citoyen dans le respect des principes traditionnels de la civilisation chrétienne comme dans une stricte indépendance vis-à-vis de toutes les confessions [37] ». On est loin de la révolution nationale et plus encore des « idéologies inspirées de conceptions totalitaires et matérialistes », donc du fascisme. Le petit parti des héritiers de La Rocque jouera d'ailleurs très scrupuleusement le jeu des institutions parlementaires, avant de plus ou moins se fondre en 1959 dans le Centre national des indépendants [38].

Plus ambigu est l'héritage du courant maurrassien, lequel se reconstitue lui aussi au lendemain de la guerre, pour aussitôt éclater en tendances rivales. Maurras lui-même avait été pendant les années sombres un monument d'ambiguïté. Inspirateur sans l'avoir voulu d'un régime dont l'évolution lui déplaisait, il s'était résigné à la collaboration d'État tout en demeurant farouchement hostile aux Allemands. Opposé aux fascistes de Paris, il s'était montré aussi acharné qu'eux à dénoncer (en termes génériques) les juifs, les communistes, les gaullistes et autres adversaires de la révolution nationale. Au moment où le Vichy de Laval s'était trouvé rabaissé au statut d'État satellite, l'apôtre de « la France seule » avait applaudi à la création de la Milice et recommandé la mise à mort des « terroristes », ajoutant que si « la peine de mort n'était pas suffisante pour mettre un terme aux activités des gaullistes, il faudrait se saisir

---

37. Tract distribué par le parti en août 1945. Cité in H. Coston, *Partis, journaux et hommes politiques d'hier et aujourd'hui*, Paris, La Librairie française, 1960, p. 79.
38. *Ibid.* Auparavant, le petit Parti de la réconciliation française aura obtenu quelques sièges aux législatives de 1951.

290

des membres de leur famille comme otages et exécuter ceux-ci [39] ». Le vieux maître envoyé à Clairvaux pour y finir ses jours par les juges de 1945 (en fait il sera gracié en 1952, très peu de temps avant sa mort), c'est donc une famille compromise par ses liens avec la seconde génération du vichysme qui tente, une fois passé la vague épuratrice, de réunir ses membres dispersés.

Il va sans dire qu'elle n'y parviendra pas. Certains maurrassiens de stricte obédience, mais que la dérive collaborationniste de Vichy avait de bonne heure conduits à la rupture, étaient passés avec armes et bagages dans le camp de la Résistance intérieure ou dans les rangs de la France libre. Ceux qui n'y ont pas trouvé la mort (comme Honoré d'Estienne d'Orves ou Jacques Renouvin) ont ainsi consacré une séparation que l'évolution de l'Action française, et pour nombre d'entre eux leur adhésion au gaullisme, ont rendu irréversible. Ils ne réintégreront pas le giron maurrassien, tout comme les dissidents de l'ultra-droite collaborationniste qui ont accompli, en sens inverse, un chemin un peu semblable et que l'on retrouvera après la guerre dans les groupuscules néo-fascistes.

Les autres se partagent entre de petits cénacles d'intellectuels pour lesquels le maurrassisme est plus une sensibilité qu'une doctrine [40] : héritiers du « non-conformisme » des années trente comme Thierry Maulnier, orthodoxes désengagés comme Gaxotte, ou représentants de la jeune génération littéraire constituant la petite escouade des « hussards », avec Jacques Laurent, Michel Déon, Antoine Blondin et Roger Nimier. Et sur l'autre versant, celui des doctrinaires et des politiques demeurés fidèles à la personne et à la pensée du fondateur de l'AF, les caciques du monarchisme pur et dur, rassemblés autour de Maurice Pujo, Georges Calzant et de leur revue, *Aspects de la France*, publiée à partir de juin 1947.

La thématique et la tonalité agressive du discours sont ceux de l'ancien organe du « nationalisme intégral ». Ce qui vaut à *Aspects de la France* – dont le tirage tourne autour de 20 000 en 1950 – de récupérer une partie de sa clientèle traditionnelle, et à l'état-major maurrassien de profiter de la vague pour lancer un mouvement politique, la Restauration nationale, dont le secrétaire général est Pierre Juhel et qui est loin d'exercer la même attraction sur la

---

39. *L'Action française*, 27-44-1944. Cité in E. Weber, *L'Action française, op. cit.*, p. 515-516.

40. Voir sur cette question l'article de Raoul Girardet : « L'héritage de l'Action française », *Revue française de science politique*, vol. VII, n° 4, oct-déc. 1957, p. 765-792.

291

jeunesse intellectuelle que la ligue défunte. De là de nouvelles dissidences qui conduiront nombre de ceux qui jugent dépassée l'action des vieux Camelots blanchis sous le harnois (Calzant, Pujo, etc.) soit vers un néo-nationalisme de synthèse entre les idées inspirées de l'air du temps et le dogme maurrassien revisité et dépoussiéré – c'est le cas de l'équipe réunie à partir de 1955 par Pierre Boutang et Michel Vivier autour de l'hebdomadaire *La Nation française* et des cercles du même nom [41] –, soit dans la mouvance de groupuscules et de publications éphémères d'inspiration néo-fasciste. « Fascistes », néo-nationalistes de tradition ligueuse et néo-monarchistes se côtoient ainsi pendant quelque temps dans le sillage de la revue *Étudiants*, puis dans un Front universitaire qui dispute à la gauche le contrôle du quartier Latin aux alentours de 1950 mais ne résiste pas très longtemps au jeu de ses rivalités internes [42].

On assiste donc à une reconstitution du paysage ultra-droitier de l'avant-guerre, à une échelle beaucoup plus réduite cependant, et avec une représentation moindre de la composante ligueuse classique, d'inspiration national-populiste ou si l'on veut « bonapartiste », telle qu'on peut la retrouver par exemple autour d'Henri Bonifacio et de son journal, *La Victoire*, ou chez les étudiants nationalistes, dont le fer de lance au début de la décennie 1950 est la « Corpo » des étudiants en droit que préside Jean-Marie Le Pen. De même l'ultracisme intégriste s'est fortement marginalisé et n'est plus guère représenté, dans sa forme politique, que par la Cité catholique de Jean Ousset. Fondée en juillet 1946, relayée par la revue *Verbe* (environ 7 000 lecteurs), cette société de pensée s'est fixé comme mission d'œuvrer dans tous les domaines pour la « royauté sociale de Notre Seigneur [43] », autrement dit pour la contre-révolution. Se réclamant des encycliques pontificales et des pères fondateurs de la pensée contre-révolutionnaire – Joseph de Maistre, de Bonald, Rivarol, etc. – Ousset part en guerre dans son journal et dans un ouvrage manichéen qui ne semble pas avoir remué les foules, *Pour qu'il règne*, contre toutes les formes passées et présentes de la « Révolution » : la Réforme, les Lumières, le libéralisme, la démocratie, la laïcité, le socialisme, le communisme, la « judéo-maçonnerie », etc., considérant qu'il ne peut y avoir d'autre remède à ces créations de Satan que dans le retour à la doctrine sociale de l'Église.

41. On y trouve les signatures de Ph. Ariès, F. Léger, E. Beau de Loménie, R. Nimier, L. Pauwels, J.-M. Le Pen, etc.
42. F. Duprat, *Les Mouvements d'extrême-droite*, *op. cit.*, p. 40.
43. J.-C. Petitfils, *L'Extrême droite en France*, Paris, PUF, coll. « Que sais-je »?, 1983, p.79-80.

Distinctes de la petite constellation néo-fasciste, la plupart de ces organisations ont en commun de se réclamer plus ou moins ouvertement du maréchalisme et de faire campagne pour la réhabilitation des « épurés ». A ce courant néo-vichyste, qui rassemble sans doute, toutes tendances mêlées, les plus gros bataillons de l' « opposition nationale » (c'est le nom dont l'extrême droite s'est elle-même parée), se rattachent diverses entreprises journalistiques de l'après-guerre. Dès décembre 1944, le journaliste pétainiste René Mailliavin (plus connu sous le pseudonyme de Michel Dacier) a lancé un bulletin confidentiel, *Questions actuelles*, dans lequel il fait l'éloge de Pétain et dénonce les « crimes de l'épuration ». Deux ans plus tard [44] – signe des temps! – le brûlot quasi clandestin de Mailliavin est transformé en une revue mensuelle, *Écrits de Paris*, largement diffusée dans le milieu néo-vichyste (environ 30 000 exemplaires) et dans laquelle écrivent, à côté de Benoist-Méchin, de Beau de Loménie et de Pierre Taittinger, l'avocat de Pétain, maître Jacques Isorni et l'ancien commissaire aux Questions juives Xavier Vallat. Tout aussi acharné à réclamer l'amnistie et à vilipender la IVᵉ République, on trouve l'hebdomadaire *Paroles françaises* qui a été fondé à la fin de 1946, dans le sillage du Parti républicain de la liberté, par André Mutter, un ancien PSF passé à la Résistance (il a été membre du CNR) et devenu député de l'Aube [45]. Son tirage dépasse les 100 000 exemplaires en 1948 et, en 1951, il fusionne avec le bimensuel *Réalisme* de Christian Wolf, autre organe pétainiste notoire auquel collaborent Pierre-Étienne Flandin, Benoist-Méchin et Paul Faure [46], en même temps que porte-parole d'une petite formation néo-vichyste, l'Union réaliste (*sic*) dont le secrétaire général Tyrand présente en ces termes les objectifs revanchistes :

« Le but serait de former un groupement anticommuniste, antirésistant, antigaulliste et anti-troisième force, destiné à abattre la IVᵉ République. Nous voulons la revanche de Vichy. C'est pourquoi nous sommes aussi antisémites [47]. »

Né de cette fusion, l'hebdomadaire *France réelle* poursuit jusqu'en 1954 la même action de dénigrement des institutions républicaines et des forces démocratiques, de même que *L'Heure française* qui prend la relève pour peu de temps il est vrai. Privée en effet du soutien

44. Très exactement en janvier 1947.
45. Il sera par la suite deux fois ministre et vice-président de l'Assemblée nationale.
46. Sur cette presse néo-vichyste, voir notamment : H. Coston, *Partis, journaux ..., op. cit.*.
47. Cité par J. Algazy, *op. cit.*, p. 70. »

293

financier du riche industriel Wolf, elle disparaît dans le courant de l'année 1956 sans laisser d'héritage.

A l'approche des législatives de 1951, l'extrême droite néo-vichyste, ou du moins sa fraction la plus modérée, se sent investie soudain d'une vocation électoraliste. Soutenu par les deux principales associations maréchalistes – l'Union des intellectuels indépendants, créée à la Libération par Charles Jonquières, et l'Association pour défendre la mémoire du maréchal Pétain (ADMP) [48] –, Jacques Isorni réussit à mettre sur pied, pour la première fois depuis la guerre (le PRL comprenait des modérés et des résistants), une formation politique d'envergure nationale affichant à la fois ses sympathies pour la révolution nationale et son désir d'être représentée au Parlement. A la suite d'une rude campagne électorale au cours de laquelle Isorni, qui est candidat dans le XVIᵉ arrondissement, reçoit le soutien musclé du service d'ordre lepéniste, l'UNIR (Union des nationaux indépendants et républicains) obtient un peu plus de 280 000 voix au scrutin de juin 1951 et fait élire quatre députés : Jacques Isorni à Paris, Loustaunau-Lacau dans les Basses-Pyrénées, Paul Estèbe en Gironde et Roger de Saivre à Oran [49]. Mission accomplie pour l' « opposition nationale » qui retrouve ainsi un peu de respectabilité, mais aussi « succès » sans lendemain, les élus vichystes ne tardant pas à rallier les rangs de la droite parlementaire classique, en l'occurrence le Centre national des indépendants du sénateur Roger Duchet.

Croix celtiques et fureurs boutiquières

L'échec du tripartisme, l'aggravation de la situation internationale à la suite du déclenchement de la guerre de Corée, les difficultés rencontrées par la France en Indochine et bientôt en Afrique du Nord, la désaffection croissante à l'égard du régime issu de la constitution de 1946, tout cela va donner son second souffle au néo-fascisme français et à d'autres formes de contestation du système appartenant également à la nébuleuse de l'ultra-droite, mais plus proches de la tradition césarienne et plébiscitaire.

48. L'ADMP réclamait le transfert des cendres du maréchal à Douaumont et la révision de son procès.
49. Ce dernier avait apporté pendant la campagne le soutien de son propre journal, *Contre*, à l'organisation créée par Isorni, laquelle disposait également d'un organe de propagande, *UNIR*.

294

L'année 1951 marque à cet égard un tournant. C'est le moment où se constitue à Malmö le MSE de Maurice Bardèche et où commence à paraître sa revue, *Défense de l'Occident*. Un peu plus tôt, en janvier 1951, l'opposition nationale s'est enfin donné un organe de presse à la mesure de ses ambitions avec *Rivarol*. Héritier d'un brûlot d'extrême droite à l'audience ultra-confidentielle, *La Fronde*, financé dans un premier temps par l'industriel Philippe Wolf – que l'on retrouve à cette époque derrière une bonne partie des publications néo-fascistes et néo-vichystes [50] –, doté d'une équipe rédactionnelle de qualité (Mailliavin, Julien Guernec [51], Maurice Gaït, ancien commissaire général à la Jeunesse de Vichy) et accueillant des signatures prestigieuses (Lucien Rebatet, Antoine Blondin, Michel Déon, P.-A. Cousteau, etc.), cet hebdomadaire de combat, au style incendiaire et à l'humour corrosif, n'a pas tardé en effet à se trouver un public dépassant de beaucoup l'audience étroite des anciens de la collaboration [52]. Son importance est d'autant plus grande qu'il constitue un lieu de rencontre et de convergence entre les diverses tendances de l'extrême droite. Néo-fascistes et néo-vichystes y côtoient des maurrassiens de stricte obédience et des représentants des formations ligueuses de l'avant-guerre. Un creuset donc, pour les courants dispersés de l'opposition nationale, mais un creuset dans lequel la fusion tend plutôt à s'opérer au profit de la composante néo-fasciste [53].

A partir des années 1950-1952, l'extrémisme de droite se renforce de deux composantes nouvelles qui assurent partiellement la relève de la génération vichyste et collaborationniste : la lutte pour la défense de l'œuvre coloniale française, particulièrement active dans le milieu militaire, et la révolte des petits commerçants.

Les anciens d'Indochine, jeunes officiers idéalistes déçus par l'indifférence de la métropole ou prétoriens irrécupérables issus de ces nouveaux corps francs que sont les commandos et les unités de parachutistes, vont en effet apporter leur soutien militant aux associations très politisées et très agressives qui se constituent alors « pour la sauvegarde de l'Empire », « contre l'abandon des colonies françaises » ou pour rassembler les « amis des combattants de l'extrême-Orient » [54]. Mêlés à des permissionnaires en uniforme, à de

---

50. J. Algazy, *La Tentation néo-fasciste en France...*, *op. cit.*, p. 130.
51. Plus connu sous le nom de François Brigneau.
52. Son tirage dépasse probablement les 45 000 exemplaires en 1952.
53. Raoul Girardet le considère comme « " européen ", germanophile, laissant percer à bien des reprises ses nostalgies ou ses tentations fascistes », « L'héritage de l'Action française », *op. cit.*, p. 771-772.
54. Sur ces diverses organisations voir : H. Coston, *Partis, journaux...*, *op. cit.*, et J. Algazy, *La Tentation néo-fasciste...*, *op. cit.*, p. 116-117.

jeunes recrues en partance pour les théâtres d'opérations extérieurs, à des militants nationalistes, à des nervis et à des marginaux de tout poil, ils organisent des expéditions punitives contre les permanences du parti communiste, les vendeurs de journaux du dimanche préposés à la diffusion de *L'Humanité* ou les colleurs d'affiches des partis de gauche. Les plus motivés rejoignent les organisations politiques les plus farouchement anticommunistes, notamment le mouvement Jeune Nation des frères Sidos, dont ils constituent pour l'essentiel la base militante, jusqu'à sa dissolution par le gouvernement Pfimlin en 1958.

Jeune Nation est apparu en fait un peu plus tôt dans le paysage néo-fasciste. Le mouvement en effet a été fondé au tout début de 1950[55] par Albert Heuclin, Jean Marot, Jacques Wagner et les frères Sidos – Pierre, secrétaire général et bientôt numéro un de l'organisation, François, président de JN et Jacques – fils d'un ancien des JP, maréchaliste de choc de la première heure, puis inspecteur général adjoint des Forces du maintien de l'ordre sous Darnand, et à ce titre fusillé en 1946. Pendant deux ou trois ans, le mouvement a vivoté, jouant les utilités aux côtés des têtes pensantes de l'ultra-droite, prêtant épisodiquement ses « gros bras » aux organisateurs de meetings nationalistes ou les utilisant pour semer le trouble dans les manifestations adverses (par exemple pour interrompre les représentations de la pièce de Roger Vailland : *Le colonel Foster plaidera coupable*, en mai 1952), ou encore mêlant les noms de ses militants à ceux des néo-vichystes rameutés par maître Isorni sur les listes UNIR pour les législatives de 1951[56]. Il faut attendre 1953 pour qu'avec la dramatisation du conflit indochinois et ses retombées métropolitaines, Jeune Nation trouve un créneau porteur, immédiatement utilisé contre le régime.

Car c'est bien d'une guerre contre la démocratie libérale et contre la République dont il est question dans les meetings de JN et dans les colonnes de son organe mensuel, *Peuple de France et d'outre-mer*[57]. Non pour substituer au régime sorti des urnes en 1946 un État pluraliste doté d'un exécutif fort, comme le souhaitent les gaullistes, mais pour fonder sur ses cendres un « État populaire », un « État hors-classes, sans parti, non confessionnel, dans lequel

---

55. Ou à l'extrême fin de 1949, mais la déclaration officielle date de mars 1950.

56. Pierre et Jacques Sidos furent candidats de la liste UNIR dans le département de l'Indre.

57. D'abord simple bulletin d'information et de liaison, cette publication est devenue l'organe mensuel de JN en juillet 1953.

296

le monolithisme doctrinal remplacera le pluralisme politique [58] », autrement dit un État totalitaire fasciste. L'étiquette est rarement revendiquée par les dirigeants de Jeune Nation qui préfèrent chercher leurs références du côté de la révolution nationale. Mais les choix idéologiques qu'ils opèrent dans le bric-à-brac doctrinal de l'ultra-droite sont sans équivoque, de même que les méthodes d'action qu'ils préconisent pour parvenir à leurs fins : noyautage de l'armée, expéditions punitives contre les communistes et leurs « complices », terrorisme de facture cagoularde et, pour finir, coup de force contre le régime perpétré par une organisation « révolutionnaire » largement ouverte aux couches populaires.

Le reste appartient au tronc commun du fascisme – plutôt dans sa version italienne que germanique – et du césaro-populisme de tradition ligueuse. Le mouvement Jeune Nation entend remplacer le parlementarisme « corrompu » et « décadent » par un État « corporatif » et « plébiscitaire ». Il promet l'« élimination du capitalisme », mais en précisant aussitôt qu'il vise essentiellement les « oligarchies financières apatrides », c'est-à-dire juives. Il exige, dans la bonne tradition du nationalisme xénophobe, l'« éviction totale des métèques », « la révision des naturalisations et l'annulation des droits pour les étrangers indésirables [59] ». Il veut que la femme soit consacrée dans sa tâche « sacrée » d'épouse et de mère, et que l'armée reçoive « les moyens de remplir sa mission guerrière et d'éducation de la jeunesse [60] ». Il prêche enfin « la lutte à outrance contre les *tares sociales* de la démocratie : alcoolisme, proxénétisme, racket, mendicité [61] ». Tout cela, sous le signe de la croix celtique, « symbole de la vie universelle », badigeonné au goudron sur les murs des villes par les 3 000 ou 4 000 militants que compte l'organisation des frères Sidos à son apogée.

Un fascisme donc, sans aucun doute, plus proche répétons-le du modèle mussolinien que de l'hitlérisme et de son racisme biologique dont s'inspirent les Binet et consorts. Et aussi un activisme de la violence armée, s'essayant à reproduire à une échelle réduite la geste squadriste des années vingt. Bagarres sanglantes avec les militants des CDH (comités de diffusion de *L'Humanité*), attaque par Jacques Sidos et quatre comparses d'une camionnette chargée de 20 000 exemplaires de *L'Huma-Dimanche*, en octobre 1954 (bilan, un mort : le chauffeur du véhicule), gifles distribuées devant la tombe du

58. J. Malardier, *Mouvement Jeune Nation, carnet du militant*, Paris, s.d., p. 4.
59. *Ibid.*, p. 6.
60. *Jeune Nation*, mai 1959.
61. Tract du mouvement JN, cité in J. Algazy, *op. cit.*, p. 120.

soldat inconnu au président du Conseil Joseph Laniel et au ministre de la Défense René Pleven par les « anciens d'Indochine », membres de JN, le 4 avril 1954, assaut donné en novembre 1956 au siège du parti communiste à la suite des événements de Hongrie, commandos de choc envoyés à la fête de *L'Humanité* en septembre 1957 : la liste est longue des actions violentes qui ponctuent l'histoire de cette formation néo-fasciste à laquelle la phase subversive de la guerre d'Algérie va fournir un nouveau tremplin.

Au milieu des années cinquante, les mutations socio-économiques qui accompagnent le développement industriel de la France désormais reconstruite et la pression fiscale qui résulte des guerres coloniales déterminent un vaste mouvement de contestation au sein des classes moyennes indépendantes, dont l'extrême droite nationaliste et néo-vichyste va s'efforcer de tirer profit comme elle s'apprête à le faire du drame algérien, pour ébranler le régime et pousser en avant ses candidats à la dictature.

A l'origine en effet le poujadisme est né du malaise des petits commerçants et artisans. Avec la disparition, autour des années cinquante, de la situation de pénurie qui avait caractérisé l'après-guerre, de nombreuses entreprises commerciales, artisanales et bientôt agricoles de gabarit modeste se révèlent mal adaptées aux conditions du marché et de la concurrence. La disparition de la prospérité artificielle créée par la guerre et l'après-guerre au profit de tous ceux qui avaient quelque chose à vendre – il y a eu plus de 100 000 créations de boutiques par an depuis 1940, avec une forte poussée à la Libération [62] –, est durement ressentie par les représentants des classes moyennes indépendantes qui subissent alors une crise profonde. Il n'y a pas encore de « supermarchés » dans la France de la IVe République finissante, mais déjà les magasins à succursales multiples pèsent lourd dans la bataille des prix de détail : suffisamment en tout cas pour que les boutiquiers de village applaudissent quand l'un des leurs leur parle, comme va le faire Poujade, d'« américanisation » et de « robotisation ». En attendant leur amertume se cristallise contre les contrôles fiscaux exercés par les brigades spéciales de « polyvalents » qui épluchent les comptabilités des petites entreprises (souvent sommaires il est vrai), procèdent à des redressements fiscaux et à des saisies et peuvent même – c'est une innovation assez maladroite du gou-

62. On compte en 1954 1 300 000 établissements employant 2 240 000 personnes dont 1 250 000 salariés. Cf. J.-P. Rioux, *La France de la Quatrième République, op. cit.*, t. II, p. 79.

vernement Mendès France [63] – envoyer en prison les récalcitrants. Tel est le contexte dans lequel se développe, à partir de l'été 1953, le « mouvement Poujade ». L'homme qui donne son nom à l'entreprise, avant de fournir un nouvel outil lexical à la taxinomie politique, est un modeste papetier-libraire à Saint-Céré (Lot) qui s'est forgé en quelques semaines une réputation de tribun-justicier en s'opposant, à la tête d'une petite légion de boutiquiers de la ville, à un contrôle fiscal. Le mouvement a tôt fait de faire tache d'huile dans la région et, à l'automne, est créée l'UDCA : Union de défense des commerçants et artisans, qui prend en peu de mois une envergure nationale. Révolte spontanée ? Sans aucun doute. Populaire ? Incontestablement : les « pères de famille en canadienne, en béret basque et à Gitane maïs [64] » qui suivent le papetier de Saint-Céré dans sa croisade contre le fisc n'appartiennent pas au monde des notables et il y a parmi eux pas mal de militants communistes. Apolitique ? Oui, mais pas pour très longtemps car il y a derrière « Pierrot » une clientèle à prendre que guignent, à droite et à gauche, les formations « tribuniciennes » que nourrit périodiquement le mécontentement des « petits ».

Et puis, comme nous en avertit Jean-Pierre Rioux, gardons-nous de faire de Pierre Poujade un « héros virginal [65] ». L'homme a un passé, une culture politique qui l'enracine à droite, du côté de la tradition ultraciste et ligueuse. Son père, mort en 1928 alors que le jeune Pierre n'avait encore que huit ans, était architecte et maurrassien, engagé volontaire en 1914 et venu semble-t-il au militantisme politique après la guerre « par écœurement [66] ». Lui-même, benjamin d'une famille de sept enfants, a dû interrompre ses études à l'âge de seize ans, après avoir fréquenté la communale puis un collège religieux à Aurillac. Il est successivement apprenti typographe, vendangeur, goudronneur et docker, et peut-être est-ce le sentiment d'un déclassement, par rapport au statut social du père, qui l'incline tout jeune à flirter avec le fascisme français des années trente. Il est en tout cas proche du PPF et fait partie à quinze ans d'une bande d'adolescents qui, au moment où s'amorce la montée du Front populaire, couvre d'affiches doriotistes les murs d'Aurillac.

63. L'« amendement Dorey », voté le 14 août 1954, permettait d'emprisonner tout citoyen qui s'opposerait à un contrôle fiscal.
64. J.-P. Rioux, « La Révolte de Pierre Poujade », *L'Histoire*, n° 32, mars 1981, p. 8.
65. *Ibid.*
66. P. Poujade, *J'ai choisi le combat*, Saint-Céré, 1955, cf. également *Fraternité française*, 31-12-1954.

Engagé dans l'aviation en 1939, mais réformé pour maladie, il rentre au pays et fréquente une école de cadres des Compagnons de France du maréchal. Toutefois, lorsque les Allemands envahissent la zone sud, il prend le maquis, puis gagne l'Afrique du Nord, via les camps d'internement franquistes, reprend du service dans l'aviation et finit la guerre dans une escadrille de la RAF après avoir épousé son infirmière, fille d'un petit colon français d'Algérie [67]. Retour à Saint-Céré où, comme l'écrit sans complexe l'organe de l'UDCA une dizaine d'années plus tard : « Il reconstruit sa vie comme les paysans d'autrefois rebâtissaient de leurs propres mains la maison familiale détruite par un cataclysme de la nature ou par la fureur des hommes.[...] Si pour d'autres la Libération a été l'occasion de faire une ascension ou une fortune rapide, lui, il n'a rien que son intelligence, son courage, sa volonté [68]. »

Commis voyageur en librairie, puis patron d'une petite boutique de sept mètres carrés que tient son épouse tandis qu'il sillonne en camionnette les routes du département, ce déclassé se fait peu à peu une place parmi les notabilités locales. Homme de droite, mais qui compte de vieux copains à gauche [69], ayant conservé des amitiés maréchalistes et gaullistes, il est élu en 1952 conseiller municipal « RPF » sur une liste radicale : beau témoignage d'un syncrétisme politique dont le fondateur de l'UDCA ne se départit pas au cours des premiers mois d'existence de son mouvement.

Au départ, le « mouvement Poujade » n'est en effet qu'un rassemblement de mécontents venus de tous les horizons politiques – y compris le parti communiste qui ne lâchera Poujade qu'à l'automne 1955 – réunis par une hostilité commune à la politique fiscale du gouvernement et à l'action de ces « gabelous » des temps contemporains que sont les « polyvalents ». Les revendications de l'UDCA sont des revendications corporatives : elles portent sur le relâchement de la pression fiscale, sur l'égalité en ce domaine entre petites et grosses entreprises, sur la reconnaissance des droits sociaux des travailleurs indépendants, sur l'imposition unique à la base, etc. Peu à peu cependant, renouant avec la thématique du mouvement des « contribuables » des années trente, elle intègre dans son discours une critique de plus en plus sévère du régime, qui est jugé responsable des malheurs du petit commerce et suspect de favoriser les « gros ».

67. S. Hoffmann, *Le Mouvement Poujade*, Paris, A. Colin, 1956, p. 25.
68. « Pierre Poujade, créateur et animateur de l'UDCA », *Fraternité française*, 14-7-1955.
69. Par exemple le forgeron Frégeac, ancien chef local des FTP devenu conseiller municipal communiste.

300

On glisse ainsi de l'antifiscalisme à l'antiparlementarisme, de l'anti-dirigisme à la dénonciation des fonctionnaires « budgétivores », d'un patriotisme nourri des références de la communale à un nationalisme de repli prenant pour cible l'« armée de métèques parasites qui campent sur notre sol [70] », de l'anticapitalisme à un antisémitisme qui ne tarde pas à s'avancer à visage découvert et dont Pierre Mendès France est le premier à faire les frais. « Si vous aviez une goutte de sang gaulois dans les veines, écrira Pierre Poujade en 1955, vous n'auriez jamais osé, vous, représentant de notre France, producteur mondial de vins et de champagne, vous faire servir du lait dans une réception internationale! C'est une gifle, monsieur Mendès, que tout Français a reçue ce jour-là : même s'il n'est pas un ivrogne [71]. »

Le courant passe, nourri de frustrations boutiquières et de colères paysannes qui s'ancrent dans la réalité de la prospérité sélective et des bouleversements sociaux qui accompagnent celle-ci. Y contri-buent les qualités de tribun et de meneur du papetier de Saint-Céré, omniprésent (plus de 800 réunions en deux ans), jamais en retrait lorsqu'il s'agit d'affronter les CRS ou de calmer une foule, parlant à ses pairs un langage simple et populaire, madré en politique quand il le faut et sachant jouer, en bon commis voyageur reconverti dans le marketing politicien, de sa gouaille et de son bagou. Aussi le mouvement connaît-il un envol spectaculaire dans le courant de l'année 1954 d'abord au sud de la Loire, avec le soutien des communistes qui cherchent à prendre en marche le train poujadiste afin de récupérer la révolte du petit commerce, puis dans l'ensemble du pays. En novembre 1954, au moment même où se déclenche la rébellion, se tient à Alger le premier congrès national de l'UDCA. Le 24 janvier 1955, malgré le refus de la SNCF de réserver des trains spéciaux aux militants venus de toutes les régions de France [72], c'est devant 100 000 personnes rassemblées à la porte de Versailles que Pierre Poujade s'adresse à la France profonde, et six semaines plus tard [73] il fait salle comble au Vel'd'Hiv.

En même temps, et pendant les mois qui suivent, l'UDCA développe ses structures militantes. A la fin de 1955, elle compte plusieurs dizaines de milliers de militants actifs, des centaines de milliers de sympathisants qui fréquentent les meetings de l'organisa-tion poujadiste et observent ses mots d'ordres de grève. Les deux

---

70. P. Poujade, *J'ai choisi le combat*, *op. cit.*, p. 231.
71. *Ibid.*, p. 114-116.
72. Peut-être à l'initiative du ministre des Transports Jacques Chaban-Delmas.
73. Le 14 février 1955.

301

organes de presse du mouvement, *L'Union* et *Fraternité française*, comptent respectivement 460 000 et 400 000 abonnés. Constamment sur le terrain, Poujade fait acclamer dans toutes les localités où il passe les slogans de grève générale de l'impôt, de retrait des fonds de toutes les caisses publiques et de convocation des « états généraux », car la référence fondamentale reste la Révolution française. Le 18 mars 1955, le leader de l'UDCA parade en bras de chemise à la tribune du Palais-Bourbon, tandis que l'on discute dans l'hémicycle de réforme de la fiscalité. La France est-elle à la veille d'un 6 février ?

Il est clair que le succès a attiré dans les rangs du mouvement Poujade nombre d'adhérents et de militants actifs qui se préoccupent moins des objectifs initiaux de l'UDCA que d'utiliser celle-ci comme cheval de Troie contre les institutions, déjà quelque peu chancelantes, de la IVᵉ République. Poujade est alors rejoint par des nostalgiques de la collaboration – à commencer par les principaux rédacteurs de *Fraternité française*, Camille Fégy, ancien rédacteur en chef de *La Gerbe*, Claude Jeantet, rédacteur au *Petit Parisien* pendant l'Occupation, Yves Dautun, ex-journaliste du *Cri du Peuple* [74] – par des nationalistes ultras comme Demarquet et Jean Marie Le Pen, lequel préside l'une des filiales du mouvement, l'Union de défense de la jeunesse française [75], et il commence à entretenir des relations étroites avec les réactionnaires d'Algérie et avec la chouannerie des temps modernes que tentent de faire revivre Henri Dorgères et ses amis de la Défense paysanne. La vague de fond qui paraît porter l'entreprise poujadiste suscite des espoirs de revanche du côté des vaincus de la Libération.

Vague de fond ? Tel est en tout cas le pari que font Poujade et ses nouveaux amis lorsque se profile, à l'automne 1955, la consultation électorale anticipée annoncée par Edgar Faure. Aux revendications catégorielles qui ont fourni jusqu'alors ses gros bataillons d'adhérents à l'UDCA et rempli les meetings du papetier de Saint-Céré, aux thèmes antiparlementaires qui truffent désormais son discours, est venu s'ajouter sur fond de guerre d'Algérie celui de la défense de l'œuvre coloniale française contre les « bradeurs de l'Empire ». Pour les Français de 1955, l'idée que l'Algérie est française fait partie du bagage consensuel qu'ils ont reçu de l'école primaire et Poujade est

74. Alias R. Cluny.
75. Outre cette organisation dirigée par J-M. Le Pen, l'UDCA comptait un certain nombre de filiales : Union de défense des travailleurs français, Union de défense des professions libérales et intellectuelles, Union de défense des agriculteurs de France, etc.

302

Le vote "Poujade"
aux élections du 2 janvier 1956

Source : L. STEMANN : Géographie électorale de l'Aquitaine.
Les Cahiers de la politique, Paris, FNSP, 1958.

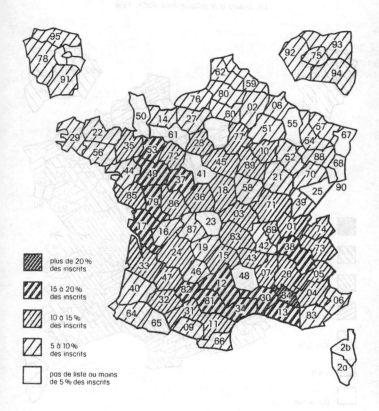

plus de 20 %
des inscrits

15 à 20 %
des inscrits

10 à 15 %
des inscrits

5 à 10 %
des inscrits

pas de liste ou moins
de 5 % des inscrits

303

Proportion d'agriculteurs
ayant voté pour l'UDCA en janvier 1956
Source J KLATZMANN '' Géographie électorale de l'agriculture '',
Les paysans et la politique, Paris, FNSP, 1958

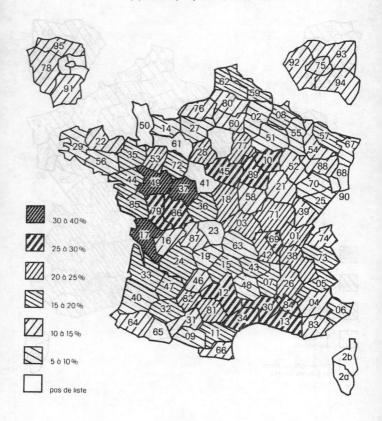

30 à 40 %
25 à 30 %
20 à 25 %
15 à 20 %
10 à 15 %
5 à 10 %
pas de liste

de ceux-là. Pour ceux qui, la transformant en slogan politique, commencent à s'en servir comme drapeau pour couvrir leurs entreprises de déstabilisation du régime, c'est la République qui est visée, et ils sont maintenant nombreux autour du fondateur de l'UDCA. Mais en attendant que les contradictions éclatent, le thème de l'« Algérie française » fait recette dans les milieux où Poujade et ses amis cherchent à pêcher des voix : la France profonde, marginalisée par les effets sélectifs du progrès économique, rendue agressive par le sentiment de son propre déclin et tournée vers le passé pour y glaner quelques satisfactions compensatoires.

Les élections du 2 janvier 1956 traduisent en termes concrets cette situation équivoque. D'un côté la montée des mécontentements qui porte avec elle la vague poujadiste, de l'autre le freinage exercé sur une partie de l'électorat potentiel de l'UDCA – devenue à cette occasion Union et fraternité française (UFF) – par la radicalisation à droite du mouvement. Le résultat : près de 2 500 000 voix recueillies par la formation poujadiste, soit 11,6 % des suffrages exprimés et 9,2 % des inscrits. Ce n'est pas un raz de marée, mais c'est beaucoup plus qu'une simple tendance. Les Français n'ont pas massivement « sorti les sortants », comme Poujade les avait invités à le faire, mais ils ont envoyé au Palais-Bourbon 52 députés UFF (dont 11 seront invalidés d'une manière scandaleuse), élus majoritairement par la France de l'Ouest et du Sud, par les régions rurales et les petites agglomérations, par les représentants des classes moyennes indépendantes et par le monde paysan [76].

Nous ne disposons pas – comme aujourd'hui pour l'électorat lepéniste – de sondages nous permettant de connaître de manière précise la sociologie du vote poujadiste de 1956. Néanmoins, nous pouvons nous en faire une idée à peu près exacte au regard d'études ponctuelles. Celle de Jean Stoetzel et Pierre Hassner pour le premier secteur de la Seine nous dévoile ainsi sans surprise un électorat UFF [77] composé dans son immense majorité d'artisans et de petits commerçants. Les fonctionnaires et les employés sont semi-absents, les ouvriers et les cadres très minoritaires [78] : ce que confirme l'étude de Jean Labbens sur l'agglomération lyonnaise [79]. Percée poujadiste donc dans le monde du travail indépendant, mais aussi en milieu

76. Voir cartes p. 303 et 304.
77. Et apparentés des listes « Défense des consommateurs » et « Défense des intérêts agricoles et viticoles ».
78. J. Stoetzel et P. Hassner, « Résultats d'un sondage dans le premier secteur de la Seine », in Les Élections du 2 janvier 1956, sous la direction de M. Duverger, F. Goguel et J. Touchard, Paris, Cahiers de la FNSP, n° 82, A. Colin, 1957.
79. J. Labbens, « Les Élections de 1946, 1951 et 1956 à Lyon », ibid.

305

paysan. Par exemple, dans l'étude qu'il a consacrée au département de l'Isère, Claude Leleu a remarqué que les 16 cantons dans lesquels l'UFF avait remporté plus de 20 % des suffrages par rapport aux électeurs inscrits étaient essentiellement ruraux [80]. Christian Prieur et Stuart Schram ont fait des constatations analogues pour l'Aveyron [81] et le Gard [82] et, de façon plus globale, Joseph Klatzmann a caculé que 14,5 % des agriculteurs (en majorité des petits exploitants et des ouvriers agricoles) auraient voté poujadiste en janvier 1956, alors que 11,5 % seulement du corps électoral ont apporté leurs suffrages à l'UFF [83].

La crise de l'agriculture dans certaines régions, spécialement celle de la viticulture dans des départements comme l'Hérault et le Gard, a donc joué un rôle dans l'émergence politique du mouvement Poujade. La peur du progrès, le refus de la modernité ont trouvé en lui un moyen de s'exprimer dans des zones en voie de paupérisation économique et de désertification. Encore que ce ne soient pas les départements les plus pauvres qui ont voté pour les listes UFF et apparentés en janvier 1956, de même que ce ne sont pas les électeurs appartenant aux catégories sociales les plus défavorisées qui se sont prononcés en faveur du mouvement de Pierre Poujade. Ce sont principalement les représentants de la France statique, de la France immobile que menaçait le processus de modernisation. Ceci est particulièrement visible dans l'Isère où ce sont les cantons les plus retardés qui ont voté en masse pour l'UFF, sans doute parce qu'ils ressentaient leur situation de manière d'autant plus vive qu'ils se situaient dans un département en pleine expansion.

Le phénomène de marginalisation d'une partie des classes moyennes et de certains éléments appartenant à des couches plus modestes (les ouvriers agricoles par exemple) a donc joué dans la France de 1956, comme il avait joué dans l'Italie du premier après-guerre et en Allemagne, une dizaine d'années plus tard. A quoi il faut ajouter, pour compléter la comparaison qui pourrait être étendue à l'Europe des années trente, le rejet du système politique par une partie de la jeunesse, son inquiétude devant les difficultés de l'heure et le sentiment d'écœurement qu'elle traduit en termes de vote protesta-

80. C. Leleu, « La Géographie des partis dans l'Isère après les élections du 2 janvier 1956 », *ibid.*
81. C. Prieur, « Les Élections du 2 janvier 1956 dans l'Aveyron », mémoire sous la direction de F. Goguel, Paris, IEP, 1956.
82. S.R. Schram, « Le Poujadisme dans le Gard », *Christianisme social*, mars-avril 1956.
83. J. Klatzmann, « Géographie électorale de l'agriculture française », in *Les Paysans et la politique*, Paris, FNSP, 1958.

306

taire [84]. Parmi les électeurs de l'UFF, on trouve en effet une fraction relativement importante des nouveaux inscrits : le fait est à retenir car il a son équivalent, nous aurons l'occasion d'y revenir, dans le vote Le Pen de 1986.

La comparaison s'arrête là. Elle s'applique à des tendances qui s'inscrivent dans des contextes historiques bien différents. Elle met en parallèle des phénomènes de radicalisation des « masses » qui sont loin d'avoir eu la même ampleur et qui ne sont vraisemblablement pas de la même nature. Pris globalement, le mouvement Poujade n'est pas un fascisme. Après avoir fait un bout de chemin avec lui, le PCF pourra bien le qualifier d'« hitlérien », la gauche intellectuelle parisienne applaudir lorsque paraît dans L'Express la caricature de Vicky représentant « Poujadolf » [85], François Mitterrand parler devant les députés d'un « fascisme d'arrière-boutique » et le professeur Duverger de « fascisme élémentaire, grossier, primitif [86] », tout cela ne suffit pas à faire du fondateur de l'UDCA un nouveau Doriot, ni des thèmes inconsistants défendus par les poujadistes une doctrine cohérente. Il y a dans la révolte poujadiste des aspects spontanéistes, antiétatiques, anarchisants, qui le rattachent à une longue tradition de jacqueries et d'« émotions » populaires et qui font du papetier de Saint-Céré la réincarnation de Jacquou le Croquant et de Marcellin Albert plutôt que de Mussolini. Son populisme, écrit justement Jean-Pierre Rioux, « ne fait que répéter, sur fond d'anarchisme et de solidarisme, les bonnes leçons d'Alain ou de Léon Bourgeois [87] ». Les néo-fascistes de l'époque ne s'y trompent d'ailleurs pas : ils cherchent à prendre le train en marche, voire à en contrôler les commandes, mais ils n'ont que méfiance et mépris pour un homme qui, comme le dit Bardèche, orfèvre en la matière, « ne combat pas la République », mais « la ramène à ses origines [88] ».

Certes, à partir du congrès d'Alger qui marque en novembre 1954 l'entrée du poujadisme en politique, le mouvement se radicalise à droite, tandis que s'amorce une fusion entre le spontanéisme gauchisant des origines, des thèmes inspirés de la tradition national-populiste – antiparlementarisme, anticapitalisme naïf, haine des « métèques », des intellectuels, des « pédérastes », etc. – et des idées

<hr>

84. Cf. C. Brindillac et A. Prost, « Géographie des élections du 2 janvier 1956 », *Esprit,* mars 1956, p. 437-461.
85. Avec Hitler derrière lui, lui murmurant à l'oreille : « Vas-y, mon gars! Pour moi aussi ils ont rigolé, au début... »
86. M. Duverger, *Institution politiques et droit constitutionnel,* Paris, PUF, 1965, p. 675.
87. J.-P. Rioux, « La Révolte de Pierre Poujade », *op. cit.,* p. 14.
88. Cité in J.-P. Rioux, *ibid.*

réactionnaires ou traditionalistes plus proches de l'idéologie de la révolution nationale. En d'autres temps et en d'autres lieux cette synthèse des contraires a pu donner naissance au fascisme, ce *melting pot* des activismes de toute nature. Il y a donc, cela n'est pas douteux, dans le poujadisme politisé de la seconde génération, des virtualités fascistes, comme il y en a eu, quelques années plus tôt, dans le mouvement italien de *L'Uomo qualunque* [89], mais elles n'aboutissent pas, pour les mêmes raisons qu'en 1924 et en 1934 : l'absence d'une véritable « situation de détresse », l'incapacité de l'extrême droite française à s'unir durablement et surtout la force du consensus démocratique.

De là déjà le succès mitigé du poujadisme aux élections de janvier 1956. Une victoire mais pas un triomphe. Une tendance mais pas une vague de fond, comparable à celle qui a porté Hitler au pouvoir dans l'Allemagne des années trente. Parmi les clients potentiels de l'UFF, nombreux sont ceux qui, devant les égarements de langage du papetier de Saint-Céré, la violence du discours xénophobe, les relents de vichysme qui se font jour avec le ralliement d'anciens séides de la révolution nationale, l'arrivée d'activistes notoires comme Jean-Marie Le Pen, Jean-Marie Demarquet et l'ex-commissaire Dides, laissent jouer en eux le « réflexe républicain » et votent, selon leur tempérament, pour la droite raisonnable ou pour la coalition molletiste. Sans doute, la présence d'une quarantaine de députés UFF (compte tenu des invalidations) ne va pas faciliter la vie du gouvernement de « Front républicain », mais si le mouvement Poujade a été porteur d'un « danger fasciste » celui-ci se trouve ramené au statut d'épouvantail tactique cher à la gauche.

Ceci, d'autant plus que l'ex-UDCA ne survit guère très longtemps aux divisions et aux scissions qui suivent de peu sa percée électorale. Malgré les coups de gueule des ténors de son groupe parlementaire (Demarquet et surtout Le Pen, qui ne tardent pas à entrer en guerre contre leur leader, puis à rompre bruyamment avec le mouvement), l'UFF s'enlise bientôt dans les sables de la politique politicienne, servant de force d'appoint aux autres formations partisanes, refusant de se plier aux consignes d'un chef qui n'a lui-même pas voulu être candidat et qui a plutôt tendance à en rajouter sur ses troupes en matière d'activisme Algérie française, perdant peu à peu ses forces

---

89. « L'Homme quelconque » ou mieux « L'Homme de la rue » : le mouvement créé en 1946 par l'ancien speaker de Radio-Tobrouk, Guglielmo Giannini, et qui fera élire 30 députés aux élections de juin 1946.

308

militantes. Lorsqu'en janvier 1957 Poujade se présente dans une élection partielle à Paris, il est trop tard pour réparer l'erreur tactique de l'année précédente. Le courant ne passe plus et le fondateur de l'UDCA est sévèrement battu. Dès lors, le mouvement entre en décomposition, sauf en Algérie où il fera encore parler de lui avant et après le 13 mai 1958. En métropole, il disparaît au lendemain du retour au pouvoir du général de Gaulle. Une partie du groupe UFF passe alors au gaullisme [90] tandis que Poujade lui-même s'engage du côté des ultras. Le numéro d'estrade est fini. Il ne laisse qu'un mot dans le vocabulaire politique, et aussi un foyer capable d'alimenter, dans les milieux où a mûri la révolte poujadiste, de brutales et brèves résurgences.

La crise algérienne : une occasion manquée ?

Le combat pour l'Algérie française prend, à partir de 1957, le relais du poujadisme comme terrain de culture du néo-fascisme français. Mais l'avènement du gaullisme l'année suivante lui ôte toute chance d'accéder au pouvoir. D'abord parce que la force politique qui se constitue autour de l'homme du 18 juin capte à son profit le nationalisme et les tendances autoritaires d'une partie de l'opinion française et absorbe, comme le RPF en 1947, certains éléments durs, noyaux des Comités de salut public fondés au lendemain du 13 mai et des futurs CDR, sans pour autant donner naissance à un fascisme. Ensuite parce que le régime mis en place avec la constitution de la Vᵉ République représente, pour le monde des affaires comme pour les classes moyennes, un rempart beaucoup plus sûr contre une éventuelle menace communiste que les groupuscules de nostalgiques de l'ordre hitlérien et autres revanchistes de l'épuration. Enfin, parce qu'en s'attaquant directement au chef de l'État, les jusqu'au-boutistes de l'Algérie française vont faire rejouer les réflexes qui avaient incliné la majorité des Français à préférer la France libre au Vichy satellisé et fascisé de 1944.

« Le fascisme algérien, nous le dénoncions depuis des années, écrit François Mauriac dans son " Bloc-Notes " de *L'Express*, à la date du 6 juin 1958, mais la connaissance que nous en avions demeurait abstraite. Nous rappelions la conquête de l'Espagne par Franco et

---

90. Ils se constituent en Union et action libérale et sociale (UALS).

par ses gardes maures, comme on parle à des enfants de Croquemitaine, sans croire que cela pût menacer jamais la patrie de Descartes et de Pascal[91]. »

De 1958 à 1961, la France en proie aux retombées du drame algérien n'a probablement pas connu de menace *fasciste*, au sens propre du terme, comme le suggère ici Mauriac, comme l'ont cru ou feint de le croire à l'époque les hommes de gauche et tous les défenseurs de la démocratie. Parce que le terme était commode. Parce que les temps de crise sont peu propices aux nuances conceptuelles et aux finesses de langage. Mais elle a incontestablement vécu deux pronunciamientos militaires, dont un a partiellement réussi, et elle a navigué pendant trois ans au bord d'une guerre civile dont pouvait sortir un pouvoir dictatorial de type franquiste ou salazariste. Si l'on préfère, elle n'a pas été très loin de voir se reconstituer sur son sol, sous le regard passif de la majorité des Français, quelque chose de semblable à la révolution nationale vichyste, et ceci en pleine paix internationale, sans la circonstance atténuante d'un désastre militaire et sans l'aiguillon d'une occupation étrangère.

Les choses avaient assez bien commencé pour les activistes de tout poil, militaires et civils, fascistes et non fascistes, pour qui le combat pour l'Algérie française représente à la fois une fin en soi et le moyen d'abattre un régime qu'ils détestent. Depuis 1954, et surtout depuis 1956, les idées subversives ont fait leur chemin dans l'armée. Non que celle-ci soit majoritairement gagnée à la cause des ultras. Ce sont au contraire de petits noyaux qui penchent du côté de la sédition, mais ils sont déterminés et remuants, en particulier chez les colonels et les capitaines, ainsi que dans les rangs de quelques unités d'élite. Ce qu'ils veulent? Tout d'abord la possibilité d'appliquer en Algérie les méthodes de la guerre « psychologique » dont ils tirent la leçon de leur expérience indochinoise et de la lecture de Lénine et de Mao. Cela suppose que le pouvoir leur laisse les mains libres, donc qu'il y ait un « pouvoir », non un régime de démission soumis à l'opinion des âmes tendres et à la volonté autodestructrice des bradeurs d'empires. Ensuite que ce pouvoir oppose une véritable résistance à la montée du communisme athée. Donner à la France un gouvernement autoritaire, c'est lui donner les moyens de gagner la guerre d'Algérie, et vaincre en Algérie c'est barrer la route au marxisme soviétique et à ses alliés islamiques; c'est donc participer au sauvetage de l'Occident

---

91. *L'Express*, 6-6-1958, cité par Michel Winock in *La Fièvre hexagonale, op. cit.*, p. 288.

chrétien. Le raisonnement est court mais il est promis à un bel avenir, et pour l'heure, il ne manque pas d'adeptes dans toute une fraction de l'armée française qui a vécu la guerre d'Indochine comme un cauchemar, avec le sentiment d'être abandonnée par la métropole.

On trouve alors parmi les théoriciens en battle-dress de la subversion armée bon nombre d'officiers qui ont subi l'influence – souvent par le truchement de certains collèges religieux, ou dans les classes préparatoires à Saint-Cyr – de la Cité catholique [92], ou celle, plus radicale encore dans son esprit de croisade, de Georges Sauge, un ancien des jeunesses communistes converti avant la guerre au catholicisme intégriste [93] et fondateur en 1956 du Centre d'études supérieures de psychologie sociale (CESPS), présidé par le général Weygand. Cette officine de « cours » portant sur les « courants de désagrégation nationale » (le communisme, le socialisme, les catholiques de gauche, les « métèques », les francs-maçons), sur la « conception chrétienne de l'homme et de l'État », sur la « croisade contre les artisans inconscients du communisme », etc. [94], va jouer un rôle important, avant et après le 13 mai, dans la conversion de certains cadres militaires à l'activisme de choc, dans sa version mystique et ultra-réactionnaire.

Auteur de deux ouvrages prioritairement destinés à cette clientèle, *Échec au communisme* et *L'Armée face à la guerre psychologique*, publiés respectivement en 1958 et 1959, Georges Sauge est accueilli à bras ouverts par les spécialistes de l'action psychologique du Vᵉ Bureau de l'armée, lesquels facilitent son « enseignement » dans les écoles militaires et ses tournées de conférences dans les casernes et les « popotes », tant en Algérie qu'en métropole. En même temps, il publie une *Lettre d'information*, diffusée à plusieurs milliers d'exemplaires et développe des Comités civiques pour l'ordre chrétien visant à transformer « les garants et les héritiers » des « valeurs chrétiennes de la civilisation » en « croisés » des temps contemporains [95], soutenu dans cette initiative par des activistes venus d'horizons divers : Pierre Debray, Henri Dorgères, Pierre Poujade, Jacques Isorni, Jean-Marie Le Pen, Alain de Lacoste-Lareymondie, Michel Habib-Deloncle, etc. [96], un mélange de caciques de l'ultra-droite vichyste, de néo-

92. L'organisation fondée par Jean Ousset en 1946. Cf. *supra*.
93. Avec le père Fillères, responsable de cette conversion, Georges Sauge fonda au lendemain de la guerre le Mouvement pour l'unité, lié aux revues *L'Homme nouveau* et *La Cité des jeunes*.
94. G. Sauge, *L'Armée face à la guerre psychologique*, Paris, CEPC, 1959, p. 27-28.
95. Tract du CESPS, cité par H. Coston, *Partis, journaux...*, *op. cit.*, p. 207.
96. J. Algazy, *La Tentation néo-fasciste...*, *op. cit.*, p. 189.

311

nationalistes et de néo-fascistes. L'intégrisme militant et l'esprit de croisade anticommuniste donnent ainsi pour quelque temps à l'extrémisme fascisant qui caractérise les ultras de l'Algérie française une apparence d'unité.

Sur fond de guérilla urbaine, d'attentats FLN et de « pacification », de contacts avec la jeunesse pied-noir et avec les colons, quasi unanimement acquis à l'idée de l'Algérie française, des liens se nouent à partir de 1956 entre les cadres militaires convertis au projet de coup de force contre le gouvernement de Paris et les organisations subversives qui se sont développées de part et d'autre de la Méditerranée, plus particulièrement en Algérie où les tendances d'extrême droite ont toujours connu un grand succès dans la population européenne. L'aggravation de la guerre, la paralysie croissante de l'exécutif en métropole, la crainte ressentie par les Français d'Algérie de voir la République abandonner par faiblesse au FLN la terre où la plupart d'entre eux ont vu le jour, renforcent encore leur poids et leur pouvoir d'attraction auprès d'une population qui, à l'image de sa jeunesse, se trouve très largement gagnée par un activisme d'allure romantique. Dans cette conjoncture de crise, des leaders improvisés appartenant aux diverses tendances de l'ultradroite, comme le Dr Martel, l'avocat Lagaillarde ou le cafetier Ortiz, rêvent d'insurrection et de putsch, en liaison avec les antennes métropolitaines de la sédition ultra et les petits noyaux de rêveurs casqués pour lesquels le sort du monde libre se joue à Alger.

Comment interpréter, dans ces conditions, la journée du 13 mai 1958 et les événements qui suivent, jusqu'à l'arrivée au pouvoir du général de Gaulle? S'agissant du 13 mai, André Siegfried a parlé de manière assez heureuse d'« un 6 février qui a réussi », et il est vrai que le coup de force algérois n'est pas le résultat d'une sédition militaire, mais d'une manifestation dégénérée en émeute et qui a d'une certaine manière atteint ses buts. Cependant, si le projet politique des émeutiers d'Alger n'est guère plus consistant que celui des ligueurs de 1934, il est plus nettement dirigé contre les institutions de la République et répond davantage à la demande du manifestant de base. On ne sait pas exactement ce qui se serait passé au Palais-Bourbon dans la nuit du 6 au 7 février, si les gardes mobiles qui tenaient le pont de la Concorde avaient cédé. Mais il est probable que les dirigeants des organisations factieuses auraient exigé des députés la désignation immédiate d'un gouvernement d'union nationale ou de « salut public », avec Tardieu, Laval et consorts. Or, s'il est également question de « salut public » à Alger, au soir du 13 mai, le comité qui adopte ce nom et qui assume localement la réalité du

312

pouvoir est présidé par un général de parachutistes – Massu, qui a accepté de le faire pour canaliser l'émeute et ramener un semblant d'ordre [97] – et compte parmi ses membres, à côté d'une poignée de fidèles du général de Gaulle [98] – des activistes de choc, comme Trinquier, Thomazo et Lagaillarde, dont l'objectif avoué est de renverser le régime et de lui substituer un pouvoir fort.

Ce qui se passe par la suite ressemble davantage au pronunciamiento franquiste de 1936 qu'à la Marche sur Rome. Un pronunciamiento qui en serait resté au niveau des intentions, ou qui n'aurait reçu qu'un début d'exécution, et aurait abouti à un succès de compromis avec le retour au pouvoir du général de Gaulle. Il ne s'agit évidemment pas d'en faire ici le récit, ni de remonter le fil des nombreux complots dont il a été le point de convergence. Mais simplement de nous interroger sur la signification de l'événement et sur la nature des futurs dont il était porteur. Sur ce point il est clair que les chefs militaires qui ont pris en charge le mouvement après les cafouillages des premières heures n'ont pas eu l'intention d'instaurer en France un régime totalitaire de type fasciste, comparable aux précédents mussolinien et hitlérien. Outre que ce type de régime correspond à une phase bien délimitée de l'histoire européenne, que l'on peut considérer comme close en 1945 [99], il aurait fallu qu'il y eût un projet fasciste et que celui-ci pût disposer d'une base sociale relativement consistante. Or ni l'une ni l'autre dans ces conditions n'est réunie en 1958. Les gaullistes et leur chef, qui seront en fin de compte les bénéficiaires du chantage à la guerre civile, ont un projet de rénovation de l'État républicain. Les militaires putschistes qui ont conçu l'opération « Résurrection » (lâcher de parachutistes sur la capitale, avec l'appui d'unités venues de Toulouse et de blindés stationnés dans la région parisienne) [100], et ont commencé à l'exécuter en Corse [101], songent à mettre la métropole sous la coupe de l'armée dans un but précis et chronologiquement fixé qui est de gagner la guerre en Algérie. Restent les ultras qui inspirent une partie d'entre

97. Cf. R. Rémond, *1958. Le Retour de De Gaulle*, Bruxelles, Éd. Complexe, 1983, p. 68.

98. Léon Delbecque, qui représentait à Alger le ministre de la Défense nationale Jacques Chaban-Delmas, et quelques amis de Jacques Soustelle.

99. E. Nolte, *Le Fascisme dans son époque*, Paris, Julliard, 1970; P. Milza, *Les Fascismes*, Paris, Imprimerie nationale, 1985.

100. C'est le général Grout de Beaufort qui, avec le général Miquel, commandant la région de Toulouse et quelques autres officiers avait monté, en accord avec Alger, l'opération « Résurrection », destinée à mettre en place un pouvoir militaire.

101. Le 24 mai des parachutistes venus d'Algérie ont aidé Pascal Arrighi à installer en Corse un comité de salut public.

313

eux, et qui songent, effectivement, à renverser la République et à lui substituer un régime fort. Encore faut-il préciser qu'ils ne représentent qu'une fraction très minoritaire de l'opinion, notamment en métropole, qu'ils sont divisés en groupes rivaux et que là ou leur impact est le plus fort, c'est-à-dire en Algérie, la tendance réactionnaire et traditionaliste l'emporte de beaucoup sur la composante néo-fasciste.

Ce que les Français ont par conséquent évité en 1958, en acceptant de suivre la classe politique et de rappeler le général de Gaulle, c'est d'une part un affrontement sanglant qui autrement eût été difficilement évitable, et d'autre part de voir celui-ci aboutir à l'instauration d'une dictature de type franquiste ou salazariste. Que les gaullistes aient su habilement tirer parti de la menace pour en détourner le cours à leur profit ne signifie pas qu'elle ait été fictive. Arrêté à mi-course par le ralliement à de Gaulle des généraux et officiers d'Alger, il y a bien eu au lendemain du 13 mai une sorte de pronunciamiento larvé susceptible de ramener la France – toutes proportions gardées et pour combien de temps ? – à la case départ de l'an 40.

« [...] La situation française du printemps 1958, écrit Michel Winock, présente de nombreux points de comparaison avec la situation italienne à la veille de l'arrivée de Mussolini au pouvoir : des démocrates divisés, un régime privé de soutien massif, un appareil d'État gangrené, des groupes d'activistes armés et organisés n'attendant que de prêter main-forte aux " restaurateurs de l'ordre ". On ne peut exclure, dans ces conditions, la possibilité du coup d'État et de la dictature [102]. »

Admettons-le, si la comparaison s'arrête là. Le coup d'État, oui. La dictature, sans doute. Le fascisme certainement pas, tant sont grandes les différences avec l'Italie de 1922. Où est le parti-armée organisé en État dans l'État ? Où est le chef charismatique capable de transformer l'essai en une structure durable de pouvoir ? Où sont les ralliements en chaîne de l'establishment possédant ? Où sont surtout les masses dont le fascisme incarne partiellement les aspirations révolutionnaires ? Répétons-le : nous n'avons pas échappé au totalitarisme fasciste en 1958, mais à un « remake » de la révolution nationale. Ce qui ne vaut guère mieux. Ce qui ne grandit pas les déserteurs de la République. Cette classe politique assez oublieuse de ce qui s'était passé en France après le 10 juillet 1940 pour abdiquer toutes ses responsabilités entre les mains d'un sauveur.

102. M. Winock, *La Fièvre hexagonale*, *op. cit.*, p. 290.

314

Certes, le régime instauré par le général de Gaulle n'avait rien à voir avec le précédent vichyssois. Ni avec une dictature militaire, et la formule du « coup d'État permanent » doit être prise pour ce qu'elle était : un outil verbal au service du combat politique. Mais qui pouvait être sûr en juin 1958 que la dérive était impossible? Le général lui-même n'avait-il pas joué avec une extrême habileté de la pression putschiste? N'avait-il pas laissé certains de ses partisans s'infiltrer dans le complot contre la République, puis donné son aval au plan « Résurrection » [103]? N'y a-t-il pas eu, entre 1956 et 1958, entre les éléments les moins jusqu'au-boutistes de l'opposition néo-nationaliste et néo-vichyste et les réseaux gaullistes issus du RPF un rapprochement pour le moins inattendu? C'est le moment en effet où le Front national des combattants de Le Pen et Demarquet accueille dans ses réunions des orateurs gaullistes, et où anciens pétainistes et gaullistes de choc se retrouvent dans les Volontaires de l'Union française, puis dans le Parti patriote révolutionnaire de l'avocat Jean-Baptiste Biaggi [104], lequel ne quitte l'UNR qu'en janvier 1960 – après l'affaire des « barricades » d'Alger – tout comme Pascal Arrighi, l'homme du coup de force du 24 mai en Corse. La tradition césarienne et ligueuse occupe depuis la fondation du RPF un espace non négligeable dans la famille gaulliste – représentée notamment par les gros bras du « service d'ordre » – et elle n'a évidemment pas disparu avec la fréquentation des ultras de l'Algérie française.

Les choix démocratiques du général de Gaulle, la mise sur orbite d'un État moderne et fort mais respectueux de la tradition républicaine, et surtout la politique algérienne pratiquée par le chef de l'État, vont avoir tôt fait de clarifier les choses et de rejeter à l'extrême droite les adversaires irréductibles d'une solution négociée en Algérie. Dès lors, et jusqu'en 1968, le fascisme français ne représente plus que l'aile minoritaire d'une « opposition nationale » que dominent les courants réactionnaires classiques. Y compris au sud de la Méditerranée où, parmi les mouvements qui prospèrent entre 1958 et 1962, beaucoup conservent une idéologie traditionaliste proche de celle de la révolution nationale.

Tel est, dans le droit fil de la croisade intégriste prêchée par un Georges Sauge, le MP 13 de Robert Martel – le « Chouan de la Mitidja » – et du général Chassin. Se réclamant de la tradition populaire contre-révolutionnaire incarnée par la chouannerie et

---

103. Voir sur cette question l'excellente mise au point faite par Jean Lacouture dans le chapitre intitulé « Le 17 brumaire » de sa biographie du général, *De Gaulle, le politique*, t. II, Le Seuil, 1985.

104. Ces deux mouvements étant apparus respectivement en 1956 et 1957.

315

adoptant à ce titre le symbole du sacré cœur rouge surmonté d'une croix, ce mouvement, qui finira semble-t-il par compter une dizaine de milliers d'adhérents fortement organisés [105] et n'hésite pas à prendre la population musulmane comme cible de ses actions « contre-terroristes », se proclame par la voix de son hebdomadaire, *Salut public de l'Algérie française*, « contre révolutionnaire », sans tiret, c'est-à-dire à l'opposé de la révolution [106], et pourfend dans un langage d'apocalypse les « légions de Satan » (communistes, francs-maçons, athées, « métèques », etc.), la « synarchie blanche » (les banques judéo-américaines et leurs commis, nombreux dans l'esta-blishment occidental) et la « synarchie rouge ». A quoi Robert Martel et ses amis opposent l'idée d'un ordre « national-chrétien », anticapi-taliste et communautaire. L'air est connu.

A la même veine se rattache le Mouvement pour l'instauration d'un ordre corporatif du Dr Bernard Lefebvre, un ancien poujadiste algérois passé à l'ultracisme pur et dur et auteur d'écrits hallucinés – *L'Occident en péril, Sur le chemin de la Restauration* – appelant à la « grande croisade antibolchevique » et à l'avènement d'un « ordre naturel », chrétien, communautaire et corporatif, reposant sur l'ar-mée, sur la dictature d'un chef national et sur l'action omnipr-ésente d'une milice de croyants [107]. Mais ici, différence non négligeable avec la version MP 13 de l'ultracisme national-catholique, les modèles ne sont pas seulement Salazar et Franco mais Mussolini et Hitler, admirés pour l'efficacité de leur lutte contre le communisme, « nouveau fléau de Dieu [108] ».

Ce courant directement issu de la tradition contre-révolutionnaire, et à certains égards aux antipodes du fascisme (« Face à la croix tordue de l'Antéchrist, proclament les dirigeants du MP 13, brandis-sons la croix de . Occident chrétien »), trouve nous l'avons vu un excellent terrain d'implantation dans certains secteurs de la société militaire. De là sa présence par la suite au sein de l'OAS où se constitue autour du colonel Château-Jobert, héros de la Résistance et auteur d'un *Manifeste politique et social* fortement inspiré des idées de Georges Sauge et du Dr Lefebvre, un Mouvement de combat contre-révolutionnaire (MCR), ou « Armée du Christ-Roi » qui finira par transférer son action clandestine dans la France de l'Ouest, après

105. En neuf délégations régionales : une par région militaire.
106. La « contre-révolution », avec tiret, n'étant pour Martel qu'une « révolution de droite ».
107. Baptisée « mouvement national ». Cf. B. Lefebvre, *L'Occident en péril*, Paris, Nouvelles Éditions latines, 1961, p. 174.
108. *Ibid.*, p. 13.

316

les accords d'Évian [109]. Non sans avoir fortement subi l'influence du néo-fascisme. Symboliques de cet engagement dans la croisade antibolchevique, somme toute assez proche de celui qui avait conduit certains « fascistes » français à rejoindre les rangs de la LVF ou de la SS, les paroles prononcées par l'un des accusés, Alain Bougrenet de La Tocnaye, lors du procès des conjurés du Petit-Clamart : « En défendant l'Algérie française, nous étions les défenseurs de la Chrétienté contre le panarabisme et le communisme international [110]. »

Plus proche du fascisme des années trente est le Front national français. Fondé en novembre 1958, il a à sa tête le Dr Jean-Claude Perez, Jean-Jacques Susini, qui a remplacé Pierre Lagaillarde à la présidence des étudiants algérois et surtout Joseph Ortiz, gérant de la brasserie du Forum à Alger et ancien responsable local de l'UDCA. Ortiz est un fort en gueule comme Poujade et un meneur d'hommes qui rappelle vaguement le chef de file des nervis doriotistes de Marseille : Simon Sabiani. Il a du bagou. Il est populaire auprès des ouvriers et des petits employés qui fréquentent son établissement ainsi que dans le milieu interlope du port. Lui et ses amis n'auront aucune peine à rassembler en un an dans la mouvance du FNF une dizaine de milliers d'adhérents, la plupart recrutés parmi les « petits Blancs » d'Alger et d'Oran. Le mouvement a donc une forte assise militante plébéienne. Il a aussi des antennes dans l'establishment : les avocats Laquière et Trappe qui concourent, semble-t-il [111], à son financement. Il a fortement noyauté les UT, les « unités territoriales » mises en place en 1956, et il est en relations étroites avec le Ve Bureau du colonel Gardes.

« Fasciste » dans son comportement, le parti d'Ortiz ne brille pas par son originalité idéologique, mais il a un objectif précis : refaire le coup qui a si bien réussi en 1958 en poussant les pieds-noirs à la révolte et en obtenant le concours de l'armée, mais cette fois pour chasser de Gaulle et pour substituer à la République un régime « fort ». Autrement dit, il songe à quelque chose qui préfigure le putsch des généraux, et pour cela il fourbit l'instrument du complot : l'Organisation politique de l'action subversive, une milice armée dont la préparation opérationnelle est confiée à deux officiers des UT, Ronda et Mamey. Après la déclaration sur l'autodétermination, la

109. R. Martel, qui s'était rallié à l'entreprise et était devenu le lieutenant de Château-Jobert, fut arrêté en pays chouan en janvier 1963. Condamné à mort par contumace en 1965, Château-Jobert fut amnistié en 1968.
110. Cité in J.-C. Petitfils, *L'Extrême Droite en France, op. cit.*, p. 90.
111. F. Duprat, *Les Mouvements d'extrême droite, op. cit.*, p. 97.

situation paraît mûre, et ceci d'autant plus que certains militaires paraissent décidés à franchir le Rubicon, ce qu'ils se garderont bien de faire lorsque éclate à Alger l'émeute du 24 janvier 1960 : une émeute dans laquelle les étudiants algérois et le FNF d'Ortiz jouent un rôle déterminant.

Il n'y a pas lieu de s'interroger bien longtemps sur ce qu'a été la « semaine des barricades ». Une réédition du 13 mai, dans le but de forcer la main à de Gaulle ? Plutôt un « putsch de la Brasserie », sur fond de croix celtiques, de foule clairsemée et de manifestants en battle-dress, s'achevant de façon aussi minable que l'équipée hitlérienne de 1923. Tout cela, nourri de la mystique « para » et de références explicites au national-socialisme. Susini le dira clairement devant ses juges, quelques mois plus tard :

« J'ai voulu concilier le mouvement d'émancipation social qui bouleverse le monde entier, et le fait national. J'ai essayé pour moi-même et mes amis, de reprendre dans une synthèse d'ensemble ces deux courants qui ont secoué le XXe siècle [112]. »

De l'échec de l'insurrection algéroise et de la dure répression qui a suivi celle-ci, vont naître dans le courant de l'été 1960 deux nouvelles organisations activistes visant à rassembler, des deux côtés de la Méditerranée, les partisans de l'Algérie française : le Front de l'Algérie française (FAF), qui finira par rassembler une centaine de milliers d'adhérents recrutés parmi les colons européens et bientôt organisés en milices « contre-terroristes », et le Front national pour l'Algérie française (FNAF), basé en métropole et qui, sous l'impulsion de Jean-Marie Le Pen, du colonel Thomazo dit « Nez-de-cuir », et de quelques caciques du néo-vichysme ou du néo-nationalisme comme Tixier-Vignancour, de Lacoste-Lareymondie ou Jean Dides, va tenter de trouver un commun dénominateur aux diverses tendances de la constellation activiste. L'une et l'autre disparaîtront après les émeutes de décembre 1960 en Algérie, orchestrées par le FAF avec la bénédiction du général Jouhaux et déjà accompagnées de projets de putsch et d'attentats contre le général de Gaulle.

Le FAF, le FNAF, tout comme l'OAS qui en est en quelque sorte le prolongement clandestin, ne sont pas à proprement parler des organisations néo-fascistes. On trouve dans leurs rangs d'authentiques partisans d'une dictature national-populiste et totalitaire, mais ils ne représentent qu'une minorité. En revanche, certaines formations particulièrement actives en France métropolitaine peuvent sans hésitation être répertoriées comme *fascistes*.

112. *Le Monde*, 20-21 nov. 1960.

318

La plus importante, celle qui a laissé le plus de traces dans la mémoire collective au temps de la guerre d'Algérie, est « Jeune Nation ». En principe, elle a été rayée de la carte des groupuscules extrémistes par le décret du gouvernement Pfimlin qui, en mai 1958, prononce sa dissolution. En fait, elle se survit à travers son *Courrier d'information*, sa revue, *Jeune Nation* (fondée en juillet 1958), et diverses organisations dont la première en date est le Parti nationaliste, constitué à l'automne de la même année et à la tête duquel on retrouve les dirigeants de JN : Pierre Sidos, Dominique Venner (respectivement président et secrétaire général du mouvement, Jean Malardier, Ferdinand Ferrand, Albert Malbrun, etc. Le Parti nationaliste aura une existence fort brève. Il ne se passe en effet qu'une petite semaine entre le moment où se réunit son congrès constitutif à la salle des Sociétés savantes, à Paris (6-8 février 1959) – quelques centaines de jeunes gens en blouson noir orné de la croix celtique – et la décision du gouvernement Debré d'interdire l'organisation (13 février), après avoir fait procéder à des perquisitions dans ses locaux.

Entre-temps, les congressistes avaient eu le temps d'adopter le programme que *Jeune Nation* avait publié en décembre 1958 et dont la lecture ne laisse planer aucun doute sur les intentions et sur la nature du mouvement. Il y est fait mention en effet de « renverser la République », de supprimer les « pratiques électorales », d'éliminer les partis, « synonymes de divisions », d'« éviction des métèques », de « châtiment des coupables, responsables des morts inutiles depuis 1940 », d'« instauration d'un syndicalisme corporatif », d'« élimination du capitalisme apatride », de mise en place de « l'État nationaliste en unissant et organisant en un même faisceau les activités et les forces de la nation », enfin de « construction de l'Europe fondée sur la communauté de civilisation et de destin de la race blanche [113] ».

Passée à la clandestinité, JN va continuer de jouer un rôle important au sein de la mouvance activiste, tant en métropole qu'en Algérie. Forte de ses trois ou quatre mille militants, elle s'adonne à des activités terroristes en tout genre – incendies de permanences du PCF et de la CGT, plastiquages d'habitations privées, attaques contre des meetings de la gauche [114] « représailles » exercées contre des travailleurs nord-africains [115], etc –, tout en durcissant le ton dans

113. *Jeune Nation*, 11-24-déc. 1958.
114. Par exemple, en octobre 1959, une réunion du PSA avec Pierre Mendès France. Cf. J. Algazy, *op. cit.*, p. 167.
115. En juin 1959, à Châteauneuf-le-Rouge, près de Marseille, six nervis proche de *Jeune Nation*, enlevèrent et torturèrent à mort un ouvrier tunisien. L'un des membres du commando était un ancien de la LVF.

ses attaques verbales contre le régime, au point que le gouvernement, après avoir fait procéder à de nombreuses saisies de *Jeune Nation*, finira par l'interdire en février 1961. Peu de temps après, une bonne partie des dirigeants et des militants de l'organisation dissoute rejoindront les rangs de l'OAS, dont ils constituent l'une des branches les plus actives et les plus intransigeantes. Au début de 1962, une dizaine d'entre eux seront traduits en justice et condamnés à de faibles peines de prison [116].

Néo-fascistes également, chacun à leur manière, le manifeste de Patrie et progrès et celui dit de la « classe 60 ». Le premier est l'émanation d'un « club » fondé au lendemain du 13 mai par des technocrates affichant des opinions gaullistes « socialistes » et animé par Philippe Rossillon et Jacques Gagliardi [117]. Cherchant à concilier justice sociale et maintien de la présence française outre-mer, il se prononce pour un « socialisme patriotique », résolument ancré à gauche, et même à l'extrême gauche, et il appelle de ses vœux la création de l'« Union des républiques socialistes d'expression française » [118], ne reculant ni devant les nationalisations, ni devant les solutions expéditives. S'agissant de l'Algérie par exemple, Patrie et progrès envisagerait assez bien de « liquider deux cents personnes » – on ne dit pas lesquelles mais il est évident qu'elles seront choisies parmi les gros colons – et de « distribuer leurs biens au peuple algérien ». « Avant toute solution en Algérie acceptable pour la France, précisent les auteurs de ce document dont l'esprit fait un peu penser à celui du " national-bolchevisme " allemand des années vingt, il faut une révolution kémaliste, dirigée essentiellement contre le capitalisme français et faite au moins partiellement par un parti socialiste groupant Européens et Musulmans [119]. »

Le « Manifeste de la classe 60 » est l'œuvre d'une petite équipe réunie au printemps 1960 autour des dirigeants de la Fédération des étudiants nationalistes (FEN) : Pierre Poichet, Jacques Vernin, Georges Schmelz, François d'Orcival (Amaury de Chaunac-Lanzac) et Fabrice Laroche (Alain de Benoist). Cette organisation née en réaction contre les positions prises par l'UNEF à propos de la question algérienne, et qui va pendant deux ans disputer à la formation majoritaire étudiante les rues et les amphis du quartier Latin s'est constituée avec des militants venus de Jeune Nation et

---

116. Pierre Sidos et Dominique Venner font leur réapparition dès 1963 sur la scène de l'extrémisme fascisant.
117. J. Algazy, *op cit.*, p. 173-182.
118. *Ibid.*, p. 176.
119. *Ibid.*, p. 179.

320

d'autres groupes fascisants dans le but de faire prévaloir la « conception spiritualiste de l'existence » dont l'Européen blanc, et en particulier le Français, est censé être le dépositaire. Le « Manifeste », qui paraît pour la première fois en extraits dans l'organe de liaison du mouvement, *Cahiers universitaires,* se prononce dans cette perspective pour une « paix française », comparée à la *pax romana* dont ils ne doutent pas qu'elle a pendant des siècles mis l'Afrique du Nord à l'abri de l'« ouragan arabe », mais qui exige elle-même que soit mis en place un État autoritaire, communautaire, « excluant la division en partis multiples » et imposant sa loi au « grand capitalisme anonyme et international [120] ». Rien de très neuf dans tout cela, sinon que les références sont recherchées plutôt du côté de l'intelligentsia nationaliste et fasciste – de Drumont à Drieu et de Maurras à Brasillach – que dans le panthéon des batteurs d'estrade et des dictateurs. A côté de la composante activiste, qui demeure très forte à la FEN, on trouve très manifestement dans les écrits de ses leaders une volonté d'intellectualiser le débat et de donner un support culturel à la droite extrême qui débouche, à bien des égards, sur les entreprises futures de la « nouvelle droite ».

Le fascisme français a donc trouvé un nouveau souffle avec la guerre d'Algérie. Il a même pu croire pendant quelque temps qu'avec le concours de ses partenaires-concurrents des autres courants activistes, le soutien de l'armée et le quasi-consensus des « pieds-noirs », il allait pouvoir, à son profit cette fois, rééditer le coup du 13 mai. Pour tous ceux qui avaient une revanche à prendre sur 1945, l'occasion était belle de démontrer de quel côté était la légitimité nationale et dans quel camp combattaient les défenseurs de l'intégrité de la France. C'était vouloir prendre de Gaulle au piège de son propre passé, en oubliant que les Français avaient, en d'autres temps, pu mesurer jusqu'à quel degré d'aberration pouvait les conduire le patriotisme dévoyé de quelques soldats perdus. Une fois l'homme du 18 juin revenu au pouvoir, l'alternative n'était plus entre la droite et la gauche, entre ceux qui acceptaient le déclin de la France et ceux qui aspiraient à son renouveau, entre les « fourriers » conscients ou inconscients du communisme et les champions de l'unité de la nation, mais entre la France de Vichy et celle de la Libération.

Nous parlons en termes de symboles et de tendances dominantes. Il n'y avait pas que des héritiers de la France libre dans la mouvance des supporters de la Ve République. Il y eut d'authentiques résistants et des « dissidents » de la première heure à la légitimité maréchaliste

120. *Cahiers universitaires,* sept.-oct. 1962, p. 9-10.

parmi les hommes qui ont conçu et tenté de réaliser le pustsch d'avril 1961 [121] – Zeller a combattu en Italie en 1943, Godard est un ancien officier FFI –, mais les instigateurs militaires et civils du complot, les officiers du Ve Bureau, les théoriciens de la guerre psychologique, les dirigeants des groupes activistes qui ont misé depuis plusieurs mois sur le « quarteron de généraux en retraite », étaient soit des adversaires de longue date de la République, soit des convertis à l'idée d'un coup de force destiné à renverser le régime d'« abandon » que de Gaulle avait instauré en détournant à son profit la saine colère des partisans de l'Algérie française.

De même que pour les événements de mai-juin 1958, on peut se demander dans la perspective qui est la nôtre si la France a failli devenir « fasciste » en avril 1961. S'agissant tout d'abord des chances qu'ont eues les putschistes de l'emporter, la réponse a été donnée par Maurice Vaïsse dans une excellente mise au point parue en 1983 [122]. Certes, il y a eu, au cours des premières heures, un certain flou dans les réactions métropolitaines, voire un désarroi interrogateur du côté de l'équipe décisionnelle. Le général lui-même, considérant les Français de 1961 avec le même regard que ceux de 1958, ne déclarait-il pas à Bernard Tricot, parlant des mutins d'Alger : « S'ils veulent débarquer en France, ils débarqueront. Cela dépend d'eux. Vous verrez, il n'y aura pas grand monde pour leur résister [123] » ? Mais très vite ces doutes ont fait place à une certitude. La France résistait. En pleine crise, elle proclamait à 84 % sa confiance envers le chef de l'État. Elle faisait corps autour du gouvernement, autour d'une classe politique quasi unanime cette fois à s'engager pour la défense de la démocratie. Elle résistait en Algérie même : activement avec les hommes du contingent [124], passivement du côté de la foule européenne, moins unanime à suivre les jusqu'au-boutistes qu'en 1958, peut-être parce que, comme l'écrivait alors Jean Lacouture, « à une foule méditerranéenne, on a offert un putsch à l'allemande [125] ».

Les autres raisons de l'échec du pronunciamiento d'avril 1961 apportent des éléments de réponse à la seconde question : que se

121. M. Vaïsse, *1961. Alger, le putsch*, Bruxelles, Éd. Complexe, 1983, p. 27-30.
122. *Ibid.*
123. B. Tricot, *Les Sentiers de la paix*, Paris, Plon, 1972. Cité in M. Vaïsse, *op. cit.*, p. 98.
124. Maurice Vaïsse montre dans son livre que ceux-ci ne se sont pas contentés d'écouter les nouvelles de la métropole, rassemblés autour de leurs transistors. Cf. *op. cit.*, p. 104-109.
125. J. Lacouture, *Le Monde*, 27-4-1961.

322

serait-il passé si le coup de force avait réussi? Ni l'état du sentiment public, ni l'environnement international, ni l'attitude des alliés de la France [126] ne plaident, examinés avec le recul du temps, en faveur de l'idée qu'aurait pu s'imposer en France un régime autoritaire durable. Incline dans le même sens le constat des divisions des putschistes : querelles de chefs qui font le compte de leurs étoiles et de leurs galons, opposition plus fondamentale entre ceux qui, comme le général Challe, veulent la République sans de Gaulle [127] et ceux qui, avec Jouhaux, estiment que « toutes les constructions politiques sont possibles [128] », enfin, parmi ces derniers qui sont en même temps les plus nombreux, désaccord sur la nature du projet dictatorial, avec une préférence pour la formule conservatrice chez les généraux, « révolutionnaire » chez les capitaines et les colonels de l'action psychologique. Rien ne permet de dire avec certitude de quel côté aurait penché la balance.

S'agissant de l'Organisation armée secrète, qui avait commencé à se constituer en Espagne quelques semaines avant le putsch [129], elle incline d'entrée de jeu très fortement dans le sens du néo-fascisme. Sans doute ce qui a été dit du putsch est-il également vrai de l'OAS qui a eu dans ses rangs d'anciens Français libres et d'ex-résistants, ainsi que des militants de base venus des quartiers populaires d'Alger et d'Oran et ayant transité par les formations politiques et syndicales de la gauche et de l'extrême gauche. Mais le gros des troupes et les cadres viennent de l'extrême droite : maurrassienne pour une part, national-catholique dans une proportion importante (on y retrouve Sauge, Martel, Château-Jobert et beaucoup d'autres) et surtout néo-fasciste. En effet, entre les croisés de la contre-révolution, les « petits Blancs » enrégimentés par le FAF ou par le Front national français de « Jo » Ortiz, et ceux qui, plus ou moins liés à la nébuleuse Jeune Nation, rêvent d'un État national populaire inspiré par le totalitarisme brun, ce sont ces derniers qui, dans le climat crépusculaire et exterminateur des derniers jours de l'Algérie française, vont donner à l'OAS l'image (qu'elle a gardée) d'une organisation fascisante assumant jusqu'au bout, un peu à la manière de la Waffen-SS française, son destin suicidaire. Quelles que soient les différences entre les situations et les hommes de 1944 et ceux de

126. Vaïsse fait un sort à la thèse de la complicité américaine à l'égard des putschistes. Cf. *op. cit.*, p. 124-125.
127. Challe songe à confier l'intérim de la présidence de la République au président du Sénat (Monnerville), en attendant de donner un successeur au général.
128. M. Vaïsse, *op. cit.*, p. 117.
129. Très probablement en février 1965.

323

1962, on ne peut pas ne pas penser à ce qu'ils ont en commun : le choix final du chaos.

« Nous allons nous battre, écrit le général Salan dans l'une de ses dernières proclamations, beaucoup périront sans doute, nous nous refusons à cautionner, fût-ce par le silence, l'infâme trahison de De Gaulle et de ses séides.

« Alger risque demain d'être un nouveau Budapest, n'importe [...].

« Les yeux fixés sur l'exemple de sainte Jeanne d'Arc, nous allons engager cette ultime croisade dont dépend le sort de l'Humanité [130]. »

La traversée du désert

La fin de la guerre d'Algérie marque le début du reflux pour le néo-fascisme comme pour les autres tendances de la droite extrémiste. Privée de son principal thème mobilisateur, réduite à dénoncer la politique « prosoviétique » de De Gaulle et (déjà !) l'invasion de la métropole par les « hordes » de migrants maghrébins (à un moment où la prospérité et le plein emploi rendent ce slogan peu opératoire), elle se trouve ramenée à une situation qui n'est pas sans rappeler celle de l'après-guerre. Elle est en effet déconsidérée aux yeux de la très grande majorité des Français par le rôle qu'elle a joué dans la tentative de renversement du régime (on oublie que ce rôle n'a pas été nul dans l'avènement de celui-ci) et par le concours qu'elle a apporté à l'OAS, y compris dans les actions visant à attenter à la vie du président de la République. Une partie de ses dirigeants sont en prison, la plupart pour peu de temps il est vrai. D'autres se sont réfugiés dans une action clandestine de plus en plus groupusculaire, de plus en plus coupée du pays et des réalités. D'autres encore ont pris le chemin de l'exil en direction de l'Espagne, du Portugal, de l'Argentine : les voies revisitées de la diaspora collaborationniste. Ceux qui restent en liberté, ceux qui ont conservé ou retrouvé une place dans la classe politique bataillent pour l'amnistie des officiers putschistes et des prisonniers OAS. On attend une brise porteuse qui mettra beaucoup de temps à se lever.

Parmi les vaincus de la guerre secrète, rares sont ceux qui, comme

130. Cité in J. Plumyène et R. Lasierra, *Les Fascismes français...*, *op. cit.* p. 295.

324

Pierre Lagaillarde, ont accepté dès 1962 de rendre les armes. « Seul le destin de l'Algérie m'intéressait, déclarait à sa libération par les autorités espagnoles l'ancien dirigeant des étudiants algérois. Je n'ai aucune arrière-pensée politique. J'abandonne toute idée de revanche [131]. » Tel ne fut pas le cas de nombre d'entre eux dont on suit la trace pendant dix ans et plus, mêlés à tous les combats d'arrière-garde de la décolonisation, soldats perdus sans autre drapeau que celui de l'anticommunisme de choc et candidats à toutes les aventures du néo-fascisme européen. Ce qui subsistait de l'OAS combattante après les accords d'Évian s'est ainsi dilué en petits groupes, clandestins ou non, les uns poursuivant le rêve d'un attentat réussi contre le général, les autres s'organisant, à l'étranger ou en France même, en formations politiques ultra-réactionnaires, sur le modèle du Mouvement de combat contre-révolutionnaire (MCR) de Pierre Château-Jobert, du Rassemblement de l'Esprit public de Philippe Héduy et Hubert Bassot, lié au « Conseil national de la Révolution » de Pierre Sergent [132], ou encore du Mouvement Jeune Révolution, fondé en 1966 par deux anciens animateurs de l'OAS-Métro-Jeunes, Georges Kayanakis et Jean Caunes (le futur secrétaire général du Front national, Jean-Pierre Stirbois, y fera ses premières armes [133]).

Pour les néo-fascistes français, le début de la décennie 1960 paraît s'inscrire sous le signe du retour aux « Internationales ». Certes, il ne faut pas prendre le terme au pied de la lettre car les organisations qu'il sert à désigner – et entre lesquelles les clivages et les divisions portent davantage sur des questions de rivalité personnelle que sur la doctrine ou la tactique – sont en fait de simples instruments de liaison et d'information. Parmi les plus importantes, en ces temps de décolonisation galopante, on trouve la Jeune Europe du Belge Jean Thiriart, ancien membre des « Amis du Grand Reich allemand » (et futur maoïste!), en liaison avec l'OAS et avec les néo-colonialistes du Congo, l'Europafront, né d'une scission de la précédente (sur la question du Haut-Adige), le Parti national européen, fondé à Venise en 1962 à l'initiative de Mosley [134], enfin la World Union of National Socialists (WUNS) qui n'hésite pas à prendre la croix gammée comme emblème et l'homme SS comme modèle [135]. Aucun de ces

131. Cité in R. Kauffer, *OAS. Histoire d'une organisation secrète*, Paris, Fayard, 1986, p. 305.
132. *Ibid.*, p. 306-310.
133. *Ibid.*, p. 341.
134. Le leader de la British Union of Fascists des années trente.
135. D'abord dirigée par le Britannique Colin Jordan, cette organisation est passée en 1963 sous le contrôle du nazi américain Lincoln Rockwell.

mouvements n'a réussi à exercer un monopole, même temporaire, sur l'ensemble des mouvements fascistes. Leur existence prouve cependant que, dans le droit fil de l'évolution amorcée pendant la guerre et au lendemain de celle-ci, le « nazi-fascisme » est devenu à sa manière une idéologie internationaliste.

Au tournant des années soixante surgit en même temps une nouvelle génération de néo-fascistes. Comme leurs homologues d'extrême gauche, ses représentants (quand ils étaient nés) étaient trop jeunes au moment de la guerre pour les aventures héroïques et pour les choix décisifs. Le nazisme et le fascisme ne représentent pas la même chose que pour leurs aînés. Ils en ont une connaissance livresque ou iconographique, déjà passablement revisitée par les « révisionnistes ». Influencés par toute une littérature glorifiant à mots couverts la geste SS, ils n'ont retenu de la folie hitlérienne que la mise en scène des grandes parades nazies et le romantisme casqué de la croisade antibolchevique. Dans leur classique désir de se démarquer des générations précédentes et de faire trembler le bourgeois, ils font de l'admiration tapageuse du IIIe Reich et de la glorification de ses symboles (croix gammée, croix de fer, etc.) les instruments de leur surenchère provocatrice. Cela pourrait n'avoir d'intérêt que pour l'anthropologie sociale, au même titre que les autres « révoltes de jeunes », si le choix de ce type de transgression ne s'accompagnait, chez ceux qui le font, de violences racistes, d'appels au meurtre, de profanations en tout genre, et si cette gesticulation adolescente n'était pas immédiatement récupérée par des organisations structurées en guerre ouverte contre la démocratie.

Le Parti prolétarien national-socialiste de Jean-Claude Monet représente un peu une catégorie intermédiaire entre le « spontanéisme » pro-hitlérien dont il vient d'être question et des formes plus élaborées de contestation néo-fasciste. Le fondateur du PPNS (le mouvement, comme beaucoup de ses semblables, changera plusieurs fois de sigle) est un peu l'archétype de cette génération nouvelle. Né en 1938, il a tout juste l'âge d'entrer à l'école primaire au moment de la Libération. En 1956, l'année de Suez et de Budapest, il est sur le point d'être ordonné prêtre [136] lorsque à la lecture de « vieux ouvrages nazis [137] » il a brusquement la révélation de l' « idée nietzschéenne du surhomme ». Du coup, le voilà prêt à s'embarquer pour toutes les aventures activistes. Il commence par militer à la Phalange française

136. Il était alors élève au grand séminaire de Scy-Chazelles.
137. Voir l'interview de l'intéressé, in *Paris-Presse-L'Intransigeant* du 20 janvier 1965.

326

de Charles Luca, puis, avec sa sœur et quelques amis, il fonde en 1961 un premier groupuscule néo-nazi et l'année suivante il devient le « Führer » du Parti national-socialiste ouvrier français. Dans l'intervalle, il a fait son service militaire au Sahara, puis a vivoté dans des emplois plus ou moins précaires (auxiliaire aux PTT, démarcheur en produits d'entretien). Trajectoire classique de déclassé cherchant un dérivatif à sa marginalité dans le claquement des bottes et le délire du verbe.

Un moment transformé en « organisation druidique néo-païenne [138] », liée à la fraction extrémiste du mouvement autonomiste breton, le PNSOF, devenu successivement Organisation du svastika, puis Organisation des Vikings de France, enfin PPNS, ne présente répétons-le d'autre intérêt pour notre propos que son exemplarité. Il sera suivi en effet de beaucoup d'autres groupuscules de la même veine, pratiquant sans rire (et sans faire rire) la parodie des grandes messes hitlériennes, arborant la chemise brune et la croix gammée, s'exerçant au maniement des armes de guerre et ne répugnant ni au terrorisme, ni aux voies de fait contre les ennemis politiques des héritiers d'Adolf Hitler.

Le mouvement de Jean-Claude Monet, qui disparaît aux environs de 1967, n'a guère rassemblé que quelques dizaines de militants fanatiques, très jeunes pour la plupart et souvent issus du monde prolétaire périurbain. On trouve trace parmi eux de quelques rescapés de la Waffen-SS française, mêlés à d'anciens OAS et à des mercenaires « katangais » ou autres. L'idéologie en rajoute sur le programme initial du NSDAP et sur *Mein Kampf*. Elle exalte, à travers un programme en douze points parus en 1964 dans l'organe du parti, *Le Viking*, l'État dictatorial « socialiste et raciste », un anticapitalisme débouchant sur la « copropriété ouvrière des usines » et la « copropriété paysanne des terres », la « sélection d'élites biologiques », une « Europe unie » fédérant les « nations ethniques », l'État « mondial aryen », etc. On le voit, l'aspect international est mis en avant par le parti de Monet qui a entretenu des relations suivies avec des formations homologues en Belgique, en RFA, en Autriche, en Grande-Bretagne et dans quelques autres pays européens et extra-européens, a adhéré à une vague « Internationale nordique prolétarienne » mais n'a réussi que tardivement, semble-t-il, à être affilié à la WUNS, l' « Internationale » néo-nazie de Colin Jordan et Lincoln Rockwell.

138. Je suis ici l'étude que fait de ce mouvement Joseph Algazy dans son livre sur le néo-fascisme français. Cf. *op. cit.*, p. 252 sq.

327

Moins folklorique, moins directement inspirée du modèle national-socialiste et jouant davantage un rôle de relais avec la précédente génération du néo-fascisme est l'entreprise d'*Europe-Action*. Derrière ce mensuel affichant une étiquette à la fois « européenne » et « nationaliste », dont le premier numéro date de janvier 1963, se profile en réalité un cercle ouvertement néo-fasciste à l'intérieur duquel se croisent pendant près de quatre ans [139] d'anciens dirigeants de Jeune Nation, comme Dominique Venner, promoteur de l'entreprise, des militants de la FEN, avec laquelle *Europe-Action* entretient des liens quasi organiques, des rescapés de l'OAS comme Maurice Gingembre, éditeur du journal [140], de vieux caciques de la collaboration intellectuelle comme Rebatet et (par conversion ultérieure) Bardèche, et une légion de jeunes militants qui vont bientôt assurer la relève et préparer le levain de la « nouvelle droite » : François d'Orcival, Fabrice Laroche, Gilles Fournier, Jean-Claude Rivière, etc. Sans parler des collaborateurs réguliers – un Jean Mabire, un Marc Augier (Saint-Loup), un Henry Coston, gourou impénitent de l'antisémitisme [141] et inlassable metteur en fiches de la classe politique française – ou épisodiques comme Maurice-Ivan Sicard (Saint-Paulien), hagiographe de la collaboration [142].

Europe-Action constitue à la fois un milieu, avec ses comités de soutien, ses réseaux de volontaires, ses organismes annexes (le Centre d'études pour l'économie organique, le Groupement d'études des rapatriés et sympathisants, etc.), ses antennes au sein de la Fédération des étudiants nationalistes (et aussi ses adversaires, comme Pierre Sidos), et une cellule de réflexion destinée à donner un nouveau souffle à la doctrine du néo-nationalisme français. Non que les individus qui se réclament de sa mouvance (quelques centaines de « volontaires » rassemblés essentiellement à Paris, Lyon, Marseille, Toulon) aient complètement renoncé à l'action violente. Simplement, ceux qui pratiquent ce type de militantisme le font au sein d'autres organisations, et le terrain sur lequel la revue de Dominique Venner situe son combat est davantage celui des idées.

Que faut-il penser de l'opération de rénovation idéologique annoncée à grand fracas par l'équipe d'*Europe-Action*? Disons qu'il s'agit plutôt d'un toilettage visant à débarrasser le nationalisme et le

139. *Europe-Action* cesse de paraître en novembre 1966.
140. En collaboration avec sa femme, Suzanne Gingembre, et avec Dominique Venner, associés dans la société de presse et d'édition Saint-Just.
141. Coston a notamment dirigé pendant neuf ans l'organe antisémite fondé dans sa version première par Drumont : *La Libre Parole*.
142. On lui doit notamment, rédigée en ce sens, une *Histoire de la collaboration*, publiée en 1964.

328

fascisme de ce qu'ils ont d'un peu vieillot et dépassé (l'antiparlementarisme, le patriotisme appliqué au seul espace hexagonal, d'une certaine façon l'anti-intellectualisme) et à se démarquer de ce que le nazisme a pu avoir de compromettant, soit en niant ses crimes – *Europe-Action* accueillera très favorablement la publication du *Drame des juifs européens*, le livre de Paul Rassinier qui, en refusant de reconnaître l'Holocauste, fonde l' « école révisionniste » –, soit en considérant, comme Bardèche, qu'il a fait des « erreurs ».

« A côté d'intuitions géniales, peut-on lire en mai 1963 dans la revue de Venner et consorts, ses erreurs ont entraîné sa perte : hypertrophie de la notion du chef; racisme romantique (non scientifique) uniquement destiné à renforcer un nationalisme étroit, revanchard, agressif; politique européenne réactionnaire qui non seulement entraîna sa défaite, mais l'hostilité généralisée des peuples européens. Ces erreurs sont dues en grande partie à une absence de fondements doctrinaux établis. [...] [143] »

Autrement dit, il faut faire mieux que le IIIe Reich, et pour cela il faut affiner la doctrine, rebaptisée « révolution nationaliste » pour éviter toute assimilation avec le national-socialisme. Simple jeu de langage ou volonté tactique de ratisser large dans la recherche d'une clientèle? Oui et non, car il est vrai que Venner et ses amis, comme Bardèche, abandonnent au passage un certain nombre de thèmes qui entraient dans la composition de l'alliage nazi. Mais il n'est pas moins évident que, comme Hitler et Rosenberg, ils placent au centre de leur construction idéologique le racisme biologique auquel ils cherchent à donner des justifications « scientifiques ». Certes, Hitler n'a pas inventé les théories raciales à prétention anthropologique. Nous avons vu qu'avec Vacher de Lapouge et Jules Soury la France avait apporté sa contribution à l'édifice. Simplement, le maître du IIIe Reich outre qu'il les a mises en pratique avec les résultats que l'on sait, les a connectées à d'autres traits qui donnent au *fascisme*, en tant que phénomène générique, sa spécificité : le parti unique, le chef charismatique tout-puissant, le remodelage totalitaire du corps social, la formation d'une nouvelle élite, etc.

Or, que disent les doctrinaires d'*Europe-Action* lorsqu'ils parlent de « créer une puissante organisation nationaliste ayant une totale discipline et une direction unique [144] », de « trier la classe dirigeante », d'en « éliminer l'écume biologique », de « séggéruer, sans vaine sensiblerie, le peuple et le déchet biologique », de « ne pas permettre

143. *Europe-Action*, mai 1963, p. 65.
144. *Ibid.*, p. 50-51.

329

la croissance démographique du déchet », en précisant tout de même, parce que l'on ne peut pas écrire n'importe quoi dans la France de 1964, « non par des massacres, mais par des procédés d'eugénique [145] »? Sinon la même chose avec d'autres mots.

La grande innovation par rapport à la doctrine originelle du national-socialisme est la substitution de ce que Venner et ses amis appellent un nationalisme « unioniste » au nationalisme traditionnel, baptisé « séparatiste ». Traduisons : le temps des nations française, allemande, anglaise, etc. est passé; le moment est venu de promouvoir un « nationalisme européen », fondé sur l' « héritage occidental [146] ». Par rapport aux idées et aux sentiments qui animaient certains collaborationnistes français du temps de guerre, intellectuels ou lansquenets de la LVF, il s'agit moins d'ailleurs d'une innovation que de la théorisation, sur une base raciale, du mythe récurrent de la Croisade. Une croisade sans croix, car *Europe-Action*, en servante zélée de la « civilisation aryenne », penche nettement du côté de la symbolique païenne.

Une différence cependant, c'est que l' « Europe » dont l'organe néo-fasciste veut faire la patrie des « révolutionnaires » ne se limite pas aux frontières du vieux continent. « Pour nous, l'Europe est un cœur dont le sang bat à Johannesbourg et à Québec, à Sydney et à Budapest, à bord des blanches caravelles et des vaisseaux spatiaux, sur toutes les mers et dans tous les déserts du globe [147]. » En d'autres termes, c'est la « civilisation blanche », dont la supériorité est d'abord justifiée par sa capacité à « fournir des moyens certains de domination sur le milieu physique », puis définie par des critères « anthropologiques », « biologiques », « génétiques », classiquement repris par les pères fondateurs et repeints aux couleurs de la modernité.

Lorsque *Europe-Action* cesse de paraître, à la fin de 1966, les bases doctrinales de ce qui deviendra quelques années plus tard la « nouvelle droite » se trouvent ainsi posées. Quant au mouvement qui s'est constitué autour de la revue de Dominique Venner, il a éclaté deux ans plus tôt, sous la pression conjuguée de ceux qui lui reprochent son intellectualisme et sa passivité, et ceux qui, comme Pierre Sidos [148], lui font grief d'être « antichrétiens, apatrides, matérialistes, en somme hérétiques [149] ». C'est de ce désaccord fonda-

145. *Ibid.*, juillet-août 1964, p. 20. Textes cités par J. Algazy, *op. cit.*
146. *Ibid.*, p. 3.
147. *Ibid.*, p. 13.
148. Ce dernier, emprisonné du fait de ses activités au sein de l'OAS, avait été libéré en octobre 1963.
149. *Le Monde*, 16-2-1964. Cité in J. Algazy, *op. cit.*, p. 286.

mental entre deux conceptions différentes du nationalisme et du « fascisme », aggravé par des rivalités de personnes et de chapelles très caractéristiques de l'ultra-droite, et de la scission qui a suivi, qu'est né en avril 1964 le mouvement Occident.

D'abord animé par Pierre Sidos, puis par les adversaires de ce dernier – Philippe Asselin, Alain Robert, Alain Madelin, François Duprat (de retour d'une « mission » auprès de Tschombé au Katanga) – après qu'il eut été exclu de sa propre organisation, ce groupe activiste recruté essentiellement en milieu étudiant et qui, à son apogée, ne rassemblera guère plus de 1 500 ou 2 000 militants, va faire beaucoup parler de lui entre 1966 et 1968. Non par ses apports doctrinaux au néo-fascisme français, car il est à cet égard aux antipodes d'*Europe-Action*, mais par son extrême agressivité et sa volonté de disputer la rue et les temples du savoir aux communistes et aux gauchistes.

On trouve ses commandos engagés dans toutes les batailles rangées de l'époque, à un moment où la guerre du Vietnam a remplacé le conflit algérien comme thème mobilisateur de la croisade antimarxiste. En mai 1966, ils tentent d'empêcher les représentations des *Paravents* de Jean Genet, au théâtre de l'Odéon, la pièce étant jugée attentatoire à l'honneur de l'armée française [150]. A l'automne de la même année, ils organisent une série de raids contre le bastion gauchiste de Nanterre. Le 4 novembre 1966, pour le dixième anniversaire de la répression à Budapest, ils essaient de prendre d'assaut le siège du PCF, place Kossuth. En janvier 1967, ils s'en prennent aux membres des comités Vietnam de l'université de Rouen et sèment la panique sur le campus du Mont-Saint-Aignan, etc. N'oublions pas enfin que ce sont les affrontements entre Occident et apparentés [151] d'une part, et les organisations gauchistes d'autre part, à Nanterre puis au quartier Latin, qui sont à l'origine directe de l'explosion de mai 1968. Assez discret pendant les « événements » – sauf au début où il a, si l'on en croit Duprat, fortement soufflé sur les braises [152], puis à la mi-mai, avec une tentative infructueuse de « reprise » de Sciences-Po – Occident sera dissous en novembre 1968 à la suite du plastiquage d'une librairie maoïste.

---

150. Une constante dans l'histoire de l'extrême droite. Octobre 1935 : Camelots du Roi et étudiants ligueurs « pacifistes » font le coup de poing avec leurs homologues d'extrême gauche lors des représentations de *La Guerre de Troie n'aura pas lieu* de Giraudoux. Mai 1952 : bagarres entre jeunes « communistes » et jeunes « fascistes » pour la première du *Colonel Foster plaidera coupable* de Roger Vailland. Mai 1966 : bataille autour des *Paravents* de Genet.

151. Rassemblés au sein du Front uni de soutien au Sud-Vietnam de Roger Holeindre.

152. F. Duprat, *Les Mouvements d'extrême droite...*, *op. cit.*, p. 158-160.

331

Ainsi, de 1963 à 1968, pendant les belles années de la république gaullienne, l'extrême droite fascisante se trouve-t-elle aux prises avec d'énormes difficultés qu'expliquent le retour au calme en métropole, la bonne santé de l'économie, l'audience que le parti au pouvoir obtient auprès de la majorité des possédants, des représentants des classes moyennes, d'une partie du monde ouvrier, et aussi les rivalités qui opposent les leaders des groupuscules néo-fascistes et néo-vichystes.

A l'approche des présidentielles de 1965, ceux-ci ont pourtant essayé de rassembler leurs forces pour envoyer à la bataille électorale un candidat « commun », capable à défaut d'autre ambition de mettre en ballottage le général de Gaulle. A l'instigation de Jean-Marie Le Pen fut créé dès 1963 un « Comité d'initiative pour une candidature nationale » qui, après avoir hésité entre Alain de Lacoste-Lareymondie et Jean-Louis Tixier-Vignancour, désigna l'ancien avocat de Pétain, de Salan et de Bastien-Thiry. La campagne fut menée avec vigueur par l'excellent orateur qu'était l'ex-secrétaire général adjoint à l'information du gouvernement de Vichy. Des « comités T.V. » essaimèrent dans toute la France et il fut organisé, dans le courant de l'été 1965, une « tournée des plages » qui eut un certain succès. Au début, le candidat de l' « opposition nationale » se plaça résolument sous la bannière de l'ultra-droite. Son premier meeting à la Mutualité se tint devant un parterre où les jeunes gens en blouson noir et crâne rasé n'étaient pas les moins nombreux. Peu à peu cependant, Tixier voulant élargir sa base commença à donner des gages aux centristes, faisant applaudir par ses « plagistes » le président du Sénat Gaston Monnerville et le chef du CNR Jean Moulin! Sans autre résultat tangible que de s'aliéner à la fois les caciques de la droite modérée et les néo-fascistes intransigeants.

Précédent intéressant, en ce sens qu'il nous révèle un Jean-Marie Le Pen omniprésent, tout prêt à troquer son statut d'activiste contre celui d'un fédérateur de la droite extrême et de leader d'un grand parti national ratissant large et prenant une partie de leurs voix aux formations gouvernementales. Pour qu'il parvienne à ses fins, il faudra encore beaucoup de temps. Il faudra surtout que change de manière radicale une conjoncture qui, pour l'instant, demeure favorable aux gaullistes et à leurs alliés. Les résultats du premier tour des élections présidentielles de décembre 1965 sont à cet égard significatifs. De Gaulle a été mis en ballottage, mais par la gauche et par Jean Lecanuet plutôt que par Tixier-Vignancour qui ne recueille que 5,27 % des suffrages (1 253 958 voix), alors qu'il avait assuré en avoir de 18 à 22 %, et être élu au second tour! A une exception près

Le vote " Tixier "
au premier tour des présidentielles de 1965
le 5 décembre 1965

Source : C. LELEU, *Géographie des élections françaises depuis 1936*, Paris, PUF, 1971.

plus de 7,5

5,5 à 7,5

3,4 à 5,4

1,3 à 3,3

(l'Indre-et-Loire), les bastions tixiéristes sont au sud de la Loire, et les gros bataillons de ses électeurs, l'ancien avocat du maréchal Pétain les a trouvés dans les départements du Midi où l'extrême droite est traditionnellement forte et où les rapatriés d'Algérie sont le plus nombreux. Un résultat sans surprise donc, sinon pour ceux de ses partisans qui continuent de penser que l'ennemi principal est à gauche et qui apprennent le 6 décembre que Tixier votera au second tour pour François Mitterrand.

Épilogue de cette montée en ligne de la droite extrême, s'achevant en baroud d'honneur électoral : tandis que les néo-fascistes de la FEN, de la FER (Fédération des étudiants réfugiés) et d'*Europe-Action* tentent de s'organiser en un Mouvement nationaliste du progrès (MNP), qui n'obtient aucun siège aux législatives de 1967 [153], les nostalgiques de Vichy, regroupés autour de Tixier-Vignancour et de son Alliance républicaine [154], achèvent de se positionner au centre droit de l'éventail politique. Sans le moindre succès. Tixier est battu à Toulon et l'extrême droite, toutes tendances mêlées, n'obtient pas plus de 200 000 voix. Dix ans après Poujade, cinq ans après la fin de la guerre d'Algérie, la revanche de la Libération paraît bel et bien enterrée.

153. Sous l'étiquette Rassemblement européen de la liberté (REL).
154. Le secrétaire général de cette formation dont le nom exact est Alliance républicaine pour les libertés et le progrès est Alain de Lacoste-Lareymondie.

6
Crise et nostalgies totalitaires : néo-fascisme et néo-nazisme depuis la fin des années 60

L'explosion de mai 1968 et la crainte que les excès gauchistes ont inspirée à une partie de l'opinion n'ont pas produit en France de réaction extrémiste dont l'ultra-droite aurait pu tirer profit pour prendre un nouveau départ.

D'abord, les néo-fascistes et apparentés ont été peu présents, nous l'avons constaté, dans les affrontements des premières semaines. Ensuite, les gaullistes ont tenu bon et, après le 30 mai, c'est autour d'eux que s'est organisé le « parti de l'ordre ». Du coup, un certain nombre d'activistes vont rejoindre leurs rangs, par le biais des Comités de défense de la République (CDR), faisant taire leurs rancœurs au nom de l'union contre le communisme et inclinés en ce sens par les gestes d'apaisement du gouvernement : Georges Bidault est autorisé à rentrer en France et plusieurs dirigeants de l'OAS (en particulier les généraux Salan et Jouhaux) sont libérés.

« Combien de nationaux, écrit François Duprat, éternels dupes de la politique, dans les colonnes qui défilent le 30 mai? Combien de nostalgiques du maréchal Pétain, combien de partisans de l'Algérie française, d'épurés de 44, d'admirateurs de Bastien-Thiry, parmi ces masses humaines qui sauvent de Gaulle sous les drapeaux à Croix de Lorraine [1]? »

Nombreux sont ceux qui, au lendemain des « événements », choisissent de rejoindre la majorité, tout en cherchant à tirer celle-ci vers la droite. Ils apportent leur contribution au raz de marée gaulliste des 23 et 30 juin. Ils disent non au général le 27 avril, mais oui à Georges Pompidou [2] six semaines plus tard. Tandis que

1. F. Duprat, *Les Mouvements d'extrême droite..., op. cit.,* p. 163.
2. L'extrême droite lui savait gré d'avoir obtenu en 1962 la grâce du général Jouhaud, condamné à mort.

335

Jean-Louis Tixier-Vignancour et son Alliance républicaine font bloc au second tour derrière l'ancien Premier ministre, seuls quelques antigaullistes irréductibles, dont Jacques Isorni, préfèrent donner leur voix au président du Sénat, le centriste Alain Poher. Blanc bonnet, bonnet blanc : du côté des politiques et des anciens vichystes, l'heure est au ralliement et à la fusion au sein de la constellation majoritaire.

La rue et les urnes

Du côté des jusqu'au-boutistes, la situation est catastrophique. La dissolution du mouvement Occident en novembre 1968 a porté un rude coup au néo-fascisme et les quelques organisations qui survivent ne rassemblent plus, semble-t-il, que quelques centaines de militants désabusés à la fin de 1969. Le plus important, par ses effectifs et son influence dans les facultés de droit, est le GUD (Groupe Union-Droit, puis Groupe d'union et de défense), d'Alain Robert et Gérard Longuet, très vite bien implanté à Assas et dans quelques « facs » juridiques de la périphérie parisienne [3]. Comme Occident, dont il est plus ou moins directement issu, il ne paraît pas préoccupé à l'excès de renouvellement doctrinal et consacre l'essentiel de son activité à l'affrontement avec les gauchistes. Il en est de même des autres organisations activistes : l'Action nationale, de Jean-Gilles Malliarakis, dont la base militante (axée sur l'Institut d'études politiques de Paris) ne dépasse guère la trentaine de militants [4], les Jeunesses patriotes et sociales, de Roger Holeindre, et l'Œuvre française de Pierre Sidos, devenu le barde de l'antisionisme après avoir vainement tenté d'obtenir en 1969 les signatures nécessaires pour être candidat aux présidentielles. Une première tentative de regroupement de ces groupuscules rivaux sera faite par Holeindre, sous la forme d'un Parti national populaire ouvert à toutes les tendances « nationales ». Ce sera un fiasco complet.

C'est à l'automne 1969 que l'extrême droite néo-fasciste, jusqu'alors complètement marginalisée, recommence à faire parler d'elle. A cette date, la « menace révolutionnaire » – s'il y eut jamais risque semblable dans le psychodrame de mai 68 – s'est dissipée, avec l'effritement des mouvements gauchistes et la stabilisation tous

3. Essentiellement Sceaux, Clichy et Clignancourt.
4. F. Duprat, *op. cit.*, p. 181.

336

azimuts de la France pompidolienne. Restent la « rue » et les « facs » à reprendre aux extrémistes de gauche et aux formations majoritaires du mouvement étudiant, afin de retrouver une base militante qui s'est volatilisée et de « vendre » au pouvoir – que l'on combat verbalement, mais dont on utilise parfois la mansuétude complice – une fonction de franc-tireur de l'ordre, qui a souvent été, en France comme ailleurs, l'apanage de l'ultra-droite. Ce n'est jamais, rappelons-le, au moment du plus grand « danger » que se développent les organisations terroristes visant à la liquidation des « révolutionnaires », mais après la grande peur que ceux-ci ont engendrée, dans la perspective de ce qu'Angelo Tasca a appelé, appliqué à l'Italie des années 1921-1922, une « contre-révolution posthume et préventive [5] ». Non que la France post-soixante-huitarde soit en quoi que ce soit grosse d'une Marche sur Rome mais, réduit à ses proportions de bataille autour du « pouvoir étudiant », c'est un peu le même phénomène qui joue.

Le mouvement Ordre nouveau, qui est fondé en novembre 1969 et qui va constituer, par son agressivité et sa présence sur le terrain, le fer de lance du néo-fascisme français jusqu'à sa disparition en 1973, se structure en effet autour du GUD d'Alain Robert, de son bastion de l'université d'Assas et d'anciens responsables d'Occident. Parmi ses principaux animateurs, on trouve cependant des représentants de toutes les générations de l'ultra-droite : de vieux collaborationnistes comme Pierre Clémenti, fondateur en 1940 du Parti national collectiviste et engagé volontaire dans la LVF, d'ex-poujadistes comme Gabriel Jeantet, ancien directeur de *Fraternité française*, des dissidents de l'Alliance républicaine comme maître Jean-François Galvaire, des rescapés de l'activisme Algérie française comme Duprat, des « néo-vichystes » de la première heure comme François Brigneau [6], devenu rédacteur en chef de l'hebdomadaire *Minute*, ou encore des ténors de la nouvelle vague nationaliste comme Malliarakis.

Les débuts sont tumultueux et les orientations équivoques. Le cinéma dans lequel aurait dû se tenir la première réunion d'Ordre nouveau ayant été détruit par un attentat à la bombe, c'est dans un jardin public voisin que Galvaire rassemble le 10 décembre 1969 les quelque deux cents sympathisants du mouvement [7]. Pendant les

5. A Tasca, *Nascita e avvento del fascismo*, Florence 1950; trad. française : *Naissance du fascisme*, Paris, Gallimard, 1967.
6. On rencontre celui-ci, dès le lendemain de la guerre, dans le sillage de *Paroles françaises*, où il figure parmi les éléments durs.
7. F. Duprat, *op. cit.*, p. 193.

337

semaines suivantes, les troupes de choc de la nouvelle organisation disputent aux gauchistes, avec des effectifs réduits mais d'une agressivité extrême, quelques sorties de lycée au quartier Latin, ainsi que les bâtiments de Nanterre et d'Assas. La violence est dans les deux camps mais, très vite, les jeunes militants d'Ordre nouveau, armés de barres de fer et de casques de motards, prennent l'initiative d'expéditions punitives contre les organisations étudiantes, sans faire le tri entre celles qui se réclament ou non du marxisme révolutionnaire. L'ambiguïté est totale car au même moment Jean-François Galvaire en appelle à l'unité de l' « opposition nationale », condamne la violence des « incontrôlés » et fixe comme objectif à ses partisans de « s'insérer peu à peu dans le pouvoir [...] par le jeu de la démocratie parlementaire [8] ». Un double jeu, dont la leçon est à méditer et qui est calqué sur celui que pratique alors depuis des années le MSI de Giorgio Almirante : celui de l'antigauchisme activiste et volontiers provocateur, et celui de l'action politique à vocation électoraliste.

Finalement, lorsque se tient le 13 mai 1970 à la Mutualité le meeting d'ouverture du congrès constitutif, au centre d'un quartier Latin quadrillé par la police [9], c'est devant plus de 3 000 personnes que les tribuns de la « nouvelle extrême droite » font applaudir leurs appels à la guerre civile. Le masque en effet est partiellement jeté. Certes, on ne se réclame pas ouvertement du fascisme, moins encore de l'idéologie nazie, mais lorsque les délégués du MSI sont entrés dans la salle, beaucoup se sont levés pour saluer, le bras tendu. Après quoi, on fait un triomphe à Malliarakis lorsqu'il dénonce les « crimes de l'épuration » et cite pêle-mêle Brasillach, Céline, Pétain, Darnand et José-Antonio Primo de Rivera. Puis c'est au tour de François Brigneau d'être acclamé lorsqu'il déclare : « Il faut faire un parti révolutionnaire, blanc comme notre race, rouge comme notre sang, vert comme notre espérance. Avec nos chants retrouvés et nos feux rallumés, tout recommence. » Et Galvaire, qui a décidément pris ses distances avec lui-même, conclut qu'il faudra un jour « faire les comptes et peut-être dresser des poteaux d'exécution ». En attendant, c'est le « nettoyage » de la France en proie au « chancre rouge » qui est à l'ordre du jour, car « les égouts dégorgent et la canaille remonte [10] ».

8. Cité in A. Rollat, *Les Hommes de l'extrême droite*, Paris, Calmann-Lévy, 1985, p. 49.
9. On dénombre plus de 4 000 policiers qui balaieront les 400 à 500 gauchistes venus pour affronter le service d'ordre de l'organisation nationaliste.
10. Citations extraites d'A. Rollat, *Les Hommes de l'extrême droite, op. cit.*, p. 50-51.

338

Après le meeting du 9 mars 1971 au Palais des Sports de la porte de Versailles – qui a donné lieu à de très violents affrontements avec le service d'ordre de la Ligue communiste –, on s'apercevra que les « chants retrouvés » et les « feux rallumés » s'apparentent davantage au rituel nazi qu'à celui des veillées scoutes. Mais les dirigeants d'Ordre nouveau peuvent toujours dire qu'ils ne sont pas maîtres des réactions de leur public, comme des actions de représailles exécutées par les escouades armées agissant sous le label de la croix celtique ; et c'est parfois vrai. Les disciples de Sidos, les sections d'assaut du GAJ (Groupe Action-Jeunesse) – lié au mouvement Jeune Révolution –, et bien d'autres groupuscules activistes, gardent leur distances à l'égard d'Ordre nouveau, en rajoutent fréquemment en violence par rapport à lui et ne font qu'un pour le public et pour les médias avec l'organisation de Galvaire. Il n'en reste pas moins que celle-ci draine bon nombre de nostalgiques de l'ordre hitlérien et de la croisade antibolchevique, sans pour autant partager le délire des authentiques formations néo-nazies, qu'elle se démarque de ce qu'elle-même considère comme l'« extrême droite traditionnelle », et qu'elle se veut « révolutionnaire » et subversive.

« La Révolution, peut-on lire en 1972 dans son organe hebdomadaire, *Pour un Ordre nouveau*, consiste à détruire totalement l'ancien régime et à réaliser intégralement l'Ordre nouveau. Nous sommes de vrais révolutionnaires car nous sommes décidés à aller jusqu'au bout de cette nécessité, quoi qu'il puisse en coûter. Renversant le régime décadent et ses valets, transformant de fond en comble une société écroulée sous ses défauts et sous ses vices, nous bâtirons un Monde nouveau, un monde libéré de l'exploitation du travailleur, un monde de beauté, de courage et de justice [11]. »

Double jeu donc, et double discours, car au moment où il cherche ainsi à galvaniser ses adhérents les plus résolus en donnant verbalement l'assaut de la république pompidolienne, Ordre nouveau se prépare aux échéances électorales de 1973. Au printemps 1972, le mouvement néo-fasciste italien a réalisé son meilleur score depuis sa fondation en 1946 – 8 % des suffrages et une forte percée à Rome (18 %) et dans les régions déshéritées du Sud – en pratiquant le double langage et en se présentant auprès des possédants et des classes moyennes comme le garant de l'ordre social et la seule alternative sérieuse à l'immobilisme des partis de gouvernement. C'est de cette stratégie et de ce modèle que se réclament les dirigeants d'Ordre nouveau. Le « programme » qu'ils élaborent à

---

11. *Pour un Ordre nouveau*, mars 1972.

339

l'occasion de leur congrès préélectoral de juin 1972 [12], quoique s'affirmant « anticapitaliste, antilibéral et antimarxiste » n'a rien de spécifiquement révolutionnaire : il se prononce pour un régime présidentiel, pour une réforme de l'école et de l'administration, pour un réaménagement territorial de la France, pour une industrialisation stimulée par l'État mais ne portant pas atteinte aux intérêts privés, pour une défense des petites entreprises qui ne soit pas exclusive de la modernisation des circuits de distribution, pour une « troisième voie européenne » qui ne soit pas celle des « Internationales » racistes. Beaucoup de contradictions, on le voit, dans ces « propositions pour un programme de gouvernement nationaliste et populaire », et pas grand-chose qui permette aux éventuels électeurs de les distinguer de celles des formations majoritaires. Sinon qu'il s'agit d'un pur rideau de fumée démagogique et que l'essentiel est ce qui se passe dans la rue.

Or, à ce niveau, et tandis que s'activent avec d'autres dirigeants d'extrême droite les négociations qui vont aboutir en octobre 1972 à la création du Front national, les violences n'ont pas cessé, bien au contraire. Si bien qu'en juin 1973, à la suite d'affrontements sévères entre les militants de la Ligue communiste et ceux d'Ordre nouveau, le gouvernement décide de dissoudre les deux organisations, donc de mettre un terme aux activités du mouvement de François Duprat et Alain Robert (maître Galvaire a été débarqué du Bureau politique deux ans plus tôt). Clin d'œil au futur. Alors qu'il n'y a encore ni choc pétrolier, ni crise, ni chômage, ni « insécurité », le meeting qui est à l'origine de la dissolution d'Ordre nouveau a pour thème la dénonciation des méfaits de l' « immigration sauvage ».

A la veille de sa disparition, l'organisation néo-fasciste rassemble près de 5 000 militants, en majeure partie basés dans la région parisienne. Les jeunes de 18-25 ans représentent la moitié de l'effectif et l'on compte environ 40 % d'étudiants, 17 % de lycéens, 15 % d'employés et de cadres, 7 % de petits commerçants, artisans et représentants des professions libérales. Malgré les appels à la mobilisation populaire, les ouvriers d'usine et les agriculteurs sont à peu près absents, de même que le monde des affaires pour qui le gaullisme pompidolien est à cette date une garantie suffisante d'ordre. Le mouvement dispose d'un organe hebdomadaire (mensuel jusqu'au début de 1972), *Pour un Ordre nouveau*, et bénéficie du soutien inconditionnel de *Minute*. En outre, il a une filiale lycéenne, l'Union lycéenne nationaliste (ULN) et a commencé à se chercher

12. *Ibid.*, juin 1972.

une clientèle prolétaire (plutôt du côté de Poissy que de Billancourt) en créant l'Union générale des travailleurs. Il s'agit donc d'une organisation qui n'est pas sans consistance, ce qui la distingue de toutes les autres formations de l'ultra-droite depuis 1962. En revanche, les scores électoraux ne sont pas très encourageants. Dans deux élections partielles en 1970, dans le XIIe arrondissement de Paris (fief du général de Bénouville) et dans la 2e circonscription de Bordeaux, où s'affrontent le suppléant de Chaban[13] et JJSS, les candidats d'Ordre nouveau obtiennent respectivement 3,13 % et 0,52 % des voix.

La guerre des chefs

Pendant une dizaine d'années, de 1973 à 1982, l'extrême droite nationaliste et fascisante connaît une évolution extrêmement contrastée. D'une part, comme nous le verrons dans le prochain chapitre, elle réalise une percée inattendue dans le champ, jusqu'alors monopolisé par la gauche, de l'idéologie et de la culture. D'autre part, elle échoue complètement dans l'effort qui est fait par ses dirigeants pour tenter de regrouper les forces dispersées du nationalisme français en un courant unique, capable de rassembler sur des mots d'ordre musclés une clientèle hétéroclite de déçus de la droite et de la gauche.

L'instrument de cette reconquête des masses, l'ultra-droite croit l'avoir trouvé lorsque se constitue, en octobre 1972 autour de Jean-Marie Le Pen[14], le Front national. Fait significatif, l'initiative ne vient pas de Le Pen mais des dirigeants d'Ordre nouveau qui sont conscients de l'impossibilité dans laquelle se trouve leur mouvement d'élargir sa clientèle, compte tenu de l'image subversive dont il est porteur. L'ancien lieutenant du 1er régiment étranger de parachutistes n'est pas un champion de la démocratie parlementaire. Il a, depuis 1950, participé à tous les combats de l'extrême droite, y compris les plus violents. Il a été un défenseur ardent de l'Algérie française, après avoir été élu en 1956 sous l'étiquette poujadiste. Mais il n'est pas à proprement parler un ultra, encore moins un *fasciste*, alors que les principaux dirigeants d'Ordre nouveau ne

13. Jacques Chaban-Delmas étant devenu Premier ministre.
14. Sur la trajectoire de J.-M. Le Pen, voir le dernier chapitre du présent ouvrage.

341

peuvent répudier toute filiation avec le totalitarisme brun. La trajectoire de Le Pen l'apparente davantage à la tradition ligueuse, au nationalisme tapageur des JP ou des Croix-de-Feu, et c'est à bien des égards la raison pour laquelle les promoteurs de la nouvelle formation l'ont poussé à la présidence du Front national, sa réputation de « modéré » (tout est relatif!) le prédisposant à leurs yeux à jouer un rôle de fédérateur.

Dans l'immédiat, il s'agit en effet d'affronter en ordre serré les législatives de mars 1973, à plus long terme de réunifier les familles concurrentes de l'opposition nationale, ou du moins ce qu'il en reste après les ralliements en masse de l'après-1968. Parmi les pères fondateurs du mouvement, figurent à côté de François Brigneau (vice-président), Alain Robert (secrétaire général), François Duprat, professeur d'histoire, collaborateur de *Défense de l'Occident*, animateur avec Alain Renault des *Cahiers européens* et éditeur de la *Revue d'histoire du fascisme*, d'anciens membres de l'OAS comme Roger Holeindre, responsable du service d'ordre de Tixier-Vignancour lors de la campagne pour les présidentielles de 1965, des membres du mouvement Justice et liberté (de Georges Bidault), des monarchistes, des représentants de quelques groupuscules nationalistes, ainsi que Jean-Marie Le Pen, bien sûr, président, son ami Pierre Durand, directeur de la SERP (éditrice, quelques années plus tôt, des *Chants de la Révolution allemande*) [15], et Pierre Bousquet, secrétaire général du Mouvement nationaliste du progrès (trésorier). La droite ultra-réactionnaire et les nostalgiques de Vichy coexistent donc dans le Front national avec d'authentiques néo-fascistes prônant la création d'une « troisième force » européenne et révolutionnaire. Dans la continuité d'Ordre nouveau, le modèle choisi est le MSI d'Almirante, qui vient nous l'avons vu de réaliser son score « historique » aux législatives italiennes du printemps 1972 et est en passe de se transformer en formation ultra-conservatrice. L'emblème adopté par le Front national, la flamme tricolore, est d'ailleurs copié sur celui de la formation « néo-fasciste » italienne : seules les couleurs changent.

Dans un premier temps, ce sont les dirigeants d'Ordre nouveau qui tirent les ficelles et Le Pen qui parle au nom de la nouvelle formation. Il parle bien, dans la tradition national-populiste d'un Morès ou d'un Doriot. Il excelle déjà à réveiller de vieilles lubies de

15. La Société d'études et de relations publiques, une petite affaire d'édition de disques montée en association par J.-M. Le Pen et Pierre Durand, a été poursuivie en 1965 à la suite de la mise en vente de ce disque qui contenait des discours d'anciens chefs nazis, des hymnes et des marches militaires.

la France profonde, la France aux Français, l'invasion métèque, le « déclin », « les voleurs à la porte », etc. Mais en même temps il prend soin de rassurer les défenseurs de l'ordre. « Nous ne sommes pas partisans, déclare-t-il, de la politique du pire. » Le désordre, c'est le gaullisme, parce qu'il est devenu le fourrier du marxisme et l'antichambre du pouvoir pour les « socialo-communistes ». A peu de chose près, c'est déjà le discours de 1984, mais il est administré à une France prospère, stable, ignorante de la crise qui la menace et que va révéler le premier choc pétrolier.

Si bien que les élections de mars 1973 sont loin d'apporter à Jean-Marie Le Pen et à ses amis – à Paris, sur 31 candidats du FN, 20 sont membres d'Ordre nouveau – les mêmes satisfactions qu'à leurs homologues transalpins. Toutes tendances mêlées, l'extrême droite n'obtient guère plus de 2 % des suffrages, le Front national 2,3 % en moyenne dans les 104 circonscriptions où il était présent [16], et Jean-Marie Le Pen lui-même 5,20 % des voix dans le XVe arrondissement de Paris.

Il n'en faut pas davantage pour rallumer la querelle des chefs, entre réactionnaires et néo-fascistes, activistes et politiques, révolutionnaires et passéistes, Jean-Marie Le Pen étant lui-même affublé de cette dernière épithète par ses partenaires-adversaires. Parmi ceux-ci, figurent en bonne place de nombreux dirigeants d'Ordre nouveau, que la dissolution de leur mouvement en juin 1973 incline à faire un choix déchirant : se lancer dans une nouvelle aventure activiste, alors que l'expérience a montré à quel point ce type d'engagement était rejeté par la masse des Français, ou devenir les porteurs de serviette du président du Front national. Le Pen tient en effet désormais bien en main le parti et ne cache pas sa volonté de l'utiliser à des fins personnelles, à l'occasion des futures échéances électorales.

Ceux qui choisissent dans ces conditions de rompre avec l'ancien député poujadiste, comme Alain Robert et François Brigneau, se regroupent dans un premier temps au sein des comités « Faire front », une minuscule formation extrémiste dans laquelle on retrouve bientôt la majeure partie des cadres d'Ordre nouveau. Pendant la campagne pour les présidentielles de 1974, ce sont les militants de ces « comités » qui assurent, moyennant finances et « sans illusion [17] », le collage d'affiches et le service d'ordre de Valéry Giscard d'Estaing. L'antigaullisme y est pour quelque chose, mais aussi le souci de

16. Soit environ 100 000 voix.
17. « Sans illusion et sans adhésion politique » expliqueront plus tard Alain Robert et ses amis qui assurent avoir simplement voulu « gagner de l'argent ». Cf. A. Rollat, *Les Hommes de l'extrême droite, op. cit.*, p. 65.

343

rompre avec l'activisme pur et dur afin de trouver une place dans la nouvelle coalition majoritaire. Peu à peu, l'idée que le temps des barres de fer est passé fait son chemin chez ces anciens baroudeurs de la droite extrême en quête de respectabilité et d'un instrument de contestation du système qui leur permette d'une certaine manière de s'y intégrer.

De ces mobiles ambigus est né, en novembre 1974, le Parti des forces nouvelles. Autour du noyau constitué par les anciens d'Ordre nouveau, Alain Robert, François Brigneau – qui apporte avec lui le soutien logistique de *Minute* –, et aussi Jean-François Galvaire qui fait ici sa réapparition, se rassemblent divers militants d'extrême droite comme José Bruneau de La Salle, Roland Gaucher, Thierry Buron, Gabriel Jeantet et un jeune agrégé d'histoire de vingt-cinq ans, Pascal Gauchon qui devient secrétaire général du parti et annonce aussitôt son intention d'en faire une formation « moderne » [18]. Sans grand succès il faut le dire. Du côté giscardien, on cherche maintenant à gouverner la France au centre, et l'on n'a que faire des mauvais sujets repentis qui gravitent autour du PFN et n'ont pas complètement renié leur goût pour le cérémonial et la rhétorique fascistes. Du côté chiraquien on est un peu moins allergique, après la rupture de 1976, aux alliances compromettantes et l'on ne s'indigne pas trop de voir les amis de Pascal Gauchon, Alain Robert et François Brigneau faire campagne pour l'ancien Premier ministre, dans la bataille pour la mairie de Paris. A condition qu'ils ne cherchent pas à faire de leur mouvement autre chose que ce qu'il est : une force d'appoint pour nuits de collage.

La respectabilité, Jean-Marie Le Pen cherche également à l'acquérir en aseptisant son discours, en gommant tout ce qu'il a pu avoir dans le passé de farouchement hostile aux institutions de la République, en s'appliquant à être « le porte-drapeau de la majorité silencieuse et bafouée ». La plupart des thèmes qu'il développe devant les téléspectateurs, en faisant patte de velours, lors de la campagne pour les présidentielles de 1974, ne se démarquent pas beaucoup de ceux que défendent les principales formations majoritaires, sauf sur quelques points : abrogation des accords d'Évian, constitution d'une armée de métier et (déjà!) réduction de l'immigration. Autrement dit, le président du Front national cherche de toute évidence à élargir son audience : de là un programme « attrape-tout » qui ne répugne pas aux formules ronflantes, sans grande

18. Il est à noter que lors du II⁰ congrès du PFN, en novembre 1976, le poste de secrétaire général est supprimé et remplacé par une direction collégiale tétracéphale : A. Robert, F. Brigneau, R. Gaucher et P. Gauchon.

consistance (« des Français solidaires et fraternels », « des citoyens libres et responsables », « un cadre préservé pour une vie plus belle », etc.), et mise sur la jovialité conviviale du locuteur.

Mais dans le même temps, le Front national, comme le PFN, reste marqué par ses origines néo-fascistes et par l'extrémisme d'une partie de sa base militante. En effet, tous les responsables d'Ordre nouveau ne sont pas passés du côté de la formation concurrente et les activistes restent nombreux dans les instances dirigeantes du mouvement lepéniste. On y retrouve l'ancien Waffen-SS Pierre Bousquet, l'ex-OAS Roger Holeindre, Alain Renault et François Duprat. Ce sont eux également qui forment une fraction importante de la base militante : anciens d'Ordre nouveau, survivants du Rassemblement européen pour la liberté groupés autour de la revue *Militant*, néo-fascistes de choc rassemblés autour de Duprat dans les Groupes nationaux révolutionnaires et qui conçoivent leurs rapports avec le Front national sur le modèle de ceux qui ont existé entre la SA et le parti nazi. Tout un programme! Aux marges du Front, en relation étroite avec les GNR de Duprat, les membres de l'organisation néo-nazie FANE (Fédération d'action nationale et européenne) de Marc Fredriksen – lequel ne se sépare de Le Pen qu'en 1978, après la disparition de François Duprat – et les activistes du GAJ (Groupes Action-Jeunesse), « solidaristes » convertis à l'action violente et qui contestent, dans les bastions universitaires de la droite, le monopole de la lutte « antigauchiste » aux membres du GUD, liés de leur côté au Parti des forces nouvelles.

On conçoit dans ces conditions que le discours lénifiant de l'ancien député poujadiste, candidat à la présidence de la République en 1974, ait eu quelque difficulté à rallier la majorité silencieuse, peu encline il est vrai à cette date aux aventures ultra-droitières. Résultat : au premier tour de l'élection présidentielle, le 5 mai 1974, Le Pen n'obtient que 0,74 % des suffrages exprimés (190 921 voix) et, pour le second tour, l'état-major du FN hésite avant de se prononcer pour Valéry Giscard d'Estaing (une forte minorité préconisant l'abstention). Si l'on y ajoute les voix de Bertrand Renouvin, dont il est déjà difficile de dire si elles sont ou non d'extrême droite, le score de l'opposition nationale ne dépasse pas 0,9 %.

Dès lors, les deux formations rivales se livrent une guerre d'usure qui, jusqu'en 1982, maintient la « droite nationale » dans une totale marginalité. Laquelle des deux est alors le plus à droite? Laquelle mérite davantage le qualificatif de « néo-fasciste », étant entendu que celui-ci n'est pas l'équivalent exact de *fasciste*, comme en témoigne l'exemple du MSI italien? L'une et l'autre ont leur contingent

345

d'ultras, leurs intellectuels nostalgiques et leurs troupes de choc : lors des législatives de 1978, les colleurs d'affiches des deux partis s'affronteront durement dans la capitale. L'une et l'autre gardent une certaine tendresse pour les grands rassemblements où resurgit volontiers la liturgie totalitaire. L'une et l'autre ont des liens avec leurs homologues étrangers et considèrent le parti de Giorgio Almirante – au demeurant déjà en déclin – comme un modèle. Pourtant, à l'approche des élections européennes de 1979, c'est le PFN qui passe contrat avec le MSI et avec Fuerza Nueva, l'organisation néo-franquiste de Blas Pinar, pour constituer des listes « Eurodroite », représentées pour la France par Jean-Louis Tixier-Vignancour, chef de file d'une équipe hétéroclite où l'on trouve tout, y compris un ressuscité de l'activisme algérois : Jo Ortiz. Peut-on dire que le parti de Pascal Gauchon et François Brigneau joue alors plus nettement que son rival le jeu de l'intégration à la classe politique? Cela a été vrai jusqu'en 1977. Depuis, la législation libérale adoptée par la coalition majoritaire (majorité à 18 ans, IVG) a fortement heurté l'état-major du PFN que les hommes au pouvoir tiennent d'ailleurs pour quantité négligeable. Néanmoins son hostilité au système est moins virulente que celle dont fait preuve la formation de Jean-Marie Le Pen, même si celle-ci effectue à partir de 1978 un virage visant à la transformer en un parti nationaliste réactionnaire et populiste acceptant (au moins verbalement et tactiquement) les règles du jeu parlementaire. C'est le moment où, après l'attentat contre François Duprat (tué le 18 mars 1978 dans l'explosion de sa voiture, sans que les responsables du meurtre, probablement des militants d'une organisation rivale, aient jamais été identifiés) [19], les ultras des comités nationaux-révolutionnaires sont éliminés du Front, tandis que Fredriksen et les siens « reprennent leur liberté » et que croît à l'intérieur du parti l'influence des « solidaristes », regroupés derrière Jean-Pierre Stirbois.

C'est également le moment où les deux formations gomment dans leur discours tout ce qu'il peut avoir de trop agressivement « révolutionnaire », et tendanciellement fasciste, pour revenir aux thèmes traditionnels de la droite réactionnaire : l'anticommunisme élargi aux « complices du Goulag » que sont les autres signataires du programme commun de gouvernement, l'antiétatisme élevé à la dignité d'une religion, le maintien de la peine de mort, une politique nataliste

19. Ce qui n'a pas empêché Jean-Marie Le Pen de récupérer l'événement en dénonçant dans *Le National* « certain lobby bien précis, soucieux exclusivement d'intérêts tout autres que ceux de la France et du peuple français ».

346

et familiale passant entre autres par l'abrogation de la loi Veil (l' « avorteuse » Veil, l'une des bêtes noires de la droite extrême), et bien sûr le barrage mis à l' « invasion étrangère ».

Rien de tout cela ne passe encore la rampe dans la France giscardienne, déjà très fortement touchée par la crise, par le chômage, par les effets sociaux d'une désindustrialisation qui affecte tout particulièrement les régions urbanisées à forte proportion de main-d'œuvre immigrée, mais qui ne paraît pas encore prête à rendre la classe politique et les détenteurs du pouvoir responsables de ses maux. Aux législatives de 1978, le Front national ne rassemble que 0,83 % des voix contre un peu plus de 1% au Parti des forces nouvelles [20]. Aux élections européennes de juin 1979, la liste du PFN, conduite par l'ancien avocat de Pétain, flanqué de Pascal Gauchon et d'Alain Robert, obtient 1,3 % des suffrages exprimés, tandis que Le Pen, qui a vainement essayé au dernier moment d'établir une liste commune avec ses anciens amis – sous la houlette de l'écrivain Michel de Saint-Pierre [21] – se réfugie après l'échec de cette combinaison dans une opposition boudeuse.

Enfin, aux présidentielles de 1981, ni l'un ni l'autre des deux représentants de l'extrême droite, Jean-Marie Le Pen qui aspire explicitement à devenir « le Reagan de la France », Pascal Gauchon qui entend pour sa part incarner en une seule personne le style de Michel Rocard et la pensée du Bavarois Strauss [22], ne réussit à recueillir les 500 signatures exigées par la loi pour faire officiellement acte de candidature. Les élections législatives de juin, remportées par la gauche pour la première fois de l'histoire de la Ve République, confirment la complète déconfiture de l'opposition nationale [23], en passe, semble-t-il, de disparaître de l'horizon politique français.

20. Le Front national avait présenté 137 candidats, contre 89 au PFN. Dans le Ve arrondissement de Paris, Le Pen obtint 3,91 % des suffrages exprimés. Duprat en recueillit 0,74 % en Seine-Maritime, J.-P. Stirbois 2,02 % en Eure-et-Loir.
21. Le numéro deux de la liste était Tixier-Vignancour, le numéro trois Jean-Marie Le Pen. Pierre Jonquères d'Oriola, médaillé d'or d'équitation à Mexico, venait en quatre-vingt-unième position.
22. Cf. A. Rollat, Les Hommes de l'extrême droite, op. cit., p. 78-79.
23. Sauf dans quelques cas très ponctuels, l'extrême droite régresse en voix et en pourcentages par rapport au scrutin de 1978. C'est J.-M. Le Pen qui réalise le meilleur résultat, avec 4,38 % des suffrages dans le XVIIe arrondissement de Paris.

Plus isolés encore apparaissent pendant cette décennie les autres courants de l'ultra-droite, non directement impliqués dans le jeu politique français et dont la relative intégration au courant électoraliste (Front national, PFN) nourrit précisément le radicalisme doctrinal et activiste. Ce n'est le cas ni du néo-monarchisme gauchisant et généreux de Bertrand Renouvin et de la Nouvelle Action française, qu'il n'y a plus beaucoup de raisons aujourd'hui de classer à droite [24], ni de l'expression plus traditionnelle du royalisme que représentent, rassemblés autour de Pierre Pujo et de l'hebdomadaire *Aspects de la France*, ou du petit groupe de la Restauration nationale de Pierre Juhel, les derniers héritiers de l'Action française. Ni celui des monarchistes qui se sont éloignés de l'orthodoxie maurrassienne pour se rapprocher du néo-fascisme et qui expriment dans *Rivarol* leur très vive hostilité au système. Ici, la marginalité n'est que la conséquence d'une lente mort naturelle.

Il n'en est pas tout à fait de même du courant catholique intégriste. Celui-ci a eu en effet plutôt tendance à se renforcer depuis le concile de Vatican II, non pas à l'intérieur de l'Église de France, mais à côté d'elle et très largement contre elle. Ainsi se sont développées au moins deux tendances : celle des « modérés » qu'incarne par exemple l'association Credo, qu'a animée jusqu'à sa mort l'écrivain monarchiste Michel de Saint-Pierre, ou le mouvement des Silencieux de l'Église, fondé par Pierre Debray [25], et celle des « intégristes » proprement dits, qui n'a pas hésité à entrer en guerre avec la hiérarchie catholique. A cette seconde tendance se rattachent la Contre-Réforme catholique de l'abbé Georges de Nantes – pour qui le pape Paul VI était un hérétique! et qui se proclame ouvertement antilibéral et antisémite –, la Fraternité sacerdotale Saint Pie X, à Ecône, qui a été fondée en 1970 par Mgr Lefebvre, ancien archevêque de Dakar, assisté de Mgr Ducaud-Bourget [26] et de l'abbé Coache, organisateurs de l'occupation de l'église Saint-Nicolas-du-Chardonnet (la Fraternité compte aujourd'hui une centaine de milliers de fidèles et a essaimé dans 18 pays), ainsi que divers groupes et publications tels que *Lumière* de Robert Martel, *Pré-*

24. En 1987, la NAF a apporté son soutien à la campagne de la Ligue des droits de l'homme contre le projet de nouveau code de la nationalité.
25. Ce courant s'exprime également à travers le journal *L'Homme nouveau*.
26. Ancien chapelain de l'Ordre de Malte.

sent, Monde, Itinéraire (fondé en 1956 par Jean Madiran), etc. La Cité catholique de Jean Ousset fait également partie de cette constellation intégriste, mais elle a considérablement modéré son discours et son comportement en se transformant en Office international des œuvres de formation civique et d'action doctrinale, puis en Institut culturel et technique d'utilité sociale.

Cette brève présentation du milieu intégriste n'aurait guère sa place dans un chapitre consacré au néo-fascisme si certaines des organisations qui le composent ne constituaient à la fois un bouillon de culture d'où sont sortis nombre de jeunes militants passés ensuite à l'activisme d'ultra-droite (l'Action française ayant cessé de jouer ce rôle de matrice du fascisme), et si d'autre part il n'existait pas de liens organiques entre les croisés fanatiques de l'anticommunisme et de l'antilibéralisme que sont l'abbé de Nantes et certains des disciples de Mgr Lefebvre et les formations politiques de droite et d'extrême droite.

La trajectoire de Bernard Antony, dit Romain Marie [27], est à cet égard exemplaire. Cet ancien directeur des relations sociales d'une entreprise de produits pharmaceutiques et cosmétologiques a milité autrefois à la Fédération des étudiants de Toulouse, puis aux comités Tixier-Vignancour, avant de fonder en 1976 le mensuel *Présent*, « journal d'appel au rassemblement des énergies pour la chrétienté et des forces de résistance au totalitarisme ». Il est également à l'origine des comités Chrétienté-Solidarité et du centre Henri-et-André-Charlier, dont la direction spirituelle est assurée par un disciple de Mgr Lefebvre, l'abbé François Pozzetto, prieur à Lourdes, grand pourfendeur, dans ses sermons à Saint-Nicolas-du-Chardonnet, du communisme athée, du socialisme et des « avortoirs devenus obligatoires dans nos hôpitaux [28] ».

Les comités Chrétienté-Solidarité ont élaboré un programme en six points qui se situe dans le droit fil des aspects les plus réactionnaires de la révolution nationale. Il y est question de « défendre la famille » par le « refus de l'avortement » et de l' « étalage pornographique », d'assurer le « respect de l'identité française » par une politique de l'immigration prévoyant entre autres l'expulsion des « inactifs spécialisés », de « défense de 'a libre entreprise » par la « suppression des monopoles étatiques » et l' « abrogation de la loi sur la représentation syndicale », de rétablissement de la peine de mort, de « promotion des libertés scolaires » par la « désétatisation importante de l'enseigne-

27. Bernard Antony a choisi ses second et troisième prénoms pour se construire ce pseudonyme doublement symbolique.
28. Sermon prononcé le 14-11-1982.

349

ment », etc. Pour tenter de le faire adopter, Romain Marie et ses amis ont pratiqué l'entrisme dans certaines formations majoritaires, puis ont rejoint massivement le Centre national des indépendants et paysans (CNIP), devenu sous la houlette de Philippe Malaud une structure-refuge de l'extrémisme de droite (ancien OAS comme Pierre Sergent, ex-cadres d'Ordre nouveau et du PFN comme Alain Robert, etc.), enfin ils sont passés avec armes et bagages au Front national à la veille des élections européennes de 1984 et depuis, ils forment une composante importante de la formation lepéniste [29].

Fascistes les militants des comités Chrétienté-Solidarité? Certainement pas si on limite le *fascisme* à l'idéologie de son noyau dur, ou plus précisément de la composante gauchisante de ce noyau dur. Comme celles d'un Jean Ousset ou d'un Georges Sauge, les idées de Romain Marie et de ses séides s'enracinent dans un terreau qui est celui de l'ultracisme contre-révolutionnaire. Mais d'une part, le fascisme originel n'a jamais été qu'un moment fugitif dans l'histoire des « fascismes-mouvements » et des « fascismes-régimes », très tôt nourris d'autres composants, parmi lesquels, en Italie par exemple celui de la « Contre-Réforme ». D'autre part, ce n'est vraisemblablement pas d'un « fascisme » au sens propre du terme qu'est porteuse aujourd'hui toute une fraction de la société française, mais bien davantage d'un « remake » du vichysme, ce qui n'est guère plus réjouissant, et dans cette perspective le ralliement des hallucinés de la croisade pour l'Occident chrétien au parti de Jean-Marie Le Pen, le rôle de médiateur de l'extrême droite que joue d'autre part l'animateur des comités Chrétienté-Solidarité en organisant, dans un esprit de rassemblement, les « Journées d'amitié française », ne sont pas totalement dénués d'importance.

Reste le cas des groupuscules néo-fascistes et apparentés qui n'ont pas subi l'attraction directe du PFN et du Front national, de ce dernier surtout depuis qu'il est devenu une force politique avec laquelle les principales formations de la majorité doivent compter. Dans la continuité du vichysme satellite de la dernière période, on ne trouve plus guère aujourd'hui que la petite poignée de fidèles qui se réunit chaque mois pour un banquet du souvenir autour de Pierre Sidos, fondateur en 1968 de l'Œuvre française et dénonciateur inlassable du « complot sioniste » et de la « bourgeoisie cosmopolite ». Réduite à des effectifs symboliques, cette légion de nostalgiques ne se manifeste plus qu'épisodiquement, par quelques graffitis vengeurs, ou à l'occasion de la fête de Jeanne d'Arc. En 1982, elle a tenté de

29. Voir l'excellent chapitre qu'Alain Rollat consacre à ce petit groupe dans *Les Hommes de l'extrême-droite, op. cit.*, p. 197-205.

350

s'associer à deux autres groupuscules d'extrême droite, l'équipe de *Militant*, animée par Pierre Bousquet et Pierre Pauty, et le MNR de Jean-Gilles Malliarakis. Un « pacte » a été signé visant à fusionner les trois formations en un Parti nationaliste révolutionnaire dont le but affiché était de disputer la clientèle extrémiste aux « conservateurs » et aux « réformistes » du Front national, mais on n'a pas été beaucoup plus loin.

L'organisation de Malliarakis mérite une mention particulière. Constituée avec d'anciens membres du GAJ et des militants venus des Comités nationalistes révolutionnaires de François Duprat, le Mouvement nationaliste révolutionnaire n'est ni un néo-nazisme – il répudie explicitement la filiation avec l'hitlérisme – ni un mouvement contre-révolutionnaire se référant plus ou moins au précédent vichyssois, ni à proprement parler un néo-fascisme. Certes, Malliarakis nourrit une certaine admiration rétrospective pour Mussolini. En 1969, il a même organisé à Sciences-Po un meeting commémoratif de la fondation du premier faisceau de combat. Mais, outre que l'homme a pu changer en bientôt vingt ans, ce coup de chapeau donné au fondateur du fascisme ne s'accompagne pas d'un alignement doctrinal sur le « fascisme-régime ». Le leader du MNR ne remet en cause ni le modèle républicain, ni le régime représentatif (qu'il entend simplement « corriger » par l'institution d'une seconde assemblée, « élue par les instances du pays réel »), ni le pluralisme politique. Il se dit opposé à la dictature et au parti unique et résolument hostile à toute forme de totalitarisme. Ses maîtres à penser? Outre le fondateur du *Popolo d'Italia*, avant qu'il ne devienne le Duce, Proudhon, Bakounine, Rossel, le militaire entré en dissidence communarde, et aussi Drieu La Rochelle. Plutôt que de « néo-fascisme », il faudrait parler de « premier fascisme », dans sa version transalpine et gauchisante. Et s'il y a une paternité à lui rechercher en France, c'est peut-être du côté de Georges Valois qu'on a le plus de chance de la trouver.

Cela dit, ce « fasciste de gauche » – autre possibilité offerte par la taxinomie politique – n'est pas tout à fait un isolé. Le mouvement qu'il a fondé en 1979 représente la fraction du courant « solidariste » qui n'est pas passé, comme Jean-Pierre Stirbois et quelques autres, du côté du Front national, se convertissant du même coup de libéralisme économique. Malliarakis et ses amis sont au contraire de chauds partisans du dirigisme et de la planification [30]. De même,

---

30. Il est vrai que pour Malliarakis « l'exécution du Plan n'appartient pas à l'administration; elle est du ressort des entreprises ».

351

autre différence fondamentale avec la tribu lepéniste, ils professent par haine du capitalisme apatride et destructeur de la substance nationale un antiaméricanisme farouche, plus virulent encore que ne le sont leur anticommunisme et leur antisoviétisme. « Nous n'avons pas pour espoir, écrit Malliarakis, que la communication entre les hommes passe obligatoirement par un mélange entre le coca-cola et la vodka. Non, non et non! Ce que nous appelons, c'est le retour d'un Age d'Or européen se réveillant comme Frédéric Barberousse du flanc de sa montagne.. Nous ne serons pas les Québécois de l'Europe, les Peaux-Rouges de l'Occident, les Palestiniens de la Chrétienté [31]. »

Gardons-nous cependant de ne voir dans le MNR que ce qu'il veut bien montrer et dire, lorsqu'il parle de respect du pluralisme et de la République (sinon de la démocratie). Il parle quand même du PCF comme « d'un animal maudit, d'une hyène et d'un chacal », qui doit être détruit « comme une Carthage campant sur notre sol ». Il présente ses militants comme les « héritiers du romantisme révolutionnaire » et les « ennemis héréditaires du capitalisme louis-philippard ». Il veut « abolir les valeurs matérialistes de la bourgeoisie », etc. Ce n'est peut-être pas le fascisme dans sa globalité, ou dans sa physionomie de l'âge mûr, mais cela ressemble beaucoup à sa composante gauchiste des débuts. Dans une conjoncture de rassemblement des droites extrémistes il peut, quoique ultra-minoritaire, avoir un rôle à jouer.

Peut-on en dire autant de ceux qui, tout aussi minoritaires et apparemment rejetés par toutes les autres formations de l'extrême droite, assument dans sa plénitude l'héritage idéologique et gestuel du IIIᵉ Reich? Le néo-nazisme de stricte obédience n'est pas en France un phénomène récent. Nous avons vu qu'au début de la décennie 1960, Jean-Claude Monet [32] avait constitué, sur fond de guerre d'Algérie et de réactivation des Internationales néo-fascistes, divers groupuscules se réclamant à haute voix de l'hitlérisme [33] et dont il s'était proclamé le Führer : Parti prolétarien national-socialiste, Organisation du svastika, Parti prolétarien national-socialiste, etc. Une quinzaine d'années plus tard, on le retrouve avec quelques-uns de ses fidèles à la tête d'un squelettique mouvement

31. Cité in A. Rollat, *op. cit.*, p. 175.
32. Jean-Claude Monet est le petit-neveu du peintre impressionniste.
33. A noter que cet illuminé se présentait lui-même comme « reconverti à la voyance extra-lucide, animateur de la Grande Loge du Vril sous le titre de Karl Thor 99, représentant de la Surface du Phosphoros-Lucifero, seconde manifestation du Crocodile incommunicable, souverain maître du Schamballah et chef suprême de la race des Verts ». Cf. G. Pons, *Les Rats noirs*, Paris, J. Simoëns, 1977, p. 245.

intitulé National-socialisme international (NSI) qui n'a pratiquement pas fait parler de lui à l'époque.

Dans la même veine, mais nettement plus dangereuse parce qu'en relation étroite avec l'Internationale néo-nazie de Colin Jordan et de Rockwell – la World Union of National Socialist (WUNS), fondée en Grande-Bretagne en 1962 –, on trouve la branche européenne francophone de cette organisation : la Fédération ouest-européenne (FOE), confiée par le Britannique Colin Jordan à un ancien de la Waffen-SS française, Yves Jeanne, ex-maurrassien ayant transité par les « Amis de *Rivarol* », avant de devenir le correspondant en Algérie de *L'Europe nouvelle*, l'organe de l'Internationale néo-fasciste dissidente, Nouvel Ordre européen.

C'est après avoir prêté serment à Jordan sur un poignard de la SA que Jeanne a été investi de la charge de « chef fédéral » de la FOE, avec pour mission de répandre la bonne parole nationale-socialiste dans les pays européens de langue française. Ceci, sous forme de tracts, de graffitis, de publications étrangères diffusées sous le manteau et de conférences dans des milieux « sympathisants » où déjà sont contestés les crimes hitlériens et que l'on fait vibrer en évoquant la supériorité de la race aryenne, le caractère hautement humaniste du « racisme positif » et l' « Europe des ethnies ». Dans un premier temps, il ne s'agit pas d'aller aux masses mais de constituer une élite, à laquelle il appartiendra par la suite de remplacer l' « actuelle démocratie largement décadente » par « une nouvelle, basée strictement sur la qualité de la race, les capacités et le service du national-socialisme [34] ». Le recrutement du parti se fera donc par relations personnelles et sur des critères rigoureusement raciaux [35]. Son action restera clandestine – avec pour seule vitrine un bulletin ronéotypé, *Le National-socialiste* – et ses réunions confidentielles : on s'y retrouve entre jeunes et moins jeunes (40 % de moins de 30 ans, 35 % de plus de 40 ans), en majorité des « intellectuels » [36] et des représentants des classes moyennes urbaines, portant uniformes et brassards à croix gammée; on salue le bras tendu en hurlant le *Sieg Heil!* ou en chantant le *Horst Wessel Lied* à la lueur des flambeaux; on prête serment sur le svastika, etc. Bref tout le cérémonial des grandes messes nazies, tel qu'il fonctionne au même moment dans les organisations néo-nazies du monde entier et tel qu'il sera repris par les générations suivantes d'admirateurs de l'ordre SS.

---

34. Opuscule de Colin Jordan publié dans le bulletin de la FOE, s.d.
35. Les candidats devaient remplir un questionnaire détaillé.
36. Parmi lesquels beaucoup d'étudiants. Cf. J. Algazy, *La Tentation néo-fasciste, op. cit.*, p. 319-320.

353

Assisté de Michel Josseaume, un autonomiste breton, Yves Jeanne s'apprêtait à donner à son mouvement un caractère moins confidentiel, et il était prêt pour cela à en gommer les aspects les plus provocateurs – la croix gammée étant troquée contre la roue solaire et *Le National-socialiste* devenant *Notre Combat* [37] – lorsqu'il fut interdit en juillet 1964, à la suite d'arrestations parmi ses militants et de perquisitions. Du coup, Jean-Claude Monet se trouvait replacé sur orbite, enfin admis au sein de la WUNS et, selon des sources néo-nazies que Joseph Algazy a utilisées dans son livre sur *La Tentation néo-fasciste en France* [38], abondamment financé par celle-ci, grâce aux libéralités de Françoise Dior-Jordan, la nièce du couturier parisien, devenue en secondes noces l'épouse du leader de l'Internationale nationale-socialiste [39].

Après une demi-éclipse d'une dizaine d'années – ils n'ont en fait jamais complètement disparu des coulisses de l'extrême droite –, les néo-nazis recommencent à faire parler d'eux au milieu de la décennie 1970, dans un contexte qui est moins tributaire semble-t-il de la situation intérieure française que de ce qui se passe au même moment chez nos voisins, en Italie notamment, devenue un champ clos où s'affrontent, avec de fortes ramifications internationales, terrorisme noir et terrorisme rouge, et aussi des nouvelles tensions dans le monde, particulièrement au Proche-Orient.

C'est en 1975, nous l'avons vu, que Jean-Claude Monet fait une timide réapparition sur la scène néo-nazie avec la constitution de son NSI. La même année, en avril, a lieu le premier plastiquage contre une synagogue, celle de la rue Ambroise-Thomas à Paris. Juillet 1976 : attentat contre le siège de la Ligue des droits de l'homme, revendiqué par un « groupe Peiper », du nom d'un ancien SS réfugié dans le Doubs, où il périra dans l'incendie de sa maison [40]. En août, en octobre, en novembre de la même année, agressions diverses contre le MRAP, la LICRA et des locaux appartenant à des organisations juives. En 1977 et 1978, actions contre les mêmes organisations et contre des personnes (entraînant parfois mort d'homme, celle d'Henri Curiel par exemple en mai 1978) perpétrées par le « groupe Peiper » et par le « groupe Hermann Goering », ou par des individus isolés, le plus souvent anonymes.

---

37. *Ibid.*, p. 321.
38. *London Agreements*, 12 avril 1965, Paris, Parti prolétarien national-socialiste, 1965.
39. Elle avait été mariée une première fois au comte Caumont La Force. Cf. J. Algazy, *op. cit.*, p. 313.
40. Pour une recension plus complète de ces attentats et agressions diverses, voir : J.-M. Théolleyre, *Les Néo-nazis*, Paris, Temps actuels, 1982, p. 72-75.

Font également leur apparition pendant cette période les « commandos Delta », dont les actions sont plutôt dirigées contre des associations ou des travailleurs algériens et contre des permanences syndicales. A partir de 1979, attentats, incendies, agressions individuelles se multiplient, dont les victimes sont le plus souvent des personnalités et des organismes juifs ou « prosémites » (LICRA de Bordeaux en mars 1979, attentats contre *Le Matin de Paris* et *Le Monde* au printemps de la même année, sabotage de la voiture de l'avocat Serge Klarsfeld en juillet), ainsi que des locaux du PCF, de la CGT, de l'UNEF, de la CFDT et d'associations de déportés et de résistants.

Jean-Marc Théolleyre a comptabilisé 122 actions criminelles de ce type entre juin 1977 et mai 1980. Toutes ne sont pas directement imputables aux organisations néo-nazies ayant en France pignon sur rue, y compris celle qui clôt tragiquement la période : le sanglant attentat contre la synagogue de la rue Copernic à Paris, le 3 octobre 1980 [41]. Certaines sont le fait d'individus isolés, parfois des psychopathes avérés, d'autres ont pu être perpétrées sous le signe du svastika par des organisations rivales. Il est clair, d'autre part, qu'à partir de 1979 le terrorisme d'inspiration « islamique » a pris partiellement le relais des groupes néo-nazis dans l'action entreprise contre tout ce qui peut, de près ou de loin, être qualifié de « sioniste ». Néanmoins, outre que la participation de ces derniers a pu être fréquemment établie, en collaboration ou non avec le terrorisme basé en terre d'Islam (ou ailleurs), et sans que l'on sache très bien qui manipule qui, il va de soi que la renaissance – même circonscrite à des milieux restreints – de l'idéologie hitlérienne, les efforts prodigués pour banaliser, justifier ou simplement nier les crimes du IIIe Reich, la relative puissance de l'appareil médiatique dont disposent pour diffuser leurs obsessions les nostalgiques de l'Empire SS, tout cela a concouru à armer les assassins ou à fournir un drapeau à des individus ou à des petits groupes ayant déclaré la guerre à la société. Le phénomène ne se limite d'ailleurs pas à la France. Le hooliganisme à croix gammée qui a répandu pendant deux ou trois ans la terreur sur les stades, les « ratonnades » en tout genre auxquelles se livrent un peu partout en Europe certaines catégories de punks, les *skin-heads*, et autres nazillons naviguant entre les marginalités et les modes, parfois la délinquance pure et simple en forme d' « équipées sauvages » relèvent au moins en partie de l'influence de ces organisations.

41. Rappelons que cet attentat, dont les auteurs n'ont jamais été identifiés, a fait quatre morts et de nombreux blessés.

355

En France, celle qui a le plus défrayé la chronique jusqu'à sa dissolution en septembre 1980 est la Fédération d'action nationale et européenne, la FANE. Elle a été fondée en 1966 par un employé de banque, Marc Fredriksen, qui a fait son service militaire dans les paras en 1958, puis a milité jusqu'en 1962 dans les rangs de l'activisme Algérie française. Jusqu'au milieu des années 1970, elle fait très peu parler d'elle. Ses rares adhérents cantonnent leur activité dans l'anticommunisme de choc et dans la distribution épisodique de brochures néo-nazies en provenance des États-Unis, mais ils sont à peu près absents des débats et des combats de l'époque.

A l'extrême droite, on commence à s'intéresser à Fredriksen et à ses fidèles lorsque, par l'intermédiaire de François Duprat, ils s'agrègent à la mouvance lepéniste. En mars 1978, à l'occasion des élections législatives, le leader de la FANE représente le Front national en Seine-Saint-Denis. Avec les « nationaux révolutionnaires », ils constituent la tendance dure du mouvement et, au lendemain de l'assassinat de Duprat, ils décident de faire cavalier seul.

C'est alors que la FANE découvre son vrai visage qui est celui, on ne peut même pas dire du « néo-nazisme » car les éléments « novateurs » en sont à peu près absents, mais de l'imitation caricaturale du discours et des gesticulations propres au national-socialisme. Fredriksen et ses amis n'ont pas attendu 1978 pour nier le génocide des juifs et estimer en privé que Pétain s'était monté bien mou et bien ambigu dans sa politique de collaboration avec l'Allemagne. Mais les propos, d'ailleurs partagés par nombre de représentants de l'extrême droite, étaient restés feutrés, en tout cas cantonnés dans des cercles restreints. A la fin de 1978, tandis que l'organisation de Marc Fredriksen se transforme en groupuscule clairement aligné sur l'idéologie hitlérienne, paraissent les premiers numéros de sa revue, *Notre Europe*, dirigée et rédigée – comme le bulletin ronéotypé de la FANE, *L'Immonde* – par une petite équipe composée de Fredriksen lui-même, Michel Faci alias Michel Leloup, l'ex-inspecteur Paul-Louis Durand, Jacques Bastide et, pour faire bon poids, Henry-Robert Petit, ancien directeur du *Pilori* au début de l'Occupation [42]. En première page de *Notre Europe* figure le nombre de mois de

---

42. *Le Pilori* avait été fondé en 1938 par Petit, ancien collaborateur de *La Libre Parole*, puis suspendu par le décret Marchandeau, réprimant les attaques antisémites, en avril 1939. Après l'armistice le journal recommença à paraître sous la direction de H.-R. Petit, dénonçant violemment les juifs et les francs-maçons. Au bout de quelques mois, Petit fut évincé de la direction du journal, rebaptisé *Au pilori*.

356

détention du « camarade Rudolf Hess ». Le reste est à l'avenant : exaltation de l'Europe « nationale-socialiste et blanche », proclamation de la « lutte à mort contre l'hydre judéo-matérialiste », appel à une « alternative révolutionnaire et raciale contre le joug parlementaire », apologie de Drumont, de Doriot, de Darnand, et bien sûr d'Adolf Hitler, etc. [43]

Voilà pour le discours. La liturgie et l'action vont dans le même sens, encore que la FANE se montre relativement prudente, dès lors qu'elle a une existence juridique, un local, des militants connus et qu'elle cherche à éviter l'interdiction. De petits groupes de militants se livrent à des actions de commando [44] et à des manifestations ouvertement antisémites [45]. Organisés en formations paramilitaires, ils s'adonnent à des séances d'« oxygénation » dans la forêt de Rambouillet. Cela c'est pour le public et ce n'est pas très différent des classiques parades de la droite néo-fasciste. Plus caractéristiques du rituel nazi – mais ici la FANE n'est pas directement impliquée – sont les réunions clandestines tenues à l'occasion du solstice d'été dans des propriétés appartenant à des sympathisants des organisations pro-hitlériennes. En juin 1978 au château de Blandy-lès-Tours, en Seine-et-Marne, une dizaine de personnes, en majorité des Allemands, circulent dans la propriété en uniforme SS, brandissant des insignes nazis et diffusant de la musique militaire, tandis qu'un drapeau à croix gammée flotte sur le toit de la demeure. Interpellé, le propriétaire déclare avoir organisé « un rassemblement de jeunes à l'occasion des feux de la Saint-Jean [46] » ! Deux ans plus tard, une fête de même nature a lieu au château de Poule-lès-Écharneaux, dans le Rhône, propriété du comte Philippe de Sailly-Candeau, ex-capitaine de la Légion et candidat du Front national aux législatives de mars 1978. Cette fois les invités sont au nombre d'une cinquantaine. En bottes, chemise et baudrier, à la lumière des feux et des brasiers, ils défilent dans les rues du village puis célèbrent, entre deux chants de guerre de la Wehrmacht, « Notre Führer bien aimé », Eichmann, Rudolf Hess et... François Duprat [47].

Le caractère attentatoire aux lois punissant le racisme des articles

43. A. Rollat, *Les Hommes de l'extrême droite, op. cit.*, p. 187.
44. Par exemple ils saccagent les locaux de l'association Justice et paix, dans le quartier du Marais à Paris, le 15 juin 1980. *Ibid.*, p. 188-189.
45. Dans le courant de l'été 1980, la police a interpellé, à Paris et à Nice, plusieurs membres de la FANE, suspects d'avoir diffusé une lettre à en-tête de cette organisation menaçant des personnalités juives des Alpes-Maritimes. *Ibid.*, p. 189.
46. J.-M. Théolleyre, *Les Néo-nazis, op. cit.*, p. 108-110.
47. *Ibid.*

357

publiés par *Notre Europe*, ainsi que l'organisation paramilitaire de la FANE vont permettre aux autorités d'interdire la formation nazie le 3 septembre 1980, puis à la justice de condamner son « Führer » à dix-huit mois de prison dont douze avec sursis pour « incitation à la haine raciale [48] ». Sentence confirmée en appel l'année suivante, avec cependant octroi du sursis complet à Fredriksen, afin semble-t-il – c'est en tout cas ce que la cour expliquait dans ses conclusions – de ne pas faire du dirigeant néo-nazi « une espèce de victime de la violence ambiante ». Quelques semaines plus tôt, avant de comparaître devant le tribunal correctionnel, Fredriksen et quelques-uns de ses amis avaient été agressés en gare de Rambouillet par un commando « antifasciste ». Bilan de l'expédition punitive : le principal dirigeant de la FANE envoyé à l'hôpital avec un traumatisme crânien et les deux poignets fracturés. On était au lendemain de l'attentat contre la synagogue de la rue Copernic qui avait fait quatre morts et de nombreux blessés.

Depuis sa dissolution à l'automne 1980, l'ex-FANE – qui avait tenté auparavant de se rapprocher de divers groupes extrémistes, notamment de l'Œuvre française de Sidos avec laquelle il avait été envisagé de créer un cercle Édouard Drumont – s'est reconstituée sous l'appellation de Faisceaux nationalistes européens. Sur le plan intérieur, les FNE ont, par prudence tactique, adopté un profil bas, de même que *Notre Europe* qui a mis quelques bémols à la tonalité raciste de ses écrits (on y parle néanmoins beaucoup de l'Afrique du Sud). En revanche, l'organisation de Marc Fredriksen a renforcé ses liens avec ses homologues étrangers : le VMO flamand, organisateur chaque année du congrès international de Dixmude, le Front rexiste wallon, le National Front britannique, le Nouvel Ordre social suisse, le Front d'action national-socialiste (ANS/NA) ouest-allemand, le CEDADE espagnol [49], le groupe Orden Nova au Portugal, et surtout avec divers groupuscules néo-fascistes et néo-nazis italiens, dont bon nombre ont versé depuis dix ans dans le terrorisme « noir » (non sans relations parfois avec le terrorisme « rouge »). Giorgio Freda, impliqué un temps dans le massacre de la Piazza Fontana à Milan, condamné à une longue peine de prison et finalement libéré en 1986, a eu longtemps les honneurs de *Notre Europe*. Tout comme Mario Tutti, ancien dirigeant d'Ordine Nuovo, auteur d'un attentat ferroviaire sanglant en 1974 et qui semble avoir bénéficié à Nice, alors

48. Marc Fredriksen a été également condamné à 3 000 francs d'amende et à 6 000 francs de dommages et intérêts aux associations antiracistes qui s'étaient portées partie civile.

49. Sigle de « Circulo español de los amigos de Europa ».

358

qu'il était en « cavale », de la complicité d'un militant de la FANE [50]. C'est un « commando Mario Tutti » qui a revendiqué en 1980 une tentative de plastiquage au domicile de l'épouse d'Henri Curiel, lui-même assassiné deux ans plus tôt, et c'est lui également qui a menacé les avocats et les témoins à charge lors du procès de Marc Fredriksen.

La FANE et ses résurgences, comme la plupart des organisations néo-nazies européennes et extra-européennes, ne sont que des fragments isolés d'un immense iceberg pro-hitlérien structuré à l'échelle de la planète, pauvre en militants certes mais néanmoins dangereux car il possède ses moyens de financement, ses antennes éditoriales et médiatiques, ses « sanctuaires » et ses réseaux de soutien, ses complicités dans les appareils étatiques et ses bras armés, en relation avec les centres de commande et les sponsors du terrorisme international. Les récents développements de la crise franco-iranienne montrent qu'une partie de ces ramifications aboutissent aujourd'hui du côté de Téhéran.

L' « histoire » à la rescousse

La « révision » de l'histoire du second conflit mondial par les admirateurs du IIIe Reich n'est pas non plus une exclusivité française. C'est néanmoins en France – et cela au lendemain immédiat de la guerre – qu'elle a trouvé avec Maurice Bardèche son premier diffuseur.

L'enjeu était simple. Il s'agissait, afin de blanchir les collaborationnistes les plus compromis, croisés de la LVF et de la Waffen-SS française, supplétifs de la police allemande dans la chasse aux « terroristes », combattants de la plume au service des purificateurs de la race, de « démontrer » que les crimes dont s'étaient rendus responsables les dirigeants nazis n'étaient en rien différents des atrocités ordinaires imputables au fait guerrier. Oradour? Les exécutions d'otages? Il y a eu des centaines de milliers de civils innocents pris en otage par les promoteurs des bombardements

---

50. Lors du procès de Marc Fredriksen, l'avocat du MRAP, maître Roland Rappaport a longuement évoqué devant le tribunal les rapports entre la FANE et les milieux terroristes néo-fascistes italiens. A cette occasion il a mis en cause un militant niçois de la FANE, Mario Affatigato, qui aurait hébergé Tutti, alors réfugié dans le chef-lieu des Alpes-Maritimes. Cf. J.-M. Théolleyre, *op. cit.*, p. 223-224.

« stratégiques », sur Hiroshima et sur Dresde. Une seule chose pouvait faire la différence entre les « crimes de guerre » dont tout belligérant peut un jour ou l'autre se rendre coupable et ce crime suprême contre l'humanité que constitue la liquidation physique, dans des conditions horribles, d'une population entière : l'assassinat de millions d'êtres humains, froidement prémédité et décidé au sommet, programmé avec une rigueur mécanique par les technocrates du système et sadiquement exécuté à la base.

Pour que le nazisme devienne historiquement supportable, pour que ceux qui s'étaient réclamés de son idéologie et qui continuaient d'en exalter les aspects « positifs » puissent à la fois s'exprimer au grand jour et exiger leur réhabilitation, il fallait convaincre l'opinion que l'Holocauste n'avait jamais existé, que les « camps de la mort » n'étaient qu'une invention des vainqueurs, une falsification de l'histoire, une mise en scène de surcroît orchestrée par les juifs, redevenus les maîtres du jeu dans les pays vainqueurs. Dès 1948, telle était déjà l'argumentation de Bardèche, exprimée sans le moindre complexe dans *Nuremberg ou la terre promise*, dont la publication qui fit scandale à l'époque et valut à son auteur – non sans tergiversations d'ailleurs de la part de l'appareil judiciaire – une condamnation à la prison ferme [51], fondait en quelque sorte en France ce que l'on a baptisé par la suite « école révisionniste ».

L'ouvrage fait d'autant plus date que la plupart des aberrations dont il est porteur seront reprises par la suite, à quelques nuances près, par les épigones, français et étrangers, du fondateur de *Défense de l'Occident*. On peaufinera l'argumentaire. On jouera sur les mots et sur les chiffres. On opposera « experts » et « contre-experts ». On appellera à la rescousse la chimie et même la linguistique médiévale! Tout cela pour dire à peu près la même chose que Bardèche il y a quarante ans, à savoir :

« On a eu la bonne fortune de découvrir en janvier 1945 des camps de concentration, dont personne n'avait entendu parler jusqu'alors, et qui devinrent la preuve dont on avait précisément besoin, le flagrant délit à l'état pur, le *crime contre l'humanité* qui justifiait tout. On les photographia, on les filma, on les publia, on les fit connaître par une publicité gigantesque, comme une marque de stylo [52]. »

---

51. Bardèche fut condamné pour « apologie de crimes de guerre », après une longue procédure judiciaire, émaillée d'acquittements, de condamnations et d'appels, à un an de prison ferme. Amnistié par le président de la République René Coty, il ne sera en fait incarcéré que pendant trois semaines.
52. M. Bardèche, *Nuremberg ou la terre promise*, Paris, Les Sept Couleurs, 1948, p. 23.

360

« Mensonge. » « Machinerie. » « Admirable montage technique. » Voilà ce que dit Bardèche, qui a pour lui cette chance, si l'on veut, que les penseurs et les exécutants de la « solution finale de la question juive », ont effectivement quand ils l'ont pu essayé de faire disparaître toute trace de leurs atrocités. Les morts, les disparus, les millions de disparus, où sont-ils? Pas de réponse. Ou si l'on répond – que ce soit Bardèche ou les autres – c'est pour évoquer le manque d'hygiène des détenus, les épidémies, la sous-alimentation due à la pénurie ambiante, bref « des conditions qui ont été indépendantes de la volonté des Allemands [53] ». Les témoins? Les rescapés de l'enfer? Ils mentent, affirme le beau-frère de Brasillach, suggérant au passage que les horreurs commises l'ont été par les juifs eux-mêmes, responsables des baraquements [54].

Coup double, ou triple. En dédouanant le IIIe Reich, à supposer qu'il y parvînt, Bardèche rejetait sur les alliés la responsabilité d'un mal pire que le crime, la falsification du crime, et surtout il plaçait au centre de la conspiration ceux qui n'avaient pas hésité avant la guerre « à combattre tout esprit de conciliation, c'est-à-dire à entraîner notre pays dans une guerre désastreuse, mais souhaitable parce qu'elle était dirigée contre un ennemi de leur race [55] » : autrement dit les juifs.

Peu de temps après le plaidoyer posthume de Bardèche pour les condamnés de Nuremberg Paul Rassinier apportait aux thèses révisionnistes un renfort inespéré. En effet, l'auteur du *Passage de la ligne ou l'expérience vécue* et du *Mensonge d'Ulysse*, publiés respectivement en 1949 et 1950 [56], n'était pas un « fasciste » ou se proclamant tel, comme Bardèche, mais un socialiste libertaire, doublé d'un résistant qui avait lui-même connu les horreurs de Buchenwald et de Dora. Se voulant de surcroît « chercheur » et « historien », Rassinier émaillait épisodiquement son discours de quelques critiques adressées à la politique hitlérienne, ce qui rendait son propos plus crédible auprès de ceux qui se cherchaient des raisons d'avoir, ou d'avoir eu des tendresses pour le national-socialisme.

Or l'auteur du *Mensonge d'Ulysse*, que viendront compléter de 1961 à 1964 *Ulysse trahi par les siens* [57], *Le Véritable Procès*

---

53. Comme Bardèche le dira, lors d'un entretien avec J. Algazy, en 1981. Cf. J. Algazy, *op. cit.*, p. 210.
54. M. Bardèche, *op. cit.*, p. 150.
55. *Ibid.*, p. 188.
56. Et rassemblés ensuite en un seul volume sous le titre *Le Mensonge d'Ulysse.*
57. P. Rassinier, *Ulysse trahi par les siens, complément au* Mensonge d'Ulysse, Paris, Documents et témoignages, 1961.

Eichmann ou les vainqueurs incorrigibles [58] et *Le Drame des juifs européens* [59], allait beaucoup plus loin que Maurice Bardèche dans son entreprise de réhabilitation de l'Empire SS et de dénonciation du « mensonge historique » que constituait à ses yeux l'évocation de l'Holocauste. D'abord, il n'y avait pas eu six millions de juifs morts en déportation, mais un million tout au plus. Sur ce million de victimes – il fallait quand même bien expliquer certains vides manifestes – nombreuses étaient celles qui avaient succombé à des souffrances « ordinaires » (les « fatigues du voyage », le froid, la maladie) ou mieux, qui avaient subi les sévices des « bureaucraties concentrationnaires », c'est-à-dire des « Kapos » et autres responsables issus de la masse des déportés. Les Allemands en effet n'avaient jamais eu l'intention d'exterminer un peuple ou une « race » et par solution finale de la question juive il fallait entendre « émigration des juifs d'Europe vers l'Est [60] ». D'ailleurs, écrit Rassinier, dans l'un de ses livres en forme de témoignage vécu : « Le IIIe Reich nous fournit cependant tout ce dont nous avons besoin : la nourriture, les moyens d'une hygiène impeccable, un logement confortable dans un camp modernisé au possible, des distractions saines, de la musique, de la lecture, des sports, un sapin de Noël, etc. Et nous ne savions pas en profiter [61]. »

Les aveux de Nuremberg ? Pour Rassinier, ils ont été extorqués par la force, à la suite de pénibles emprisonnements. Les chambres à gaz ? Elles n'ont pas existé. Ou lorsqu'elles ont existé, « elles étaient annexées aux blocs sanitaires de la désinfection [62] ». Le zyklon B ? Si l'on ne peut nier qu'il a été employé à Auschwitz, on ne sait pas très bien dans quelles circonstances, ni à quelles fins, car là où il existait près des douches des cabines destinées à l' « assainissement » des prisonniers, « les gaz utilisés étaient des émanations de sels prussiques, produits qui entrent dans la composition des matières colorantes [63] ».

Les odeurs de chair brûlée, dont les rescapés d'Auschwitz se souviennent aujourd'hui encore ? Des exhalaisons provenant d'un proche atelier de maréchal-ferrant. Ici, ce n'est plus Rassinier qui parle, mais l'un de ses épigones, l'ex-*Sonderführer* SS Thies Christophersen, auteur d'un ouvrage en allemand paru en 1973, *Le*

58. *Id.*, *Le Véritable Procès Eichmann ou les vainqueurs incorrigibles*, Paris, Les Sept Couleurs, 1962.
59. *Id.*, *Le Drame des juifs européens*, Paris, Les Septs Couleurs, 1964.
60. *Id.*, *Ulysse trahi par les siens...*, *op. cit.*, p. 79.
61. *Le Mensonge d'Ulysse*, *op. cit.*, p. 123.
62. *Ibid.*, p. 181.
63. *Ibid.*

Mensonge d'Auschwitz, traduit depuis dans plusieurs langues et diffusé dans le monde entier par des réseaux éditoriaux et des librairies « amis » des victimes de la dénazification. Telle la maison d'édition Baucens, à Braine-le-Vicomte en Belgique, qui diffuse au milieu des années soixante-dix les ouvrages de Rassinier et ceux de Bardèche, la prose de Christophersen et celle de Heinz Roth, autre sous-officier SS auteur d'un *Pourquoi nous ment-on*? [64], ou encore les écrits de même nature du Britannique Richard Harwood, l'un des maîtres à penser de l' « école révisionniste », traduit par Duprat et largement diffusé dans les milieux de l'ultra-droite française.

Depuis quinze ans, l'histoire dite révisionniste n'a pas grand-chose d'autre à faire que de se répéter. Inlassablement. Jusqu'à ce que le clou finisse par entrer dans suffisamment de têtes pour que effectivement le doute s'installe, avec le temps, avec l'oubli, avec l'insidieuse résurrection d'un antisémitisme que l'on croyait mort. Elle a pour elle aujourd'hui sinon un effet de mode – sauf dans des cercles encore restreints – du moins la chance d'intéresser les médias, et pas seulement ceux qui inclinent, par affinité idéologique, du côté des champions de la « révision de l'histoire », mais parce qu'il y a quelques beaux « coups » à faire en tirant de leur obscurité de pseudo-chercheurs habiles à tirer parti des vertus publicitaires du scandale et de l'inépuisable et trouble engouement du public pour la période de la guerre et de l'Occupation.

A l'heure actuelle, les principaux centres d'activité du courant « révisionniste » ne se situent pas en France, mais en Europe du Nord et beaucoup plus encore aux États-Unis, dans le sillage de l' « Institut de révision historique », animé par David Mac Calden, alias Lewis Brandon, néo-nazi britannique émigré outre-Atlantique [65]. Mais notre pays reste en ce sinistre domaine dans le peloton de tête, et ceci dans un environnement qui est beaucoup moins hostile que par le passé aux gesticulations verbales des révisionnistes. En effet, sur les rayons des librairies spécialisées – par exemple la librairie Ogmios à Paris, dont *Le Canard enchaîné* et *Le Monde* ont révélé en août 1987 [66] les liens que ses propriétaires entretenaient avec Wahid Gordji, le numéro deux de l'ambassade d'Iran à Paris [67] –, trônent aujourd'hui

---

64. J.-M. Théolleyre, *op. cit.*, p. 100.

65. Sur l'apport des néo-nazis britanniques aux « thèses révisionnistes », voir notamment : J. Lorien, K. Citron et S. Dumont, *Le Système Le Pen*, Paris, EDO, 1986.

66. Cf. en particulier : E. Plenel, « Le Flirt de l'extrême droite avec l'Iran », *Le Monde*, 13-8-1987.

67. Comme l'a révélé *Le Canard enchaîné*, c'est un chèque de 120 000 francs, tiré à la banque Melli Iran sur le compte de W. Gordji, qui a servi de caution bancaire pour l'édition du catalogue de cette librairie.

en toute impunité, à côté des « travaux » de Robert Faurisson – émule tardif des pères fondateurs du révisionnisme à la française – et de la « thèse » d'Henri Roques – soutenue à Nantes en juin 1985 dans les conditions que l'on sait [68] et annulée un an plus tard pour « irrégularités administratives » par le ministre délégué, chargé de la recherche, Alain Devaquet – les écrits passés et présents des négateurs de l'Holocauste, et aussi, tout aussi pernicieux par l'image qu'il s'efforce de donner du IIIe Reich et de son aristocratie noire, le flot toujours renouvelé, et de moins en moins discrètement apologétique, des ouvrages consacrés à l' « épopée de la SS » et aux grandes heures de l'Empire hitlérien.

Ne nous y trompons pas. L'émergence au grand jour d'un courant historiographique visant à nier le génocide des juifs, voire à leur imputer les responsabilités du déclenchement de la guerre, la prolifération d'une littérature glorifiant l'armée allemande et ses soldats d'élite – et dont la diffusion dépasse de beaucoup les limites des circuits ordinaires de la prose ultra-droitière –, l'hagiographie plus ou moins déguisée des anciens dirigeants du Reich hitlérien, ne sont pas véritablement révélateurs d'un « danger néo-nazi » qui menacerait notre pays. Le but de l'opération n'est pas là, sauf pour une poignée de nostalgiques fanatisés et de psychopathes en mal de compensations viriles. Le danger existe mais il est ailleurs.

En niant en effet le caractère d'exception des crimes nazis – comme cela a été fait lors du procès Barbie, finalement et heureusement sans beaucoup de succès –, en banalisant le IIIe Reich et les exploits de ses soudards, promis de surcroît à la dignité posthume de défenseurs de l'Occident contre une « barbarie autrement redoutable », en rejetant sur Staline et sur les juifs (alliés selon les « révisionnistes » dans la falsification de l'histoire) les responsabilités d'une guerre qui a saigné à blanc la vieille Europe et l'a privée des « meilleurs de ses fils » (c'est notamment la thèse de Bardèche), donc a consacré la domination des deux géants matérialistes, les rescapés du combat de plume collaborationniste et leurs héritiers disent en fait ceci : Hitler a essayé de « sauver l'Europe ». Il l'a fait « maladroitement », comme dit Bardèche, mais il n'y a pas lieu de le condamner sans appel sur des « maladresses ». Et surtout, il faut « rendre justice » à ceux qui l'ont suivi, même s'ils étaient en désaccord avec certains points de la doctrine nazie ou fasciste. Parce que tel était le

---

68. Cf. l'excellente mise au point sur cette question publiée par la *Revue d'histoire moderne et contemporaine* dans son numéro de janvier-mars 1987 : M. Cointet et R. Riemenschneider, « Histoire, déontologie et médias. A propos de " l'Affaire Roques " », p. 174-184.

prix à payer pour barrer la route à ce mal absolu que constitue le bolchevisme.

Autrement dit, ce sont les « erreurs » du national-socialisme qui sont condamnables. C'est la dérive totalitaire du *fascisme,* au sens générique du terme, qui est répréhensible. Pas le fascisme lui-même. Et surtout pas la collaboration, sous toutes ses formes, y compris celle de l'État français et de tous ceux qui ont cherché à asseoir durablement la révolution nationale. Or c'est ici qu'il y a péril. Dans la tentative de réhabilitation d'une idéologie, d'une pratique, d'un outillage institutionnel, qui ne sont pas *le* fascisme mais qui s'en accommodent, qui ne valent guère mieux que lui (surtout si la référence est l'Italie mussolinienne) et qui s'inscrivent, elles, dans tout un pan de notre culture politique. Que l'arbre néo-nazi, aussi détestable soit-il, ne nous cache pas cette forêt, porteuse de résurgences vichystes.

7

Vieilles lunes? nouvelles droites?

Jusqu'à la percée du Front national en 1983, l'ultra-droite nous l'avons vu est demeurée en France, une fois retombée la fièvre Algérie française, un phénomène marginal. Des dirigeants hauts en verbe mais divisés, des légions agressives mais clairsemées, des électeurs fidèles mais ne dépassant pas, toutes tendances mêlées, 3 % du corps électoral, un projet politique, des amitiés et des inimitiés variant à l'infini d'une chapelle à l'autre, tel est le visage composite qu'elle offre aux observateurs du champ politique, et cela au moment où la crise qui secoue le monde occidental paraît susceptible de faire rejouer le mécanisme de polarisation des extrêmes qui avait caractérisé la décennie 1930.

Or, cet effacement de l'extrême droite politique s'accompagne, à partir de 1977-1978, d'une percée incontestable dans le champ idéologique, jusqu'alors largement colonisé par la gauche et l'extrême gauche. Bénéficiaire du grand reflux post-soixante-huitard et de la débandade du gauchisme intellectuel, tirant profit de la crise du marxisme et de l'image, devenue à peu près universellement insupportable à l'Occident, du modèle constitué par l'URSS et par son « socialisme réel », jouant sur le désarroi causé dans nos démocraties libérales permissives par le sentiment récurrent de la décadence, une droite idéologique musclée, qualifiée de « nouvelle » par les faiseurs d'opinion, s'est engouffrée dans la brèche avec un objectif bien défini : promouvoir le renouveau de l'Occident en faisant, de l'intérieur, la conquête des élites et de l'appareil d'État, et en substituant à l'hégémonie idéologique et culturelle de la gauche celle de la pensée droitière rénovée et radicalisée. Révolution culturelle à rebours, si l'on veut, récupérant Gramsci à droite pour faire triompher les idées de ses adversaires.

366

Cela, pour le court terme. A plus longue échéance il s'agira de constituer une nouvelle élite, fondée sur la sélection des « meilleurs » et promise à un statut de « surhumanité », défini il est vrai en termes pondérés, du moins sous la plume d'Alain de Benoist.

S'agit-il d'un *fascisme?* Les représentants de la « nouvelle droite » s'en défendent. Les uns avec sincérité et avec raison. D'autres par souci tactique de ne pas s'affubler d'une étiquette dévaluée. Pourtant, par leur itinéraire politique, par leur refus radical de l'héritage « judéo-chrétien » et humaniste, par le racisme biologique qui soustend leur discours, nombre d'entre eux se rattachent, sinon à proprement parler au fascisme, ou mieux au national-socialisme, du moins au vaste courant intellectuel qui, à la charnière du XIXe et du XXe siècle, a préparé l'éclosion de ces idéologies, et dont les pères fondateurs s'appellent Gobineau, Houston Chamberlain ou Vacher de Lapouge.

Des institutions et des hommes

Commençons par délimiter le champ. Ce n'est pas évident. En tant que milieu et en tant qu'école de pensée recouvrant l'ensemble des institutions, des courants, des productions idéologiques et culturelles se réclamant du refus de l'« utopie égalitaire » et de la « réaction au déclin » (de la France, de l'Europe ou de l'Occident), la « nouvelle droite » n'existe que dans l'esprit de ceux qui ont forgé le terme à la fin de la décennie 1970. Outil de polémique et de dérision visant à frapper d'un même discrédit les mauvais sujets repentis (ou non) de l'activisme néo-fasciste, convertis au néopaganisme via les resucées de darwinisme social que nourrissent les enseignements sélectionnés de l'éthologie et de la génétique, et la mouvance d'une droite résolument conservatrice et élitaire, qui partage certains postulats avancés par ce noyau dur de la rénovation doctrinale droitière mais pour en tirer des conclusions différentes et qui varient d'ailleurs beaucoup à l'intérieur même de cette famille politique.

Cela ne veut pas dire que le surgeon initial ne soit pas sans ramifications au sein de la constellation des droites traditionnelles. La conquête des élites intellectuelles et politiques constituant le fondement même de sa stratégie, on voit mal comment il pourrait en être autrement. Il y a, c'est évident et à tous les niveaux, des gens qui

367

venus de ce noyau pur et dur ont pris position depuis quinze ans dans les allées du pouvoir, ou ont simplement peuplé les instances dirigeantes des grandes formations majoritaires. Ils n'ont pas pour autant réussi à convertir à toutes leurs idées la majorité des hommes de droite. Ils ont eu, incontestablement, et ils ont encore une certaine influence. Mais la contagion a pu également jouer dans l'autre sens, le goût et les commodités du pouvoir facilitant beaucoup l'abandon des positions les plus radicales. L'équivalent existe à gauche et il n'y a pas lieu de s'en étonner. Appelons donc les choses par leur nom et, avant de vouloir détecter les éventuelles métastases, appliquons-nous à localiser *stricto sensu* le phénomène « nouvelle droite ».

Par Nouvelle Droite proprement dite, j'entendrai donc ici l'ensemble des individus, des petits cercles, des revues, des entreprises éditoriales qui se trouvent directement rattachés au GRECE et le corpus de textes et de thèmes qui ont été produits depuis vingt ans par cette « société de pensée à vocation intellectuelle », en particulier par son principal animateur Alain de Benoist, alias Fabrice Laroche, auteur prolixe et talentueux de plusieurs ouvrages théoriques [1] – dont le plus important, *Vu de droite* [2], est une anthologie de textes critiques – et de très nombreux articles parus dans le *Figaro Magazine, Éléments, Nouvelle École*, etc. De cette cellule initiale sont issues des ramifications qui ont pu, avec le temps, se détacher de l'organisation mère et s'agréger des individus et des groupes qui ne partageaient pas toutes les idées du GRECE mais qui, de par la position qu'ils occupaient à l'intérieur du champ politique, culturel et médiatique, ont contribué à la diffusion et au succès des thèmes les plus présentables. On parlera pour les désigner de mouvance de la Nouvelle Droite.

Ainsi définie, la Nouvelle Droite idéologique n'est fille ni de la crise que traverse le monde occidental depuis près de quinze ans – encore que son émergence médiatique s'inscrive dans un contexte de retour à la guerre froide et de marasme persistant – ni de la réaction aux événements du printemps 1968. Elle est directement issue du constat d'échec que font, au lendemain de la débâcle de 1962, un certain nombre de militants appartenant à la fraction intellectuelle du courant néo-fasciste et de l'activisme Algérie française. Ceux-là mêmes que nous avons rencontrés du côté du *Manifeste de la classe 60* et dans l'orbitre d'*Europe-Action*, la revue et le cercle animés par

---

1. *Orientations pour des années décisives*, Paris, Le Labyrinthe, 1982; *Les Idées à l'endroit*, Paris, Éditions libres-Hallier, 1979; *L'Europe païenne*, Paris, Seghers, 1979; *Comment peut-on être païen?*, Paris, Albin Michel, 1981.
2. A. de Benoist, *Vu de droite*, Paris, Éd. Copernic, 1977.

Dominique Venner [3] et dont l'objectif principal était d'œuvrer pour la constitution d'une Europe unie, politiquement forte et racialement pure.

Échec idéologique d'abord. La droite extrême n'a rien inventé de neuf depuis la guerre. Elle se promène au milieu d'un cimetière d'idées. Elle rumine de vieilles formules et contemple de vieilles lunes à la lueur tamisée des flambeaux romantiques. Ses formations groupusculaires se déchirent avec le sentiment confus d'un débat suranné. On est néo-quelque chose : néo-nationaliste, néo-fasciste, néo-vichyste, néo-monarchiste, ou un peu de tout cela en percevant très bien que le monde a changé et que le moment est peut-être venu de remettre les pendules à l'heure. Échec stratégique ensuite. La démocratie gaullienne a su non seulement résister aux assauts des activistes. Elle les a décimés et marginalisés. Elle a montré à quel point ils étaient coupés de la nation, ou pis, elle les a récupérés et convertis. De ce double constat, Dominique Venner a tiré dès 1962 un certain nombre d'enseignements dont il a fait une sorte de manifeste intitulé *Pour une critique positive*, qui est aujourd'hui encore considéré comme un texte fondateur par toute une fraction de l'extrême droite [4]. On l'a souvent comparé, toutes proportions gardées, au *Que faire?* de Lénine et il est vrai qu'il marque à certains égards un tournant « léniniste » de l'ultra-droite, en forme d'autocritique et de réflexion sur la stratégie et sur la doctrine.

Trois idées ressortent notamment de ce texte et d'un article paru en novembre 1962 dans *Défense de l'Occident* [5]. 1. « Rien n'est moins spontané que la conscience révolutionnaire. » 2. « Une nouvelle élaboration doctrinale serait enfin la seule réponse au fractionnement infini des nationaux. » 3. « Il faut combattre plus par les idées et l'astuce que par la force. » Donc, d'une part, travailler en profondeur au renouvellement de la doctrine, et d'autre part porter le combat dans le champ idéologique et culturel, en avançant au besoin à visage couvert. Toute la stratégie de ce qui deviendra la « Nouvelle Droite » est déjà présente, effectivement, dans cet appel qui impliquait pour

3. Les comités de diffusion de la revue *Europe-Action*. En fait, le courant animé par Dominique Venner et ses amis comprenait également la Fédération des étudiants nationalistes (FEN) et plus tard le mouvement « légaliste » MNP.

4. En décembre 1982, lors du congrès du Parti des forces nouvelles, Roland Hélié, membre du Bureau politique, conviait les militants à une relecture du texte de Venner. Cf. P.-A. Taguieff, « La Stratégie culturelle de la " Nouvelle Droite " en France (1968-1983) », in *Vous avez dit fascismes?*, sous la direction de R. Badinter, Paris, Arthaud/Montalba, 1984, p. 13-152.

5. *Défense de l'Occident*, 26-11-1962, p. 46-52. « Sur un nouveau phénomène révolutionnaire ».

369

Venner le « refus de la solution activiste » et la « reprise du combat sur le plan légal ». C'est d'ailleurs dans cette perspective que le principal animateur du courant *Europe-Action* lança en janvier 1966 le Mouvement nationaliste du progrès (MNP), puis, en vue des législatives de mars 1967, le Rassemblement européen de la liberté (REL).

Les élections de 1967 ayant tourné à la débâcle pour le REL – celui-ci ne put présenter que 27 candidats au lieu des 75 jugés « indispensables » à la réussite de l'opération et il n'y eut aucun élu – la mouvance d'*Europe-Action* se disloqua, comme nous avons pu le constater, une fraction des militants se tournant à nouveau vers l'action violente et participant à la création du mouvement Occident, d'autres au contraire, moins nombreux, persistant dans leur conviction que l'essentiel avait cessé de se jouer dans la rue, dans le hall d'Assas ou aux abords de la cafétéria de Nanterre. Dans le bouillonnement d'idées qui a précédé l'explosion de mai 68, Gramsci était déjà plus ou moins à la mode, et avec lui l'idée que la révolution passe, pour le parti qui aspire à la conquête du pouvoir, par la captation du champ culturel. On va donc se mettre à l'école de Gramsci, comme on avait tenté de se mettre, cinq ans plus tôt, à l'école de Lénine, et après avoir fait du léninisme retourné contre les héritiers de Lénine, on va donner dans le gramscisme de droite.

Objectif principal de la petite équipe venue d'*Europe-Action* et qui se reconvertit ainsi, au début de 1968, dans le combat des idées : élaborer une « nouvelle culture de droite », capable d'affronter la « problématique dominante [6] », mélange de culture « judéo-chrétienne » et d'idéologie marxiste ou marxisante. Cela implique une longue période de réflexion et de maturation pendant laquelle on abandonnera le champ de la politique proprement dite, activiste ou légaliste, au profit de ce qu'Alain de Benoist et ses amis vont appeler la « métapolitique » et qu'ils définissent comme « le domaine des valeurs qui ne relèvent pas du politique, au sens traditionnel de ce terme, mais qui ont une incidence directe sur la constance ou l'absence de consensus social régi par le politique [7] ». Un concept que, formulé en d'autres termes, un Gramsci n'aurait pas renié, et c'est bien là que réside l'habileté suprême des tenants de la Nouvelle Droite : dans la récupération à droite d'une idée constitutive de la pensée et de la

---

6. A. de Benoist, *Orientations pour des années décisives, op. cit.*, p. 27.
7. J.-C. Valla, « Pour une renaissance culturelle », *Dix ans de combat culturel pour une renaissance,* GRECE, Paris, 1977, p. 73.

370

stratégie de l'ultra-gauche (on annexe pareillement la notion de « révolution culturelle »), et dans la légitimation qu'offre à une équipe tout droit sortie de la mouvance fasciste le débat posthume avec « la figure de ce grand théoricien du " pouvoir culturel " que fut le communiste italien Antonio Gramsci [8] ».

Pierre André Taguieff a bien analysé la fonction de cette référence à Gramsci. « Le premier bénéfice argumentatif, écrit-il, d'une telle stratégie référentielle est l'acquisition d'un titre au débat intellectuel " sérieux ". [...] Il s'agissait pour le GRECE de briser le consensus implicite portant sur son interdiction de séjour dans le ciel culturel. Débattre du pouvoir culturel avec un grand disparu, un penseur, et de l'autre bord, aura réalisé l'entrée dans le débat, son premier acte, son irruption inaugurale, selon le principe libéral : on doit tolérer qui vous tolère [9]. »

C'est donc afin de prendre pied dans le champ de la métapolitique, puis d'effectuer la conquête de celui-ci que se constitue en mars 1968 la revue *Nouvelle École*, puis, en pleine effervescence de mai, la société de pensée qui sera déclarée à la préfecture de Nice, en janvier 1969, sous le nom de Groupement de recherche et d'étude pour la civilisation européenne, dont le sigle GRECE a été choisi pour les raisons que l'on imagine. Pour des raisons tactiques, les responsables de la revue et du GRECE maintiendront la fiction de la distinction entre l'une et l'autre, mais il s'agit en réalité d'une seule et même entreprise, animée par une petite équipe composée essentiellement d'anciens militants d'*Europe-Action*, de Jeune Nation, de la FEN, du MNP et du REL, originaires donc du même courant raciste, « européen » et intellectuel du néo-fascisme français. On y trouve, rassemblés autour de Fabrice Laroche-Alain de Benoist, qui va très vite faire figure de chef de file et de maître à penser de la Nouvelle Droite [10], de Roger Lemoine, ancien secrétaire d'*Europe-Action* devenu président, puis président d'honneur du GRECE, de Jacques Bruyas, fondateur de *Nouvelle École* [11], de Jean-Claude Vaïa [12], longtemps rédacteur en chef de la revue *Éléments*, de Dominique

---

8. A. de Benoist, *Les Idées à l'endroit, op. cit.*, p. 251.
9. P.-A. Taguieff, *op. cit.*, p. 87.
10. Avant de devenir l'intellectuel numéro un de la Nouvelle Droite, Alain de Benoist a été membre de Jeune Nation, ancien responsable national de la FEN, militant du MNP, membre des comités de rédaction des *Cahiers universitaires* et d'*Europe-Action*.
11. Ancien responsable de la FEN, du MNP et d'*Europe-Action* à Nice.
12. Ancien responsable de la FEN, du MNP et d'*Europe-Action* à Lyon.

Venner (Julien Lebel), des militants appartenant à la même mouvance comme Jean Mabire, écrivain et chantre de la geste SS, Pierre Vial, Michel Marmin, Yves Christen, Philippe Conrad, Guillaume Faye, Yvan Blot (Michel Norey), etc.

Pendant une dizaine d'années, jusqu'en 1978, les activités du GRECE gardent un caractère ultra-confidentiel. Les héritiers d'*Europe-Action* s'appliquent en effet essentiellement à constituer et à étendre leur réseau de pénétration des élites. Ils organisent des conférences et des séminaires à Paris et en province, des « camps » de réflexion rappelant très fortement ceux de la défunte FEN, et même une université d'été. Ils regroupent ou patronnent des organisations « amies », non intégrées à l'organigramme du GRECE mais proches de lui par les personnalités qui les fréquentent et par les idées qui s'y débattent. Ce sont notamment le cercle Pareto, à l'Institut d'études politiques de Paris, le cercle Galilée à Dijon, le cercle Jean Médecin à Nice, le cercle Henry de Montherlant à Bordeaux, le CLOSOR (Comité de liaison des officiers et sous-officiers de réserve), le club des Cent (plus tard club des Mille, destiné à assurer le financement du réseau par les cotisations prélevées sur des membres fortunés de l'establishment), le GENE (Groupe d'études pour une nouvelle éducation), etc[13]. Il y a même des ramifications à l'étranger, telles que le cercle Érasme à Bruxelles et le cercle Villebois-Mareuil à Johannesburg.

En même temps, le GRECE se dote d'une logistique médiatique et éditoriale hautement sophistiquée. Il dispose depuis 1974 d'une revue doctrinale, *Études et recherches*. Il a transformé en 1973 son bulletin intérieur en une luxueuse revue, *Éléments*, dirigée par Michel Marmin auquel a succédé en 1983 Pierre Vial[14]. Celle-ci consacre des numéros spéciaux et des « dossiers » à des questions d'actualité telles que l'immigration, le tiers monde, le déclin démographique, l'avortement, ou à des problèmes historico-idéologiques comme le paganisme. Il diffuse le mensuel *Nouvelle École*, officiellement coupé de la cellule mère depuis le numéro treize, mais auquel continuent de collaborer, à visage découvert ou sous des noms d'emprunt (Robert de Herte par exemple pour Alain de Benoist) les maîtres à penser du GRECE. Depuis 1970, *Nouvelle École* s'est doté

13. Il faudrait encore citer le cercle Clausewitz (officiers d'active), le Centre de loisirs et d'activités de neige (CLAN), la Commission polémologique du GRECE.

14. Secrétaire général du GRECE de 1978 à 1974. Entre 1979 et 1981 le nombre des abonnés d'*Éléments* est passé de 2 000 à 6 000.

d'un comité de patronage dans lequel figurent, à côté de quelques figures de proue de l'extrême droite fascisante, comme Roland Gaucher et Jean Mabire, des écrivains, des philosophes, des universitaires et des savants de réputation internationale. Parmi les plus illustres on peut citer le généticien britannique Darlington, le pédo-psychiatre Pierre Debray-Ritzen, Mircea Eliade, professeur d'histoire des religions à l'université de Chicago, les sociologues Julien Freund et Jules Monnerot, l'épistémologue et historien des religions Louis Rougier, le professeur d'histoire romaine Marcel Le Glay, les écrivains Arthur Koestler, Louis Pauwels, Thierry Maulnier, Raymond Abellio, etc. Comme *Éléments*, cette revue a également publié de nombreux numéros thématiques sur des sujets très variés. « La Condition féminine dans l'Antiquité et au Moyen Age » (nº 11), « L'Eugénisme » (nº 14), « Georges Dumézil et les études indo-européennes » (nᵒˢ 21-22), « Richard Wagner » (nᵒˢ 30 et 31-32), etc.

La Nouvelle Droite orthodoxe n'a eu aucune difficulté à trouver des débouchés éditoriaux pour les produits de ses colloques, séminaires et cogitations individuelles. Néanmoins, plusieurs membres du GRECE (de Benoist, Vial, Valla, Mabire, Marmin, Conrad, Christen) ont fondé en 1976 les éditions Copernic qui ont publié, outre un certain nombre d'ouvrages d'auteurs « maison », des écrits de philosophes et d'historiens du XIXᵉ siècle considérés comme des « précurseurs ». Tout cela constitue, pour un petit groupe d'une vingtaine de personnes, relayé il est vrai par de nombreuses antennes réparties dans toutes les régions et dans des secteurs extrêmement divers de l'establishment, une force de pénétration déjà considérable. Encore fallait-il, pour élargir l'audience et entreprendre sur des bases solides la conquête du champ culturel, investir un certain nombre d'organes de presse implantés dans le public que l'on se proposait de convaincre. Ce furent d'abord les deux grandes publications de prestige du groupe Bourgine, *Valeurs actuelles* et *Le Spectacle du monde*, où Alain de Benoist et quelques-uns de ses amis (Michel Marmin, Pierre Gripari) rodèrent leurs premiers argumentaires « grand public » entre 1969 et 1977. Mais surtout, la véritable chance de l'équipe du GRECE fut l'arrivée de Louis Pauwels, ancien directeur de *Planète*, à la direction des services culturels du *Figaro*. On était en septembre 1977 et cela faisait maintenant plus de dix ans que les anciens militants d'*Europe-Action* s'étaient engagés dans le combat culturel. Patiemment, prenant la leçon chez Lénine et chez Gramsci, ils avaient affûté leurs armes et commencé à occuper les espaces laissés vacants par la déroute gauchiste. Ils pouvaient maintenant aller plus

373

loin en profitant de l'opportunité qui leur était offerte par la presse Hersant.

Pendant quatre ans, Alain de Benoist, Patrice de Plunkett et Pauwels lui-même, qui ne fait pas partie du GRECE mais qui partage nombre de ses idées, vont donner au *Figaro-Magazine* une tonalité fortement inspirée de la thématique Nouvelle Droite. Parmi les collaborateurs de cet hebdomadaire à forte diffusion, et il faut le dire d'une remarquable facture technique, on trouvait, lors de sa création en 1978, outre Alain de Benoist et Patrice de Plunkett, nommé par Pauwels rédacteur en chef-adjoint, Jean-Claude Valla (rédacteur en chef), Yves Christen, Christian Durante, Michel Marmin, Grégory Pons, tous membres du GRECE. Cela ne suffit pas, sans doute, à faire du *Figaro-Magazine*, à l'intérieur duquel circulent d'autres courants, quelque chose comme l'antenne officielle du GRECE en terrain médiatique. Néanmoins, l'influence qu'a exercée jusqu'en 1981 le noyau dur de la Nouvelle Droite sur l'hebdomadaire de Robert Hersant a été considérable.

Après l'arrivée de la gauche au pouvoir, les relations vont un peu se détériorer entre le pape de la Nouvelle Droite et les porte-parole du conservatisme bon chic bon genre. On sait gré chez Robert Hersant, à Alain de Benoist et à ses amis d'avoir apporté de l'eau au moulin de la thématique antiégalitaire, donc des munitions dans la bataille menée contre la « coalition socialo-communiste ». Et les pères fondateurs du GRECE, longtemps cantonnés dans des réseaux de diffusion ultra-confidentiels, ne peuvent ne pas être reconnaissants envers l'état-major d'un journal qui leur a offert une tribune exceptionnelle. Mais demeurés dans l'ensemble fidèles à leurs options originelles, ils ont le sentiment d'avoir été récupérés par la droite ultra-conservatrice, toute prête à se saisir d'un discours qui conforte ses propres idées sur l'école, sur l'immigration, sur l'autorité, sur le déclin de la France, etc., mais qu'inquiètent ou irritent les références faites à la révolution (fût-elle « conservatrice »), le tiers mondisme du GRECE, son paganisme et son antiaméricanisme virulent. Il n'y a plus beaucoup d'atomes crochus entre les « reaganiens » qui donnent désormais le ton au *Figaro-Magazine* et l'auteur de *Vu de droite*, lorsque celui-ci déclare à la fin de 1981 :

« Nous ne sommes pas, certes, de ceux qui voudraient substituer la bande à Baader à la bande à Badinter. Mais qu'on ne compte pas non plus sur nous pour condamner le ministre de la Culture quand il proteste, à juste titre, contre la colonisation du cinéma français par les sous-produits de la sous-culture d'outre-Atlantique. Qu'on ne compte pas sur nous pour rallier le camp des émigrés, non plus de

Coblence mais de Washington ou de San Francisco. Qu'on ne compte pas sur nous pour imaginer que le plus sûr moyen de ne jamais rencontrer l'armée rouge est de partir manger à vie des hamburgers dans les parages de Brooklyn. Participer à notre entreprise, ce n'est pas choisir un clan contre un autre. C'est descendre définitivement du trolleybus qui ne cesse de faire l'aller-retour entre les pôles opposés d'une même idéologie avec ou sans arrêt du côté de l'abjection totalitaire [15]. »

On assiste ainsi à un chassé-croisé entre la droite ultra-conservatrice et le noyau dur de la Nouvelle Droite. Ce dernier perd de son influence au *Figaro-Magazine* et en général dans les médias. La première retrouve un semblant de consistance idéologique en nourrissant son discours de références sélectionnées, empruntées à la rhétorique néo-droitière et au corpus scientifique dirigé par Alain de Benoist et ses amis, utilisées enfin pour recouvrir d'un vernis de modernité de vieilles lunes et de très classiques obsessions.

Les liens ambigus qui ont été tissés dans les années soixante-dix entre le GRECE et la droite de la droite parlementaire apparaissent nettement dans un organisme comme le club de l'Horloge. Fondée en 1974, cette association hautement élitiste n'a jamais eu de lien organique avec le GRECE et avec *Nouvelle École*. Mais l'on y retrouve souvent les mêmes hommes : un Yvan Blot par exemple, qui a été son président et qui, après avoir transité par le cabinet de Michel Poniatowski [16], est devenu par la suite membre du comité central du RPR et chef de cabinet d'Alain Devaquet, lorsqu'il était secrétaire général de ce parti. On y croise également des idées parfois assez voisines, débarrassées il est vrai de leur charge vaguement subversive et pudiquement placées sous le signe de la « révolution conservatrice ». Peuplé d'anciens élèves de l'ENA, de l'X ou des écoles normales supérieures, le club de l'Horloge est ainsi devenu à la fin de la décennie 1970 la cellule pensante non pas de *la* Nouvelle Droite, au sens restreint que nous avons donné à ce terme pour désigner la mouvance directe du GRECE, mais *des* « nouvelles droites » surgies au sein même de la coalition majoritaire, en même temps qu'un relais sur la route des cabinets ministériels de l'ère giscardienne, de la haute administration et des états-majors des grandes formations politiques de la droite.

---

15. Cité par Alain Rollat, *Les Hommes de l'extrême droite, op. cit.*, p. 154.
16. Lorsque celui-ci était ministre de l'Intérieur.

Le corpus idéologique de la Nouvelle Droite s'organise autour d'un certain nombre de thèmes dont le plus important – parce qu'il est au centre de la construction – est la dénonciation du « mythe égalitaire ». Fondamental est à cet égard le texte qu'Alain de Benoist a placé en introduction de son « anthologie critique des idées contemporaines », publiée en 1977 sous le titre *Vu de droite* :

« J'appelle ici *de droite*, écrit-il, par pure *convention*, l'attitude consistant à considérer la *diversité* du monde et, par suite, les inégalités relatives qui en sont nécessairement le produit, comme un bien, et l'homogénéisation progressive du monde, prônée et réalisée par le discours bimillénaire de l'idéologie égalitaire, comme un mal. J'appelle *de droite* les doctrines qui considèrent que les inégalités relatives de l'existence induisent des *rapports de force* dont le *devenir historique* est le produit – et qui estiment que *l'histoire doit continuer* – bref, que " la vie est la vie, c'est-à-dire un *combat*, pour une nation comme pour un homme " (Charles de Gaulle). C'est dire qu'à mes yeux, l'ennemi n'est pas " la gauche " ou " le communisme ", ou encore " la subversion ", mais bel et bien cette *idéologie égalitaire* dont les formulations, religieuses ou laïques, métaphysiques ou prétendument " scientifiques ", n'ont cessé de fleurir depuis deux mille ans, dont les " idées de 1789 " n'ont été qu'une étape, et dont la subversion actuelle et le communisme sont l'inévitable aboutissement [17]. »

L'antiégalitarisme d'Alain de Benoist repose à la fois sur des postulats philosophiques qui sont ceux du nominalisme – l'individu est unique ou plus exactement « il n'y a point d'homme dans le monde », alors que pour les « essentialistes », des auteurs de l'Ancien Testament à Karl Marx en passant par Platon et par saint Thomas, les particularités individuelles doivent être soumises à la « tyrannie de l'universel » – et sur des processus de légitimation demandés aux sciences de l'homme et aux sciences du vivant. Sont ainsi constamment sollicitées et souvent tirées dans le sens de la démonstration l'éthologie, avec les travaux de Konrad Lorenz (prix Nobel de physiologie et de médecine en 1973) [18] et de Robert Ardrey, la

17. A. de Benoist, *Vu de droite, op. cit.*, p. 16.
18. Auteur de nombreux ouvrages traduits en français, parmi lesquels · *L'Agression. Une histoire naturelle du mal*, Paris, Flammarion, 1969; *Essai sur le*

génétique, avec les emprunts faits à Arthur R. Jensen et Hans J. Eysenck, l'anthropologie physique, la psychologie différentielle, la sociobiologie, le tout orchestré dans une vision du monde postulant la conformité entre les « lois » de la nature et les impératifs de l'organisation sociale.

Des travaux, au demeurant fort sérieux même si certaines conclusions en sont discutables et discutées, des éthologues et des généticiens, Alain de Benoist et ses amis déduisent que l'homme étant un animal – comme Spengler, ils disent volontiers un « animal de proie » – il n'y a aucune raison de penser qu'il n'est pas porteur, comme tout animal, d'un patrimoine génétique qui conditionne très fortement son intelligence, ses pulsions, sa sensibilité, sa santé, voire sa moralité. « Pour l'idéologie dominante, écrivait Louis Pauwels en 1979, tous les hommes naissent avec les mêmes potentialités. Les différences sont créées par le milieu. La science répond que les hommes ne sortent pas identiques d'une matrice universelle. [...] A l'intelligence objective, l'égalisation des natures apparaît aujourd'hui comme un déni de la nature. » Ou encore ceci : « L'éthologie enseigne que toute société animale possède ses " alpha ", c'est-à-dire ses leaders. Aucune société humaine ne vit sans élites [19]. »

Il y a donc des inégalités au départ, et qui sont transmissibles. Soit. Une certaine gauche, ou un certain gauchisme, a eu trop longtemps tendance à oublier et à privilégier les influences du milieu, le poids de l'environnement, de l'éducation et de la culture. Mais est-ce une raison pour inverser sans preuves l'ordre des facteurs? Aucun biologiste, aucun généticien digne de ce nom ne peut prétendre aujourd'hui dire dans quelles proportions se répartissent en chaque être humain la part du génétique et la part de l'inné, et lorsque le professeur Debray-Ritzen fixe à 80 % celle de l'hérédité et à 20 % celle du milieu, il énonce, tout comme ceux qui tiennent « à gauche » un discours symétrique, un postulat bourré d'idéologie.

Mais ce sont surtout les conséquences que tirent les penseurs du GRECE de la génétique et du constat qu'elle fait de la transmission des « différences » qui posent problème. Déjà, avant que la Nouvelle Droite ne fasse irruption dans le champ médiatique, des voix s'étaient élevées, notamment à la veille de l'attribution du Nobel à Konrad Lorenz, pour dire – ce qui était parfaitement injuste – que son

---

comportement animal et humain, Paris, Le Seuil, 1970; *Évolution et modification du comportement. L'inné et l'acquis,* Paris, Payot, 1970, etc.

19. L. Pauwels, « La Crise des idéologies », in *Maiastra Renaissance de l'Occident,* Paris, Plon, 1979, p. 36-37.

éthologie était « fasciste ». Or les travaux proprement scientifiques de Lorenz, en particulier ceux qui concernent le caractère endogène et héréditaire des pulsions, n'ont rien de fasciste et le jury de Stockholm, peu suspect d'indulgence envers les totalitarismes, ne s'y est pas trompé. Ce qui est douteux en revanche, c'est la leçon que le Lorenz moraliste et le Lorenz doctrinaire politique tirent des découvertes du Lorenz éthologue, lorsqu'il s'agit notamment de faire le procès de la démocratie parce que la démocratie se fonde sur l'idée d'égalité alors que la règle de la nature est l'inégalité. Et ce qui est plus douteux encore, c'est l'usage que font du discours lorenzien les penseurs de la Nouvelle Droite. Alain de Benoist en tête, lorsqu'il écrit par exemple en janvier 1974 :

« Les sentiments d'humanité que nous devons avoir pour chacun en particulier s'opposent aux intérêts de l'espèce humaine en général. La pitié que nous éprouvons envers les asociaux, dont l'infériorité provient peut-être de lésions irréversibles durant la petite enfance, ou de tares héréditaires, nous empêche de protéger les êtres normaux [20]. »

On ne saurait être plus clair. Sont condamnées d'entrée de jeu les vertus du « faible » : la pitié, l'amour des autres, les sentiments d'humanité et de justice, le respect des droits de la personne humaine, etc. et symétriquement valorisées l'agressivité (au sens lorenzien de pulsion vitale), la force, la discipline, la « territorialité » (l'instinct animal de conquête et de défense d'un « espace vital »), etc. En même temps, la porte est largement ouverte – et le GRECE se gardera bien de la fermer, même s'il se montre parfois prudent sur ce point – à la banalisation de l'euthanasie, au « réalisme biologique » et aux pratiques « eugénistes » : de l'avortement thérapeutique aux manipulations visant à « améliorer l'espèce », en passant par l'interdiction du mariage et de la stérilisation des personnes tarées [21] ».

Certains vont même plus loin dans la recherche de légitimation de la société inégalitaire, en se référant à la « sociobiologie », un « remake » du darwinisme social de la fin du siècle dernier fondé sur les travaux hautement discutables et discutés [22] des Américains

---

20. A. de Benoist, *Le Spectacle du monde*, janvier 1974.

21. *Cf.* sur cette question et sur la Nouvelle Droite en général l'excellente thèse de science politique, encore inédite, de Ghislaine Desbuissons : *La Nouvelle Droite (1968-1974). Contribution à l'étude des idées de droite en France*, IEP, Grenoble, ex. dactyl., p. 197 sq.

22. Cf notamment, M. Sahlims, *The Use and Abuse of Biology : an Anthropological Critique of Sociobiology*, University of Michigan Press, Ann Arbor, 1976.

Edward O. Wilson [23], professeur à Harvard, et Dawkins. Pour ces théoriciens de l'« égoïsme des gènes », toutes les activités et les sentiments des hommes, aussi bien que les systèmes de pensée, les religions, les morales, les cultures, ne seraient que le résultat d'une stratégie aveugle visant à préserver, à transmettre et à optimiser le capital génétique. Nombre de représentants de la Nouvelle Droite orthodoxe ne partagent pas cependant ces vues réductionnistes et estiment au contraire que les facteurs culturels sont à long terme plus importants que les facteurs biologiques. Il n'en reste pas moins que les thèses wilsoniennes ont eu des partisans au GRECE [24] et que la sociobiologie ramenée à des formulations moins provocatrices a concouru à l'élaboration d'une doctrine cohérente et à la légitimation du discours antiégalitaire.

Éthologie, génétique et sociobiologie ont en effet été utilisées, et cette fois par l'école néo-droitière dans son ensemble, pour justifier le projet politique et social du GRECE. Un projet volontairement flou, habile à rejeter sur les autres les présomptions de « totalitarisme », mais d'où il ressort néanmoins que les préférences des héritiers d'*Europe-Action* vont à une « démocratie organique, fondée sur la souveraineté nationale et populaire [25] », distincte et même complètement opposée à la forme « dégénérée » de démocratie que constitue le régime parlementaire libéral. « La démocratie, écrivait encore Alain de Benoist en 1985, n'est pas antagoniste de l'idée d'un pouvoir fort, pas plus qu'elle n'est antagoniste des notions d'autorité, de sélection et d'élite [26]. »

Contre l'héritage « judéo-chrétien »

Le « mal » est d'ailleurs ancien. Pour Alain de Benoist et ses amis, la démocratie égalitaire, « réductionniste » et « niveleuse », qui s'incarne aujourd'hui dans le libéralisme, la social-démocratie ou le communisme, est le produit d'une longue histoire, pour ne pas dire

23. Cf. notamment : E.O. Wilson, *Sociobiology, the New Synthesis*, Harvard, 1975.
24. *Nouvelle École* leur a consacré de larges échos et l'un des fondateurs du GRECE, Yves Christen, a cherché à en montrer les aspects « positifs » dans un ouvrage publié en 1979 : *L'Heure de la sociobiologie*, Paris, Albin Michel.
25. A. de Benoist, *Démocratie : le problème*, Paris, GRECE/Le Labyrinthe, 1985, p. 82.
26. *Ibid.*, p. 84.

d'une longue dérive de l'histoire. Pour Louis Pauwels par exemple, le diagnostic est clair :

« Ce cycle historique de deux mille ans, écrit-il, a vu le triomphe de la mentalité nazaréenne sur la mentalité antique. Comment décrire ces deux mentalités antagonistes? L'une voit le monde comme injustice fondamentale. L'autre ne croit pas dans la justice absolue. L'une barre le cours de l'histoire. L'autre n'attribue pas de cours à l'histoire. Elle ne dote de sens que sa volonté de vivre puissamment. Ces deux mentalités, dans leur affrontement, sont l'humanité. Mais quand l'une a dominé si complètement l'autre qu'elle en vient à nier son existence, elle ne produit que de la sous-humanité. Nous en sommes là, dans le parachèvement du cycle [27]. »

Ce texte, qui est l'œuvre d'un compagnon de route du GRECE, résume assez bien la double argumentation qui incline les représentants de la Nouvelle Droite à rejeter comme un tout les « utopies chrétienne et marxiste ». Première raison : la philosophie de l'histoire. Pour la tradition idéologico-religieuse qui va de la Bible à Marx, en passant par la Réforme et par la philosophie des Lumières, l'histoire a un début et une fin, elle a un *sens,* elle est linéaire. Le contenu du scénario peut changer : Création et Jugement dernier, progrès à petits pas des sociétés humaines vers le progrès et le bonheur, dialectique de la lutte des classes s'achevant en harmonie prolétarienne; mais la structure du Récit est la même. « Par suite, écrit Alain de Benoist, la *liberté* de l'homme est étroitement limitée. [...] D'autre part, le passé, le présent et le futur sont perçus comme radicalement distincts les uns des autres [28]. » Au contraire, la Nouvelle Droite a une conception *cyclique* de l'histoire, qui est censée avoir été « commune à toute l'antiquité européenne préchrétienne [29] », ou mieux, de Benoist faisant sien l'« important correctif » apporté par Nietzsche, une conception « résolument sphérique » ainsi définie :

La sphère peut « *à tout moment rouler dans tous les sens* [...]. L'histoire peut à tout moment se dérouler dans n'importe quelle direction, sous réserve qu'une *volonté* assez forte lui imprime son mouvement et compte tenu, bien sûr, des processus dont elle est le lieu. L'histoire n'a pas de sens : elle n'a que le sens que lui donnent ceux qui la font. Les conséquences sont évidentes pour ce qui concerne la liberté de l'homme [30]. »

27. L. Pauwels, « La Crise des idéologies », *op. cit.*, p. 30.
28. A. de Benoist, « Fondements d'une attitude nominaliste devant la vie », *Nouvelle École*, n° 33, été 1979, p. 24.
29. *Ibid.*
30. *Ibid.*, p. 25.

Seconde raison de rejeter d'un bloc deux mille ans d'héritage « judéo-chrétien », c'est qu'il est fondé sur une illusion : celle d'un ordre naturel, voulu par un Dieu unique, tout-puissant, organisateur du monde à son image et par conséquent réductionniste. Non seulement le passage du polythéisme antique au monothéisme judaïque, puis chrétien, engendre l'utopie égalitaire, en ce sens que les hommes sont considérés comme égaux devant Dieu, donc devant la loi et devant la nature, ce qui pour Alain de Benoist et ses amis est un non-sens, mais « l'idée d'un Dieu unique implique celle d'une vérité unique, *absolue* [31] », autrement dit elle porte en germes l'universalisme et le totalitarisme. Alors que « les lois naturelles ont toujours un caractère contingent », qu'il n'existe pas plus de logique extérieure à l'homme qu'il n'existe de « frontières naturelles », et que pour tout dire « il n'y a pas d'homme *en soi* ».

Récupérant habilement à droite l'idée d'un « droit à la différence » revendiqué par la gauche post-soixante-huitarde, le GRECE rejette ainsi la présomption de totalitarisme sur tous les monothéismes et sur les formes laïcisées qu'ils ont prises dans le monde moderne et contemporain : libéralisme bourgeois et « atlantico-américain », social-démocratie, communisme marxiste. Toutes sont issues de la même matrice et débouchent sur le même nivellement. Encore qu'entre les États-Unis et l'URSS, Alain de Benoist et certains de ses amis soient enclins à choisir la moins décadente. « La vérité, écrit le chef de file de la Nouvelle Droite, est qu'il existe deux formes distinctes du totalitarisme, très différentes dans leur nature et dans leurs effets, mais l'une et l'autre redoutables. La première, à l'Est, emprisonne, persécute, meurtrit les corps; au moins laisse-t-elle intacte l'espérance. L'autre, à l'Ouest, aboutit à créer des robots heureux. Elle climatise l'enfer. Elle tue les âmes [32]. »

L'idée de rattacher l'« utopie égalitaire », et les germes de mort dont elle est censée être porteuse pour la civilisation occidentale, à la tradition dite « judéo-chrétienne », n'est pas neuve. L'un des maîtres à penser du GRECE, le philosophe Louis Rougier, dénonçait déjà à la fin des années vingt les « origines bibliques » de la « mystique démocratique », conçue comme la survivance d'une « mentalité magique, affective et prélogique, digne des premiers âges [33] », et responsable des deux grands fléaux contemporains que sont le capitalisme ploutocratique et les « projets de révolution sociale ». En

31. *Ibid.*
32. A. de Benoist, *Orientations pour des années décisives, op. cit.*, p. 36.
33. L. Rougier, *La Mystique démocratique. Ses origines, ses illusions*, Paris, Flammarion, 1929, p. 16.

fait de tradition « judéo-chrétienne », l'accent était mis sur les origines *ethniques* de la déviance, c'est-à-dire sur la judaïté de la révolution monothéiste, comme plus tard, associée aux « sectes dérivées » du calvinisme, « puritaines et non conformistes », du capitalisme marchand incarné par l'Amérique [34].

On conçoit que cette thèse ait été récupérée, dès avant la guerre, par l'antisémitisme le plus virulent [35]. Or le GRECE ne s'engage pas dans cette voie. Il fait volontiers profession de foi antiraciste, sans que l'on puisse dire s'il agit par prudence tactique – après tout on a vu de quelle façon les promoteurs de la Nouvelle Droite avaient programmé la conquête du champ métapolitique – ou par conversion sincère (je dis conversion parce qu'il ne faut tout de même pas oublier que tout ce petit monde a transité par l'activisme néo-fasciste). Il ne s'en prend donc pas aux « juifs » en tant que tels. Mais la manière dont il conçoit et présente à son public la christianisation du monde antique laisse rêveur, par ce qu'elle suggère. Dans les premiers temps de son existence, le GRECE s'est d'ailleurs laissé aller parfois à franchir les frontières du non-dit. On insistait fortement sur l'origine ethnique du christianisme et sur les « métissages » dont il était censé en fin de compte être le produit. Dans le numéro un de *Nouvelle École*, Gilles Fournier s'autorisait à écrire « que tout peuple de race asiatique ou indo-européenne était (et est encore) de race blanche et que tout peuple de race chamito-sémitique était (et est encore) le produit d'un métissage très ancien entre Blancs et noirs [36] ». On ne conclut pas, ou plutôt on conclut de cette façon détournée : « L'esprit de tolérance propre aux Occidentaux leur a été fatal face aux juifs qui infiltraient inexorablement des germes de mentalité orientale [37]. »

Par la suite, le GRECE s'est montré plus circonspect, mais l'image qu'il nous donne des premiers chrétiens – des étrangers venus de l'Orient venant hâter la décomposition de l'Europe romaine – nous ramène à la fois à de vieilles obsessions et à des problèmes d'une actualité brûlante (l'Arabe remplace le juif mais n'appartiennent-ils pas à la même matrice sémitique?). Très significative à cet égard (mais il y aurait beaucoup d'autres exemples) la communication

34. *Id.*, *Revue de Paris*, 15-11-1928.
35. En particulier par Léon de Poncins, in *Les Juifs, maîtres du monde*, Paris, Bossard, 1932. Cf. P.A. Taguieff, « La Stratégie culturelle de la " nouvelle droite ", *op. cit.*, p. 45-46.
36. G. Fournier, « Rome et la Judée », *Nouvelle École*, n° 1, fév-mars 1968, p. 6.
37. *Ibid.*, p. 11. Article cité par G. Desbuissons, *op. cit.*, p. 218.

382

présentée en novembre 1984 au XVIIIe colloque national du GRECE par Christiane Pigacé. Qu'on me pardonne la longue citation empruntée à la relation écrite, mais elle vaut le détour. Parlant de la chute de l'Empire romain et de la disparition du monde antique, Christiane Pigacé écrit :

« Rêvons le mythe qui devient histoire. La Crète se mire dans les eaux turques d'une mer sans rivages. Des Phéniciens qui apparaissent, venus d'Orient sur leurs navires. La Grèce occidentale reçoit un nom étranger : EREB, Occident, Europe. Quel est le pouvoir des noms et des malédictions? Le Crétois qui s'endort dans l'alanguissement des mœurs matriarcales instruit le belliqueux Achéen. Bientôt Athènes, charmée par la voix des démagogues, devient le nouvel empire de la mer, la cité des sophistes à la voix de miel qui explorent l'espace de la pensée et, l'arrachant au monde de la cité, ouvrent le champ à la rêverie universaliste. Équivoques? Dans l'Empire éclaté d'Alexandre, le déclin aventure son amertume mêlée de rêves. La Grèce rêve de décadence, car la décadence est pour elle promesse de renouveau. L'arbre du monde qui lève vers le ciel ses branches dépouillées va à nouveau se couvrir de fleurs; le dieu qui évoqua les contours à présent effacés du monde ancien va revenir et nous donner de nouvelles demeures. Le chant rythmé des mystères d'Adonis commence-t-il à retentir au creux de la Terre-Mère? Non, un autre Dieu vient et sa demeure n'est pas de ce monde [38]. »

Joli raccourci. Mais, que croyez-vous qu'il arriva?

« Ce Dieu, Rome l'accueille. Le peuple qui, seul parmi les peuples du lointain héritage, sut apprivoiser le politique et rassembler l'empire européen, le peuple qui inscrivit dans notre mémoire la promesse des retrouvailles à naître quand resurgira l'*imperium*, fils sacré des dieux souverains, ce peuple hospitalier qui recueillait dans ses temples les dieux vaincus n'avait pas appris la suspicion. La tolérance chez lui se nourrissait de grandeur. [...]

« De tolérance en tolérance, on en vient à celle que dénonce Cioran : " la complaisance pour l'adversaire, signe distinctif de la débilité, c'est-à-dire de la tolérance, laquelle n'est en dernier ressort qu'une coquetterie d'agonisant ". Et il est vrai que l'ancienne Rome fait un art de sa propre agonie. Qui n'a été complaisant à la mort de Pétrone? [...]

« Là, naît l'Occidental, dans le pourrissement d'une attente qui devient insupportable. L'Empire est malade, malade de l'héritage de

38. C. Pigacé, « Occident, ultimes métastases », *La Fin d'un monde. Crise ou déclin*, Actes du XVIIIe colloque national du GRECE, Paris, GRECE/Le Labyrinthe, p. 24.

sa puissance passée et de son impuissance à la pérenniser. A Rome le discours académique sur le déclin cesse d'être un exercice théorique. Dans les lourdes vapeurs des heures de décadence, il trouve son originalité. D'où viendra le renouveau? Et y aura-t-il un renouveau? [...] Le christianisme vint en son temps. Il eût été sans pouvoir sur les fortes valeurs de la Rome augustéenne, mais il pouvait s'emparer d'un corps en décomposition. Il n'y aura pas de renouveau. [...]

« Car, désormais, la certitude tragique des Romains se double, dans l'histoire, d'une autre certitude : la certitude extatique d'une secte rejetée des siens et pour qui la mort et la résurrection du Christ étaient le signe de l'attente messianique. [...] Le monde romain bascula dans une histoire étrangère où l'homme est pécheur et doit être racheté, et au même moment, l'histoire d'Israël bascula dans celle de l'Europe [39]. »

Le christianisme, fils du judaïsme, est donc *étranger* à l'Europe. Il est, écrit encore Christiane Pigacé, « la justification morbide de sa propre faiblesse ». Il s'installe dans un corps malade, non pour le régénérer, comme l'ont fait d'autres religions et d'autres civilisations issues de la même matrice indo-européenne, mais pour le vider de sa substance et pour substituer à sa culture une autre culture, une culture allogène, porteuse du virus égalitaire, réducteur et contradictoire de la nature des hommes.

Pour une Europe païenne et aristocratique

La différence fondamentale entre la pensée contre-révolutionnaire classique, à laquelle on l'a parfois rattachée, et la famille politico-idéologique qui se structure autour du GRECE est ce saut de quinze siècles que les tenants de la Nouvelle Droite font au-dessus de l'Antiquité finissante, du Moyen Age et des siècles d'or de l'Europe monarchique. Pour les Joseph de Maistre, de Bonald et autres maîtres à penser de l'ultracisme, et pour leurs épigones du XIXe et du XXe siècle, la coupure majeure de l'histoire se situe soit en 1789, soit un peu plus tôt, lorsque se répandent dans l'Europe des Lumières les idées de progrès, de liberté, de lois et de droit naturels, de souveraineté de la nation et d'égalité devant la loi. L'« âge d'or », c'est ce qui vient avant, encore que l'absolutisme et le rationalisme

39. *Ibid.*, p. 24-25.

384

dix-septiémistes ne soient guère plus en odeur de sainteté. C'est donc principalement le Moyen Age : Un Moyen Age revisité et idéalisé, mais en tout cas un Moyen Age chrétien.

Le paradis perdu de la Nouvelle Droite se situe très loin en amont, du côté des « vieux peuples du promontoire » (L. Pauwels), c'est-à-dire des Indo-Européens. Balayée l'Europe chrétienne, fille de la plus grande entreprise de déculturation que l'humanité ait jamais connue. Faisant un usage intense et passablement pervers [40] des thèses de Georges Dumézil sur la « tripartition socio-fonctionnelle » (prêtres, guerriers, producteurs) caractéristique de toutes les sociétés indo-européennes, Alain de Benoist et ses amis en induisent l'existence d'une « culture indo-européenne » – ce que l'on peut parfaitement admettre à condition de manier le concept avec prudence – biologiquement déterminée – ce qui est infiniment plus discutable – et censée être « conforme aux lois générales du vivant [41] » – ce qui cette fois relève du présupposé idéologique.

De là cet étrange retour aux sources du paganisme que prônent les penseurs de la Nouvelle Droite orthodoxe. Certes les meilleurs esprits de l'école prennent garde à ne pas sombrer dans le ridicule. « Les druides d'opérette, écrit son principal représentant, et les Walkyries d'occasion ne nous sont pas moins étrangers que les prédicateurs et les anachorètes. Nous ne célébrons pas de cérémonies dans les Catacombes. [...] Nous ne cherchons pas à revenir en arrière, mais à reprendre le fil d'une culture trouvant en elle-même ses raisons suffisantes. Ce que nous cherchons derrière les visages des dieux et des héros, ce sont des valeurs et des normes [42]. » Tant mieux ou tant pis. Les anciens petits jeunes gens d'*Europe-Action*, passés du blouson de cuir au costume trois-pièces, prosternés devant l'image du dieu Wotan, voilà qui aurait de quoi réjouir les « utopistes égalitaires » et pas mal de bons démocrates! Mais ne cherchons pas à leur faire un mauvais procès. La critique de gauche des thèses néo-droitières a eu un peu trop tendance à prendre la dérision pour une démarche intellectuelle et à réduire la Nouvelle Droite aux gesticulations de quelques hallucinés de la celtitude et du culte solaire. Voyons donc plutôt de quelles valeurs et de quelles normes il s'agit.

40. Le détournement des travaux du grand historien des religions a été fréquemment dénoncé dans le monde scientifique. Cf. le discours de réception de Georges Dumézil à l'Académie française par Claude Lévi-Strauss (14 juin 1979).
41. A. de Benoist, *Comment peut-on être païen ?*, Paris, Albin Michel, 1981, p. 251.
42. R. de Herte (= A. de Benoist), éditorial de la revue *Éléments*, n° 27, hiver 1978, p. 2.

385

Il faut d'abord, nous dit Alain de Benoist, « retrouver l'Europe », c'est-à-dire remettre notre civilisation occidentale sur ses pieds en rétablissant l'ordre des valeurs et des fonctions, tel qu'il existait dans le monde païen. « Le principe européen par excellence, écrit-il, [...] postulait la prééminence du souverain et du prêtre sur le guerrier, et celle du guerrier sur le producteur-consommateur. Ou si l'on préfère, de l'âme et de l'esprit sur le cœur, et du cœur sur le ventre – du spirituel sur le corporel et du corporel sur l'économique. [...] A une date récente [...] non seulement la distinction des trois « ordres » ou des trois « fonctions » a été effacée, pour l'essentiel, mais encore la hiérarchie traditionnelle se trouve désormais totalement *inversée,* en sorte que c'est maintenant la fonction économique, productrice de biens matériels, qui occupe la première place et, à ce titre, façonne les mentalités, suscite les besoins et détermine les préoccupations. D'où un déséquilibre profond, insupportable au sens propre [43]. »

Il faut ensuite, par le retour aux sources de la pensée païenne, supprimer la distinction entre l'humain et le divin qui caractérise la tradition judéo-chrétienne. En faisant de Dieu un être distinct de la nature et supérieur à l'homme, les religions révélées ont introduit dans le monde les germes de l'intolérance et du totalitarisme. Le retour à l'esprit du paganisme ne peut que faire reculer l'une et l'autre de ces déviances.

La disparition des frontières entre l'humain et le divin a pour corollaire la divinisation de l'homme. Non pas de tous les hommes, mais de ceux qui s'élèveront au-dessus de la masse. Car l'inégalité génétique n'est pas tout et le déterminisme biologique ne s'exprime que sous forme de potentialités. « Dans les limites et les présupposés de notre " nature ", écrit Alain de Benoist, notre liberté reste entière. C'est toute la différence entre l'*instinct* et ce qu'est chez l'homme la *pulsion* : la pulsion n'implique pas de programme par rapport à l'objet. [...] L'homme *n'est* pas, il *devient.* Il est toujours *inachevé.* [...] Il continue perpétuellement de se créer lui-même. [...] Il peut, à tout moment, *perdre son humanité* aussi bien que se doter d'une *surhumanité* [44]. »

De là découle l'éthique du GRECE, ainsi que son projet d'organisation sociale. Pas de morale absolue, universelle, valable pour tous les temps et pour tous les pays – donc pas de « droits de l'homme » au sens humaniste et « judéo-chrétien » du terme – mais une éthique

---

43. A. de Benoist, « L'Europe retrouvée », in *Maiastra Renaissance de l'Occident*, p. 306-308.
44. *Id.* « Fondements d'une attitude nominaliste devant la vie », *op. cit.*, p. 28.

386

utilitaire, ou plutôt, « si nulle société ne peut se passer de normes, alors il n'y a pas d'autre conduite possible [...] que *d'assumer et instituer une certaine subjectivité collective avec assez de puissance pour que celle-ci soit perçue à son tour comme une norme "naturelle" fonctionnant comme "absolu" dans la structure sociale*[45] ». Dans ce cadre, l'homme, enfin dégagé de la notion paralysante de péché, aura pour fin supérieure de se dépasser, frayant ainsi les voies de la « surhumanité ».

« Le *surhomme*, écrit encore Alain de Benoist, n'est pas un "superman" à gros biceps ou à gros QI, ni un "nouveau stade de l'humanité", mais bien celui qui se met en situation "héroïque" de se dépasser lui-même, en fondant un nouveau *type* selon les normes qui sont les siennes [46]. » Et de citer Jünger : l'homme est « le seigneur des formes ».

Le reste découle de ce choix prométhéen. Ne peut être considéré comme une *personne* que l'individu qui a su « se donner une âme », c'est-à-dire « régner en souverain sur son empire intérieur » et garder son *honneur*, c'est-à-dire être resté fidèle à la norme qu'il s'est donnée. Telles sont les conditions d'accès à cette « surhumanité » dont le principe s'inspire directement de la pensée nietzschéenne – l'auteur de *Zarathoustra* figure au premier rang dans le panthéon du GRECE –, et qui est appelée à jouer dans la société à venir le rôle d'une « nouvelle aristocratie ». Celle-ci ne sera ni une caste fermée, comme l'ancienne noblesse, ni une méritocratie de surdoués ou de technocrates, ni une franc-maçonnerie d'idéologues « qui profitent de l'ignorance et du déracinement de l'homme-masse pour imposer leur loi et lancer leurs modes [47] », mais un ordre ouvert, donc susceptible de renouvellement et rassemblant les « meilleurs ».

L'image en reste floue, une fois dépouillé l'immense corpus idéologique du GRECE. Alain de Benoist et ses amis ont conscience que l'on ne peut plus guère offrir le guerrier comme modèle à nos contemporains, pas plus que le seigneur d'Ancien Régime. Et pourtant, c'est bien cette double image qui imprègne en filigrane le discours néo-droitier sur l'élite future. Ce sont les vertus du guerrier sublimées en éthique de l'honneur pour jeune cadre en mal d'idéal [48]. C'est Sparte reconverti dans la conquête métapolitique. C'est Jünger

45. *Ibid.*
46. *Ibid.*, p. 29.
47. A. de Benoist, présentation du Xᵉ colloque du GRECE, *Éléments*, nº 7, sept-oct. 1974, p. 4.
48. Pour une approche de cette « éthique de l'honneur » et des comportements qu'elle induit on pourra se reporter à A. de Benoist, « Vingt-cinq principes de morale », in *Les Idées à l'endroit, op. cit.*, p. 31-48.

387

sans l'expérience de la guerre. C'est l'« odeur des mâles aventures » (Ernst von Salomon), respirée dans la chaleur des séminaires et des colloques. En tout cas pour tous ceux qui estiment faire déjà partie de cette nouvelle aristocratie. Pour les autres, pour les futurs « maîtres », ce sera surtout affaire de « dressage », de discipline, de sélection également et d'adhésion à un même « style de vie ».

Que cette aristocratie pétrie de « nouvelles valeurs » − en fait des valeurs indo-européennes ressuscitées et substituées à celles de la tradition judéo-chrétienne − soit appelée à dominer le nouvel « Empire » à construire est dans la nature des choses. A ceux qui se sont imposé plus de devoirs que les autres, il est légitime d'accorder davantage de droits. La future société sera donc inégalitaire, arbitraire et injuste, à l'image de la nature aussi bien que de la « culture » qui a lointainement façonné l'Europe. Car c'est bien de cela qu'il s'agit. Donnant une forme culturaliste aux choix néo-fascistes qui ont précédé son éclosion, la Nouvelle Droite substitue au nationalisme traditionnel de l'extrême droite un nationalisme européen légitimé et sacralisé par la référence au fonds aryen. Européen et non *occidental*, il faut le préciser, car d'une part l'Amérique marchande, cosmopolite, libérale et « biblique » ne fait pas partie de l'héritage, et d'autre part les frontières de l'Europe ne s'arrêtent pas au rideau de fer. L'URSS elle-même, on l'a vu, est perçue comme un « monde-race-blanc » (Jean Cau), conservatoire, explique très justement Pierre André Taguieff, « des valeurs de puissance et de hiérarchie [49] ».

Il y aurait encore beaucoup à dire sur l'utopie néo-droitière, telle qu'elle s'est façonnée depuis bientôt vingt ans autour du GRECE et de son petit empire médiatique. L'Europe à construire sera gaullienne en ce sens qu'elle ira « de l'Atlantique à l'Oural » (de Gaulle est lui aussi au rang d'honneur dans le panthéon de la Nouvelle Droite). Elle sera bâtie autour de l'axe franco-allemand (l'Allemagne étant réunifiée). Elle sera tiers-mondiste, anticolonialiste et antiraciste, tout en affirmant sa volonté de préserver son identité et de se garder des « métissages ». Elle sera respectueuse des principes de hiérarchie et d'autorité, mais elle ne sera pas totalitaire (au sens qu'elle donne à ce terme). Elle aura à sa tête un État fort, qui ne sera ni l' « État dinosaure » des socialistes, ni l'« État veilleur de nuit » des libéraux et qui n'interviendra hors du champ politique que pour faciliter l'épanouissement d'une « économie organique ». Bref, une

49. P.A. Taguieff, « La Stratégie culturelle de la Nouvelle Droite... », *op. cit.*, p. 131.

388

Europe de troisième voie, telle qu'on la rêvait déjà du côté des « non-conformistes » des années trente, revue et corrigée par des gramsciens de droite qui se sont fait une règle de l'euphémisation du discours.

Une révolution conservatrice

La Nouvelle Droite est-elle fasciste? La question a fusé de toutes parts, à gauche comme à droite, lorsque le phénomène a brusquement surgi du clair-obscur où il était resté tapi pendant dix ans, dans le courant de l'année 1979. Les présomptions ne manquaient pas. D'abord l'origine du GRECE et de *Nouvelle École*, sortis tout armés du giron de la très activiste et néo-fasciste *Europe-Action*. Mais faut-il juger les hommes et leurs idées sur ce qu'ils étaient? A ce compte-là, il faudrait se demander si tous les staliniens passés à d'autres bords ne continuent pas de pratiquer en secret le culte marxien. Ou si les soixante-huitards repentis et reconvertis dans le commerce des idées ne gardent pas au fond du cœur l'espérance du Grand Soir.

Tout de même, il y a chez les gens du GRECE une démarche commune, un choix originel que l'on ne retrouve pas ailleurs. Ils ne se dispersent pas aux quatre coins du champ politique comme les anciens communistes et les ex-gauchistes. Ils partent tous du même territoire. Ils font le même pari. Ils cheminent à la même cadence. On retrouve la plupart d'entre eux dans les mêmes eaux une quinzaine d'années plus tard. Surtout, ils ont clairement annoncé la couleur au départ. Ils feront du léninisme contre les héritiers de Lénine. Ils sauront faire capituler la doctrine devant la tactique. Ils s'annexeront Gramsci pour gagner le combat « métapolitique ». Qu'on se souvienne. Dès 1962, Dominique Venner, principal dirigeant d'*Europe-Action*, disait : « Il faut combattre plus par les idées et l'astuce que par la force [50]. » Et Bardèche, parlant des penseurs de la Nouvelle Droite, notait en 1979 : « Ils ne font pas l'erreur d'accuser la démocratie, elle fait partie du paysage [51]. » De même, lorsqu'un ancien du GRECE, Yvan Blot, devenu président du club

---

50. Dans *Pour une critique positive*, cf. *supra*.
51. M. Bardèche, « La " Nouvelle Droite " », in *Défense de l'Occident*, nº 167, juillet-août 1979, p. 14.

de l'Horloge, cherchera à se démarquer de la cellule mère et à donner à sa propre organisation un vernis de respectabilité, il précisera : « Nous avons donc choisi de présenter notre projet sous les auspices de la République. En effet, les valeurs républicaines sont très largement majoritaires [52]. »

Un discours doit d'abord être lu pour ce qu'il énonce, et le discours du GRECE énonce qu'il n'est pas fasciste, que le national-socialisme lui fait horreur et qu'il est l'ennemi de tous les totalitarismes. En donnant il est vrai de ces trois termes une définition passablement réductrice. Soit. On ne peut pas ne pas tenir compte de cette profession de foi, qui est loin d'être unanime à l'extrême droite. Mais on ne peut pas non plus oublier que les hommes qui font ainsi assaut verbal de zèle « antifasciste », « antiraciste », « anticolonialiste », « antitotalitaire » ont fait savoir d'entrée de jeu qu'ils étaient prêts, pour faire avancer leurs idées, à les recouvrir d'un manteau de respectabilité. Ou, si l'on préfère, à les rendre recevables par les strates de l'opinion que l'on a prises pour cible et dont il faut bien prendre en compte l'attachement aux valeurs républicaines.

Ce constat de la démarche stratégique du GRECE conduit l'interprète de son discours à bien regarder entre les lignes, à mesurer la place et le sens des blancs et des silences (relire ce petit chef-d'œuvre de banalisation que représente l'article « L'Énigme hitlérienne [53] » dans le Vu de droite d'Alain de Benoist), bref à se demander jusqu'où va la volonté d'euphémisation du locuteur. Prenons l'exemple, hautement significatif, de l' « antiracisme » du GRÉCE. Pour les doctrinaires de la Nouvelle Droite, les racistes ce sont les autres : ceux qui prônent le métissage des races et l'assimilation réductrice (les Américains répandant leur « sous-culture » dans le monde entier, les Européens alignant les peuples colonisés sur les modèles métropolitains, les Français vis-à-vis des communautés immigrées, etc.). A quoi Alain de Benoist et ses amis opposent – récupérant habilement le discours d'une certaine gauche – le respect du « droit à la différence ». Très bien joué! Il faut toutefois se demander de quelle « différence » et de quel respect il s'agit. Partis de la génétique, les gens du GRECE naviguent perpétuellement entre deux conceptions fort différentes de la race : celle qui met l'accent sur la transmission héréditaire d'un patrimoine génétique commun et celle qui, se rattachant aux conceptions spirituelles d'un

52. Y. Blot, « Pour une stratégie républicaine », in Échecs et injustices du socialisme, Paris, 1982, p. 151. Cité in P. A. Taguieff, op. cit., p. 88.
53. Op. cit., p. 554-562.

390

Spengler ou d'un Julius Evola, se définit en termes de « culture » et de destin historique commun.

Or la navigation peut les pousser vers des rivages qui ne sont pas ceux de la tolérance, apparemment si chère à nos penseurs néo-droitiers. Passons sur les quelques dérapages du discours et sur les bavures iconographiques que Ghislaine Desbuissons a relevés dans sa thèse [54]. Ainsi, dans le numéro 23 d'*Éléments*, parmi les illustrations accompagnant un article sur les livres à conseiller aux enfants, on trouve entre autres l'image d'un jeune homme blanc luttant vaillamment contre une meute de Noirs prête à le submerger [55]. On pourrait citer beaucoup d'autres exemples de représentation du mythe de l'invasion récurrent on le sait dans l'imaginaire xénophobe [56] : mais l'essentiel est ailleurs. D'abord dans les conclusions que l'on n'hésite pas à tirer de l'éloge de la différence. Dénonciation discrète des « mélanges raciaux », apologie plus appuyée du « développement séparé », c'est-à-dire de l'*apartheid* [57], « retour au pays » demandé pour les immigrés, « pour aller jusqu'au bout du droit à la différence [58] », etc. Ensuite et surtout dans l'usage qui est fait du mythe indo-européen.

Certes, il n'est jamais dit de manière explicite – sauf par quelques disciples imprudents ou maladroits, et encore avec passablement d'artifices [59] – que les Indo-Européens (c'est-à-dire les « Blancs ») constituent une race « supérieure », et que par conséquent il existe des races « inférieures ». Mais l'usage hyperbolique qui est fait de nos « ancêtres » aryens, porteurs de toutes les vertus vitalistes et inventeurs d'un système d'organisation sociale conforme à la « nature », ainsi que du génie polyvalent et dominateur de leurs « descendants », en dit long sur la conception du monde et de l'histoire qui en résulte. Surtout si on le rapproche de l'image du « Sémite » qui sous-tend le discours sur la tradition « judéo-chrétienne » et sur la fin du monde

54. Ainsi, dans son numéro 3, la revue *Éléments* cite Jean Raspail : « J'ai appris à mesurer la haine des peuples du Tiers Monde à l'égard de l'homme blanc », janv.-fév. 1974, p. 4.

55. G. Desbuissons, *op. cit.*, p. 247.

56. Cf. P. Milza, *Français et Italiens à la fin du XIXᵉ siècle*, 2 vol., École française de Rome, 1981 ; R. Schor, *L'Opinion française et les étrangers, 1919-1939*, Paris, Publications de la Sorbonne, 1986.

57. L'Afrique du Sud a souvent été à l'honneur dans la prose du GRECE. Cf. par ex. l'interview du professeur Barnard dans le numéro de l'été 1975 de la revue *Éléments*.

58. G. Faye, « La Société multi-raciale en question », *Éléments*, nº 48-49, hiver 1983, p. 76.

59. Voir comment l'ancien ministre de l'Intérieur Michel Poniatowski, grand sympathisant du GRECE, aborde la question dans son livre : *L'avenir n'est écrit nulle part*, Paris, Albin Michel, 1978.

antique, mort nous l'avons vu après qu'il eut été rongé de l'intérieur par une horde de « fanatiques au regard trop fixe et trop brillant [60] » débarqués de l'Orient sémitique [61].

Faut-il en déduire, comme cela a été fait un peu trop hâtivement me semble-t-il, lors du grand débat de l'été 1979, que nous sommes en présence d'un « remake » dépoussiéré et aseptisé du national-socialisme? Les éléments de référence ne manquent pas : une conception de l'histoire reliée au mythe aryen, un néo-paganisme exclusif de l'héritage judéo-chrétien, l'idée d'une « communauté du peuple » fonctionnant comme un organisme vivant et porteuse d'un destin historique commun, une raciologie fondée à la fois sur l'anthropologie physique, la « psychologie des peuples » et la théorie des « génies créateurs de civilisations [62] », l'attachement au passé nordique de l'Europe, à l'esthétique wagnérienne, à un hellénisme repensé par la culture allemande (voir la place qu'occupe la statuaire d'Arno Breker dans le « Musée imaginaire » de la Nouvelle Droite), le rôle moteur attribué à la nouvelle aristocratie et à son éthique guerrière (la SS) ou de substitution à la guerre (les écrits néo-droitiers), tout cela est présent dans les deux corps doctrinaires, mais avec des différences d'intensité et d'intentionnalité telles qu'il serait inexact et injuste de réduire la pensée de la Nouvelle Droite à une résurgence du nazisme, parée des oripeaux de la respectabilité.

En outre, il existe sur des points essentiels des divergences profondes avec le nazisme et avec les « fascismes » en général. Ce que la Nouvelle Droite retient du fascisme, c'est plus son esprit que sa doctrine. C'est l'éloge qu'il fait de l'autorité et de la force, c'est son éthique guerrière, son volontarisme créateur d'histoire, son romantisme révolutionnaire, son idéal de la communauté organique, etc. Mais il y a dans les fascismes une volonté totalitaire et réductionniste de remodelage des individus sur une base stéréotypée qui est aux antipodes de la pensée néo-droitière, laquelle s'accommode également assez mal de la statolâtrie et de la religion du chef charismatique qui ont caractérisé les expériences italienne et allemande. Si référence est faite souvent aux grandes figures du fascisme européen, ce n'est pas du côté des « guides » qu'il faut la chercher mais chez les

60. *Éléments*, août 1979.
61. Cet aspect d'un antisémitisme larvé présent dans le discours du GRECE sur la tradition judéo-chrétienne et sur la chute de Rome a été assez bien vu par Étienne Borne, « Visionnaires en délire », *La Croix*, 17-8-1979.
62. Je suis de près ici ce que dit Pierre-André Taguieff des rapports entre la Nouvelle Droite et le nazisme, in « La Stratégie culturelle... », *op. cit.*, p. 121-122.

392

intellectuels fascistes et fascisants : Evola, Brasillach, Drieu La Rochelle, Montherlant.

De même qu'en dépit de certaines convergences (scientisme, primat du politique, élitisme, organicisme, etc.) elle ne saurait être considérée comme une résurgence du maurrassisme et de l'ultracisme contre-révolutionnaire (René Rémond l'a très clairement montré) [63], la Nouvelle Droite n'est donc pas purement et simplement assimilable à un fascisme. Et pourtant, on sent bien à l'évocation des thèmes abordés dans les colloques du GRECE et dans les colonnes d'*Éléments* et de *Nouvelle École* que, tout en cherchant à aseptiser son discours pour des raisons très largement stratégiques, elle flirte avec le fascisme, et davantage encore avec le national-socialisme. Il n'y a pas lieu de s'en étonner. En redonnant quelque lustre à un darwinisme social qui avait fait les beaux jours des doctrines élitistes de la fin du siècle dernier, en se réclamant comme lui des apports les plus récents de la biologie et de la génétique, en accommodant à une sauce moderniste les diatribes contre le monothéisme sémite d'un Barrès ou d'un Jules Soury, ainsi que les divagations d'un Vacher de Lapouge sur la « psychologie de la race » et le rôle historique déterminant joué par les Indo-Européens, la Nouvelle Droite orthodoxe rattache directement son corpus idéologique à celui de cette « droite révolutionnaire » qui n'est pas encore le fascisme, mais qui appartient à la même matrice que les « préfascismes » italien et surtout allemand.

Ceci pour le précédent français dont il est d'autant plus important de souligner l'existence que ce « national-socialisme » avant la lettre est, chez nous, immédiatement porteur d'une estampille *raciste* (ce qu'il n'est pas en Italie). Mais, à cette origine lointaine et endogène de la pensée de la Nouvelle Droite s'ajoute une influence au moins aussi importante qui est celle de la « révolution conservatrice » allemande de l'entre-deux-guerres, non dans sa variante *völkisch*, romantique, pessimiste et antimoderniste [64], mais dans la version volontariste, optimiste et soucieuse d'intégrer la modernité que représente notamment Moeller van den Bruck. Or, si la « révolution conservatrice » n'est pas le nazisme, et n'a pas fait à proprement parler le « lit du nazisme » – certains de ses représentants en seront les victimes, avant et après la prise du pouvoir [65] –, les sociétés de

63. R. Rémond, *Les Droites en France, op. cit.*, p. 284-286.
64. Sur la « révolution conservatrice » l'ouvrage fondamental est en allemand : A. Mohler, *Die Konservative Revolution in Deutschland, 1918-1932*, Stuttgart, 1950.
65. Walter Rathenau, assassiné en 1922, Thomas Mann, contraint à l'exil en 1933.

393

pensée, cercles, cénacles littéraires et associations diverses qui se rattachent à ce courant ont apporté à Hitler des idées, des obsessions, des mythes, des thèmes de propagande (par un glissement sémantique que Jean-Pierre Faye a admirablement analysé dans ses *Langages totalitaires*) [66], plus tard des cadres dont le mouvement national-socialiste et le IIIe Reich seront en fin de compte les bénéficiaires.

D'une certaine façon, le GRECE et les organisations et publications qui s'y rattachent plus ou moins directement ont joué un rôle semblable dans la France des années 1980. Par le truchement des médias, les thèmes qu'ils ont mis à la mode se sont répandus dans le « grand public éclairé », puis de manière diffuse dans toute une partie de l'opinion. Certains ont d'autant plus aisément pris racine qu'ils touchaient au vif des points sensibles de l'opinion conservatrice : problèmes de l'école, crise de l'autorité parentale, menace de métissage ethnique et culturel causée par l'immigration de masse, hantise du nivellement social dont serait porteur l'État-providence, diffusion d'une sous-culture très largement allogène et réductionniste, etc.

Appelant à la rescousse des données scientifiques incontestables, mais soigneusement triées et isolées, fournies par les biologistes, les généticiens, les éthologues, les anthropologues, etc., les penseurs et les vulgarisateurs de la Nouvelle Droite ont élaboré un système où se trouvent réhabilités de façon plus ou moins feutrée le racisme, le darwinisme social, l'antiégalitarisme, la soumission aux hiérarchies et à l'autorité, et dans cette panoplie de vieilles lunes et d'idées rebattues badigeonnées de neuf, certaines fractions d'une constellation droitière en quête de cohérence et de renouvellement doctrinal sont venues puiser. C'est en ce sens que l'on peut parler de « nouvelles droites », distinctes du noyau dur constitué par le GRECE et parfois en désaccord avec lui sur des questions fondamentales (la métaphysique par exemple).

On peut se demander dans ces conditions pour qui Alain de Benoist et ses amis ont « roulé » pendant une vingtaine d'années. Lors des élections de 1974, le secrétaire général du GRECE de l'époque, Jean-Claude Valla, avait demandé à ses amis de voter au second tour pour Valéry Giscard d'Estaing et il y a eu effectivement dans les entourages ministériels de l'ère giscardienne, celui de Michel Poniatowski en particulier, une certaine influence de la Nouvelle Droite qui n'a guère résisté au penchant de l'ancien chef de l'État pour le

66. J.-P. Faye, *Langages totalitaires*, Paris, Hermann, 1972.

394

gouvernement au centre et pour le « libéralisme avancé ». On a ensuite fait du club de l'Horloge la courroie de transmission du noyau dur néo-droitier à l'intérieur des grandes formations politiques de droite et il est vrai que des hommes comme Yvan Blot et Jean-Yves Le Gallou, passés du GRECE à cette société de pensée hautement élitiste, ont pu jouer un rôle de relais au sein du RPR et du Parti républicain. Surtout, la Nouvelle Droite antiégalitaire a apporté la caution de ses argumentaires néo-scientistes aux adversaires du socialisme « niveleur » et « totalitaire » pendant la période où la gauche était au pouvoir.

Cela dit, cette captation d'idées, de thèmes et parfois d'hommes ne signifie pas qu'il y ait eu conversion des formations majoritaires actuelles au corpus idéologique néo-droitier. Il suffit pour s'en convaincre de relire la presse de l'été 1979 et de constater avec quelle fermeté les thèses les plus douteuses du GRECE ont été rejetées à droite, de Jean-Marie Benoist à Annie Kriegel et de Jean Lecanuet à Michel Debré. Il serait donc tout à fait abusif de parler de « fascisation » de la droite française, comme cela a été fait à l'époque. En pénétrant les rouages de l'État et les structures dirigeantes des grands partis conservateurs, les anciens cadres de la droite fascisante et les théoriciens de la Nouvelle Droite ont fortement tempéré leurs ardeurs antidémocratiques et se sont le plus souvent laissé absorber par un néo-libéralisme qu'un certain nombre d'entre eux souhaiteraient tout juste un peu plus musclé.

Certes, l'entrisme prôné il y a près de vingt ans par les fondateurs du GRECE a réussi au-delà de toute espérance. Mais à quel prix ? A force de capituler devant la tactique, comme Lénine lui avait appris à le faire, la doctrine a fini par se diluer dans les replis d'un môle conservateur qu'elle a sans doute concouru à rajeunir et à renforcer sans en modifier beaucoup l'essence. De tous les adversaires idéologiques des anciens militants d'*Europe-Action,* l'ennemi que Jean-Marie Benoist et ses amis avaient désigné comme « principal » était le libéralisme d'inspiration nord-américaine. Or c'est plutôt de ce côté – admiré il est vrai dans sa version « reaganienne » – que de larges secteurs de la droite française penchent depuis quelques années.

Du coup, la presse Hersant a pris ses distances à l'égard du GRECE, peu à peu ramené à son isolement originel et coupé d'une intelligentsia qui lui préfère des lieux de réflexion moins suspects d'arrière-pensées douteuses. Depuis 1983, *Éléments* a perdu une bonne partie de ses lecteurs et le GRECE a dû céder les éditions Copernic, tandis que certains de ses adhérents rejoignaient le CNIP de Philippe Malaud ou le Front national de Jean-Marie Le Pen. La

« nouvelle droite » orthodoxe, ou ce qu'il en reste, reviendrait-elle à ses origines? Et d'ailleurs les a-t-elle jamais tout à fait reniées. Ce qui est certain, c'est que de toutes les formations politiques avec lesquelles le GRECE a été d'une façon ou d'une autre en rapport, celles qui se sont ouvertement réclamées de lui et de ses idées (à quelques nuances et à quelques réserves près) sont la FANE de Marc Fredriksen, Jeune Nation solidariste de Jean-Gilles Malliarakis et le très néo-fasciste Parti des forces nouvelles. Le drame, pour Alain de Benoist et ses amis, c'est que ce n'est pas de ce côté qu'est venu le réveil de l'ultra-droite politique.

8

Le Front national est-il fasciste?

Deux faits symétriques caractérisent le paysage politique français depuis le début de la décennie 1980. D'une part, l'effritement – pour ne pas dire l'effondrement – du parti communiste, passé de 20-22 % des voix à un peu moins de 10 % d'intentions de vote à l'heure présente. D'autre part, la percée du Front national de Jean-Marie Le Pen, à peu près inexistant il y a cinq ans, et aujourd'hui détenteur d'un capital de voix représentant plus de 10 % de l'électorat : ce qui fait de cette formation autrefois groupusculaire et tendanciellement néo-fasciste, une force politique « attrape-tout » avec laquelle les grands partis de la coalition majoritaire doivent compter.

Phénomènes contradictoires, en tout cas qui posent problème : dès lors qu'en France, comme ailleurs, la montée de l'ultra-droite est fréquemment apparue comme la contrepartie d'une poussée à l'extrême gauche, immédiatement interprétée dans les rangs conservateurs comme grosse d'une menace révolutionnaire. Phénomènes au demeurant strictement hexagonaux. Sur fond de dépression économique et de chômage persistant, la France est le seul des grands États industrialisés à connaître une radicalisation de cette nature et de cette ampleur. Partout ailleurs, y compris dans des pays où la droite extrême jouait encore un rôle considérable il y a dix ans, elle se trouve à l'heure actuelle à peu près complètement marginalisée.

Comment peut-on expliquer cette montée en puissance d'une organisation politique qui n'avait obtenu qu'un score dérisoire aux législatives de 1981? De quelles pesanteurs passées et présentes est-elle révélatrice? Et, pour rester dans la problématique de ce livre, de quel péril éventuel pour la démocratie est-elle porteuse?

397

Avant les élections européennes de juin 1984, qui constituent le premier test à l'échelle nationale et marquent pour l'instant l'apogée du Front national, celui-ci avait réussi dans le courant de l'année 1983 une percée électorale en quatre étapes[1].

En mars, présent dans sept arrondissements parisiens, il obtient son meilleur score dans le XXe. A Belleville et à Ménilmontant, là où les derniers flux de l'immigration – maghrébine, africaine, yougoslave, pakistanaise – n'ont pas encore eu le temps d'être intégrés et posent de réels problèmes de contact avec les populations du cru (très largement composées de représentants des vagues plus anciennes : mais c'est la loi du genre!), le discours d'exclusion de Jean-Marie Le Pen a porté. Résultat : la liste conduite par le président du Front national obtient près de 7 000 voix, soit 11,26 % des suffrages exprimés. Au second tour, Le Pen se maintient et devient conseiller d'arrondissement dans ce secteur populaire de la capitale. Qui a voté pour l'ancien député poujadiste? Les petites gens au contact direct avec la « marée » étrangère ou les cadres qui peuplent les zones rénovées à loyers élevés. Le Pen tranche sans complexe, au lendemain du premier tour : « J'ai fait 18 % à Belleville, mais 8 à 9 % seulement à Gambetta, beaucoup plus bourgeois[2]. » Les politologues sont plus circonspects. Affaire à suivre.

En septembre, à l'élection municipale de Dreux, la liste du Front National, menée par le numéro deux du parti, l'ancien « solidariste » Jean-Pierre Stirbois, recueille au premier tour 16,7 % des suffrages exprimés. Au second tour, en dépit des avertissements lancés par Simone Veil[3] et par d'autres personnalités de l'UDF, la droite fait le choix du pragmatisme et présente, contre l'équipe du successeur de Françoise Gaspard[4], une liste unique de l'opposition ouverte au Front national et à ses sympathisants[5]. Jean-Pierre Stirbois y figure

1. Voir sur cette question : *L'Effet Le Pen*. Dossier présenté établi par Edwy Plenel et Alain Rollat, Paris, La Découverte/*Le Monde*, 1984, p. 95-120.

2. *Ibid.*, p. 98.

3. Le 5 septembre 1983, l'ancien ministre de la Santé avait précisé qu'elle n'aurait « pas conclu d'alliance avec le Front national » et qu'elle s'abstiendrait personnellement dans une configuration électorale de cette nature.

4. Il s'agit de Marcel Piquet. Françoise Gaspard, maire socialiste de Dreux depuis 1977, avait démissionné de ses fonctions après les municipales de mars 1983, usée par une campagne où les coups bas ne lui avaient pas été épargnés. Le PS l'avait emporté d'extrême justesse (8 voix d'avance), mais le tribunal administratif avait annulé l'élection pour « erreurs dans le découpage ».

5. La liste comprenait 4 membres du FN et 8 sympathisants.

en quatrième position. Avec deux de ses amis politiques, il entre donc à la mairie, enlevée au PS avec 55 % des voix. Tournant capital pour le parti de Jean-Marie Le Pen. D'abord, la droite de tradition républicaine a fait capituler la morale devant la tactique en contractant localement avec l'organisation lepéniste ce que Jacques Chirac avait lui-même qualifié quelques mois plus tôt d' « alliance contre nature [6] ». Ensuite, ce que toute une partie des faiseurs d'opinion allait désormais pudiquement baptiser la « question immigrée » (sécurité, emploi, citoyenneté, etc.) a surgi avec l' « effet Dreux » au premier plan de l'actualité, nourrissant un puissant courant médiatique et apportant à Jean-Marie Le Pen un formidable levier que l'ancien lieutenant du premier REP va aussitôt utiliser, avec le talent de bateleur qu'on lui connaît, pour donner à son image une stature nationale.

Troisième étape : Aulnay-sous-Bois. En novembre 1983, une élection municipale partielle dans cette commune de la banlieue nord, tenue par le parti communiste, est gagnée par la droite, sans alliance avec le candidat du Front national, Guy Viarengo. Pour pouvoir pratiquer le chantage au maintien au second tour, ce dernier aurait dû en effet passer la barre des 10 %. Il la rate de peu, avec 9,32 % des suffrages exprimés. Ce n'est pas assez pour obliger la coalition RPR-UDF à concéder quelques strapontins à l'extrême droite, mais c'est néanmoins une confirmation de la montée du courant lepéniste. Certain de voir les états-majors de la droite contraints un jour ou l'autre à devoir lui renvoyer l'ascenseur le président du Front national peut même se payer le luxe de ne pas « punir » le RPR – dont 56 % des sympathisants, selon un sondage SOFRES effectué quelques jours plus tôt, se sont déclarés favorables à une alliance avec l'extrême droite [7] – et d'appeler les électeurs de la Seine-Saint-Denis à voter pour des « politiciens médiocres », plutôt que de laisser la mairie entre les mains des communistes.

Enfin, en décembre de la même année, candidat à une législative partielle dans une circonscription du Morbihan devenue vacante à la suite de l'élection au Sénat de l'ancien ministre Christian Bonnet – et qui comprend sa commune natale, La Trinité-sur-Mer –, Jean-Marie Le Pen obtient au premier tour 12,02 % des suffrages exprimés (il en a plus de 51 % à La Trinité, près de 28 % à Quiberon, 26 % à Carnac dont Christian Bonnet est le maire). C'est mieux que le parti

6. A l'occasion d'une visite dans le XX⁰ arrondissement de Paris, entre les deux tours des municipales de mars 1983.
7. 21 % seulement des personnes interrogées se déclarent hostiles à une alliance de ce type.

communiste, tombé en cinq ans de 11,53 % à 5,35 %. L'enfant du pays peut s'autocongratuler sans complexe (« plus on me connaît, plus on m'aime! ») : le moment est venu, pour lui et pour son parti, de s'engager dans une bataille d'une tout autre envergure.

De ces scrutins préliminaires, on peut déjà tirer deux conclusions. Tout d'abord, dans trois cas sur quatre (Paris XXe, Dreux, Aulnay-sous-Bois), ont joué la localisation urbaine et les deux arguments électoraux qui constituent dès cette date les leitmotive du discours lepéniste : l'immigration-invasion et l'insécurité. Ensuite, dans deux scrutins sur quatre (Paris et le Morbihan), est intervenu de surcroît le charisme personnel du président du Front national. Son image de Français moyen en colère, fort en gueule et dur aux coups (celle-là même qui avait si bien réussi à Poujade un quart de siècle plus tôt), son bagou, ses « petites phrases » habiles à déclencher le gros rire et aussitôt balancées par des propos graves, son talent d'acteur, pas très à l'aise peut-être devant de petits aréopages relevant de l' « établissement », mais d'une efficacité extrême dès lors qu'il s'agit de caresser la foule dans le sens du poil, tout cela fait de l'ancien député poujadiste un phénomène médiatique qui va pouvoir jouer à fond dans l'élection hautement personnalisée (on vote pour une liste et par conséquent pour une tête de liste) des représentants de la France au Parlement européen.

Les élections européennes du 17 juin 1984 marquent à la fois l'émergence à l'échelle nationale du phénomène Le Pen et l'un des grands tournants de l'histoire politique des quinze dernières années. « Divine surprise » a-t-on dit, par référence à la formule employée par Maurras en 1940, pour le chef de file du groupuscule agité de l'ère giscardienne. En fait, surprise surtout pour les autres. Dès le début de la campagne, le président du Front national s'était fixé comme objectif de dépasser la barre des 10 % et de faire jeu égal avec le PC. Pari tenu, avec 10,95 % des suffrages exprimés, contre 11,2 % à la liste communiste, alors que tous les instituts de sondage avaient pronostiqué un écart de 5 à 8 points en faveur de Georges Marchais et de ses amis [8]. Seul Gaston Defferre aurait semble-t-il parié, à la veille du scrutin, sur un Front national à plus de 10 %, probablement par référence à l'atmosphère qui régnait dans sa propre ville (Le Pen y obtiendra 21,42 % des voix) [9].

8. La SOFRES avait pronostiqué une liste Le Pen à 7 % depuis février, contre 12 à 14 % pour la liste Marchais. L'IFOP avait de son côté fait passer le Front national de 4 % en février à 7,5 % en juin. Dans le même temps il créditait la liste communiste de 12 % d'intentions de vote en février et de 14 % en juin. Quant à BVA, il ne donnait pas plus de 6 points à Le Pen en fin de parcours.

9. Cf. *L'Effet Le Pen, op. cit.*, p. 110.

Surprise donc, et d'autant plus amère pour certains que, sur les 2 210 334 électeurs ayant voté pour la liste Le Pen, 25 %, selon un sondage de la SOFRES effectué au soir du scrutin, se sentent proches du RPR, 9 % de l'UDF, 11 % de la gauche et seulement 34 % de l'extrême droite. Le Front national a donc ratissé large et pris des voix à tout le monde, avec toutefois une prédilection marquée pour le parti de Jacques Chirac. Pour trouver, appliqué à ce secteur de l'opinion, un score de cette ampleur, il faut remonter aux législatives de 1956, où poujadistes et divers « extrême droite » avaient obtenu près de 13 % des voix. Depuis, si l'on excepte le « non » au référendum de 1962 (9,2 % d'ailleurs moins faciles à interpréter), les scores avaient oscillé entre 0,1 et 5,3 %.

Le vote d'extrême droite
en France métropolitaine de 1956 à 1985.

			% exprimés	% inscrits
1956	Législatives	Poujadistes + divers extrême droite 11,7 + 1,2	12,9	10,3
1958	Législatives	Extrême droite	2,6	1,9
1962	Référendum	« Non »	9,3	6,6
1962	Législatives	Extrême droite	0,8	0,5
1965	Présidentielle	Tixier-Vignancour	5,3	4,4
1967	Législatives	Extrême droite	0,6	0,4
1968	Législatives	Extrême droite	0,1	0,1
1973	Législatives	Extrême droite	0,5	0,4
1974	Présidentielle	Le Pen + Renouvin : 0,8 + 0,1	0,9	0,8
1978	Législatives	Extrême droite	0,8	0,6
1979	Européennes	Eurodroite + Défense interprofession-nelle 1,3 + 1,4	2,7	1,6
1981	Législatives	Extrême droite	0,3	0,2
1984	Européennes	Liste Le Pen	11,1	6,1
1985	Cantonales	Extrême droite	8,9	5,7

Les élections cantonales de mars 1985 représentent l'ultime étape avant les grands rendez-vous de 1986 et 1988. Cette fois le Front national se retrouve un peu au-dessous de 9 % des suffrages exprimés, sans que l'on puisse pour autant affirmer qu'il y a eu recul. En effet, il s'agit d'un vote à la fois moins personnalisé que les européennes et infiniment plus dépendant d'implantations locales effectuées de longue date. D'ailleurs, dans les cantons où elle a présenté des candidats, la formation lepéniste obtient en moyenne 10,44 % des voix et, dans certains secteurs fortement urbanisés, ainsi qu'en de nombreux points de la région méditerranéenne, elle fait mieux qu'en juin 1984.

En même temps qu'ils surprennent les politiques et fournissent aux grands médias d'information un inépuisable sujet, les scores enregistrés par le Front national posent problème aux politologues, aussi bien qu'aux historiens, habitués les uns et les autres à juger d'un phénomène par comparaison, dans l'espace et dans le temps.

Aux élections européennes de juin 1984 en effet, le MSI de Giorgio Almirante, qui avait obtenu on s'en souvient plus de 8 % des votes aux législatives de 1972, est retombé à moins de 6 %. Le NPD allemand est devenu un courant marginal. En Espagne, l'extrême droite parlementaire n'a enlevé aucun siège aux Cortès lors des législatives de 1982, et en Grèce l'Union politique nationale (EPEN), qui se réclamait de l'ex-dictateur Papadopoulos, n'a recueilli que 2,35 % des suffrages. Il faut attendre – et encore s'agit-il d'un phénomène extrêmement localisé – les élections dans le canton de Genève, à l'automne 1985, pour voir une formation politique européenne, axant sa campagne sur des mots d'ordre ouvertement nationalistes et xénophobes, faire exploser la barre des 10 % [10].

Très clairement, le vote Le Pen traduit donc un fort décalage entre l'évolution de l'électorat dans l'hexagone, au début de la décennie 1980, et ce qui se passe au même moment chez nos partenaires européens. Ce qui d'entrée de jeu écarte l'explication par la seule crise économique et rend peu opératoire le modèle années trente.

Premières radioscopies du vote Le Pen

Au-delà des chiffres bruts – près de 11 % des voix en juin 1984, un peu moins de 9 % en mars 1985 – quelle est géographiquement, sociologiquement, et en termes de choix et de familles politiques, la physionomie de l'électorat du Front national ?

Commençons par la géographie électorale. Sur une représentation cartographique du vote Le Pen aux européennes de 1984, la France paraît assez nettement coupée en deux suivant une ligne Caen-Montpellier (cf. carte p. 404). A l'Est, se trouvent les départements

10. Elle frôlera même celle des 20 % mais, répétons-le, il s'agit d'un échantillon très localisé.

402

où le Front national obtient plus de 10 % des suffrages exprimés, à l'Ouest ceux qui par comparaison paraissent plus rebelles à la percée lepéniste (il en est grossièrement de même pour les cantonales de mars 1985).

Vu d'un peu plus près, le vote Le Pen se concentre autour de cinq pôles. Tout d'abord, il réalise ses meilleurs scores dans les trois départements à façade maritime de la région Provence-Côte d'Azur : 20,24 % dans le Var en mars 1985 (19,96 % aux européennes), avec un score record à Toulon 5 (31,08 %), 19,46 % dans les Bouches-du-Rhône, où les candidats du Front national devancent dans 5 cantons [11] ceux des autres formations de l'opposition, 17,32 % dans les Alpes-Maritimes – fief traditionnel de l'extrême droite – avec ici un recul de 4 points par rapport à 1984, mais un gros succès à Nice où le candidat lepéniste arrive tout près du conseiller sortant RPR [12].

Dans le prolongement de cette première nébuleuse, le second rôle comprend les départements du Languedoc-Roussillon, à l'exception de l'Aude traditionnellement socialiste. Les scores y sont moins élevés qu'à l'est du Rhône – 15,91 % dans les Pyrénées-Orientales, 15,25 % dans l'Hérault, 10,71 % dans le Gard en mars 1985 [13] – mais n'en demeurent pas moins importants en valeur relative, de même que dans la région Rhône-Alpes, troisième bastion lepéniste, avec notamment de fortes positions dans les départements du Rhône (15,83 % en 1985) et du Vaucluse (15,25 %) [14].

La quatrième zone de forte implantation lepéniste est la région parisienne. A Paris même, le Front national recueille environ 15 % des suffrages exprimés en mars 1985. Dans la Seine-Saint-Denis, département qui comprend un certain nombre de fiefs du parti communiste, le score est de 17,29 % (avec un gain de 1,31 point par rapport à juin 1984); il est de 14,08 % dans le Val-d'Oise, 13,59 % dans les Yvelines, 13,06 % en Seine-et-Marne, 12,15 % dans le Val-de-Marne. Autrement dit, la « ceinture rouge » de banlieues ouvrières qui entoure la capitale se montre – pour la première fois – perméable à un courant politique relevant de l'ultra-droite. Ceci,

11. A Marseille 14B (30,08 %), Marseille 9 (25,33 %), Marseille 10 (24,81 %) Marseille 17 (22,29 %) et La Ciotat (23,63 %).
12. Avec 30,6 % des suffrages exprimés.
13. Soit, par rapport à juin 1984, une baisse de 0,05 point dans les Pyrénées-Orientales, de 1,19 point dans l'Hérault et de 2 points dans le Gard.
14. Le Front national recueille d'autre part 10,90 % des suffrages exprimés dans la Drôme, 10,66 % dans la Loire (plus de 13 % en juin 1984), 9,71 % en Haute-Savoie (13,73 % en 1984).

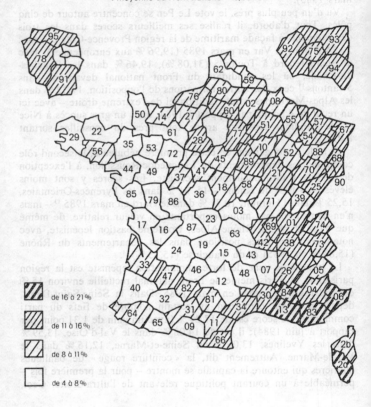

Le vote "Le Pen"
aux élections européennes du 17 juin 1984
en % des suffrages exprimés
(moyenne du Front national · 10,95 %)

de 16 à 21%

de 11 à 16%

de 8 à 11%

de 4 à 8%

404

même si contemplé au microscope par les spécialistes de la science politique, le phénomène ne paraît pas encore signifiant d'un transfert de voix de l'extrême gauche à la droite extrême.

Le dernier « pôle » – en fait il faudrait plutôt parler de nébuleuse – comprend un certain nombre de départements situés à l'est de l'hexagone. Dans la partie orientale du Bassin parisien, en Bourgogne, en Lorraine, en Alsace et en Franche-Comté, le parti de Jean-Marie Le Pen réalise également de belles percées, avec des moyennes départementales comprises entre 11 et 16 %. Enfin, il existe en dehors de ces cinq zones quelques foyers isolés de forte présence lepéniste : la Corse du Sud, une partie du département du Nord (essentiellement le canton de Roubaix-Est où le Front national recueille plus de 20 % des voix) et aussi, en dehors de la France métropolitaine, la Nouvelle-Calédonie [15].

De ce survol géographique, il ressort que le mouvement de Jean-Marie Le Pen émerge surtout dans les zones urbaines et dans les grandes agglomérations, là où les difficultés socio-économiques servant de toile de fond aux principaux thèmes de sa campagne (immigration, insécurité) présentent en général un caractère plus aigu qu'ailleurs. En revanche, c'est dans les départements ruraux de la France de l'Ouest et du Centre que le Front national enregistre ses scores les plus faibles : ainsi, en juin 1984, 2,85 % des voix en Corrèze, 2,72 % dans la Creuse, 2,64 % dans le Cantal. Un cas particulièrement significatif est celui de la Vendée, dont la tradition ultra-conservatrice s'accommode mal du langage populiste de Jean-Marie Le Pen et qui, malgré la présence sur sa liste du représentant de la fraction intégriste du « front », Bernard Antony dit Romain Marie, ne lui donne que 3,49 % des suffrages exprimés dans ce département.

La comparaison avec le vote poujadiste du 2 janvier 1956 est révélatrice de changements radicaux intervenus depuis cette date dans l'état de la France. Elle indique en effet sinon une complète inversion de tendances, du moins de très fortes divergences [16].

Le vote UDCA-UFF de 1956 est en effet très fortement représenté dans l'Ouest intérieur (Vendée, Vienne, Charente-Maritime, Indre-et-Loire, Mayenne : plus de 15 %), région totalement réfractaire au

---

15. Aux européennes de 1984, la liste Le Pen obtient en Nouvelle-Calédonie 15,72 % des voix, ce qui la place en seconde position derrière la liste Veil.

16. Je suis ici le mémoire d'Hélène Coulonjou, *Comparaison du vote Poujade de 1956 et du vote Le Pen de 1984*, IEP Paris, Séminaire de science politique III (Élisabeth Dupoirier et B. Manin), avril 1985.

vote Le Pen. Ce dernier est également à peu près absent du nord et de l'est du Massif central, là où les poujadistes enregistraient en 1956 des scores supérieurs à 10 % (18 % par exemple dans l'Aveyron). En revanche, à l'intérieur d'un quadrilatère qui va de la Seine-Maritime au Jura et du Bas-Rhin au département du Nord (en gros le quart nord-est de la France), les listes Poujade ont enregistré des résultats médiocres, alors que Le Pen trouve dans cette même zone en 1984-1985 – à l'exception du Pas-de-Calais – un terrain très perméable aux thèmes de sa campagne (cf. carte p. 303).

On peut noter cependant quelques convergences qui relativisent ce qui vient d'être dit. Le Sud-Ouest constitue pour les deux formations un secteur d'implantation moyenne, plus élevée toutefois pour l'UDCA (surtout au sud du Massif central) que pour le Front national. La région Rhône-Alpes est globalement favorable à Poujade et à Le Pen, mais avec de fortes disparités dans le détail : le premier est fortement représenté dans l'Isère, beaucoup plus faible dans la Loire et le Rhône où le second enregistre au contraire des scores importants. A Paris, et dans la région parisienne en général, les électeurs poujadistes sont beaucoup moins nombreux que ceux du Front national qui enregistre ici certains de ses meilleurs résultats. En Bretagne et sur la façade atlantique, les positions des deux formations sont faibles, de même qu'en Haute-Vienne, en Corrèze et dans le Lot. Elles sont au contraire globalement fortes dans des départements dispersés comme l'Yonne ou l'Eure-et-Loir, et surtout dans le Midi méditerranéen, avec là aussi cependant des nuances très marquées : convergence absolue dans l'Hérault, le Gard et les Bouches-du-Rhône, très forte représentation de Le Pen dans les Alpes-Maritimes et le Var où Poujade réalise des scores médiocres, situation inverse dans les Pyrénées-Orientales.

Au total, les oppositions l'emportent sur les convergences. Si bien que l'on peut déjà parler dans une première approche d'un vote poujadiste fort ou assez fort dans les départements ruraux de la France de l'Ouest, beaucoup plus faible à l'Est et dans les zones fortement industrialisées et urbanisées, et parallèlement d'un vote Le Pen puissamment représenté dans la moitié orientale de l'hexagone et dans les régions urbaines.

Une comparaison du vote Poujade de 1956 et du vote Le Pen en 1984 et 1985, faite sur le terrain des catégories démographiques et socio-professionnelles, est plus difficile à mener de façon précise. En effet, nous avons vu [17] que l'on ne disposait pour 1956 que de

17. Cf. chap. 5.

406

Proportion d'étrangers dans la population active en 1982

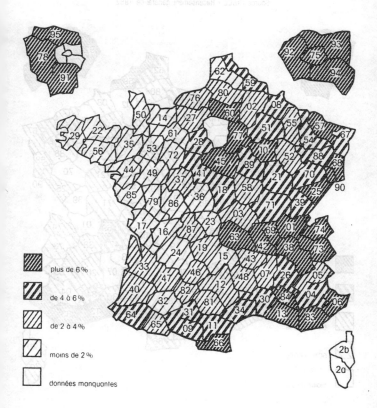

- ▨ plus de 6 %
- ▨ de 4 à 6 %
- ▨ de 2 à 4 %
- ▨ moins de 2 %
- ☐ données manquantes

France urbaine/France rurale :
Proportion de la population habitant dans des communes
de plus de 20 000 habitants
Source INSEE - Recensement général de 1982

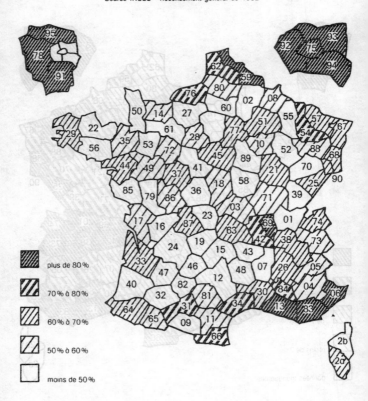

plus de 80 %

70 % à 80 %

60 % à 70 %

50 % à 60 %

moins de 50 %

Délits commis contre les biens
pour 1 000 habitants
Source : *Le Point*, septembre 1981

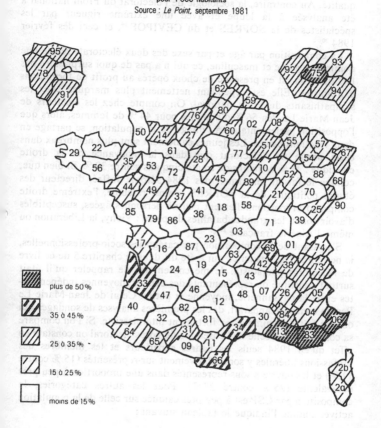

plus de 50 %

35 à 45 %

25 à 35 %

15 à 25 %

moins de 15 %

409

quelques enquêtes et monographies régionales [18], d'ailleurs de grande qualité. Au contraire, la sociologie de l'électorat du Front national a été analysée à la loupe et avec une extrême rigueur par les spécialistes de la SOFRES et du CEVIPOF [19], et ceci dès février 1984 [20].

La composition par âge et par sexe des deux électorats révèle une dominante jeune et masculine, ce qui n'a pas de quoi surprendre dès lors que l'on est en présence de choix opérés au profit de formations extrémistes. Elle est cependant nettement plus marquée chez les sympathisants du Front national. On compte chez les électeurs de Jean-Marie Le Pen 56 % d'hommes pour 44 % de femmes, alors que l'opposition parlementaire, à l'image de la population, se partage en deux fractions égales. Les jeunes également sont plus nombreux dans cette partie de l'électorat que dans la mouvance de la droite classique : 41 % de moins de trente-cinq ans contre 30 %. Si bien que, comme le faisait remarquer dès 1984 Jérôme Jaffré, directeur des études politiques de la SOFRES, « ainsi rajeunie, l'extrême droite comprend proportionnellement peu de personnes âgées, susceptibles d'avoir connu les grandes batailles du passé : Vichy, la Libération ou même l'Algérie française [21] ».

S'agissant de la composition par catégories socio-professionnelles, je ne reprendrai pas ici ce qui a été dit dans le chapitre 5 de ce livre de l'électorat poujadiste. Je me contenterai de rappeler qu'il était surtout constitué de représentants des classes moyennes indépendantes et de la paysannerie, moyenne et petite. Celui de Jean-Marie Le Pen au contraire apparaît, dès les premières analyses de sondages qui ont été faites, comme assez fortement interclassiste. Si l'on compare sa composition à celle de l'ensemble du corps électoral on constate en effet qu'en 1984 seuls les cadres supérieurs et les membres des professions libérales y sont relativement sur-représentés (15 % contre 11 %) et les ouvriers sous-représentés dans une proportion à peu près équivalente (25 % contre 28 %). Pour les autres catégories, la composition par CSP est à peu près calquée sur celle de la population active, comme l'indique le tableau suivant :

18. Voir en particulier la monographie de J. Stoetzel et P. Hassner sur le 1er secteur de la Seine, in *Les Élections du 2 janvier 1956, op. cit.* Elle est toutefois fondée sur un sondage portant sur un échantillon de 500 inscrits dont 38 électeurs poujadistes.
19. Le Centre d'études de la vie politique française, de la Fondation nationale des sciences politiques.
20. Cf. l'article de Jérôme Jaffré, directeur des études politiques de la SOFRES, « Les Fantassins de l'extrême droite », *Le Monde*, 14-2-1984.
21. *Ibid.*

410

Profession du chef de ménage	Liste Le Pen	Ensemble de l'électorat
agriculteur	7	6
petit commerçant, artisan	5	5
cadre moyen, employé	21	22
inactif, retraité	27	28

En termes d'origine politique, l'électorat du Front national présente en 1984 trois traits spécifiques. Tout d'abord, une minorité de ses électeurs – exactement 44 % – se situe à l'extrême droite, et moins du quart (24 %) affiche une sympathie pour la formation lepéniste ou pour le Parti des forces nouvelles.

Second trait, une partie de l'électorat Le Pen de 1984, comme de celui de Pierre Poujade en 1956, vient de la gauche : 7 % des électeurs du président du Front national se situent eux-mêmes dans cette mouvance (5 % à gauche et 2 % à l'extrême gauche). En termes de préférences partisanes, 9 % affichent des sympathies pour le PS, 1 % pour les radicaux de gauche, 1 % pour le parti communiste (notons qu'il s'agit de sondages et que l'occultation par les personnes interrogées du passage de l'extrême gauche à l'extrême droite n'est pas à exclure ; la suite le confirmera). Enfin, 29 % des électeurs de la liste Le Pen aux européennes de 1984 avaient voté pour François Mitterrand au second tour des présidentielles de 1981 et, ce qui est plus significatif, pour un candidat de gauche dès le premier tour des législatives de la même année. Proportion considérable et qui confirme l'existence dès 1984 d'un transfert spécifique de la gauche vers l'extrême droite [22].

Dernier caractère : à l'instar des listes Poujade de 1956, qui avaient fortement mordu sur le CNI, les modérés et le RPF (le MRP ayant mieux résisté), la liste Le Pen de 1984 a bénéficié d'un fort transfert en provenance des formations de la droite traditionnelle, UDF et surtout RPR : respectivement 12 % et 33 %, soit 45 % pour ces deux organisations réunies [23].

Au total, la plupart des experts convenaient au lendemain du vote

22. Il est à noter que l'électorat de la liste Veil ne comprenait que 13 % d'électeurs ayant voté pour François Mitterrand au premier tour des présidentielles de 1981.

23. D'autre part, lors de l'élection présidentielle de 1981, sur 100 électeurs du Front national : 27 % avaient voté pour J. Chirac au premier tour, 23 % pour Valéry Giscard d'Estaing, 4 % pour M. Debré ou Marie-France Garaud ; 50 % avaient voté VGE au second tour.

du 17 juin 1984 que l'électorat de Jean-Marie Le Pen s'apparentait beaucoup plus à un électorat de droite (émanant certes des fractions les plus radicales de la droite classique), que d'extrême droite. Ce qui traduisait non pas une connivence entre droite et extrême droite, comme on le proclamait à gauche, mais un phénomène de radicalisation motivé par la prudence des états-majors de l'opposition parlementaire du moment à l'égard d'un phénomène politique dont cette dernière s'avérait être en fait la principale victime.

Les mobiles du vote Le Pen

Le vote poujadiste de 1956, comme le vote Le Pen à l'heure actuelle, traduisent l'un et l'autre un malaise social, un « état de la France » qui n'est évidemment pas le même à trente ans d'intervalle. D'un côté la révolte de catégories sociales pratiquant des activités traditionnelles et menacées de marginalisation, sinon de « prolétarisation » par les progrès et les mutations économiques : donc une réaction de la France statique, attachée à ses façons de vivre et de penser et inquiète des effets de la modernisation. De l'autre, un phénomène de peur également et de rejet, s'appliquant beaucoup moins aux effets proprement techniques et économiques du changement et de la « crise » qu'à leurs retombées indirectes dans le domaine du quotidien.

S'agissant de l'électorat de Jean-Marie Le Pen, trois faits méritent d'être soulignés. En premier lieu, il apparaît que cet électorat populaire, citadin et de tout évidence passablement touché par le « laxisme » moral que dénonce inlassablement le président du Front national, ne coïncide pas trait pour trait avec les frontières du respect des valeurs traditionnelles, et se trouve donc largement déphasé par rapport au discours des hommes auxquels il apporte ses voix : Le Pen lui-même, le très intégriste Romain Marie et beaucoup d'autres.

Selon les enquêtes réalisées par la SOFRES – et qui s'appliquent il faut le rappeler aux sympathisants du courant d'extrême droite *avant* le test national de juin 1984 – on constate en effet, par rapport aux attitudes des électeurs de la droite classique, un relatif désintérêt pour la défense de ces valeurs. Ainsi, 56 % des sympathisants du Front national et du Parti des forces nouvelles jugent que « la libération de l'avortement constitue un progrès (contre 40 % au RPR,

412

34 % à l'UDF, 49 % pour l'ensemble des Français) [24]. 35 % « privilégient le respect de la famille, du travail et de la religion » (RPR : 47 %; UDF : 47 %; Français : 33 %). Il est vrai que l'on ne compte à cette date, parmi les électeurs lepénistes, que 38 % de catholiques pratiquants (RPR + UDF : 47 %), et que 13 % d'entre eux se déclarent « sans religion » (droite : 5 %).

En revanche – c'est le second point – sont fortement valorisées les notions d'ordre, d'autorité et de nation. Selon les mêmes sondages, 54 % des sympathisants de l'extrême droite « jugent positif le mot *gaullisme* » (RPR : 69 %; UDF : 61 %; ensemble des Français : 39 %), 62 % « jugent prioritaire de remettre de l'ordre *dans la maison France* » (RPR : 54 %; ensemble des Français : 37 %), 43 % « sont hostiles à une défense européenne commune (ensemble des Français : 39 %). En même temps, il se manifeste un certain rejet de la classe politique traditionnelle [25] et une vive allergie à l'égard des centristes. On se trouve donc ici sur un terrain connu : celui de la tradition autoritaire et antiparlementaire, revue et corrigée par un relatif consensus envers la conception gaullienne de la démocratie et l'acceptation des règles de l'alternance. A la question : « Souhaitez-vous que l'opposition sorte de la légalité face à la gauche? » 27 % seulement des sympathisants du Front national et du PFN répondent « oui », contre 8 % au RPR, 10 % à l'UDF et 7 % pour l'ensemble des Français.

Mais surtout, les principaux mobiles du vote Le Pen sont liés à deux faits de société d'ailleurs largement connexes ou vécus comme tels : l'insécurité et la présence des immigrés, c'est-à-dire à des sujets qui ne représentent pas des raisons prioritaires du vote dans le reste du corps électoral. Ainsi, selon un sondage SOFRES-*Figaro* du 14 juin 1984, 30 % des électeurs de la liste Le Pen citent l'insécurité comme le problème qui a le plus compté au moment de leur vote, alors que ce thème arrive en cinquième position pour les électeurs de la liste Veil et en septième pour ceux de la liste Jospin. 26 % citent les immigrés, alors que la proportion n'est que de 3 % pour les listes Veil et Jospin. En revanche le chômage (17 %) et les inégalités sociales (10 %) ne semblent pas constituer les préoccupations majeures de cet électorat.

Cette cristallisation, qui va se confirmer et s'accentuer avec les

24. Voir l'article de J. Jaffré dans *Le Monde* du 14-2-1984, *op. cit.*, complété in *SOFRES/Opinion publique 1985*, Paris, Gallimard, 1985, p. 186-192.
25. 72 % des sympathisants du Front national et du PFN estiment, toujours d'après les mêmes sondages, « qu'une fois élus les hommes politiques oublient leurs promesses ».

scrutins de 1985 et 1986, n'est évidemment pas le fait du hasard. Comme on pourra le vérifier en comparant les cartes des pages 407-409, la répartition géographique du vote Le Pen coïncide en effet très étroitement avec la carte des plus fortes concentrations étrangères et avec celle de la délinquance dite mineure. La corrélation est encore plus nette si l'on fait référence non à l'ensemble de la population immigrée mais à la présence maghrébine. Ce qui, soit dit en passant, fait intervenir pour les départements méditerranéens une autre variable qui est celle de l'implantation « pied-noir » : conséquence à long terme des retombées en métropole du drame algérien.

Les leçons de mars 1986

Quels changements les élections législatives de mars 1986 ont-elles apporté à ce tableau de l'électorat lepéniste et quels enseignements peut-on en tirer pour notre sujet? Pour répondre à ces questions nous disposons de deux sondages SOFRES, l'un effectué à chaud le 16 mars, l'autre réalisé après coup [26], de nombreuses études ponctuelles et d'une étude synthétique de Jérôme Jaffré à laquelle je me référerai largement ici [27]. Ces travaux permettent de hasarder les quelques conclusions suivantes :

1. Contrairement aux attentes de certains, nombreux surtout à droite, le Front national a fait la démonstration, à propos d'un grand scrutin national comportant un enjeu de taille, qu'il était désormais pleinement installé dans la vie politique française. Avec 9,8 % des suffrages exprimés, il devance le parti communiste de près de 38 000 voix et obtient avec 35 députés le droit de former un groupe parlementaire. Même si l'on constate une nouvelle fois un tassement par rapport au score record de juin 1984, la pérennisation de l'électorat lepéniste aux alentours de 10 % des voix interdit, nous dit Jérôme Jaffré, de parler de simple feu de paille [28].

2. Le Front national demeure faible dans les fiefs de la droite traditionnelle et non conforme à la sociologie des partis conservateurs. De même qu'en 1984 et 1985, il obtient des scores médiocres dans des départements tels que le Cantal (3,1 %), l'Ille-et-Vilaine

---

26. Du 22 mars au 9 avril 1986.
27. J. Jaffré, « Front national : la relève protestataire », in *Mars 1986 : la drôle de défaite de la gauche*, sous la direction d'E. Dupoirier et G. Grunberg, Paris, PUF, 1986, p. 211-229.
28. *Ibid*., p. 211.

(4,4 %), la Mayenne (3,6 %), la Corrèze (3,4 %), et plus généralement dans l'ouest et le centre de la France. Aucun des critères de l'électorat conservateur – majorité de femmes, de plus de cinquante ans, de catholiques pratiquants, faible représentation des couches populaires – ne s'applique au vote Le Pen [29]. Si perdure une légère sous-représentation du monde ouvrier (26 % des électeurs du Front national, contre 28 % pour l'ensemble de l'électorat et 30 % à gauche), l'écart sur ce point avec la coalition RPR-UDF est considérable [30]. Les employés et les représentants des professions intermédiaires forment avec les ouvriers la moitié de l'électorat Le Pen, contre un tiers seulement pour la droite classique. Les seules différences vraiment importantes avec l'électorat des partis de gauche concernent la forte représentation des travailleurs indépendants (24 % contre 10 %) et la désaffection manifestée par les salariés du secteur public (23 % contre 44 %). Les constatations faites en février 1984 restent donc valables deux ans plus tard, appliquées à une formation désormais installée dans la vie politique française : l'électorat de Jean-Marie Le Pen est plus jeune, plus masculin, plus populaire que celui de la droite traditionnelle.

3. Le vote Le Pen a pris en 1986 une signification dont rend compte précisément la sociologie de l'électorat du Front national. Il y a eu tout d'abord un reflux d'une partie de l'électorat de droite qui avait émis en 1984 et surtout en 1985 un vote d'exaspération contre la gauche au pouvoir. Ceci pour deux raisons principales : le changement de politique opéré à gauche par le gouvernement Fabius et la volonté de voter « utile » en 1986 pour renvoyer le parti socialiste dans l'opposition. Ce recul d'un électorat de droite, qui était venu au Front national en 1984 et correspondait à des couches sociales plutôt aisées, s'accompagne d'une progression très nette parmi les défavorisés. Entre 1984 et 1986, le FN progresse de trois points chez les ouvriers et recule de cinq chez les cadres et les professions libérales. Il recueille – autre fait significatif – 17 % des voix des chômeurs au lieu de 12 %. Il y a donc eu à la fois volatilité électorale et, comme l'a très bien montré Jérôme Jaffré, passage d'un vote d'exaspération politique à un vote de « désespérance ». Autre surprise des récents sondages [31] : sur 100 personnes se déclarant décidées en avril 1987 à voter aux présidentielles pour le président du Front national, plus du tiers (34 %) se recrute parmi les abstention-

29. *Ibid.*, p. 213.
30. L'électorat RPR-UDF ne comporte en effet que 16 % d'ouvriers en mars 1986.
31. Intention de vote présidentiel (sondage SOFRES d'avril 1987).

415

nistes du 10 mai 1981 ou chez les électeurs trop jeunes pour participer à ce scrutin [32].

4. Tout ceci se trouve confirmé par le double phénomène suivant : recul d'une part du vote Le Pen dans les communes urbaines les plus « bourgeoises » (Neuilly, Versailles, etc.) et au contraire gains sensibles enregistrés par le Front national dans les communes ouvrières détenues par le parti communiste. Ce qui, par rapport à 1984 et 1985 constitue un fait nouveau, lui aussi révélateur de la signification de ce vote. En 1986, l'extrême droite – et notons que désormais 57 % des électeurs du Front national se réclament de cette appartenance partisane, contre 34 % en 1984 – réalise de meilleurs scores dans les communes communistes [33] que dans celles détenues par le RPR : 12,2 % contre 11,2 %.

Autrement dit, comme le montrent bien les travaux effectués à propos de la région parisienne et du Pas-de-Calais, ou l'enquête réalisée à Vitrolles (Bouches-du-Rhône) et analysée par Alain Rollat dans *Le Monde* [34], il existe aujourd'hui, au-delà des transferts de voix, qui restent malgré tout limités, une corrélation entre le recul du PCF et la pérennisation du Front national dans le paysage politique français. Il y a surtout substitution fonctionnelle entre les deux forces politiques, le parti de Jean-Marie Le Pen jouant à l'heure actuelle le rôle de « parti des mécontents » ou de refuge des désespérés qui a été longtemps tenu par le parti communiste. André Lajoinie ne le reconnaissait-il pas implicitement, lorsqu'il répondait en juin 1987 à deux journalistes du *Monde* qui lui demandaient si le Front national n'avait pas pris le relais du PC dans l'exercice de la « fonction tribunicienne » : « Nous sommes les mieux placés pour disputer à Le Pen les couches populaires [35]. »

Flux et reflux des scrutins de 1988-1989

Le scrutin présidentiel d'avril 1988 et les élections législatives des 12 et 19 juin 1988 ne devaient guère confirmer ce pronostic du dirigeant communiste. Lors du premier tour des présidentielles, le

32. Cf. J. Jaffré, « Ne pas se tromper sur M. Le Pen », *Le Monde*, 26-5-1987.
33. En région parisienne, le Front national n'a gagné du terrain en mars 1986 que dans sept villes, toutes communistes : Ivry, Stains, Bobigny, Saint-Denis, Villejuif, Bagneux et Bagnolet.
34. A. Rollat, « La Preuve par Vitrolles », *Le Monde*, 11-6-1986.
35. Propos recueillis par O. Biffaud et J.-M. Colombani, *Le Monde*, 16-6-1987.

416

24 avril, ce dernier n'obtenait en effet que 6,8 % des suffrages exprimés contre 14,4 % au leader du Front national qui établissait, avec 4 375 000 voix le record historique d'implantation de l'extrême droite en France. Une implantation qui, dans l'ensemble, confirmait les grandes tendances enregistrées en 1986 : renforcement du lepénisme dans le midi méditerranéen et plus généralement dans la moitié est de la France, pénétration de plus en plus marquée du milieu urbain et péri-urbain et forte progression dans des zones qui avaient été pendant plus de cinquante ans des fiefs du parti communiste (plus de 26 % dans les Bouches-du-Rhône, près de 20 % en Moselle et en Seine-Saint-Denis, 18 % dans le Rhône), « vampirisation » des électorats traditionnels (PC, PS, RPR-UDF), extension du vote Le Pen à toutes les catégories sociales. Seuls éléments véritablement nouveaux, par rapport à la consultation de 1986, la forte poussée enregistrée par Jean-Marie Le Pen dans quatre départements de la moitié ouest de la France : le Morbihan (dont il est originaire), le Lot-et-Garonne, le Tarn-et-Garonne et la Haute-Loire, et les scores élevés réalisés en Alsace, bastion traditionnel des droites nationale et démocrate-chrétienne et où a commencé à se manifester, face à l'échéance prochaine du grand marché unique, un réflexe de frilosité hexagonale qui se confirmera aux « européennes » de 1989.

Deux mois après le « raz de marée » des présidentielles, le parti de Jean-Marie Le Pen devait enregistrer un net recul par rapport au score obtenu par son leader lors du scrutin du 24 avril. Avec 2 359 000 voix et 9,7 % des suffrages exprimés, il se trouve en effet très exactement ramené à son niveau de 1986 et retombe au-dessous du score du PC (2 765 000 voix, soit 11,3 %), perdant un tiers des électeurs qui avaient donné deux mois plus tôt leur voix à Le Pen. Ont joué dans cette demi-défaite la logique des législatives qui ne privilégie pas, comme les présidentielles, la personnalité du principal dirigeant du Front, celle également du scrutin majoritaire à deux tours – que le gouvernement Chirac avait rétabli –, très favorable aux notables locaux, ainsi que le choix fait par la droite classique (RPR et UDF rassemblées en URC) d'une stratégie de candidature unique.

Ramené, en pourcentage des voix, à la case départ de 1986, le Front national a payé beaucoup plus cher, en termes de représentation parlementaire, l'abandon de la proportionnelle. Des 35 sièges remportés en 1986, la formation lepéniste n'en a en effet conservé qu'un seul, celui de la 3e circonscription du Var, occupé par Mme Yann Piat, qui sera d'ailleurs exclue du mouvement en octobre 1988, pour s'être désolidarisée de son leader, après le lamentable « calembour » commis par celui-ci à l'encontre du ministre de la fonction

417

publique de Michel Rocard (« *Durafour crématoire* »). Elle le regagnera toutefois en décembre 1989, à l'occasion de l'élection législative partielle de Dreux, Marie-France Stirbois, épouse de l'ancien secrétaire général du Front (lui-même tué en novembre 1988 dans un accident de la route), l'emportant avec 61,3 % des suffrages.

C'est dire que ceux qui avaient parlé un peu vite de « commencement de la fin » après le scrutin de juin 1988 se sont trompés. Les bons scores obtenus lors des municipales de mars 1989 (le Front dépasse 10 % des suffrages exprimés dans 61 villes de plus de 30 000 habitants) et surtout aux élections européennes de juin, où il recueille 11,73 % des voix, dépassant de 4 points la liste communiste et de plus de 3 points les centristes groupés autour de Simone Veil, indiquent que, six ans après la « divine surprise » de Dreux, le parti de Jean-Marie Le Pen est devenu un acteur à part entière de la vie politique française. Intentions de votes et votes effectifs le placent désormais dans une fourchette électorale oscillant entre 10 et 13/14 %. Son implantation prioritaire dans quelques fiefs où il a fortement pénétré le tissu social, et où il affiche une ambition hégémonique sur l'électorat de droite, ne l'empêche pas d'être présent dans la plupart des départements. Cette homogénéisation au plan territorial s'accompagne d'une homogénéisation sociologique qui fait la grande différence entre le Front national, parti « attrape-tout », et le mouvement Poujade de 1956, principalement campé sur les terres des catégories moyennes indépendantes.

« Nous sommes le peuple »

Nous nous sommes longuement arrêtés sur la physionomie de l'électorat du Front national, parce que l'essentiel se situe probablement aujourd'hui à ce niveau. Croyant confondre ses adversaires, lorsqu'on lui parle de fascisme et de nazisme, Le Pen lui-même n'hésite pas à faire référence aux conditions dans lesquelles Hitler a été porté au pouvoir, c'est-à-dire au « mouvement populaire » et aux « élections libres » qui lui ont ouvert les portes de la chancellerie. Le leader du Front national ne fait pas toujours un aussi bon usage de l'histoire, mais sur ce point au moins, sinon dans les conclusions qu'il en tire, on ne peut qu'être d'accord avec lui. Dans le processus qui, dans le passé, a conduit certains États européens de la démocratie en crise à la dictature, puis de la dictature au totalitarisme, la pesanteur

418

des masses et le verdict des urnes ont joué un rôle qu'il n'y a pas lieu d'occulter. C'est bien pourquoi, avant de nous demander de quelle pâte est fait le discours de Jean-Marie Le Pen et de quel alliage est composé le mouvement politique dont il est le leader, il fallait considérer l'état des lieux après les trois tornades électorales de 1984, 1985 et 1986, de manière à pouvoir répondre à cette question : jusqu'où les Français qui lui apportent leurs voix, ou qui se déclarent d'accord avec ses idées, sont-ils prêts – pour peu qu'il sache lui-même où il va – à suivre le président du Front national?

Il faut peser soigneusement les mots et les idées. Il ne s'agit pas d'assimiler sans examen Le Pen à Hitler, ou à quelque autre dirigeant fasciste, en arguant de son passé activiste ou de sa stratégie présumée. Faire rejouer de vieux réflexes en pratiquant l'amalgame réducteur n'est ni intellectuellement honnête ni à moyen terme politiquement efficace, et la démocratie n'a rien à gagner à se tromper d'adversaires ou à oublier qu'un péril fantasmatique peut cacher un danger bien réel. Si je fais référence ici à l'ancien chancelier du Reich – on pourrait aussi bien évoquer son homologue et « modèle » transalpin – c'est parce que celui-ci n'a historiquement *existé* que porté par un puissant courant populaire, aussi important à mes yeux que la force politique qui a su le capter. Je reviendrai tout à l'heure sur le caractère fasciste ou non fasciste du lepénisme, mais pour l'instant c'est cet aspect du « phénomène Hitler » qui m'inté-resse : à savoir le type de relation qui s'est instauré au début des années trente entre une certaine demande sociale et le projet politique d'un démagogue habile à enflammer les foules et à rassurer les partisans de l'ordre. Et la leçon que l'on peut éventuellement en tirer pour le temps présent.

Qu'on entende bien dans quelle perspective je me place pour modifier ainsi provisoirement l'approche ordinaire du phénomène Le Pen : le problème étant de savoir si, avec ou sans le leader du Front national, la société française est grosse de quelque chose qui, de près ou de loin, s'apparenterait au totalitarisme brun, ou à quelque autre variante du régime réactionnaire de masse. Car s'il en était ainsi, gageons qu'à l'image de l'Italie des années vingt, ou de la république de Weimar, elle saurait s'inventer son guide charismatique.

Avec une belle régularité depuis cinq ou six ans, les sondages apportent à cette question quelques éléments de réponse. Tout d'abord, il y a bel et bien, dans la France d'aujourd'hui, une fraction relativement importante de l'électorat qui apporte ses suffrages à un ancien groupuscule néo-fasciste, se reconnaît pour partie dans l'extré-misme de droite et se trouve apparemment peu choquée par des propos peu conformes aux valeurs de la République et de la démocratie. Ensuite, autour de ce premier noyau, au demeurant passablement volatil, s'étend un second cercle qui rassemble les personnes se disant également « tout à fait d'accord » ou « assez d'accord » avec les « idées défendues par Jean-Marie Le Pen [36] ». Au total, cela représente plus du quart des électeurs : ce qui pourrait laisser entendre, si l'on s'en tenait à ce constat très grossier, que le leader du Front national est loin d'avoir fait le plein de ses voix potentielles – ce qui jusqu'à un certain point n'est peut-être pas faux – et que 25 ou 30 % des Français sont prêts à le suivre, ce qui en revanche est plus qu'improbable, du moins dans la configuration actuelle.

Quelles sont en effet les « idées » de Jean-Marie Le Pen avec lesquelles ses sympathisants d'une part, une partie de l'électorat des autres formations politiques d'autre part, se sentent plus ou moins en osmose ? Pas de grande surprise sur ce point depuis les premiers sondages. Du côté des sympathisants lepénistes, on cite désormais à 60 % l'immigration comme principal critère du choix effectué devant les urnes (de 7 à 16 % dans les autres électorats). L'insécurité vient en seconde position avec 50 % des citations contre 10 à 31 % [37]. Qu'importe, avec cette énorme pesanteur du couple immigrés-sécurité, si les électeurs de Le Pen sont moins nombreux et moins enthousiastes à applaudir le discours sur le « laxisme » et la « décadence », d'ailleurs destiné à la fraction la plus conservatrice de la clientèle. S'agissant d'autre part de l'électorat dans son ensemble, l'adhésion aux idées lepénistes se cristallise autour de trois thèmes : la sécurité et la justice (32 % approuvent), les immigrés (31 %) et la « défense des valeurs traditionnelles » (28 %). Au-delà de ce tir groupé, qui touche tout de même près du tiers des Français, les autres thèmes développés par le leader du Front national ont un impact beaucoup plus faible : 15 % approuvent sa « lutte contre le communisme », 12 % les « critiques contre le gouvernement Chirac », 12 % également les « critiques contre la classe politique », 10 % les « critiques contre le RPR et l'UDF » [38]. Les thèmes qui ont fait autrefois les beaux jours du fascisme à la française – anticommunisme, antiparlementarisme, dénonciation des « politicards », etc – sont loin on le voit de faire recette.

36. On pourra comparer à cet égard le sondage de la SOFRES pour *Le Monde* et Antenne 2 sur l'image du Front national en octobre 1985 (cf. *Le Monde*, 17-11-1985), et le sondage SOFRES/*Le Monde*/RTL sur le même sujet en mai 1987 (cf. *Le Monde*, 6-5-1987).
37. Sondage Isoloir-SOFRES, 16 mars 1986.
38. Sondage *Le Monde*/RTL réalisé entre le 23 et le 27 avril 1987 sur un échantillon national de 1 000 personnes.

420

Ces chiffres posent à la majorité actuelle les problèmes que l'on sait et ne peuvent laisser la gauche insensible, dès lors qu'ils traduisent une demande sociale à laquelle elle n'a pas su répondre (il y a quand même 17 % d'électeurs communistes et 14 % d'électeurs socialistes qui se disent en avril 1987 d'accord avec les idées de Jean-Marie Le Pen). Mais en même temps ils imposent à ce dernier un choix stratégique évident. Dès lors que, prétendant dire tout haut ce que « les Français » pensent tout bas, le leader du Front national se veut à l'écoute du « peuple » – « Nous sommes le peuple ! » proclamait-il en septembre 1984 à la quatrième fête des « bleu, blanc, rouge » [39] – il ne peut pas ne pas tenir compte, dans son discours et dans son projet politique, du caractère très sélectif de l'adhésion aux thèses qu'il défend. Encore que, dans la brèche ouverte par le rejeu de la xénophobie, il puisse faire passer beaucoup de choses. De même, il lui faut bien constater que le môle de résistance à ses idées s'est fortement élargi depuis quelques années et que, pour un nombre croissant de Français, l'« effet Le Pen » est à bien des égards devenu un effet repoussoir. A la question régulièrement posée par la SOFRES : « Pensez-vous que le Front national et Jean-Marie Le Pen représentent un danger pour la démocratie française ? », 38 % seulement des personnes interrogées répondaient « oui » en octobre 1983 (43 % étant d'un avis contraire). Or la proportion de réponses affirmatives est passée à 43 % en mai 1984 (44 % de « non »), 50 % en octobre 1985 et 55 % en mai 1987 (33 % d'un avis contraire) [40]. Ceci s'appliquant à un discours qui, s'il a plutôt tendance à se durcir là où il fait mouche, est devenu passablement aseptisé dans ses références à d'éventuels changements institutionnels. « Plus on me connaît, plus on m'aime », se plaît à dire et à redire le président du Front national. A la lecture des sondages, il ne semble pas que l'opinion des Français incline tout à fait dans ce sens.

A l'enseigne de la mémoire courte

Admettons par conséquent qu'en termes de rapports entre une force politique extrémiste portée par un courant populaire et la

---

39. Cette manifestation s'est tenue les 15 et 16 septembre 1984 à l'espace Balard (Paris XVe).

40. Nous nous référons aux enquêtes suivantes : 1. Presse de province/SOFRES, octobre 1983 ; 2. Presse de province/SOFRES, mai 1984 ; 3. *Le Monde*/Antenne 2/SOFRES, octobre 1985 ; 4. *Le Monde*/RTL/SOFRES, avril 1987. En octobre 1983 et mai 1984, le texte exact de la question était : « Pensez-vous que l'extrême droite représente un danger pour la démocratie en France ? »

masse des citoyens, l'« effet Le Pen » et ce qui s'est passé chez nos voisins en 1920-1922 et en 1931-1933 ne relèvent pas de situations identiques. Est-ce à dire que la société française n'est menacée à l'heure actuelle d'aucune dérive totalitaire ou autoritaire?

Pour tenter de répondre à cette question, c'est chez nous qu'il faut rechercher des précédents à la percée lepéniste. A la différence des pays où le fascisme a triomphé dans l'entre-deux-guerres, la montée de l'extrême droite n'a jamais été liée en France à une « situation de détresse », au sens où cette expression a été employée (notamment par le sociologue Jules Monnerot) pour désigner une menace révolutionnaire à laquelle l'État libéral s'avérait incapable de résister[41]. Elle est au contraire inséparable de mutations profondes affectant tous les secteurs de la vie économique et sociale, marginalisant certaines catégories d'individus et s'accompagnant d'une crispation sur les valeurs traditionnelles, parfois rebaptisées « révolutionnaires » par référence à l'ordre ou au « désordre établi », c'est-à-dire à la société « bourgeoise ». L'émergence d'un nationalisme de choc à la fin du XIXe siècle, celle de l'antiparlementarisme ligueur et fasciant de l'entre-deux-guerres, la vague poujadiste du milieu des années cinquante relèvent ainsi de réactions très comparables à des coups d'accélérateur de l'histoire. Il en est de même aujourd'hui.

Le Front national tire en effet sa force de pénétration d'un désarroi, d'un déboussolement du corps social dont le rejet de l'étranger et la paranoïa sécuritaire ne sont que les manifestations les plus tangibles. Au-delà des peurs ancestrales dont les nouvelles vagues de migrants provoquent la résurgence – invasion, métissage, submersion des sédentaires par les nomades, mutation des « classes laborieuses » en « classes dangereuses »[42], érosion et perversion du modèle sociétal traditionnel par des groupes réputés porteurs d'une culture et de pratiques sociales « inassimilables », voire de « tares » et de maladies « exogènes », etc. –, c'est le sentiment d'un monde et d'une identité menacés de disparaître qui s'exprime à travers le choix protestataire en faveur de l'ultra-droite. Et il n'est pas surprenant que la réaction soit particulièrement forte là où les bouleversements liés à

41. J. Monnerot, *Sociologie de la révolution*, Paris, Fayard, 1967. Voir également : P. Milza, *Les Fascismes*, *op. cit.*, p. 137-138.

42. Je fais bien sûr référence ici à l'ouvrage classique de Louis Chevalier, *Classes laborieuses, classes dangereuses à Paris pendant la première moitié du XIXe siècle*, Paris, Plon, 1958. Sur la relation historique entre migrations internes et migrations internationales, je me permets de renvoyer le lecteur à mon article paru dans la revue *Vingtième siècle*, « Un siècle d'immigration étrangère en France », no 7, juil.-sept. 1985, p. 3-18.

422

la « crise » sont les plus visibles, c'est-à-dire non dans les campagnes et les petites agglomérations de la France immobile comme en 1956, mais dans les zones fortement urbanisées et dans les régions industrielles les plus touchées par les restructurations en cours.

Comme le mal récurrent qu'ils sont censés devoir guérir, les remèdes proposés par Jean-Marie Le Pen n'ont rien de particulièrement neuf. Ils sont puisés dans la vieille panoplie d'un national-populisme dont le fascisme à la française n'aura été qu'un cas particulier et qui s'est successivement incarné dans le bonapartisme, le boulangisme, l'anti-dreyfusisme, la « droite révolutionnaire » du début du siècle, le nationalisme ligueur et plus tard le poujadisme. Avec le double souci toutefois d'intégrer – à la manière de Vichy – d'autres composantes de l'alliage ultra-droitier, et de badigeonner le tout d'un vernis de modernité aujourd'hui fourni par le « reaganisme ». Ce qui n'empêche pas le président du Front national de retourner contre ses adversaires l'argument du déjà-vu, en se payant au passage le luxe discret d'une référence maréchaliste : « Nous allons donc entendre, dans les mois qui viennent, écrit-il dans *La France est de retour*, un certain nombre de batteurs d'estrade qui vendront leur camelote à l'enseigne de la mémoire courte [43]. »

On ne saurait mieux se définir soi-même à travers l'autre que par cette formule. Aussi, puisque Jean-Marie Le Pen nous y invite, interrogeons le passé afin de voir où se situent nos éventuelles défaillances de mémoire.

Première référence au passé, pas très lointain celui-là puisqu'il remonte à une quinzaine d'années : avant de surgir au premier plan de l'actualité politique, avant de se donner un aspect présentable pour partir à la conquête de la majorité dite silencieuse, le Front national a été, pendant une décennie, un groupuscule *néo-fasciste*. Certes, en France comme ailleurs, le néo-fascisme n'est pas la réplique pure et simple de ses homologues du passé. Encore que, si l'on y regarde de près, le MSI de Giorgio Almirante, que le Front national s'est donné comme modèle – au point de reproduire à la couleur près l'emblème de cette formation, un catafalque surmonté de la flamme tricolore –, n'est pas très éloigné de la thématique et de la stratégie du fascisme des années vingt au moment où il obtient en Italie ses meilleurs scores [44]. D'autre part, il n'y a pas au Front national première manière que des activistes et des représentants de l'ultra-droite « révolutionnaire ». Jean-Marie Le Pen lui-même a été

43. J.-M. Le Pen, *La France est de retour*, Paris, Carrère/Michel Lafon, 1985, p. 83.

44. Cf. P. Milza, *Les Fascismes, op. cit.*, p. 409-416.

423

placé à la tête du nouveau parti constitué en 1972, dans une perspective clairement définie de conquête électorale, parce qu'il incarnait une tradition nationaliste populaire distincte du fascisme, et plus facilement vendable aux électeurs de l'époque que la pure nostalgie de l'ordre nouveau.

Il n'en demeure pas moins que pendant des années, et quoique débordé sur sa droite par plus activiste et plus néo-fasciste que lui, le Front national a été dominé par les militants du courant nationaliste révolutionnaire, issus pour une bonne part de la mouvance d'Ordre nouveau. Il y a là des racines historiques que le Pen et ses amis d'aujourd'hui n'ont jamais complètement reniées. La mort de François Duprat en 1978, le passage d'une partie des éléments durs au Parti des forces nouvelles, la rupture avec la FANE de Marc Fredriksen, devenue ouvertement néo-nazie et qui avait fait un bon bout de chemin avec le FN, l'arrivée aux leviers de commande de l'organisation des « solidaristes » groupés autour de Jean-Pierre Stirbois, tout cela a modifié les rapports de force au sein du Front, ainsi que sa stratégie et vraisemblablement son projet politique. Jusqu'à quel point? Il est difficile de le dire car, à l'instar de la Nouvelle Droite, le mouvement lepéniste ne s'avance pas tout à fait à visage découvert.

Il pratique en effet le double et le triple langage, ou mieux le langage codé. Il manie avec une habileté extrême l'art de l'euphémisation. On n'est pas officiellement *raciste* au Front national, et l'on engage des procès à qui vous dénonce comme tel. Mais l'on fait, comme à *Nouvelle École* et à *Éléments,* l'éloge de la « différence » et l'on pousse le respect de la différence jusqu'à sa conclusion logique : le « chacun chez soi ». Est-ce du racisme, s'interroge Jean-Marie Le Pen, « dans ce monde où il existe des races différentes, des ethnies différentes, des cultures différentes », de prendre « acte de cette diversité et de cette variété [45] »? On peut lui concéder que non si le constat s'arrête à cette formule benoîte. Mais ce qui vient ensuite est déjà plus douteux. « Je ne peux pas dire que la Suisse est aussi grande que les États-Unis. Je ne peux pas dire que les Bantous ont les mêmes aptitudes ethnologiques que les Californiens, parce que cela est tout simplement contraire à la réalité [46]. » Passons sur le flou de la formule « aptitudes ethnologiques », et voyons comment le président du Front national conclut son propos. D'une part, écrit-il, « les citoyens sont égaux en droit, pas les hommes », d'autre part, « s'il est

45. J.-M. Le Pen, *Les Français d'abord*, Paris, Carrère/Michel Lafon, p. 167.
46. *Ibid.*, p. 167-168.

424

exact que les hommes ont droit au même respect, il est évident qu'il existe des hiérarchies [47] ». Ce n'est peut-être pas du *racisme*, au sens où le Code pénal définit ce terme, mais cela rappelle tout de même fortement le credo de l'« inégalité des races humaines » cher à Gobineau et à ses émules, présents ou passés.

Il en est de même de l'antisémitisme. A l'égard du « peuple juif » et de l'État hébreu, Le Pen ne tarit pas d'éloges. « Dispersé aux quatre coins du monde, écrit-il, cent fois menacé de disparaître, non seulement il a préservé son originalité et sa permanence, mais sa prodigieuse vitalité l'a conduit, lui, le plus vieux peuple du monde à créer le plus jeune État [48]. » Ceci, pour les juifs de l'extérieur. Pour les autres, « je ne suis pas antisémite, explique-t-il, notion qui implique que l'on souhaite la persécution des juifs, en raison de leur qualité de juif ». Ce qui est déjà plus ambigu. L'expérience de la guerre nous a appris que la persécution était affaire de bras séculier, comme les bûchers de l'Inquisition; que l'arrestation de dizaines de milliers de juifs, livrés ensuite aux Allemands, par la police de Vichy, n'était que l'ultime phase d'un long processus dans lequel l'antisémitisme quotidien et apparemment bénin de l'homme de la rue avait eu sa part, tout comme l'antisémitisme littéraire d'intellectuels qui, pris isolément, pouvaient affirmer en toute bonne foi qu'ils n'avaient jamais songé à « persécuter » quiconque.

Pas de racisme explicite donc, et pas d'antisémitisme déclaré dans les propos de plume du leader du Front national. Mais un art consommé de la litote qui fait que son public ne s'y trompe pas, quand il use du néologisme *sidaïque* [49], ou quand il déclare à ses partisans, rassemblés au Bourget en octobre 1985 : « Je dédie tout spécialement votre accueil à Jean-François Kahn, Jean Daniel, Ivan Levaï et Elkabbach [50]. » En dehors de quelques propos de tribune qui ont pu lui échapper, et qui en disent parfois un peu plus, à commencer par le fameux « détail » des chambres à gaz évoqué le 13 septembre lors du grand jury RTL-*Le Monde*, tout dans le discours de Jean-Marie Le Pen est calcul, stratégie, références implicites à un bouc émissaire connu de l'auditoire mais qui n'est pas nommément désigné. Ce n'est pas toujours le cas de ses amis politiques, moins prudents ou plus extrémistes que lui : un Arnaud de Lassus, un Romain Marie, un André Figueras et autres représentants

47. *Ibid.*, p. 168.
48. *Ibid.*, p. 171.
49. Lors de l'émission « L'Heure de vérité », 6-5-1987.
50. Jean-Marie Le Pen ajoutait : « à tous les menteurs de ce pays ». Allocution au Bourget, 25 octobre 1985.

du courant catholique traditionaliste, incarné par le journal *Présent*, de François Brigneau et Jean Madiran [51], et dans lequel on pouvait lire, en juin 1983, cette diatribe contre le garde des Sceaux de l'époque, bête noire parmi les bêtes noires de l'ultra-droite avec Simone Veil :

« M. Robert Badinter, fourreur errant [...] la bouche tordue par la levée du sang noir, règle ses comptes. [...] Par héritage, il est pour le migrant contre le sédentaire. Pour le cosmopolite contre l'indigène. Pour le manouche voleur de poules contre la fermière. [...] Pour le marginal contre la société qui rejeta si longtemps les Badinter. [...] Pour l'assassin contre l'assassiné [...] " un homme d'État " a dit de lui M. Mitterrand. On en frémit. D'autant plus qu'il n'est pas seul. Krasucki, Fiterman, Lang, qui n'ont de français que l'habitat occidental et que voilà aussi aux postes de commande. Quand on y réfléchit, c'est à notre tour d'avoir peur [52]. »

Ce n'est pas Le Pen qui parle, mais l'organe intégriste qui a pour directeur politique un vieux routier du lepénisme, François Brigneau, et dont l'ancien rédacteur en chef Romain Marie a été l'un des premiers élus du Front à un scrutin de dimension nationale (les européennes de 1984). D'autre part, si le leader charismatique reconverti en dirigeant politique « responsable » et candidat à un destin national a depuis quelque temps conseillé à ses lieutenants de mettre une sourdine à leurs propos, il ne les a pas non plus désavoués. De même qu'il ne désavoue pas les professions de foi xénophobes, tenues ici ou là à l'égard des immigrés par les commis voyageurs du lepénisme.

Là encore, le ton donné par le président du Front national vise néanmoins à l'euphémisation du discours. On connaît sa façon de « dire tout haut ce que tout le monde pense tout bas » : « C'est vrai, j'aime mieux mes filles que mes nièces, mes nièces que mes cousines, mes cousines que mes voisines. C'est vrai que j'aime mieux les Français. » « Tout cela, ajoute-t-il, n'implique pas d'hostilité à l'égard des peuples ou des autres hommes, si ce n'est une légitime défense en cas de menace extérieure ou subversive [53]. » Quant aux mots d'ordre prometteurs du grand « nettoyage » (l'allusion à la « valise » pour les Algériens, la référence à Jeanne d'Arc qui a « bouté les étrangers hors de France », etc.), l'ancien député poujadiste les compare à des

---

51. Mensuel jusqu'en 1982, *Présent* est devenu quotidien à cette date. A ses débuts, il avait Jean Faure pour directeur et Romain Marie comme rédacteur en chef.

52. *Présent*, 23-6-1983. Cité in A. Rollat, *Les Hommes de l'extrême droite*, *op. cit.*, p. 131-132.

53. J.-M. Le Pen, *Les Français d'abord*, *op. cit.*, p. 168.

426

« effets de tribune », toujours un peu outrés par rapport à la pensée profonde du locuteur.

« On m'a reproché, écrit-il encore dans son premier livre-programme, de laisser placarder sur les murs des affiches telles que : " Deux millions de chômeurs, c'est deux millions d'immigrés de trop ! " Je maintiens qu'il n'y a pas dans ce slogan d'incitation à la haine raciale. Simplement, il est évident que toute formule publicitaire, tout slogan, en particulier d'affiche, est forcément réductionniste, c'est-à-dire schématisé, synthétisé. C'est comme les effets de tribune. Les militants ne peuvent pas coller les pages de ce livre sur les murs, explicitant les nuances de ma position par rapport aux conséquences de l'immigration incontrôlée. Quand nous utilisons une formule choc d'affichage, c'est évidemment dans le but de susciter un effet de surprise, d'inciter à la réflexion [54]. »

On ne sait que trop jusqu'où la « réflexion » suscitée par les « formules chocs » de Jean-Marie Le Pen et de ses amis a pu conduire quelques militants trop zélés, ou de simples « beaufs » entre deux bières à pratiquer la chasse aux Arabes, cette « peste du samedi soir » dont parle excellemment Jacques Julliard [55]. Le programme du Front national peut bien décliner à l'avance toute culpabilité en la matière en déclarant que « personne n'a jamais trouvé aucune responsabilité au coutelier qui vend un rasoir à un homme qui s'en sert pour trancher le cou de sa belle-mère », les faits (outre l'image qui est en soi passablement symbolique) sont là pour dire le contraire. Témoignent en ce sens l'enquête menée auprès des militants du Front national par Yves M. Zelig [56], ainsi que les propos tenus au lendemain de la première prestation de Jean-Marie Le Pen sur Antenne 2 [57] par un certain nombre de téléspectateurs invités par Anne Sinclair à dire ce qu'ils pensaient du racisme. Au cours de cette « Édition spéciale », programmée par TF 1 le 14 février 1984, ce sont des dizaines de personnes qui ont accepté de lire leur lettre devant les caméras de télévision pour dire en gros ceci : « Je suis raciste et j'en suis fier [58] », marquant en quelque sorte devant des millions d'autres la libération de la parole raciste. On ne joue pas sans conséquences,

54. *Ibid.*
55. J. Julliard, « La Peste du samedi soir », *Le Nouvel Observateur*, 28 août-3 septembre 1987, p. 27.
56. Y.-M. Zelig, *Retour du Front. A la rencontre des enfants de Jeanne d'Arc et de Jean-Marie Le Pen*, Paris, B. Barrault, 1985.
57. « L'heure de vérité », Antenne 2, 13-2-1984.
58. « Édition spéciale », magazine de TF 1 présenté par Anne Sinclair (autre bête noire du Front national), 14-2-1984. Cf. sur cette émission le compte rendu qu'en fait Edwy Plenel dans *Le Monde* daté du 14-2-1984 : « Le Racisme et ses masques ».

que celles-ci soient ou non recherchées ou simplement prévisibles, sur la peur, l'angoisse et les frustrations des hommes.

La retenue marquée par Jean-Marie Le Pen dans son discours à des fins tactiques qui ne trompent que ceux qui veulent bien l'être n'est d'ailleurs pas elle-même sans faille. Depuis 1987, le leader du Front national s'est ainsi laissé aller à quelques dérapages du verbe, dont il n'est pas certain qu'ils n'aient pas été calculés, tant il est vrai qu'après une courte période d'indignation et de recul dans les sondages, le coup porté a régulièrement permis à son auteur de rebondir un peu plus haut. Ainsi en a-t-il été de l' « affaire » du « point de détail » sur les chambres à gaz, à l'automne 1987. Interrogé lors d'un « Grand Jury RTL-*Le Monde*, l'ancien député poujadiste avait cru bon d'afficher en ces termes le peu de cas qu'il faisait de cet « épisode » de la seconde guerre mondiale. La réaction de l'opinion, comme celle de la classe politique – toutes tendances mêlées – avait été vive et le sondage BVA réalisé peu de temps après la sortie de Jean-Marie Le Pen indiquait une chute de 4 points dans les intentions de vote des Français (7 % contre 12 % lors du sondage précédent). Or, nous avons vu que six mois plus tard Le Pen battait tous les records du vote d'extrême droite.

De même, la levée de boucliers qui avait suivi, en septembre 1988, la « maladresse de langage » à propos de Michel Durafour, si elle a à court terme provoqué quelque flottement sur le front des troupes et dans l'état-major lepéniste – François Bachelot, ancien député de la Seine-Saint-Denis, a été exclu en même temps que Yann Piat, pour avoir mis en cause la « crédibilité » du grand homme, et Pascal Arrighi, ancien député des Bouches-du-Rhône, s'est « suspendu pour toujours » –, elle n'a pas empêché l'organisation d'extrême droite de conserver ses positions lors des consultations électorales de mars et juin 1989. L'année du « bicentenaire » aura d'ailleurs eu le triste privilège d'être dans notre pays celle de la réapparition au grand jour d'un discours antisémite décomplexé, dont le leader du Front national ne sera pas le dernier à donner le ton : en déclarant par exemple dans un entretien publié par *Présent*, en août 1989, que « les grandes internationales, comme l'internationale juive, jouent un rôle non négligeable dans la création de l'esprit antinational ».

L'euphémisation au sommet du discours xénophobe et tendanciellement raciste n'a pas donc empêché certaines pulsions refoulées de l'inconscient collectif de s'épanouir et de s'exprimer par un choix politique, bien au contraire. L'usage du langage codé répond ainsi à une double préoccupation stratégique. Il permet d'abord d'échapper aux rigueurs de la loi, voire de retourner celles-ci contre les

428

adversaires imprudents. Il donne ensuite à tous ceux qui n'ont que faire du non-dit le sentiment de ne pas se trouver en contradiction trop flagrante avec un système de valeurs qui, sur un certain nombre de points, est en France quasi consensuel. Depuis le grand reflux post-soixante-huitard et la débandade des idéologies globalisantes – à commencer par le marxisme – de nombreux habitants de l'hexagone se sont repliés sur des valeurs qui transcendent largement les notions de « droite » et de « gauche » et relèvent d'un héritage commun que l'on peut rattacher au « modèle républicain ». La liberté, la démocratie, le « progrès », des droits de l'homme en sont les principales composantes et il serait suicidaire, pour une formation politique soucieuse de « ratisser large » et de jouer un rôle important dans la vie de la nation, de ne point s'y conformer, au moins verbalement.

Cette stratégie politico-lexicale passe par l'adhésion à un système institutionnel auquel une énorme majorité de Français se sent et se déclare attachée. S'interrogeant sur l'adéquation ou non de l'étiquette « extrême droite » appliquée au Front national, René Rémond observait que le discours de Jean-Marie Le Pen était « relativement modéré et légaliste » et que ceci interdisait « de l'identifier à la tradition contre-révolutionnaire comme à l'agitation ligueuse [59] ». Soit, mais la tradition contre-révolutionnaire et surtout les ligues nationalistes s'appuyaient sur une contestation des tares du parlementarisme qui était très répandue dans la société française de l'époque. Ni les institutions – celles de la Ve République – ni l'opinion publique, fortement échaudée par le précédent de 1940 et par toutes les dérives autoritaires et totalitaires de l'antiparlementarisme, n'inclinent aujourd'hui dans le même sens. Quand Bardèche lui-même constate que la démocratie « fait partie du paysage [60] », quand le président du club de l'Horloge, dont certains éléments sont passés depuis au Front national, énonce que « les valeurs républicaines sont très largement majoritaires [61] », on voit mal comment le leader d'une formation visant à se doter d'une solide base électorale pourrait, dans l'état actuel des choses, naviguer à contre-courant des options de la France profonde.

De là à dire qu'il y a, de la part de Jean-Marie Le Pen et de ses amis, pure et simple dissimulation et volonté tactique de ne pas sortir du cadre légal, ce serait excessif. Lorsque le président du Front national se dit « démocrate churchillien », il est probablement sincère

---

59. *Le Monde*, 16-4-1985.
60. « La Nouvelle Droite », in *Défense de l'Occident*, n° 167, juillet-août 1979, p. 14.
61. Y. Blot, texte cité *supra*, chap. 7.

en ce sens qu'il ne répudie ni l'institution parlementaire, ni la désignation du chef de l'exécutif par la nation, ni la possibilité pour celle-ci de renvoyer Cincinnatus à sa charrue. Une révision de la constitution de 1958 modifiant les institutions de la Ve République « dans le sens d'un régime présidentiel [62] », tel est le cadre dans lequel Jean-Marie Le Pen situe son projet de « redressement » et d'assainissement de la nation. Dans sa forme actuelle, la démocratie d'inspiration gaullienne n'est certainement pas le système politique qui a ses préférences, mais il se garde bien d'en attaquer de front les fondements institutionnels, de manière à ne pas se couper d'une fraction importante de son électorat (il se contente de fustiger le jeu dissolvant des partis et les méfaits de la « bande des quatre »). Comme l'énonçait très limpidement Pierrette Le Pen, dans un entretien accordé à *L'Événement du jeudi* au lendemain des cantonales de 1985 : « Il pense que les régimes autoritaires donnent plus de résultats. Les régimes démocratiques, il pense qu'il faut passer par là [63]. »

Passer par là pour faire quoi ? C'est toute la question car on ne peut oublier certains précédents. Ni Mussolini, ni Hitler, ni le maréchal Pétain n'ont annoncé très clairement la couleur au moment de se faire donner les pleins pouvoirs par des Parlements suicidaires. Je ne dis pas que Jean-Marie Le Pen ait l'intention cachée d'établir en France un régime autoritaire. Mais je dis qu'il y a lieu de se poser des questions et de tirer des leçons du passé lorsque le leader d'un parti qui a des racines néo-fascistes et dont le projet est en partie étranger aux valeurs de la démocratie énonce qu'il garderait l'article 16 de la constitution parce qu'il appartient à « la nécessité d'une possibilité de dictature à la romaine en cas de catastrophe [64] », sans préciser où commence la catastrophe. Surtout si le même homme, ou son parti, subordonnent les libertés individuelles, volontiers assimilées à l'« anarchie », à l'autorité de l'État, ou lorsqu'ils manifestent quelque tendresse pour le régime du général Pinochet ou pour le système de « développement séparé » en vigueur en Afrique du Sud.

Le retour du vichysme

A la question posée dans le titre de ce chapitre, par référence à notre problématique d'ensemble : « Le Front national est-il fascis-

62. Entretien paru dans *Le Monde* du 8-6-1984.
63. *L'Événement du jeudi*, 28 mars 1985.
64. Entretien paru dans *Le Monde* du 8-6-1984, *op. cit.*

te? », la réponse, on ne s'en étonnera pas, ne peut être que négative. Non pour les raisons avancées par Jean-Marie Le Pen et par ses amis, assez malvenus me semble-t-il à dénoncer chez les autres les défauts de la mémoire courte. Lorsque le président du Front national énonce : « Le fascisme est un avatar autoritaire du socialisme, c'est d'ailleurs un député socialiste, Benito Mussolini et même un socialiste de gauche, qui a fondé le fascisme [65] », il manie habilement un argument politicien que beaucoup d'autres ont utilisé avant lui (de Drieu La Rochelle à Michel Poniatowski on a beaucoup glosé sur le « fascisme rouge »). Mais en même temps il tire de l'histoire une leçon réductionniste, qui a d'ailleurs son équivalent dans toute une tradition de gauche ou d'extrême gauche. D'abord, parce que le phénomène *fasciste* ne saurait être circonscrit au modèle italien. Ensuite parce que, si l'on considère la matrice de gauche du fascisme, ce n'est pas *le* socialisme qui est en cause, mais l'une de ses déviances devenue négatrice des valeurs du socialisme et leur principal ennemi. Comme le dit justement Zeev Sternhell, dont la droite extrême avait essayé de détourner la pensée après la parution de *Ni droite ni gauche* : dire qu'il y a une fatalité qui ferait du socialisme la matrice du fascisme, « ce serait dire que les dissidents représentent le mouvement socialiste dans son ensemble, alors qu'il ont été rejetés de ce mouvement [66] ».

Surtout, c'est occulter ce fait essentiel qu'il n'y a fascisme que lorsque cette matrice de gauche rencontre sa symétrique de droite et fusionne avec elle dans la « synthèse fasciste ». Lorsque Mussolini fonde à Milan, en mars 1919, le premier faisceau de combat, il y a autour de lui dans l'assistance qui approuve par acclamations le premier programme du fascisme autant de nationalistes et d'activistes de droite que de marxistes dissidents et de syndicalistes révolutionnaires. Et lorsque le mouvement prend son essor à l'automne 1920, pour devenir en quelques mois une grande force contre-révolutionnaire, ce sont les partisans de l'ordre qui imposent leur vues et leur stratégie de conquête du pouvoir aux champions de la contestation antibourgeoise. Encore y a-t-il en Italie une forte composante gauchiste qui n'a pas son équivalent en Allemagne où la matrice de droite est tout de suite dominante dans le national-socialisme. Adolf Hitler, M. Le Pen n'était pas un « instituteur socialiste », mais un agitateur d'extrême droite, que les services de

65. J.-M. Le Pen, *Les Français d'abord, op. cit.*, p. 172.
66. Z. Sternhell, « Socialisme n'égale pas fascisme », propos recueillis par A. Rollat, *Le Monde*, 11-12 mars 1984.

431

propagande de la Reichswehr avaient chargé en 1918 de récupérer les soldats « contaminés par les idées révolutionnaires ». Quant à la France, s'il est vrai qu'elle a connu sa dérive de gauche vers le fascisme, avec Doriot, Déat et quelques autres, elle a eu, au moins aussi nombreux et aussi virulents, ses fascistes de droite, les Bucard, Deloncle, Darnand, etc., que Jean-Marie Le Pen omet toujours de mentionner dans ses prestations publiques. Simple rappel d'une histoire dont la leçon ne doit pas fonctionner à sens unique.

De même, lorsque le président du Front national écrit : « Le fascisme est une doctrine italienne d'entre les deux guerres qui postule la soumission de l'économie à l'État, à l'État totalitaire. Or mes conceptions économiques sont exactement aux antipodes de cette position [67] », il ne prouve qu'une chose : c'est qu'il n'a jamais lu le programme du Parti national fasciste de 1921 (« L'État doit être réduit à ses fonctions essentielles d'ordre politique et juridique ») [68], ni entendu parler de l'éloge fait par Mussolini de l'« État manchestérien », avant et après la prise du pouvoir. Il n'est d'ailleurs pas le seul à commettre cette bévue [69]. Le dirigisme fasciste, tout comme le totalitarisme appliqué au remodelage du corps social sont des produits relativement tardifs du fascisme-régime, en partie déterminés par des impératifs externes : ils ne sont pas nécessairement présents dans le patrimoine génétique de l'idéologie des faisceaux.

Laissons de côté ces rectifications qui ont tout de même leur importance et venons-en à la question qui nous préoccupe. Si le Front national ne peut être assimilé à un fascisme, ce n'est pas parce qu'il en répudie la paternité (d'autres l'ont fait avant lui contre toute vraisemblance), mais parce que son idéologie et sa pratique sont tout simplement distinctes de ce phénomène daté, spécifique de l'Europe de l'entre-deux-guerres. Il y a bien, après 1945, des résurgences groupusculaires de nostalgiques et des formations plus importantes qui, comme en Italie, ne répudient pas l'étiquette « néo-fasciste », mais il s'agit soit d'une pure « simulation » coupée des réalités du moment dans le premier cas, soit d'une forme très affadie du phénomène originel dans le second.

---

67. J.-M. Le Pen, *Les Français d'abord*, *op. cit.*, p. 172.
68. Voir par exemple le texte du programme de 1921 du PNF in R. Paris, *Les Origines du fascisme*, Paris, Flammarion, 1968.
69. François Bourricaud par exemple écrit dans *Le Retour de la droite*, Paris, Calmann-Lévy, 1986 : « Aujourd'hui, nous aurions avec M. Le Pen un fascisme qui fait l'éloge du capitalisme libéral, ce qui est au moins original » (p. 114).

432

En tant que phénomène historique d'envergure inséré « dans son époque » (comme le dit Ernst Nolte) [70], le fascisme appartient bel et bien au passé de nos sociétés. Si danger il y a pour celles-ci et pour les institutions démocratiques qu'elles se sont données, il est ailleurs et, chez nous, il relève d'une autre tradition : nous y reviendrons.

On retrouve certes au Front national quelques-uns des ingrédients qui entrent dans la composition de l'alliage fasciste, mais qui font également partie d'autres héritages ultra-droitiers. L'hostilité envers la classe politique traditionnelle, baptisée « établissement » par Jean-Marie Le Pen, l'affirmation d'une identité « sociale » et populaire s'opposant à la fois au marxisme niveleur et aux oligarchies occupant injustement les postes de commande (celle de l'argent quand elle ne s'appuie pas sur la compétence, mais aussi l'énarchie et la bureaucratie syndicale), la volonté de forger ou de reconstituer une élite, la référence à la fois à la « réaction » (« Si être réactionnaire, c'est réagir comme un organisme réagit en face de la maladie, eh bien oui, je suis réactionnaire ») [71] et à la « révolution » [72], la préférence manifestée en matière d'organisation sociale pour un syndicalisme national « dépolitisé », l'exaltation d'un État fort, ramené toutefois « à ses fonctions utiles, à ses fonctions régaliennes [73] ». On peut également évoquer le culte du chef (le président du Front national s'en défend mais les militants de base et les hagiographes du leader charismatique se montrent moins réservés) [74], celui de l'ordre et de la force, l'exaltation de la vitalité et du corps sain, ainsi bien sûr qu'un patriotisme jaloux et exclusif et un anticommunisme de choc.

Sur un certain nombre de points, la divergence avec les fascismes doit cependant être soulignée. Encore que la comparaison terme à

70. E. Nolte, *Le Fascisme dans son époque*, Paris, Julliard, 1970, traduit de l'allemand ; t. 1 – *L'Action française*, t. 2 – *Le Fascisme italien*. – t. 3. *Le National-socialisme*.

71. J.-M. Le Pen, *Les Français d'abord, op. cit.*, p. 176.

72. « Et bien que dans le mot révolutionnaire, il y avait une connotation de violence que je réprouve, il n'en reste pas moins que l'avenir français doit passer par des changements tout à fait importants d'orientation et de structures. Dans ce sens, on peut dire qu'il s'agit d'une révolution », *ibid.*, p. 174.

73. *Ibid.*, p. 175.

74. Pour François Brigneau, il est le « prophète inspiré » et l'incarnation à la fois de l'« intelligence française » et du « génie breton » (*RLP/Hebdo*, 1-12-1983); pour Jean Marcilly, « Le Pen est un homme de beaucoup de foi. Il a foi en sa patrie. Il a foi en Jeanne d'Arc. Il a foi en sa femme. Il a eu foi en lui car il a foi en ses idées. Et ses idées sont aussi droites que le sillon du bon laboureur, aussi profondes, aussi vieilles que la Celtie » (in *Le Pen sans bandeau*).

433

terme soit souvent difficile. Nous l'avons vu à propos du rejet de l' « étatisme » en matière économique formulé par Jean-Marie Le Pen et considéré par lui comme relevant d'une différence de nature avec l'expérience fasciste. L'argument n'est en effet acceptable que par référence au fascisme dirigiste et autarcique des années trente. Par rapport à ce que dit Mussolini immédiatement avant la conquête du pouvoir, et à ce qu'il fait au cours des premières années d'existence du régime, la relation est au contraire évidente. De même, l'anticapitalisme fasciste ne saurait être opposé à la très grande tolérance manifestée à l'égard des grandes concentrations financières par la formation de Jean-Marie Le Pen que si l'on réduit le fascisme à sa forme originelle, groupusculaire et contestataire.

Ce qui distingue le lepénisme des mouvements fascistes de l'entre-deux-guerres, c'est d'abord la nature de la formation partisane et sa pratique. Le Front national n'est ni un parti de masse (comparé au RPR ses 30 000 adhérents pèsent de peu de poids), ni surtout un parti-armée, hiérarchisé, fanatiquement dévoué à la personne de son chef et organisé militairement. Certes, il reste de la formation originelle des éléments qui n'ont pas renié l'activisme de leur jeunesse et qui relèvent de la filiation néo-fasciste. Un Roland Gaucher, un François Brigneau, un Alain Robert, pour ne citer que ces quelques noms, appartiennent à cette catégorie et il est clair, d'autre part, que la relève de la garde s'est faite aussi par attraction d'éléments jeunes, tout aussi extrémistes et activistes que leurs aînés et qui constituent, au sein du Front, une force de réserve ne répugnant pas à la violence et immédiatement mobilisable en cas de radicalisation du combat politique. Mais ils forment une minorité, au demeurant assez bien tenue en main par l'état-major (les « bavures » du genre chasse à l'immigré viennent en général d'isolés et de sympathisants, aussitôt désavoués), et ils sont beaucoup moins représentatifs du Front, dans sa version électoraliste actuelle, que les jeunes cadres du parti, issus ou non de l'activisme des années soixante-dix – un Jean-Pierre Stirbois, un Michel Collinot, un Jean-Marie Le Chevalier –, les notables ralliés – vieux pétainistes enfin libérés par le verbe du leader et la banalisation médiatique de son organisation, ex-RPR et ex-UDF déçus par la modération de leur famille politique d'origine et dont beaucoup ont transité par le CNIP (véritable SAS entre la droite gouvernementale et le Front national) –, et les transfuges de l'ultra-droite intellectuelle comme Jean-Yves Le Gallou, l'un des principaux inspirateurs du programme, venu du club de l'Horloge.

Le second point de divergence réside dans l'ancrage à droite du

434

Front national, fortement affirmé par son président. « Dans le mot Droite, écrit ce dernier, il y a Droit et droiture, c'est-à-dire franchise, qui me semble être la qualité des Francs, la qualité principale. La droite, c'est la ligne la plus courte entre deux points. Il y a un côté direct, loyal, qui me paraît découler précisément de ce concept et de ses corollaires [75]. » Le fascisme au contraire, surtout dans sa version hexagonale, ne se veut ni de droite ni de gauche. Il est une idéologie de « troisième voie » entre le capitalisme et le collectivisme, entre le libéralisme et le socialisme. Il se veut idéologie de rassemblement autour de la nation et, dans la perspective de ce rassemblement, il n'hésite pas à gommer les différences entre les individus et entre les catégories sociales. Du coup, il penche dans une direction qui le conduit rapidement à vouloir aligner la nation tout entière sur un même modèle, donc à devenir un totalitarisme. Or, Le Pen énonce qu'il souhaite l'épanouissement de l'individu et ne conçoit l'État « fort », à la différence du totalitarisme fasciste, que comme un cadre permettant aux cellules naturelles du corps social (famille, communautés religieuses, entreprises, etc.) de se développer de manière harmonieuse. Même si l'on fait la part de l'euphémisation du discours, l'opposition avec la volonté d'alignement du fascisme et avec son souci de médiatiser les rapports entre l'individu et l'État est fondamentale.

Parmi les autres critères de différenciation, outre l'acceptation du pluralisme politique et de la démocratie parlementaire [76], parce qu'elle fait désormais partie du paysage et qu'il faut bien « passer par là », l'accent mis sur l'appartenance à une tradition humaniste et chrétienne et l'absence de discours guerrier, alors que celui-ci se trouve au contraire au centre de la construction fasciste. Il y a bien chez le président du Front national une référence constante aux impératifs de défense et un goût de la chose militaire qui fait qu'il éprouve, semble-t-il, quelque jubilation à poser en tenue de combat et béret rouge. Mais ceci relève davantage d'une nostalgie d'ancien combattant que de la mystique guerrière et conquérante qui imprègne continûment le geste et la parole fascistes. Jean-Marie Le Pen se veut nationaliste et se dit parfois « impérialiste », mais son nationalisme est explicitement défensif (il en était déjà ainsi il est vrai du fascisme français de l'entre-deux-guerres) et l'usage qu'il fait du mot

75. *Ibid.*, p. 70.

76. Bien que se déclarant favorable à une révision de la constitution dans un sens présidentialiste, le Front national est partisan d'un renforcement du rôle et de l'image de l'Assemblée nationale.

impérialisme dans ses déclarations et écrits publics s'applique soit au passé colonial de la France, soit à une position de repli sur le promontoire européen. Bref, même en faisant la part de la stratégie et du souci de ne pas heurter de front les électeurs potentiels, on ne peut, *stricto sensu*, assimiler le Front national à un fascisme.

Comment se fait-il, dans ces conditions, que le pourcentage des Français qui estiment que le Front national et son président représentent un danger pour la démocratie soit passé en quatre ans de 38 % à 55 %? Est-ce parce que Jean-Marie Le Pen est, comme il le proclame, « l'homme le plus diffamé du siècle [77] »? Est-ce le résultat d'un matraquage médiatique mené tambour battant par un quarteron de journalistes porteurs de noms à consonance étrangère [78]? N'est-ce pas la preuve que la « bande des quatre » règne sans partage sur le paysage audiovisuel français, empêchant le public hexagonal de mieux connaître, et donc d'aimer davantage, l'ancien lieutenant du premier REP? Ou bien ne serait-ce pas précisément parce que l'opinion en sait un peu plus sur le programme du Front national, notamment depuis que son leader a développé devant des millions de téléspectateurs ses thèses sur l'ordre moral, sur l'exclusion des étrangers, sur l'IVG (« une régression de plusieurs siècles et peut-être de plusieurs millénaires ») [79], sur l'assimilation du libéralisme avancé à « une forme déguisée du socialisme le plus éculé ») [80], sur l'homosexualité (« une anomalie biologique et sociale ») [81], sur l'enfermement des « sidaïques » [82], etc., qu'elle repousse aujourd'hui majoritairement les idées et les obsessions lepénistes et qu'elle les juge dangereuses pour la démocratie? N'est-ce pas, en fin de compte, parce que les Français ont la mémoire moins « courte » que ne l'affirmait la parole maréchaliste, reprise nous l'avons vu par le chef de file de la droite extrême?

En effet, la rengaine dont Jean-Marie Le Pen et ses amis reservent les couplets à la France profonde ne peut durablement toucher que les nostalgiques et les amnésiques. Pour l'instant ils sont

---

77. Cf. l'article de Daniel Carton : « L'Homme le plus diffamé du siècle... », *Le Monde*, 20-6-1987.

78. A la suite de la publication de photographies très intimes de Mme Le Pen par l'hebdomadaire *Playboy*, le président du Front national a déclaré, selon Daniel Carton : « Je suis convaincu que Jean-François Kahn a joué un rôle dans la manipulation de ma femme » (*Le Monde*, 20-6-87). On retrouve ici l'une des bêtes noires de J.-M. Le Pen, avec I. Levaï, J.-P. Elkabbach, J. Daniel, Jean-Louis Servan-Schreiber et Anne Sinclair.

79. « L'Heure de vérité », Antenne 2, 13-2-1984.

80. *Ibid.*

81. *Ibid.*

82. « L'Heure de vérité », Antenne 2, 6-5-1987.

436

très minoritaires dans ce pays. Lorsque le président du Front national disait en février 1984, devant les caméras d'Antenne 2 : « le cas Barbie ne m'intéresse pas plus qu'il n'intéresse tous les autres Français [83] », il se trompait, comme l'ont montré les sondages effectués lors du procès du chef de la Gestapo lyonnaise. Le procès Barbie, comme l' « affaire Roques » (traitée de manière badine par Jean-Marie Le Pen), comme toute autre forme de banalisation du nazisme et de ses crimes, posent problème aux Français en ce sens qu'ils les ramènent à leur propre histoire, non exclusivement à un phénomène étranger. C'est ce qui explique l'inquiétude et la vigilance de la majorité d'entre eux devant la percée d'une formation politique qui, si elle n'est pas spécifiquement *fasciste,* s'inscrit dans une trajectoire dont le point de départ est antérieur au fascisme et qui a abouti chez nous à Vichy.

Car c'est bien de l'amalgame vichyste dont est porteur le symbole détourné de la flamme tricolore. Ils ne s'y sont pas trompés les anciens thuriféraires de la révolution nationale, ainsi que les ex-miliciens et les vétérans de la Waffen-SS française qui ont rejoint le Front, avant ou après la « divine surprise » de Dreux. Parlant de l'un d'eux, trésorier pendant neuf ans de l'organisation qu'il préside, Le Pen disait en février 1984 devant les caméras de la télévision française : « M. Bousquet a peut-être eu les responsabilités que vous dites, il a peut-être été un ancien SS, mais moi je suis de ceux qui sont pour la réconciliation des Français [84]. »

Réconciliation des Français ou réconciliation des membres de la famille ultra-droitière, séparés par les séquelles de la guerre ou de la décolonisation? Bien sûr, le Front national n'est pas une simple résurgence de Vichy. Il y a parmi ses adhérents et ses responsables des patriotes sincères et Jean-Marie Le Pen, c'est entendu, a combattu à seize ans au maquis de Saint-Michel. Mais, de même qu'un « instituteur socialiste » ne fait pas le fascisme à lui tout seul, un ancien maquisard placé à la tête d'un parti où pullulent les admirateurs de Pétain ne suffit pas à faire de lui un prolongement de la France libre.

Héritier de Vichy, l'ancien député poujadiste l'est d'abord par ce cousinage douteux avec les nostalgiques de la collaboration d'État ou de la collaboration politique. Il l'est surtout par le syncrétisme de la formation dont il est le leader et du corpus idéologique que lui-même et ses amis ont peu à peu constitué. Y coexistent, non sans

83. « L'Heure de vérité », Antenne 2, 13-2-1984.
84. *Ibid.*

437

contradictions, le vieux fond contre-révolutionnaire et maurrassien – dont se réclame d'ailleurs la fraction intégriste du mouvement, groupée autour de Romain Marie et du journal *Présent* – et la tradition du « national-populisme », bien mise en évidence par Michel Winock [85]. Au premier, le courant lepéniste emprunte sa conception d'un État fort mais réduit à ses fonctions régaliennes, l'idée d'un ordre politique calqué sur l'« ordre naturel », sa recherche d'un compromis entre l'autorité et *les* libertés (distinctes de *la* Liberté qui n'est qu'un « principe métaphysique ») [86], son souci de restaurer les « communautés naturelles » que sont la famille, la région, le métier, etc.

De la seconde, héritière à la fois de la droite « révolutionnaire », du nationalisme ligueur et aussi d'un « fascisme » qui a, chez nous, sa spécificité et ses limites, il tire son obsession de la décadence – avec les symboles pathologiques qui s'y rattachent, hier l'alcoolisme et la syphilis, aujourd'hui le Sida [87] –, sa propension à en dénoncer les « coupables » (les étrangers, désignés de manière explicite ou elliptique, mais aussi les « rouges » et tous ceux qui ont introduit dans notre société le « laxisme » et ont ainsi concouru à l'affaiblissement de la nation), son appel, un peu plus discret qu'autrefois mais toujours vibrant sous la plume des hagiographes, au héros, au guide charismatique, à l'homme providentiel qui doit nous arracher au déclin et rendre la parole au peuple. Le monde et les institutions de la France ayant évolué depuis la IIIᵉ République, il a bien fallu faire entrer la démocratie dans la vision programmatique de l'avenir français, à condition qu'elle se plie à un projet présidentiel qui reste flou et que soit maintenue l'éventualité en cas de crise d'une « dictature à la romaine ». L'antiparlementarisme classique a été renvoyé au rayon des antiquités mais l'on a conservé, pour entretenir le moral des troupes, la critique acerbe de la classe politique et de l'« établissement ».

Comme à Vichy, au temps des « illusions » qui a précédé l'alignement pur et simple sur la puissance occupante, on se propose au Front national de donner un coup d'arrêt au déclin français par un retour aux valeurs traditionnelles, tout en faisant une place aux « jeunes cyclistes », aux champions de la modernité, qui ne sont plus aujourd'hui planistes et technocrates mais « reaganiens ». On est

85. M. Winock, « La Vieille histoire du "national-populisme" », *Le Monde*, 12-6-1987.

86. C. Maurras, *Mes idées politiques*, Paris, Fayard, 1968, p. 122.

87. Cf. J.-N. Jeanneney, « La Syphilis avant le Sida », *Le Monde*, 16-7-1987; et « L'Absinthe et la bière », *Le Monde*, 28-7-1987.

populiste, quand il s'agit de flatter la foule, « social » à la manière de Salazar, mais on annonce qu'on limitera le droit de grève et d'autres acquis du monde du travail. On se réclame de la tradition humaniste et chrétienne, mais l'on programme l'exclusion et la discrimination des nouveaux venus dans un pays dont un ressortissant sur trois est d'origine étrangère. On parle *des* libertés, mais on s'apprête à en supprimer quelques-unes, à commencer par celle qui a été donnée aux femmes d'assumer enfin leur propre destin. « La France est de retour », dit Jean-Marie Le Pen. Quelle France ?

Conclusion

Les hommes en général, les Français en particulier, aiment jouer à se faire peur. Le jeu des mots n'échappe pas à la règle. Quand, par surcroît, il permet aux professionnels du combat politicien de jeter le discrédit sur l'autre et de le tenir pour seul responsable des malheurs du monde, le jeu devient une arme dont on ne peut plus se passer et que l'on brandit à chaque menu trébuchement de l'histoire. Le mot *fascisme* fait partie du jeu. Il est un mot-joker, et comme tel il dispense le joueur des subtilités tactiques. A court terme, l'opération est presque toujours payante. A longue échéance, elle peut être catastrophique.

Au lieu de se qualifier mutuellement de l'épithète maudite et de ne voir l'origine du mal que chez l'adversaire, les Français, ou plutôt les hommes qui sont censés représenter les nuances de leur sensibilité politique, feraient bien d'interroger le passé. Il n'est porteur d'aucune vérité absolue. Il ne délivre pas d'oukase. Mais il peut les aider à comprendre et à conjurer les périls, réels et non fantasmatiques, qui menacent aujourd'hui le système de valeurs auquel ils paraissent majoritairement attachés.

La première leçon qui peut être tirée d'une expérience historique occupant grossièrement l'espace d'une vie humaine est la suivante : le fascisme, en tant que phénomène totalitaire de masse, est resté chez nous une virtualité. Il n'a pas été pour autant un épiphénomène, encore moins une « maladie morale » venue d'un autre monde et complètement étrangère à notre culture. Il n'est pas nécessairement né en France, comme le dit un peu hâtivement Zeev Sternhell, mais il a *aussi* des racines françaises.

Ce qui explique son insuccès, au moment où il triomphe chez nos voisins, ce n'est pas la faiblesse numérique des formations qui se

440

réclament de lui. Après tout, le Parti populaire français de Jacques Doriot n'était pas plus marginal que les faisceaux italiens de combat à la fin de 1920, deux ans avant la prise du pouvoir. Ce sont des conditions propres à la France de l'entre-deux-guerres, ou que celle-ci partage avec des pays où la démocratie est implantée de longue date. On ne peut que les rappeler ici brièvement : l'absence d'une véritable menace révolutionnaire permettant au noyau dur fasciste d'opérer autour de lui la polarisation des oppositions au régime libéral et à ses adversaires d'extrême gauche, donc de simplifier considérablement la carte politique, l'impossibilité qu'éprouvent les organisations fascistes et fascisantes à se rassembler en un mouvement unique, l'appartenance au camp des nantis et des pays « satisfaits » de la redistribution des cartes consécutive à la guerre, enfin et surtout l'adhésion de la majorité des citoyens à un système de valeurs, incarné en France par un modèle républicain que l'on souhaite rendre plus efficace, mieux adapté aux réalités de l'heure, mais que peu d'individus et de groupes songent à détruire.

1940 marque une rupture profonde avec cette tradition de défense républicaine qui transcende depuis longtemps le clivage droite-gauche. Quelque chose est passé avec la débâcle qui n'est pas le fascisme, qui ne le deviendra que partiellement sous la pression des contraintes externes et à contre-courant de l'inclination des masses. Ce quelque chose, les Français ne l'ont pas accueilli avec « jubilation » – la ferveur maréchaliste s'applique à un « sauveur » rencontré au fond du gouffre, non au régime qu'il instaure –, mais ils ont laissé faire. Le traumatisme de la défaite a brusquement fait sauter des défenses qui avaient tenu bon quelques années plus tôt, face à la montée bruyante de l'antiparlementarisme.

Et par la brèche ainsi ouverte dans ce qui faisait, à bien des égards, l'identité française, se sont engouffrés, sous le regard consentant d'hommes de droite et d'hommes de gauche oublieux de ce qu'ils avaient en commun, les tenants d'une contre-culture politique forgée, au fil des décennies, par addition ou fusion de courants extrémistes surgis d'horizons opposés et ayant pour cibles communes la société dite « bourgeoise », la démocratie libérale et les institutions parlementaires.

Dans des circonstances exceptionnelles, liées à la guerre, au désastre militaire et à la satellisation de la France vaincue, Vichy s'est nourri de ces courants antidémocratiques et il a fait de leur juxtaposition, parfois conflictuelle, la base de son pluralisme autoritaire. A la différence de ce qui s'est passé en Italie et en Allemagne, ce n'est pas autour du môle fasciste que s'est opérée la synthèse mais

441

par compromis entre les deux tendances dominantes de l'ultra-droite hexagonale : la contre-révolution et sa variante maurrassienne d'une part, le « national-populisme » surgi de la même matrice que le fascisme mais néanmoins distinct de celui-ci d'autre part. Il en est résulté une variante du régime réactionnaire de masse, plus proche des dictatures ibériques que du totalitarisme mussolinien, mais tout aussi répressif que' ce dernier et sur un point au moins, l'antisémitisme, pire que lui. C'est une autre leçon de l'histoire que nous devons méditer. Ce qui s'est passé, chez nous, entre 1940 et 1942 (après cette date l'autonomie de Vichy est à peu près nulle) ne vaut guère mieux que ce qui s'est produit chez nos voisins latins.

Ces distinguos apparemment subtils ne sont pas sans importance car ils commandent, me semble-t-il, l'attitude que doivent avoir les démocrates de tous bords en regard des soi-disant résurgences du « fascisme ». Je suis en total désaccord avec Louis Sala-Molins quand il dit qu'il faut appeler la « lèpre » par son nom, parlant de la percée du Front national, et quand il ajoute ceci : « Faites de la bonne casuistique, c'est mignon, c'est fin. Et vous vous apercevrez une autre nuit que, loin d'avoir arrêté le fascisme par une politique cohérente mais aussi par un rejet total, il vous aura filé entre les doigts [1]. »

Il faut précisément appeler les choses par leur nom et ne pas se tromper d'adversaire. Plus on schématisera, plus on se paiera de mots, plus on banalisera le terme *fascisme,* plus aisée sera l'esquive de la part d'une organisation politique qui inscrit son discours et sa pratique dans une autre tradition que celle du fascisme. Ce qu'il faut dire, ce qu'il faut montrer, c'est que cette tradition est tout aussi dangereuse pour notre société, pour nos institutions, pour notre culture, que celle qui a triomphé entre les deux guerres sous la forme du totalitarisme brun. Parce qu'elle a su très habilement se parer d'un manteau de respectabilité « démocratique ». Parce qu'elle avance à visage couvert, usant de l'euphémisation et de la dérision, quand elle ne s'approprie pas les mots et les arguments de l'autre. Mais surtout parce qu'elle a pris racine, il y a tout juste un siècle, dans notre sol, qu'elle fait partie de notre histoire et a réussi à vaincre une fois nos défenses.

Il y a encore des « fascistes » dans la France d'aujourd'hui. Des rescapés qui n'en finissent pas de se raconter l'histoire. Des « révisionnistes » qui la réinventent. Des héritiers qui remâchent la nostalgie de leurs pères. Des nazillons au crâne aussi rasé que vide. Il y en avait au PFN avant qu'il ne disparaisse. Il y en a, devenus plus discrets, dans

<hr/>

1. Sala-Molins, « Le Mot qui convient », *Le Monde*, 12-7-1984.

la mouvance de la « nouvelle droite ». Il y en a autour de Sidos et de Malliarakis. Il y en a dans le giron lepéniste. Tout cela forme une constellation groupusculaire qui peut toujours jouer le rôle d'une force d'appoint, mais ce n'est pas de ce côté que vient directement la menace, car le temps du « fascisme immense et rouge » est passé.

La menace est dans le retour des fantasmes, des obsessions et des haines qui ont abouti à Vichy. Dans la montée tantôt bruyante, tantôt discrète, de contre-valeurs qui ne se réclament aujourd'hui de la démocratie que pour mieux la subvertir. La démocratie ne saurait être l'habillage commode et obligé d'un projet autoritaire imposé à la France à la suite d'une « dictature à la romaine » justifiée par les « circonstances ». Le processus est connu. On fustige la « décadence ». On appelle les citoyens à réagir contre l'« invasion ». On désigne les boucs émissaires : étrangers, « communistes », « instituteurs barbus », etc. On convainc les masses que la « catastrophe » est imminente et que le pays a besoin d'un sauveur. Et l'on a d'autant plus de chances d'y parvenir que la société est en crise et que son identité est en jeu.

Car c'est bien d'un problème d'identité qu'il s'agit, révélé par un nouveau coup d'accélérateur de l'histoire. La « crise » venant interrompre les certitudes de la croissance, le chômage devenu endémique, la désindustrialisation, l'insécurité citadine et périurbaine, l'inefficacité des mesures prises par les gouvernements de gauche et les gouvernements de droite pour faire reculer ces calamités de la fin du siècle : tout cela est grave et explique en partie la remontée du vieux fond pétaino-poujadiste et les succès électoraux du lepénisme. Mais cela existe aussi dans les autres pays occidentaux et la droite extrême est loin d'y obtenir des scores aussi importants que chez nous. C'est donc qu'il y a autre chose.

Cette autre chose, c'est l'érosion de ce qui a fait depuis un siècle que la société française a su, sauf pendant l'intermède vichyste, résister aux virus autoritaire et totalitaire : une culture républicaine, présente à droite comme à gauche, et porteuse d'un consensus établi autour de quelques valeurs fondamentales. Certes, comme en témoignent les sondages, la très grande majorité des Français se déclare attachée à la liberté, à la tolérance, aux droits de l'homme, à l'antiracisme, bref aux valeurs de la République, ce qui n'incline pas à une vision trop pessimiste de l'avenir. Mais nombreux sont ceux qui, tournant le dos à cette tradition, inscrivent leurs espoirs, ou leur désespérance, dans une autre histoire, et ceci au moment où les idéologies liées au fait démocratique et les instruments classiques de l'intégration (école, syndicats, Églises) éprouvent quelque difficulté à trouver leur second souffle.

La France a été « allergique » au fascisme parce qu'elle a su, au-delà des divergences partisanes, sécréter des anticorps. Elle a trébuché en 1940 pour avoir oublié dans quel sens s'inscrivait son histoire. Ce n'est pas fondamentalement une question de droite et de gauche. Les bons et les mauvais ne sont pas d'un seul côté et il y a, dans les deux camps, des « responsables » et des « irresponsables ». Ce qu'il faut, quand c'est la démocratie qui est en jeu, c'est ne faire reculer la morale ni devant la tactique (ce que l'on a fait à gauche en jouant sur les effets de la proportionnelle), ni devant les perspectives d'une défaite électorale (ce que certains sont prêts à faire à droite). Et surtout, c'est garder la mémoire éveillée. Ou alors, comme Ingmar Bergman le fait dire à l'un de ses personnages [2] :

« Regarde la foule...

« Derrière la fine pellicule de l'œuf, se cache le reptile. »

2. *L'Œuf du serpent.*

444

BIBLIOGRAPHIE

N'ont été retenus ici que les ouvrages et les études universitaires inédites. On trouvera mention dans les notes des sources et articles utilisés.

I. OUVRAGES GÉNÉRAUX SUR LE FASCISME

ALLARDYCE (Gilbert), *The Place of Fascism in European History*, Englewood Cliffs (New Jersey), 1971.

DE FELICE (Renzo), *Comprendre le fascisme*, Paris, Seghers, 1975 : traduction française d'un ouvrage indispensable : *Le Interpretazioni del fascismo*, Bari, Laterza, 1969 (la dernière édition date de 1983).

GREGOR (A.J.), *Interpretations of Fascism*, Morristown (New Jersey), 1974.

MILZA (Pierre), *Les Fascismes*, Paris, Imprimerie nationale, 1985.

MILZA (Pierre), *Le Fascisme*, Paris, M.A., 1986.

NOLTE (Ernst), *Le Fascisme dans son époque*, Paris, Julliard, 1970. Traduit de l'allemand. I. *L'Action française;* II. *Le Fascisme italien;* III. *Le National-socialisme.*

POULANTZAS (Nikos), *Fascisme et dictature. La IIIe Internationale face au fascisme*, Paris, Maspero, 1970.

WEBER (Eugen), *Varieties of Fascisms*, Princeton, 1964.

II. OUVRAGES GÉNÉRAUX SUR LE FASCISME ET L'EXTRÊME DROITE DANS LA FRANCE DU XXe SIÈCLE

BRIGOULEIX (Bernard), *L'Extrême Droite en France*, Paris, Fayolle, 1977.

CHEBEL D'APOLLONIA (Ariane), *L'Extrême-Droite en France. De Maurras à Le Pen*, Bruxelles, éd. Complexe, 1988.

GIRARDET (Raoul), *Mythes et mythologies politiques*, Paris, Le Seuil, 1986.

PETITFILS (Jean-Christian), *L'Extrême Droite en France*, Paris, PUF, coll. « Que sais-je? », 1983.

REMOND (René), *La Droite en France de la Restauration à la Cinquième République*, Paris, Aubier/Montaigne, 2 vol., 1968 – Entièrement refondu et complété sous le titre : *Les Droites en France*, 1982, même éditeur.

WINOCK (Michel), *La Fièvre hexagonale. Les grandes crises politiques, 1871-1968*, Paris, Calmann-Lévy, 1986.

WINOCK (Michel), *Nationalisme, antisémitisme et fascisme en France*, Paris, Seuil, 1990.

LEVY (Bernard-Henri), *L'Idéologie française*, Paris, Grasset, 1981.

III. ORIGINES – PRÉHISTOIRE DU FASCISME FRANÇAIS

BREDIN (Jean-Denis), *L'Affaire*, Paris, 1983.

DANSETTE (Adrien), *Le Boulangisme*, Paris, Fayard, 1946.

GIRARDET (Raoul), *Le Nationalisme français, 1871-1914*, Paris, Armand Colin/Le Seuil, réédition 1984.

LEVILLAIN (Philippe), *Boulanger, fossoyeur de la République*, Paris, Flammarion, 1982.

RUDELLE (Odile), *La République absolue, 1870-1889*, Paris, Publications de la Sorbonne, 1982.

RIOUX (Jean-Pierre), *Nationalisme et conservatisme. La Ligue de la Patrie française, 1899-1904*, Paris, Beauchesne, 1977.

SOUCY (Robert. J.), *Fascism in France. The Case of Maurice Barrès*, Berkeley, University of California Press, 1972.

STERNHELL (Zeev), *Maurice Barrès et le nationalisme français*, Paris, Cahiers de la FNSP, Armand Colin, 1972.

STERNHELL (Zeev), *La Droite révolutionnaire (1885-1914). Les origines françaises du fascisme*, Paris, Le Seuil, 1978.

STERNHELL (Zeev), SZNAJDER (Mario) & AHERI (Maia), *Naissance de l'idéologie fasciste*, Paris, Fayard, 1989.

WEBER (Eugen), *Fin de siècle. La France à la fin du XIXᵉ siècle*, traduit de l'américain, Paris, Fayard, 1986.

WEBER (Eugen), *L'Action française*, Paris, Stock, 1964.

WINOCK (Michel), *Edouard et Cie. Antisémitisme et fascisme en France*, Paris, Le Seuil, 1982.

IV. 1919-1940

BALVET (Marie), *Itinéraire d'un intellectuel vers le fascisme : Drieu La Rochelle*, Paris, PUF, 1984.

BERGERON (Francis) & VILGIER (Philippe), *Les Droites dans la rue. Nationaux et nationalistes sous la Troisième République*, Paris, Dominique Martin, 1985.

BERSTEIN (Serge), *Le 6 février 1934*, Paris, Gallimard coll. « Archives », 1975.

BRUNET (Jean-Paul), *Jacques Doriot*, Paris, Balland, 1986.

BURRIN (Philippe), *La Dérive fasciste. Doriot, Déat, Bergery*, Paris, Le Seuil, 1986.

COSTON (Henry), *Partis, journaux, hommes politiques d'hier et d'aujourd'hui*, Paris, La Librairie française, 1960.

DACHARY DE FLERS (Marion), *Lagardelle et l'équipe du « Mouvement socialiste »*, thèse de IIIe Cycle, Institut d'études politiques, Paris, 1983.

DENIEL (Alain), *Bucard et le francisme*, Paris, Éd. Jean Picollec, 1979.

BOURDREL (Philippe), *La Cagoule. 30 ans de complots*, Paris, Albin Michel, 1970.

DIOUDONNAT (Pierre-Marie), *Je suis partout, 1930-1944. Les maurrassiens devant la tentation fasciste*, Paris, 1973.

GUCHET (Yves), *Georges Valois. L'Action française, le Faisceau, la République syndicale*, Paris, Éd. Albatros, 1975.

JACOMET (Arnaud), *Bucard et le francisme*, mémoire de maîtrise, Paris-X/Nanterre, 1970, ex. dactyl.

KUPFERMAN (Fred), *François Coty*, thèse de IIIe Cycle, Paris-X/Nanterre, 2 vol. dactyl.

KUYSEL (Richard F.), *Ernest Mercier. French Technocrat*, Berkeley, 1967.

LOUBET DEL BAYLE (Jean-Louis), *Les Non-conformistes des années 30. Une tentative de renouvellement de la pensée politique française*, Paris, Le Seuil, 1969.

MACHEFER (Philippe), *Ligues et fascismes en France, 1919-1939*, Paris, PUF, 1974.

MILZA (Pierre), *Le Fascisme italien et la presse française*, Bruxelles, Complexe (coll. « Questions au XXe siècle), 1987 – réédition et remise à jour de l'ouvrage paru en 1967 chez Armand Colin : *L'Italie fasciste devant l'opinion française, 1920-1940*.

ORY (Pascal), *Dorgères et le dorgérisme*, mémoire de maîtrise, Paris-X/Nanterre, 1970, ex. dactyl.

PHILIPPET (Jean), *Les Jeunesses patriotes et Pierre Taittinger (1924-1940)*, Mémoire IEP Paris, 1967, ex. dactyl.

PLUMYENE (Jean) & LASIERRA (Raymond), *Les Fascismes français*, Paris, Le Seuil, 1963.

PROST (Antoine), *Les Anciens Combattants et la société française, 1914-1939*, t. 1. *Histoire*; t. 2. *Sociologie*; t. 3. *Mentalités et idéologie*; Paris, Presses de la FNSP, 1977.

RUDAUX (Philippe), *Les Croix de feu et le PSF*, Paris, Éd. France-Empire, 1967.

SERANT (Paul), *Le Romantisme fasciste. Étude sur l'œuvre de quelques écrivains français*, Paris, Fasquelle, 1960.

SERANT (Paul), *Les Dissidents de l'Action française*, Paris, Éd. Copernic, 1978.

SOUCY (Robert), *Le Fascisme français, 1924-1933*, trad. de l'américain, Paris, PUF, 1988.

STERNHELL (Zeev), *Ni droite ni gauche. L'idéologie fasciste en France*, Paris, Le Seuil, 1983.

WILLARD (Claude), *Quelques aspects du fascisme en France avant le 6 février*, Paris, Éditions sociales, 1961.

WOLF (Dieter), *Doriot, du communisme à la collaboration*, traduit de l'allemand, Paris, Fayard, 1969.

V. VICHY – LA COLLABORATION

AZEMA (Jean-Pierre), *De Munich à la collaboration, 1938-1944*, tome 14 de la *Nouvelle histoire de la France contemporaine*, Paris, Le Seuil, 1979.

AZEMA (Jean-Pierre), *La Collaboration, 1940-1944*, Paris, PUF, 1975.

COTTA (Michèle), *La Collaboration (1940-1944)*, Paris. Armand Colin, coll. « Kiosque », 1964.

FERRO (Marc), *Pétain*, Paris, Fayard, 1987.

DURAND (Yves), *Vichy. 1940-1944*, Paris, Bordas, 1972.

GANIER-RAYMOND (Philippe), *Une certaine France. L'antisémitisme. 1940-1944*, Paris, Balland, 1975.

Le Gouvernement de Vichy. 1940-1942, Colloque de la FNSP, Paris, Armand Colin, 1972.

KUPFERMAN (Fred), *Laval*, Paris, Balland, 1987.

MICHEL (Henri), *Vichy année 1940*, Paris, R. Laffont, 1966.

COINTET-LABROUSSE (Michel), *Vichy et le fascisme*, Bruxelles, Éd. Complexe, coll. « Questions au XXe siècle », 1987.

ORY (Pascal), *Les Collaborateurs. 1940-1945*, Paris, Le Seuil, 1976.

ORY (Pascal), *La France allemande*, Paris, Gallimard coll. « Archives », 1977.

DELPERRIE DE BAYAC (J.), *Histoire de la Milice*, Paris, Fayard, 1969.

LEFEVRE (Éric) & MABIRE (Jean), *La LVF 1941*, Paris, Fayard, 1985.

MARRUS (Michaël R.) & PAXTON (Robert O.), *Vichy et les juifs*, Paris, Calmann-Lévy, 1981.

PAXTON (Robert O.), *La France de Vichy. 1940-1944*, Paris, Le Seuil, 1973.

WORMSER (Olivier), *Les Origines doctrinales de la « Révolution nationale » Vichy. 10 juillet 1940-31 mars 1941*, Paris, Plon, 1971.

VI. DEPUIS 1945

1. *Problèmes généraux*

ALGAZY (Joseph), *La tentation néo-fasciste en France, 1944-1965*, Paris, Fayard, 1984.

APPARU (Jean-Pierre), *La Droite aujourd'hui*, Paris, Albin Michel, 1978.

BALKANSKI (G.), *Le Fascisme hier et aujourd'hui*, Toulouse, SIA, 1974.

CHIROUX (René), *L'Extrême Droite sous la Ve République*, Paris, Librairie générale de droit et de jurisprudence, 1974.

CHOMBART DE LAUWE (Marie-José), *Complots contre la démocratie. Les multiples visages du fascisme*, Paris, FDNIRP, 1982.

CROIX (Alexandre), *Tixier-Vignancour, ombres et lumières*, Paris, Éd. du vieux Saint-Ouen, 1965.

GLUCKSMANN (André), *Fascismes : l'ancien et le nouveau*, Paris, Les Temps modernes, 1972.

GUÉRIN (Alain), *Les Commandos de la guerre froide*, Paris, Julliard, 1969.

448

RIOUX (Jean-Pierre), *La France de la IVe République*, Paris, Le Seuil, 2 vol., I. *L'Ardeur et la nécessité, 1944-1952*, 1980; II. *L'Expansion et l'impuissance, 1952-1958*, 1983.

SCHNEIDER (M.), « *Essai de synthèse pour un néo-fascisme* », Cahiers du Centre de documentation politique et universitaire (CPDU), 1973, n° 4.

DUPRAT (François), *Les Mouvements d'extrême droite en France depuis 1944*, Paris, Éd. Albatros, 1972.

SERANT (Paul), *Les Vaincus de la Libération : l'épuration en Europe à la fin de la Seconde Guerre mondiale*, Paris, Robert Laffont, 1964.

Vous avez dit fascismes, Paris, Arthaud/Montalba, 1984.

BOURRICAUD (François), *Le Retour de la droite*, Paris, Calmann-Lévy, 1986.

2. *Le néo-nazisme*

DELARUE (Jacques), *Les nazis sont parmi nous*, Paris, Éd. du Pavillon, 1968.

DEL BOCA (Angelo) & GIOVANA (Mario), *I « figli del sole », mezzo secolo di nazi-fascismo*, Milan, Feltrinelli, 1963.

EISENBERG (Dennis), *L'Internazionale nera. Fascisti e nazisti oggi nel mondo*, Milan, Sugar, 1964.

Fascisme, néo-fascisme, néo-nazisme. Rapport du séminaire international de Francfort-sur-le-Main, 2-3 mai 1970, édité par le Conseil mondial de la Paix.

LAURENT (Frédéric), *L'Orchestre noir*, Paris, Stock, 1978.

PONS (Grégory), *Les Rats noirs*, Paris, J.-C. Simoën, 1977.

THEOLLEYRE (Jean-Marc), *Les Néo-nazis*, Paris, Temps actuels, 1982.

3. *Le poujadisme*

BORNE (Dominique), *Petits-bourgeois en révolte? Le mouvement Poujade*, Paris, Flammarion, 1977.

HOFFMANN (Stanley), *Le Mouvement Poujade*, Paris, Armand Colin, 1956.

4. *Guerre d'Algérie – OAS*

BROMBERGER (Serge et Merry), *Les Treize Complots du 13 mai*, Paris, Fayard, 1959.

DEBATTY (André), *Le 13 mai et la presse*, Paris, Armand Colin, coll. « Kiosque », 1960.

FERNIOT (Jean), *De gaulle et le 13 mai*, Paris, Plon, 1965.

JULLIARD (Jacques), *Naissance et mort de la Quatrième République*, Paris, Calmann-Lévy, 1968, coll. « Pluriel », 1980.

KAUFFER (Rémi), *OAS. Histoire d'une organisation secrète*, Paris, Fayard, 1986.

REMOND (René), *Le Retour de De Gaulle*, Bruxelles, Éd. Complexe, 1983.

ROUVIÈRE (Jacques), *Le Putsch d'Alger*, Paris, France-Empire, 1976.

VAISSE (Maurice), *Alger, le putsch*, Bruxelles, Éd. Complexe, 1983.

449

5. *La Nouvelle Droite*

BEIGBEDER (Marc), *La Nouvelle Droite : qu'est-ce que c'est?*, Paris, Morel, 1979.

BRUNN (Julien), *La Nouvelle Droite. Le dossier du « procès »*, Paris, Nouvelles Éditions Oswald, 1979.

DESBUISSONS (Ghislaine), *La Nouvelle Droite (1968-1974). Contribution à l'étude des idées de droite en France*, Thèse de l'IEP de Grenoble, ex. dactyl.

DURANTON-CRABOL (Anne-Marie), *Le GRECE de 1968 à 1984. Doctrine et pratique*, Thèse de IIIe Cycle, Paris-X/Nanterre, 1986.

Fascismo oggi. Nuova Destra e cultura reazionaria negli anni ottanta, Actes du Colloque de Cuneo, 19-21 novembre 1982, juin 1983.

DURANTON-CRABOL (Anne-Marie), *Visages de la Nouvelle Droite. Le GRECE et son histoire*, Paris, Presses de la FNSP, 1998.

KRETZSCHMAR (Michel), *La Campagne de presse autour de la Nouvelle Droite*, Mémoire de DEA, Cycle supérieur d'Histoire du XXe siècle, IEP Paris, 1985.

6. *Front National – Droite extrême depuis 1981*

CHEBEL (Ariane), *La Culture politique du Front national : présentation de l'évolution d'une tradition politique française*, Mémoire de DEA, Cycle supérieur d'Histoire du XXe siècle, IEP Paris, 1986, ex. dactyl.

COULONJOU (Hélène), *Comparaison du vote Poujade de 1956 et du vote Le Pen de 1984*, IEP Paris, Mémoire de Science politique III, 1985, ex. dactyl.

Le Front national à découvert, sous la direction de Nonna Meyer et Pascal Perrineau, Paris, Presses de la FNSP, 1989.

ROLLAT (Alain), *Les Hommes de l'extrême droite. Le Pen, Ortiz et les autres*, Paris, Calmann-Lévy, 1985.

ROLLAT (Alain) & PLENEL (Edwy), *L'Effet Le Pen*, Paris, *Le Monde*/La Découverte, 1984.

ROUSSEL (Éric), *Le Cas Le Pen*, Paris, J.-C. Lattès, 1985.

ZELIG (Yves M.), *Retour du Front. A la rencontre des enfants de Jeanne d'Arc et de Jean-Marie Le Pen*, Paris, Barrault, 1985.

LAUX (Henri), *La Formation du front national pour l'unité française*, Mémoire de l'IEP de Paris, 1974.

TORDJMANN (Gilles), *Le Discours de Jean-Marie Le Pen*, Mémoire de maîtrise en science politique, Paris-X/Nanterre, 1985.

TRISTAN (Anne), *Au front*, Paris, Gallimard, 1987.

450

Index

451

452

453

454

456

457

460

461

463

464

465

Table

*Achevé d'imprimer en décembre 1990
sur les presses de l'Imprimerie Bussière
à Saint-Amand (Cher)*

N° d'édition : 12922.
Dépôt légal : janvier 1991.
N° d'impression : 3499.
Imprimé en France

Nº d'édition : 12922.
Dépôt légal : janvier 1991
Nº d'impression : 3490

Imprimé en France